BU

Biblioteca Universale Rizzoli

Peter Gomez
Marco Travaglio

REGIME

Postfazione di Beppe Grillo

BUR

FUTUROPASSATO

ISBN 88-17-00246-1

Prima edizione BUR Futuropassato: ottobre 2004
Settima edizione BUR Futuropassato: dicembre 2004

Realizzazione editoriale: Progedit - Progetti editoriali s.n.c., Bari

Per conoscere il mondo BUR visita il sito **www.bur.rcslibri.it** e iscriviti
alla nostra newsletter (per ulteriori informazioni: **infopoint@rcs.it**).

A Patricia e Lippo,
Ida e Giuseppe,
che ci hanno fatto così

Nei confronti della stampa (o, meglio, dei giornalisti)
l'impiego degli strumenti finanziari non può, in questa
fase, essere previsto nominatim. Occorrerà redigere un
elenco di almeno 2 o 3 elementi, per ciascun quotidiano
o periodico in modo tale che nessuno sappia dell'altro.
L'azione dovrà essere condotta a macchia d'olio, o,
meglio, a catena, da non più di 3 o 4 elementi
che conoscono l'ambiente. Ai giornalisti acquisiti
dovrà essere affidato il compito di «simpatizzare»
per gli esponenti politici come sopra prescelti [...].
In un secondo tempo occorrerà:
a) acquisire alcuni settimanali di battaglia;
b) coordinare tutta la stampa provinciale e locale
attraverso una agenzia centralizzata;
c) coordinare molte tv via cavo con l'agenzia per la stampa locale;
d) dissolvere la Rai-tv in nome della libertà di antenna.

dal *Piano di rinascita democratica*,
Licio Gelli 1976

Potrete ingannare tutti per un po',
potrete ingannare qualcuno per sempre,
ma non potrete ingannare tutti per sempre.

Abramo Lincoln

Introduzione

Perché un libro sul regime proprio quando il regime sembra declinare? Conosciamo l'obiezione: l'Italia di Berlusconi non è mai stata un regime, né tantomeno lo è oggi che Berlusconi è in difficoltà e rischia di perdere le elezioni politiche del 2006, dopo aver perduto le europee e le amministrative del 2004. Noi invece pensiamo che il regime ci sia, e che proprio ora, più che mai ora, sia il caso di descriverlo per quello che è, di mettere nero su bianco le sue imprese di questi primi tre anni. Conoscerlo meglio senza dimenticare nulla può essere utile per combatterlo meglio, finché siamo in tempo: l'idea di aspettare che caschi da solo pare riduttiva. Se poi, nel 2006 o quando sarà, il regime cadrà, ricorderemo com'era nato e si era consolidato, magari per sviluppare quel vaccino che Montanelli invocava per immunizzarci dal rischio di una ricaduta. Se invece sventuratamente il regime non cadrà, capiremo meglio perché.

Parlare di «regime» nel 2004 significa descrivere un sistema politico che viola il primo comandamento della democrazia liberale: la separazione dei poteri e il reciproco controllo degli uni sugli altri. Non significa evocare il ritorno del fascismo. Quello è un ferrovecchio, figlio del suo tempo e della sua ideologia bacata. Questo è un regime moderno, anzi postmoderno e postideologico. La prima degenerazione di una democrazia occidentale dopo il crollo del muro di Berlino. Un «regime mediatico», per dirla con Indro Montanelli e Giovanni Sartori. «Plutomediatico», come lo chiama Franco Cordero. Un regime fondato sullo strapotere del denaro e sul monopolio dell'informazione. Infinitamente meno trucido e meno tragico dei totalitarismi del XX secolo, anche perché nella storia le tragedie si ripetono sotto forma di farse. Ma, a suo modo, più subdolo e insidioso, proprio per il suo volto sorridente, anzi ridanciano, e per le sue virtù innate di camuffamento. Il regime berlusconiano è come il diavolo di Baudelaire: riesce a convincere i suoi nemici che non esiste. Al massimo – si dice – è un cattivo governo, perché è «di destra» e perché fa disastri. Ma non un regime, per carità. Dunque non lo si combatte per quello è. Lo si affronta dialogando quando fa cose buone e contestando quando ne fa di cattive. Come fanno le sinistre in Spagna, Francia, Germania, Inghilterra, Stati Uniti quando governano i conservatori, e viceversa. Ma questo atteggiamento delle opposizioni è proprio quello auspicato dal regime.

Il regime mediatico non ha bisogno di carri armati, squadracce, spedizioni punitive, manganelli, olio di ricino e confino. Provvede a tutto, con i medesimi risultati, la tv. I golpisti di un tempo, molto più sinceri ed espliciti, per prima cosa occupavano le sedi del Parlamento, del governo e della televisione. Berlusconi le possiede e/o controlla tutte, dunque non ha bisogno di occuparne alcuna. E quel poco che non possiede e/o non controlla riesce a condizionarlo con mille armi. Come fece con Montanelli nel '94, addirittura prima della «discesa in campo» ufficiale, quando costrinse il più grande giornalista d'Italia a lasciare il giornale che aveva fondato vent'anni prima. Pareva dovesse accadere un cataclisma, invece non accadde nulla. Così, nel 2001, il Cavaliere ricominciò da dove aveva interrotto eliminando gli altri ostacoli. Allungò persino le grinfie sul «Corriere della Sera», rendendo la vita impossibile al direttore de Bortoli, colpevole soltanto di lasciar liberi i cronisti dei processi «toghe sporche», fino a indurlo alle dimissioni.

Perché mai un simile concentrato di poteri dovrebbe sguinzagliare miliziani e picchiatori? Sarebbe, oltreché inutile, controproducente. La gente capirebbe di vivere in un regime e si comporterebbe di conseguenza. Oggi le epurazioni non si fanno più col sistema obsoleto del confino nelle isole: i cittadini aprirebbero gli occhi. Molto più semplice cancellare dal video i personaggi sgraditi, perché il loro esempio serva di lezione a tutti coloro che non vogliono fare la stessa fine. Perché spedire Biagi a Ventotene, quando si può lasciarlo tranquillamente nel suo ufficetto di galleria Vittorio Emanuele a Milano, col risultato di farlo comunque sparire? Perché confinare Santoro in qualche isoletta, quando si ottiene lo stesso risultato lasciandolo in via Teulada, a Roma, avendo cura di non farlo più avvicinare a una telecamera accesa? Se poi qualcuno parla di censura, il regime dispone di un serbatoio inesauribile di alibi, di scuse, di false giustificazioni per dimostrare che censura non è, e di sinonimi per chiamarla in un altro modo.

Analogamente, per punire e neutralizzare gli oppositori (almeno quelli sgraditi) non occorrono manganelli, olio di ricino e altri arnesi ormai fuori moda e troppo vistosi. Bastano i telekiller, con le loro campagne mediatiche fondate sulla calunnia per distruggere la reputazione e piegare la schiena ai magistrati, ai giornalisti, ai politici, agli intellettuali, agli attori scomodi. Il manganello degli anni 2000 è il tubo catodico. È più efficace l'operazione Telekom Serbia con il calunniatore di Stato Igor Marini (il peracottaro dipinto per mesi a reti unificate come «supertestimone» di sicure tangenti finite nelle tasche dei leader dell'opposizione) che una manganellata in una strada buia. In una democrazia matura l'informazione televisiva avrebbe smascherato quella patacca in mezza giornata e sottolineato che i beneficiari dell'operazione sono coinvolti nel più grave caso di corruzione giudiziaria (documentalmente provata, non inventata) della storia d'Europa. In Italia c'è voluta una lunga indagine della magistratura torinese, del tutto ignorata dalle tv, tant'è che tutt'oggi milioni di italiani sono convinti o almeno nutrono il dubbio che il falso testimone Marini avesse ragione e sia stato ridotto al silenzio da un oscuro complotto delle toghe rosse, mentre la vera testimone Stefania Ariosto passa per una poco di buono insieme a chi le ha dato retta.

***

Guardiamo il secondo governo Berlusconi. Il curriculum dei ministri e lo scarto fra promesse elettorali e risultati ottenuti ne fanno il peggiore della storia della Repubblica: nemmeno il primo, non foss'altro che per la breve durata, era riuscito a fare peggio. Eppure, nonostante i continui smottamenti, il Padrone riesce a tenerlo in piedi. Con una terapia a base di lusinghe e minacce. Appena qualcuno, come Marco Follini, dà segni di indipendenza, ecco la voce del Padrone: ti faccio sparare e poi sparire dalle mie tv. Una frase che nessun capo di governo democratico al mondo potrebbe mai pronunciare, perché non c'è al mondo un solo capo di governo democratico che possieda anche lo zero virgola uno di una televisione. Infatti, nelle democrazie normali, i cattivi governi – anche molto meno cattivi del nostro – cadono in breve tempo. Il nostro no. Il nostro stabilisce il record di longevità della storia della Repubblica. E anche quando il premier, al minimo storico di popolarità, perde 4 milioni di voti e 9 punti percentuali, questi finiscono nelle tasche dei suoi alleati: nemmeno uno in quelle delle opposizioni. Il tutto mentre nel resto d'Europa governi molto meno infami perdono molti più voti. Non sarà perché i governi del resto d'Europa non controllano le televisioni e quello italiano sì?

Il caso spagnolo è emblematico: Aznar, alla vigilia del voto, racconta che gli attentati di Madrid sono opera dell'Eta pur sapendo che sono targati Al Qaeda. Tutte le televisioni, anche quelle di area governativa, lo sbugiardano a reti unificate. E il partito di Aznar, ultrafavorito fino alla vigilia, viene sconfitto dall'outsider Zapatero. Circostanza che semina il panico in Italia, dove la prospettiva di perdere le elezioni per una sola bugia del premier è piuttosto agghiacciante. Ma quali televisioni potrebbero mai sbugiardare il premier, in un paese dove non sono le tv a controllare il premier, ma è il premier a controllare le tv? «Nelle dittature – scrive Sartori – il dittatore mente quanto vuole senza tema di smentite. Manca il modo per smentirlo: il dittatore comanda su tutti i media, e ne dispone a suo piacimento [...]. In Italia anche la tv "di tutti" è imbavagliata; il che consente a Berlusconi e alla sua squadra di mentire senza "spazio di controprova", senza par condicio per le smentite. Si capisce, a mentire ci provano tutti. Ma dove la tv è autenticamente libera le bugie hanno le gambe corte, mentre da noi hanno gambe lunghissime. La verità, sulla nostra tv, non è accertabile».

Anche qui conosciamo l'obiezione: ma Berlusconi, nel '96, le elezioni le ha perse. Certo. Ma un'elezione può essere truccata a prescindere dal risultato. Se anche fosse vero – come sostengono i minimalisti – che il monopolio tv «vale» pochi punti percentuali, in un paese dove due terzi dell'elettorato usano soltanto la tv per informarsi e farsi un'opinione senza mai aprire un giornale né un libro, ciò basterebbe a concludere che le elezioni del '94, del '96 e del 2001 non furono regolari: perché uno dei due candidati ne controllava, nel migliore dei casi, quattro su sei e, nel peggiore, cinque su sei. E il suo avversario non ne possedeva nessuna e ne influenzava, al massimo, una o due. «Se Mussolini avesse avuto la tv» diceva Montanelli «sarebbe ancora qui». E allora la vera domanda è: quanto «vale» Berlusconi al netto delle televisioni? Quanto avrebbe perso Berlusconi nel '96 senza le tv? E siamo certi che, nel '94 e nel 2001, avrebbe vinto ugualmente? Nel '94 le tv gli servirono per «vendere» il prodotto di un partito messo in piedi in pochi mesi contro un pericolo – quello «comunista» – del tutto virtuale: impresa proibitiva anche per un De Gaulle, senza l'ausilio dei teleschermi. Nel 1996, dopo cotanto fallimento, al Cavaliere mancarono i voti della Lega Nord, non certo i suoi. Nel 2001 la minestra era due volte riscaldata, viste le prove penose fornite nel '94 quando Berlusconi era al governo e fra il '96 e il 2001 quando era all'opposizione: eppure gli elettori decisero di mangiarsela un'altra volta, come se fosse la prima («bisogna provarlo», «lasciamolo lavorare»), perché in televisione nessuno aveva raccontato fino in fondo quei disastri. Così come, in questi tre anni, nessuno ha illustrato agli italiani la catastrofe del Berlusconi 2. Il che rende non del tutto improbabile un Berlusconi 3.

Se le elezioni del 2004 l'hanno punito, è soltanto perché l'Italia s'è ritrovata più povera e insicura dopo tre anni di un governo che le aveva promesso più ricchezza e più sicurezza. L'impoverimento del paese, nonostante gli sforzi delle tv per dipingerlo come il regno di Bengodi, lo toccano con mano tutti: ciascuno i conti li fa in tasca propria, senza chiedere lumi al Tg1 o a Vespa. Ma che cosa sanno gli italiani – esclusi gli addetti ai lavori – degli esiti rovinosi della politica scolastica, previdenziale, giudiziaria, sanitaria, internazionale di questo esecutivo? Quello che racconta loro la televisione: cioè poco o nulla; anzi, spesso il contrario della realtà. Senza la crisi economica, probabilmente dalle urne sarebbe uscito tutt'altro responso. Se dovesse arrivare la famosa «ripresina», consentendo a Berlusconi qualche trucchetto contabile per regalare qualche manciata di quattrini alla vigilia delle elezioni sotto forma di riduzione fiscale, il trend negativo potrebbe facilmente ribaltarsi. Anche perché non abbiamo ancora conosciuto il peggio: i prossimi due anni di regime potrebbero farci rimpiangere i primi tre. Già si annunciano nuovi colpi di mano, come l'abrogazione della par condicio e la resa dei conti con l'ultimo villaggio di Asterix che ancora sfugge (almeno formalmente) al controllo: quello di Rai3 e Tg3. A quel punto quanti sorridono alla parola «regime» cambierebbero umore.

Il monopolio televisivo è una formidabile arma intimidatoria e corruttrice non solo per gli alleati riottosi, ma anche per le opposizioni. Per questo, paradossalmente, Berlusconi vince anche quando perde le elezioni. Negli ultimi vent'anni, che lui stesse in maggioranza o in minoranza, che lui stesse dentro o fuori dal Parlamento, non è mai passata una legge in materia di televisione o di giustizia a lui sgradita. Anzi, su questi due fronti, che sono poi gli unici che gli interessano, passano sempre e soltanto le leggi che vuole lui. Dai decreti craxiani salva-Fininvest del 1984-85, alla legge Mammì del '90; dalle proroghe incostituzionali della legge Maccanico (1998, Ulivo) per neutralizzare la sentenza della Consulta del '94, alle leggi sulla giustizia scritte da Previti e approvate da destra e sinistra nella legislatura 1996-2001, giù fino agli *inciuci* della Bicamerale, senza dimenticare il Lodo Maccanico (ancora lui) per immunizzare il premier dai suoi processi, la storia degli anni Ottanta e Novanta è costellata di trasversalismi che, alla resa dei conti e a dispetto delle polemiche di facciata, fanno di Berlusconi un premier-ombra che governa non da tre anni, ma da venti. E non perde mai. Nemmeno quando vincono gli odiati «comunisti».

Qualche ingenuo pensa che il monopolio televisivo serva a Berlusconi per apparire in video più dei politici concorrenti, e si inerpica in inutili dibattiti sul «minutaggio» dei leader. Quisquilie. Il controllo sulle televisioni (e sulla pubblicità) serve soprattutto ad altro. Primo: distribuire posti e favori; condizionare anche tacitamente la carriera di migliaia di giornalisti, direttori, editori, intellettuali; scatenare o far balenare attacchi; vellicare la vanità e l'ambizione di chi per andare in video venderebbe sua madre; premiare chi si comporta bene, punire chi si comporta male, blandire chi è in dubbio sul da farsi.

Secondo: il monopolio televisivo serve a manipolare le notizie, a nascondere quelle sgradite senza il timore che qualche televisione concorrente le riveli (nel monopolio, non esiste concorrenza), a enfatizzare quelle gradite, a distrarre l'attenzione dai problemi veri con diversivi fabbricati *ad hoc* (quelle che Sabina Guzzanti chiama «armi di distrazione di massa»), a inventare scuse per i pochi insuccessi del governo che l'opinione pubblica riesce a notare. Nell'Italia del 2004 il regime può ancora attribuire la mancata ripresa economica e la mancata riduzione fiscale all'11 settembre 2001, quasi che un attentato negli Stati Uniti potesse danneggiare l'economia italiana più di quella americana, che nel frattempo ha conosciuto due successive riprese. Ancora: quanti hanno visto, al Tg1, il ministro Tremonti illustrare il presunto «buco» da 60 mila miliardi lasciato dall'Ulivo? Una decina di milioni. Quanti hanno poi saputo che quel buco non esisteva, a differenza di quello poi lasciato da tre anni di cura Tremonti (accusato dal vicepremier Fini di avere presentato «conti truccati» e, implicitamente, dal suo ex collaboratore e successore Domenico Siniscalco, che si appresta a una serie di supermanovre finanziarie per coprire una voragine di 60 mila miliardi)? Pochissimi. Così gli italiani galleggiano in una realtà virtuale preconfezionata dal regime: una placenta fasulla, fittizia, che non ha alcuna attinenza con la vita reale, creata in laboratorio come la finta guerra dell'America all'Albania nel film *Sesso e potere*. Un mondo dei sogni, anzi degli incubi, dove le missioni di guerra diventano missioni di pace, dove i poveri che non arrivano a fine mese sono ricchi con una scarsa percezione del proprio benessere, dove gli imputati diventano giudici dei loro giudici e i giudici diventano imputati dei loro imputati, dove governano i ladri travestiti da guardie dopo aver travestito le guardie da ladri. Un mondo alla rovescia che però sembra perfetto, anche perché milioni di persone guardano *Porta a Porta* e il Tg1, pensando che Vespa e Mimun abbiano qualcosa a che fare con l'informazione. Il che, tecnicamente, si chiama ossimoro.

Terzo: il monopolio televisivo serve a dettare l'«agenda» ai cittadini-telespettatori-elettori. A imporre l'unità di misura – una sola, quella del Padrone – per valutare gli avvenimenti, graduare la scala dei valori, calare dall'alto il modello di vita, fissare la priorità nelle aspettative, preoccupazioni, gioie, dolori, bisogni, ansie, paure. Se di un fatto o di un argomento la televisione non parla mai, la gente si convince che non esiste, o non è importante. Dunque non è il caso di spenderci del tempo. Nessuna persona normale ha mai sentito l'impellente esigenza del premierato forte, della *devolution*, dell'immunità per il capo del governo e magari per tutti i politici, del legittimo sospetto per traslocare i processi da un tribunale all'altro, della separazione delle carriere dei magistrati o del ponte sullo stretto di Messina. Eppure è di queste astruserie che si occupa il regime con la sottostante «informazione», fino a convincere tanta brava gente di averne un fottuto bisogno. Il Tg5 del libero e indipendente Enrico Mentana, negli ultimi mesi prima delle elezioni del 2001, era un bollettino di guerra a base di sbarchi di clandestini, omicidi per le strade e rapine nelle ville. L'«emergenza criminalità» era una rubrica fissa. Quando poi s'insediò il governo delle «città più sicure», sbarchi, rapine, omicidi continuarono come prima e più di prima. Ma sparirono (o quasi) dal video.

L'Agenda Unica condiziona pesantemente anche l'opposizione, peraltro ben felice di farsene condizionare. Se la televisione ignora i processi di Berlusconi, le *liaisons dangereuses* di Berlusconi, il conflitto d'interessi di Berlusconi, chiunque ne parli è visto come un marziano appena atterrato, un mattoide *clamans in deserto*, un soggetto bizzarro in preda a fissazioni e ossessioni. Infatti, di quegli scandali, l'opposizione parla sempre più raramente e malvolentieri. Per non uscire mai dal recinto dell'Agenda Unica che il regime ha tracciato per lei: un recinto di filo spinato denominato «riformismo» che distingue l'opposizione buona e dialogante da quella cattiva, «estremista», «massimalista», «giacobina», «girotondina», «giustizialista».

L'Agenda Unica ingabbia l'informazione: dalla truffa del «riformismo» all'italiana discende, per la legge degli opposti, quella della «demonizzazione» per squalificare chiunque descriva o persegua gli scandali berlusconiani. La «demonizzazione» è un'altra categoria del tutto sconosciuta nelle democrazie vere, dove scandali infinitamente meno gravi suscitano reazioni infinitamente più accese. E dove nessun giornalista che se ne occupi viene considerato altro da quel che è: un giornalista che fa il suo mestiere. In Italia il regime ha delegittimato tutte le istituzioni di garanzia – magistratura, corte costituzionale, informazione – scaraventandole a forza nella mischia del gioco politico. I giudici vengono etichettati politicamente a seconda del colore dei loro imputati. Le sentenze sono «politiche» (e dunque non valgono) se non piacciono al regime. Idem per l'informazione. A ogni notizia scomoda, anziché domandarsi se è vera o falsa, ci si domanda a chi conviene e chi è il mandante del giornalista che l'ha data. Così, per sfuggire all'accusa di fare il gioco di questo o di quello, la stragrande maggioranza dei giornalisti si astengono dai temi tabù, che diventano esclusiva di pochi iniziati: i fissati, appunto, i demonizzatori, i marziani, i malati. Sempre più isolati anche nella loro categoria. Ciò che nelle democrazie vere è normalità, in Italia diventa eccezione. Patologia. Devianza.

Più ci si allontana dall'Italia e ci si avvicina alle democrazie vere, più l'anomalia italiana viene colta e denunciata in tutta la sua drammaticità: dalla stampa estera di ogni orientamento, dalle istituzioni come il Parlamento europeo, il Consiglio d'Europa e l'Osce, dagli organismi internazionali come Reporters sans frontières e Freedom House. Per timore del contagio. Soltanto nella Thailandia del presidente Thaksin Shinawatra il capo del governo è proprietario delle televisioni, mentre quello del Kazakistan ha pensato bene di privatizzare la tv di Stato intestandola alla figlia. Soltanto nella Russia di Putin il Cavaliere si sente davvero a casa sua e trova la massima comprensione: Putin e Berlusconi sono, in questo senso, gli ultimi epigoni del socialismo reale, con un controllo capillare sui media che contano. Solo uno psicanalista potrebbe spiegare la scelta della Bulgaria per il famigerato *ukase* berlusconiano contro Biagi, Santoro e Luttazzi.

***

Il regime mediatico, illegale e incostituzionale, si trincera continuamente dietro una patina di pseudolegalità, svuotando l'informazione e invertendo il significato delle parole. Dopo aver abrogato i fatti e coloro che li raccontavano, ha confiscato e cancellato il vocabolario. La notizia, com'è noto, è la somma di fatti e parole. Senza fatti né parole, l'informazione sparisce. Il regime ne ha brevettata una versione altamente innovativa, che prescinde dalla realtà e si riduce a comunicazione, propaganda, spot. Solo così riesce a occultare le sue vergogne quotidiane, senza mai chiamarle con il loro nome. Epurazioni e censure vengono regolarmente giustificate in nome dell'«obiettività» contro la «faziosità». Ma obiettività non significa non avere idee: significa partire dal proprio punto di vista e applicarlo imparzialmente a tutti. Fazioso non è chi ha delle idee: è chi le cambia a seconda delle convenienze, usando due pesi e due misure. Obiettivo è Santoro, giornalista di sinistra che va sul ponte di Belgrado per denunciare la guerra di un governo di sinistra (D'Alema) dalla parte delle vittime. Fazioso è Ferrara che fa il moralista contro Di Pietro e Prodi sui (falsi) scandali di La Spezia e Telekom Serbia e il difensore d'ufficio di Berlusconi sul (vero) scandalo delle toghe sporche. Infatti Santoro in tv non c'è più, Ferrara c'è ogni sera.

Altro esempio, altro alibi: la par condicio. È una legge emergenziale varata per garantire parità di accesso alla televisione a tutte le forze politiche in campagna elettorale, in un paese dove il leader di uno dei due schieramenti è proprietario di tre televisioni su sei e ne controlla ora un'altra, ora altre due. Bene: questa legge viene continuamente violata dal regime. In compenso il concetto di par condicio viene invocato a sproposito per tappare la bocca a giornalisti, comici, intellettuali. La par condicio nella satira (una battuta di qua, una di là). E la par condicio nei dibattiti: non per dar voce a tutti, ma per bloccare gli argomenti scomodi anche se di bruciante attualità. Mentre il Padrone monologa da mane a sera, a reti unificate o a *Porta a Porta*, sfuggendo a qualsiasi confronto, tutti gli altri devono parlare circondati da un cordone sanitario di contraddittori che urlano «comunisti, comunisti, comunisti». Così la par condicio, calpestata laddove dovrebbe valere, viene applicata abusivamente a tutti coloro che non vi dovrebbero sottostare. Così, nella campagna elettorale del 2004, viene soppresso un programma sulla mafia e l'assassinio di Giovanni Falcone perché manca il contraddittorio: e chi sarebbe la controparte di un giudice antimafia, per giunta morto ammazzato? Totò Riina che l'ha fatto saltare?

Di argomenti sgraditi a Berlusconi, in tv, non si può parlare in assenza di Berlusconi. Ma, visto che Berlusconi si sottrae al contraddittorio da dieci anni, di argomenti sgraditi a Berlusconi non si parla in tv da dieci anni. Fanno eccezione un paio di programmi, subito denunciati all'Authority e alla Vigilanza (organismi superlottizzati, tipici prodotti della cultura illiberale che in Italia accomuna destra e sinistra), trascinati in tribunale con richieste di decine di miliardi e sanzionati con brutali epurazioni. Le denunce, anche le più pretestuose, diventano un'altra arma di censura. Basta una querela perché la Rai smetta di occuparsi di un certo tema scomodo e punisca chi aveva osato trattarlo. Purché sia sgradito al regime. Le denunce contro Vespa, per dire, non hanno mai provocato censure né sanzioni. Solo promozioni.

***

Il regime mediatico, per affermarsi e consolidarsi, necessita della collaborazione dell'opposizione, o almeno di una parte di essa: quella cosiddetta «riformista». I fatti dimostrano che l'ha avuta spesso: l'ispezione al Tg3 avallata dall'Annunziata, la censura della Guzzanti firmata da Ruffini, l'uscita di scena di de Bortoli minimizzata da Fassino e Bertinotti, le reazioni tutto sommato blande dal centrosinistra alle epurazioni di Biagi, Santoro, Luttazzi, Freccero, Fini, Guzzanti, Rossi e così via, dopo le quali nessuna iniziativa eclatante è stata adottata dalle minoranze. Nemmeno quando la Rai, presieduta dalla stessa Annunziata, ha ignorato le sentenze della magistratura che imponevano il reintegro di Santoro. In una democrazia vera, se il premier avesse licenziato dalla Bulgaria i migliori giornalisti e artisti dalla tv pubblica, essendo oltretutto proprietario delle reti concorrenti, le opposizioni avrebbero occupato il Parlamento, disertato i teleschermi, mobilitato le piazze, proclamato lo sciopero del canone, denunciato lo scandalo in tutte le sedi internazionali, fino a ottenere la rimessa in onda dei personaggi epurati. In Italia nulla di tutto questo: nemmeno un'ora di Aventino televisivo in segno di solidarietà con gli epurati e di protesta contro le epurazioni. Solo vuote e inutili esercitazioni retoriche, peraltro durate pochi giorni. Nessuna reazione proporzionata alla gravità dei fatti.

In fondo gli epurati non piacciono nemmeno a sinistra: personaggi troppo liberi, incontrollabili, riottosi agli ordini di scuderia. Anche il centrosinistra discende perlopiù da culture autoritarie (comunismo, craxismo, clericalismo), impermeabili a valori liberali come la divisione dei poteri. Per questo non avverte gli attacchi alla libertà d'informazione e all'indipendenza della magistratura come attentati alla democrazia. Perché soffre di un'insofferenza congenita verso i controlli di autorità terze di garanzia. I leader del centrosinistra misurano la libertà d'informazione non dal numero di notizie vere e di giornalisti liberi in circolazione, ma dal numero di poltrone a loro riservate nei talk show di Vespa e Costanzo (amatissimi anche a sinistra) e dal numero di amici presenti ai vertici delle televisioni e dei giornali.

Le sole mobilitazioni contro epurazioni e censure di regime le hanno promosse i girotondi e i movimenti, guardati con crescente fastidio dalla stessa opposizione, e alcuni comitati e associazioni messi in piedi da politici «anomali» (Articolo 21 di Federico Orlando e Beppe Giulietti, Opposizione civile di Sylos Labini, Veltri e Marzo, La legge è uguale per tutti di Nando Dalla Chiesa). La stessa categoria dei giornalisti, a parte l'impegno di alcuni leader sindacali come Paolo Serventi Longhi, ha seguito il tutto con indifferenza e distrazione, come se si trattasse di spiacevoli casi personali che riguardavano alcuni giornalisti famosi e non fossero invece in gioco la libertà di tutta la stampa e il diritto di tutti i cittadini (ed elettori) a essere informati.

Il regime mediatico produce autocensura, conformismo, servilismo, piaggeria in quantità ancora superiori a quelle già presenti in una cultura cortigiana come quella italiana. Per un giovane neoassunto alla Rai, la scena di Biagi, Santoro & C. cacciati a pedate su mandato del premier vale più di tanti ordini e di tante censure: se il regime impiega così poco a silurare i grandi, le migliaia di piccoli sanno che cosa devono (e non devono) fare per mantenere il posto di lavoro e progredire in carriera. La logica è la stessa delle Br, solo leggermente aggiornata: colpirne qualcuno per educarli tutti.

Il regime mediatico, come ogni sistema autoritario, è il regno della mediocrità e la negazione del talento. Vince Salieri e perde Mozart. Perché il libero mercato non esiste. Se vigesse la concorrenza, Biagi, Santoro, Luttazzi, Sabina Guzzanti e

Paolo Rossi, tutti fuoriclasse, tutti re dell'audience, una volta cacciati dalla Rai avrebbero impiegato un paio di minuti a ricevere offerte principesche da altre televisioni. Ma nel regime mediatico non esistono altre televisioni. Esiste la Televisione Unica controllata dal Padrone Unico e suddivisa convenzionalmente in sei canali (più uno finto, La7, di cui racconteremo la storia particolarmente istruttiva) che riflettono tutti lo stesso pensiero, gli stessi interessi, la stessa visione del mondo.

Si dirà: le censure e le epurazioni ci sono sempre state. E in parte è vero. Ce ne sono sempre state. Ma un sistema fondato sulla censura scientifica e sull'epurazione sistematica elevate a regola senza possibilità di scampo, questo no, non c'era mai stato. L'orrenda spartizione denominata «lottizzazione» garantiva quantomeno una pluralità di voci, sia pure all'interno delle culture rappresentate in Parlamento (outsider, cani sciolti, disobbedienti e anarchici alla Massimo Fini erano esclusi a priori). Ora regna l'occupazione di uno solo al servizio di uno solo, come dimostra la metamorfosi del Tg1 dopo la cura Mimun: da megafono di tutti i poteri forti a trombetta di un solo uomo, sempre lo stesso, sempre Lui. Viale Mazzini è oggi occupata da uomini Mediaset: infatti continua a perdere ascolti a vantaggio di Mediaset. Quando un giornalista francese chiede alla Rai di acquistare le immagini del processo Dell'Utri, si sente rispondere che bisognerebbe chiedere il permesso a Dell'Utri e anche a Berlusconi, come se i padroni fossero loro. E quando la televisione tedesca chiede le riprese del processo Andreotti, la risposta è la stessa: non si può. Anche se il tribunale di Palermo ha incaricato la Rai di filmare le udienze per conto di tutte le altre emittenti interessate. *Segreto di Stato.* Negli anni della televisione lottizzata, lavoravano insieme Montanelli, Biagi, Santoro, Minoli, Lerner, Barbato, Zavoli, Ferrara, Funari, Feltri, Zucconi, Letta, Bisiach, Augias, Vespa, Deaglio, Riotta, Annunziata, Cugia, Beha, Gabanelli, Guzzanti (padre e figli), Grillo, Fo, Luttazzi, Paolo Rossi, Chiambretti, Fazio e così via. Il regime, in tre anni, ha desertificato e narcotizzato tutto e tutti. I suoi figli migliori sono i Del Noce e i Marano, protagonisti del tracollo del servizio pubblico di pari passo con la censura più sfrontata. Il modello di giornalismo è Bruno Vespa, il più grande anestesista del secolo, con i suoi nipotini in sedicesimo: i Giorgino, i Pionati e le La Rosa in tv, i Socillo e i Mensurati alla radio, e altre maschere che i lettori di questo libro impareranno a conoscere. Giù giù fino ad Antonio Socci, il re del non-ascolto, il campione della non-televisione, uno che ha sbancato l'Auditel all'incontrario riuscendo a far peggio del monoscopio, uno a cui Mediaset non si sognerebbe mai di affidare un programma, né tantomeno una rete. E non perché sia di destra, o cattolico. Ma perché non è capace.

Ecco: non è vero che il regime abbia sostituito l'informazione di sinistra con l'informazione di destra. Ha semplicemente eliminato l'informazione, spazzando via i giornalisti bravi e liberi, indipendentemente dal loro colore. Il denominatore comune di Montanelli, Biagi, Santoro, Fini, de Bortoli e Mieli (bloccato sulla soglia della presidenza Rai) non è il colore politico: è il talento, la libertà, l'incontrollabilità. Per i «progressisti» alla Palombelli, alla Ruffini, alla Annunziata, alla Costanzo e alla Mentana un posto lo si troverà sempre.

È venuto il momento di lasciar parlare i fatti degli ultimi tre anni. Alla fine, ciascuno potrà decidere con più cognizione di causa se questo è un regime o no. Basterà rispondere a due semplici domande. In quale democrazia accadono queste cose? E come si chiamano i posti dove queste cose accadono?

P.G. e M.T.

P.S. Ringraziamo Laura Franza, Angelo Giacobelli, Beppe Giulietti e gli amici di «Articolo 21-Liberi di», e soprattutto le decine di colleghi che ci hanno dato una mano, ma che, visti i tempi che corrono, preferiscono non comparire.

Colpirne qualcuno

1

Massimo Fini, censura antropologica

*Ma se un tiranno (o un manipolo di deficienti,
anche democraticamente eletti) usurpa il potere
e prescrive al popolo quel che deve fare,
è anche questa una legge?*

Alcibiade

Si chiamerà *Cyrano*. Andrà in onda su Rai2 all'una di notte per quindici puntate di 50 minuti. La prima il 30 settembre 2003. Sarà un programma di costume, un talk show fuori dagli schemi, *border line*. Cyrano lo interpreterà Massimo Fini, giornalista libero e anarchico (collabora anche con testate di centrodestra come «Il Tempo» e il «Quotidiano nazionale»), con tanto di naso di gomma per somigliare di più allo spadaccino di Edmond Rostand. Una prima nella prima, visto che Fini non ha mai lavorato in televisione. Immerso nella penombra dello studio, Fini-Cyrano dirà la sua sul tema di ogni serata, condotta dalla bella Francesca Roveda alias «Cheyenne» e diretta dal giovane regista Eduardo Fiorillo. Il programma è prodotto da un branco di geniali giovanotti, riuniti sotto la sigla di Match Music. Servizi, canzoni, e in studio una grande gabbia per intrappolare un «irregolare» a sera. Si comincia con Loredana Berté, in una puntata dedicata ai tabù della vecchiaia e alle truffe del giovanilismo, intitolata *Morire prima, morire tutti*. Apparirà anche Emilio Fede, per parlare del sesso dopo i 60 anni.

Nonostante l'orario da nottambuli, *Cyrano* suscita curiosità. Anche perché andrà a coprire una fascia prima promessa a Gianfranco Funari, altro *border line* della tv, poi bocciato dal direttore leghista Antonio Marano, già sottosegretario nel primo governo Berlusconi. Tutto è pronto: contratti firmati, via libera di Marano, prove e riprove, comunicati dell'ufficio stampa Rai, lanci di agenzia, articoli sui giornali. Il 24 settembre viene registrata la prima puntata. La sera stessa, mentre sta per uscire dal palazzo Rai di corso Sempione a Milano, Fiorillo riceve una telefonata da Marano: «Sbrigati a montarmi un sunto delle registrazioni, devo vedere subito il materiale perché ci sono grossi problemi». «Problemi sul programma?», domanda ingenuo Fiorillo. «No, problemi su Fini, sulla persona. Tu puoi fare tranquillamente la trasmissione. Purché Fini sparisca dal video». Il giovane producer tiene duro: «Impossibile. Fini è coautore del programma e il personaggio di Cyrano è stato pensato e tagliato su di lui». Ha coraggio, Fiorillo. Lavora al programma da due mesi, con spese notevoli, ma si gioca tutto per difendere Fini. Si gioca anche i suoi futuri rapporti con la Rai, cioè con tutto il baraccone televisivo nazionale. *Cyrano* si fa con Fini, o non si fa.

L'indomani, 25 settembre, Fiorillo consegna al vicedirettore Gianstefano Spoto, responsabile di Rai2 per l'intrattenimento, una cassetta con il pre-montato del programma, perché la porti a Roma da Marano. Passano tre giorni. Il 28 settembre Marano convoca Fini e Fiorillo per l'indomani pomeriggio, nel suo ufficio di Milano.

Il regime in diretta

Il 29 settembre, sessantasettesimo compleanno del cavalier Berlusconi e vigilia della prevista messa in onda di *Cyrano*, Fini sale le scale di corso Sempione. Previdente, s'infila in tasca un registratore acceso. Entra nell'ufficio del direttore di Rai2, insieme a Fiorillo. C'è pure il capostruttura Michele Bovi: con lui i due chiacchierano per dieci minuti, in attesa che si liberi Marano. Bovi si complimenta. Bel programma, soprattutto la parte di Fini e l'intervista della Berté. Qualcosa da migliorare solo sull'audio e sulla voce di Cheyenne, bravissima invece nelle parti recitate in studio. Poi arriva Marano. Accento lumbard, piglio decisionista, eloquio volgarotto ma verace, parla subito chiaro: c'è un veto politico-aziendale su Fini. E gli propone di rimanere come autore, ma dietro le quinte, senza comparire in video. Fini rifiuta. Il programma è soppresso. *Cyrano* è morto, ammazzato nella culla, anzi nel grembo materno. Amen.

Ci siamo procurati la registrazione e l'abbiamo trascritta.

Bovi Io ho visto la puntata, molto carina. Le mie obiezioni erano... [*incomprensibile*] il testo letto da Cheyenne, che è molto brava in scena, ma fuori dalla scena come lettrice forse ... [*inc*]

FINI Da aggiustare sicuramente qualcosa c'è, è la prima, quindi qualche difetto sicuramente c'è [...]. Quindi la puntata le è piaciuta?

BOVI Sì, sì, infatti. In particolare l'audio è un po' impastato... ancora da aggiustare. [...]

FINI Lei [Cheyenne] si muove molto bene sulla scena.

BOVI È molto carina... La parte con Loredana Berté ... [*inc*] elegante.

FINI La scommessa era proprio questa: di tirare fuori da questi *border line*... se loro sono se stessi, nessuno quando è se stesso è volgare. Un primitivo può essere rozzo, ma non è mai volgare [...]. Del resto, i *border line* hanno qualcosa da dire, mentre altri vengono e recitano il loro personaggio che conosciamo già.

BOVI Devo dire che la tua parte mi è piaciuta molto.

FINI Ti ringrazio.

* * *

MARANO Allora come va, Massimo?

FINI Mah.

(*Marano parla con Bovi per un minuto, poi si siedono intorno alla scrivania: Fini, Fiorillo e Bovi da una parte e Marano dall'altra*)

MARANO (*a Fiorillo*) Gli hai anticipato qualcosa?

FIORILLO Gli ho detto che abbiamo questo problema.

MARANO Io voglio essere molto chiaro con te: quando Edo mi propose questa roba... ma ti posso dire che non ho mai avuto il minimo dubbio su *Cyrano*... Dopodiché questo veto che è arrivato, diciamo [...]. Io non voglio perdere *Cyrano*, perché secondo me l'idea è valida: una trasmissione che funziona e tutto il resto io non voglio mandarla al macero [...]. Dico con onestà come stanno le cose. Non stiamo qui a contarci balle. Io la voglio fare, la trasmissione. Parto. Dopodiché ... [*inc*] vediamo. Ma se non parto, non potrò mai più ... [*inc*] Dopodiché lui [Fini] rimane come autore. Facciamo in modo che non ci sia un Cyrano ... [*inc*] ma che sia un discorso ... [*inc*]. Ma se oggi faccio la cazzata di impuntarmi e di dire: è così o non è così ... [*inc*]

FINI La motivazione: perché no a me?

MARANO Allora, io ho cercato di capirla... secondo me è più pregressa che futura... non so se ci siamo capiti... c'è un motivo di una persona, però non vorrei dirtelo perché so... ma c'è una persona, che non è un politico in questo caso, che è quello che ha fatto lo stronzo in modo vergognoso. Prometto di dirtelo il primo gennaio.

FINI Ho capito. Ma questo è così potente da poter mettere in difficoltà?

MARANO No, però... ma ha fatto in modo, ha fatto in modo di mettermi in difficoltà... ha fatto in modo di far presente questa cosa che... fosse una cosa pericolosa e automaticamente ha creato un caso.

FINI Non pericolosa perché... noi facciamo un programma di costume.

MARANO Ma no... ma no...

FINI E allora diciamo è quasi... oltre che un veto politico, è un veto antropologico quasi...

MARANO In parte sì... su questa persona sì...

FINI Adesso parlo io... Lei mi ascolterà. Non so se vi rendete conto della violenza che mi state usando... Perché mi avete avvicinato voi, mi avete contrattualizzato... Erano quindici puntate, ho dovuto modificare i miei programmi, per esempio lasciare quella poca roba che avevo su Odeon tv con Funari eccetera... E cancellare un calendario di presentazioni di un mio libro che si chiama *Il vizio oscuro dell'Occidente*. Facciamo le prove, le facciamo in Rai, l'ufficio stampa Rai manda fuori un comunicato in cui si dice che è conduttore, comunque nella parte di Cyrano, Massimo Fini. I giornali ne parlano, addirittura «Sette»... [*inc*] mette il programma tra quelli interessanti del 30 settembre. Facciamo la prima puntata e, senza neanche vedere il merito, mi si dice: no, tu non puoi lavorare. Cioè, io non posso lavorare in questo paese? Cioè, io sono cittadino...

MARANO No, no, lavorare no, lavorare no... sta' a vedere, lavorare...

FINI No, meglio, meglio: ci sono lavori che io non posso fare.

MARANO Ecco, okay, questo è più preciso... Se vuoi essere...

FINI Ci sono lavori che io non posso fare. Anche nel '38 c'erano lavori che gli ebrei non potevano fare. Io mi metterò una stella gialla qui, ecco, questa è una cosa che non è accettabile: il fatto in sé, dico, no? È una piccola trasmissione, non ha grandi significati, ma è...

BOVI Il principio.

FIORILLO È il principio che conta.

FINI Il principio è fondamentale.

MARANO Però vedi, pur non conoscendoti, però apprezzandoti molto, che altro potevo raccontarti...

FINI Hai fatto bene a dirmi tutto.

MARANO Perché, se dovevo raccontarti, potevo dirti: non va più in onda perché non mi è piaciuto, il programma fa schifo... però avrei [...]. Una cosa che vorrei portarmi nella tomba è la lealtà ... [*inc*] essere fedeli...

FINI No, quelli sono i cani, è un'altra cosa.

MARANO Io sono un attivista della Lega ... [*inc*] un amico di Bossi, ed ero convinto che questo cazzo di partito era la libertà contro il sistema. Oggi vedo che un certo sistema ... [*inc*] ragiona non uguale al vecchio sistema, ma peggio... C'è il principio che il potere va utilizzato per toglierlo agli altri ... [*inc*]. Io qui potevo decidere: brucio la trasmissione, non c'è problema... Ma se adesso non parte, hanno vinto loro... Io voglio andare avanti. Ma io devo anche ... [*inc*] alla persona a cui è stato posto – non preventivamente, perché sia chiaro: il tuo nome è in circolazione da un po' di tempo, e io non ho avuto... se no lo avrei detto prima quando lui [Fiorillo] tempo fa mi fece il tuo nome, nessuno mi ha detto qualcosa – ... C'è stata una persona che all'interno della rete ha fatto un certo tipo di azione che ha portato una difficoltà oggettiva ... [*inc*] non tanto perché nella tua cassetta, che ho visto stamattina montata, tu dici che Bossi è un culattone, non so... Ma semplicemente come costruzione di dire: no, no, è meglio di no [...]. La trasmissione va avanti, teniamo Massimo Fini, dopodiché la partita la vinciamo. Se vogliamo invece, come si suol dire, far saltare il gioco, non faccio la trasmissione. E cosa ho ottenuto? Io, un cazzo. Io penso di aver perso, abbiamo perso. Non ho vinto, così, a fare una roba del genere... Io ho voluto essere onesto e dirti esattamente cosa c'era... Un minimo di coerenza è dirti chi, in modo vergognoso, ha costruito questa situazione che non c'era [...].

FINI Questo personaggio è lui, o poi dopo risaliamo al Sire di Arcore?

MARANO Non so se sia il Sire. Però – e qui mi fermo – è chiaro che poi si è alzato un po' il tiro, ma è chiaro che chi ha acceso i fuochi è questa persona. Poi chi ci ha messo il veto sono stati altri.

FINI Il no deve venire da un'autorità.

MARANO Non dal settimo piano [quello del Cda e della direzione generale, *N.d.A.*]: dal ventesimo [piano inesistente, forse per indicare qualcuno molto più potente, *N.d.A.*].

FINI Deve venire da un'autorità: da chi viene, da Cattaneo?

MARANO Io ho solo un ruolo... c'è qualcuno sopra di me... io sono sotto.

FINI Quindi c'è Cattaneo, dal punto di vista formale...

MARANO Formale è il sottoscritto. [...] Formale tu sai che è il direttore di Rai2 che te lo sta dicendo...

FINI ... che io non posso fare questa trasmissione.

MARANO È il direttore di Rai2. Quindi formalmente io mi prendo la mia responsabilità ... [*inc*]. Non vedo l'ora però che finisca questa situazione [...]. Rimontiamo tutto [senza Fini nel ruolo di Cyrano, *N.d.A.*]. Non metto in discussione la trasmissione ... [*inc*] Io così salvo, come si suol dire, la forma, ma mantengo il programma. Ma i conti li vado a fare dopo. Perché poi i conti con questi personaggi, con chi ha messo veti o ha acceso il fuoco...

FINI Questo però è un problema suo. Io ho il problema mio. Io non posso accettare di non apparire e di essere autore di questa trasmissione. Visto che così era stato presentato.

MARANO [...] Io non voglio perdere la partita... Cosa faccio? O non faccio più *Cyrano* o, se lo faccio, devo farlo bene. Allora: *Cyrano* va avanti, non metto Cyrano come personaggio ... [*inc*] rimane la produzione ... [*inc*]. E poi facciamo i conti. Tre puntate? Cinque puntate? Io so soltanto una cosa: che entro fine anno ti dirò ... [*inc*]: questa è la persona.

FINI Cioè, vuol prendersi anche la soddisfazione della vendetta...

MARANO Vendetta no...

FINI La vendetta dovrebbe lasciarla a me. Comunque non si può fare: la mia risposta è no. La mia risposta è no... perché, al di là della mia persona, ci sono in gioco dei princìpi troppo più importanti. Io ho fatto 35 anni di vita contro, prima con la vecchia Repubblica e adesso con la nuova. Devo dire che a un punto di questo genere non si era mai arrivati. Io non ho mai lavorato in Rai, non ho mai lavorato in Mediaset, è evidente che non sono mai stato chiamato eccetera. Ma arrivare al punto di propormi una cosa eccetera e poi dire che non posso avere una parte in una trasmissione di costume che va all'una e mezza di notte... mi dica cosa devo pensare. Non voglio tirare fuori grandi parole, ma questa è una discriminazione... di una gravità totale. Ma si rende conto? Me, la mia famiglia... ma siamo pazzi? [...] In realtà è semplicemente la punta dell'iceberg di tutta una storia... è il motivo per cui io lavoro su giornali *samiszdat*... Ero il migliore giornalista negli anni Settanta – può chiedere a chiunque –, la migliore promessa, sono finito a lavorare sul «Gazzettino» di Venezia. Posso accettare tutto... ho aspettato, ho subìto... Non posso subire una cosa di questo genere, abbia pazienza... Cioè, voglio dire, ripeto, che certi individui non possono fare certi lavori... Lo si metta per legge, così almeno si metteranno al sicuro: sia lei che i Fiorillo della situazione che ingenuamente si sono rivolti a me senza sapere che ero un appestato, e almeno sia chiaro... Non si può accettare un diktat di questo genere, che non ha nessuna motivazione professionale, nessuna motivazione al limite neanche politica, nel senso che non so a che cosa si possa addebitare.

MARANO Scusa una cosa: quando due giorni fa...

FINI Lo diventa di fatto, politica... Lo è, ma è politica e insieme antropologica [...]. Se c'è stato un giornalista che ha difeso la Lega, quando la Lega era trattata peggio delle Brigate rosse, sono stato io. Sono stato l'unico intellettuale, insieme a Giampiero Mughini, non di area missina ad andare negli anni Ottanta alle *convention* del Msi: non perché mi identifichi con le loro posizioni, ma per testimoniare il diritto di 4 milioni di italiani alla cittadinanza politica, quand'erano esclusi dalla truffa dell'arco costituzionale. Quindi, voglio dire, in altri tempi, quando mi è stato chiesto ho finanziato «il manifesto», nei limiti delle mie possibilità, quando me lo chiese Rossana Rossanda: io non avevo nulla a che vedere con «il manifesto», ma perché questa è la mia linea. Mi rendo conto che è una linea totalmente assurda, in un paese di questo genere, nel senso che uno viene discriminato a priori.

MARANO ... [*inc*] io ho fatto tutte le lunghe verifiche non politiche, ma aziendali, e ti posso garantire che non ho avuto nessun problema ... [*inc*]. Io lo sto pagando...

FINI Tu lo paghi molto più di quanto non lo paghi io. Io non faccio una trasmissione, ho 58 anni, non ho mai lavorato in televisione, per i pochi anni che mi restano posso non lavorare in televisione. Finché posso lavorare nei giornali, lavorerò, poi quando non posso lavorare neanche per i giornali, vedremo. Certamente questa è una cosa che mette in imbarazzo e in una posizione insostenibile soprattutto te.

MARANO ... [*inc*] questa situazione... è nato un incidente di percorso, ma l'incidente di percorso ha doppio valore, perché non è stato soltanto su di te ... [*inc*] ma in parte anche sul sottoscritto. Perché mi sono permesso di dire, non solo nel tuo caso, ma anche in altri tre o quattro casi, ... [*inc*] che io faccio il direttore di Rai2 per fare una rete libera ... [*inc*]. Siamo realisti: non è che voglio dire che adesso mando in onda Santoro tutte le sere, non stiamo parlando in quel senso lì. Ma nel senso di dire: ma perché cazzo devo discriminare solo perché quello... un altro ha detto che quello ha sette centimetri di tacchi e quindi è un piccolo nano... No, non ci stai. Non si può discriminare qualcuno perché non ha firmato il contratto di là invece di venire di qua. Certo, posso accettare che se uno mi va in televisione e mi dice che Bossi è un ubriacone e Berlusconi un mafioso... allora no, non lo accetto. [...] Nel nostro caso c'è stato un incidente di percorso dove tutto poteva andare in onda e nessuno rompeva il cazzo, e ha acceso, ha creato questa situazione. Io ... [*inc*] chi diceva, chi ha fatto questa situazione era fuori da ogni logica, cioè non era vero. [Lui mi ha detto:] «Non crearmi incidenti, stai già rompendo i coglioni, sta già rompendo il cazzo con questo, con questo, con questo, e adesso rompi il cazzo anche con Massimo Fini». E io ho detto: «Ma io con Massimo Fini non rompo il cazzo. Non lo conosco neanche!», dico, capito? Cioè: so chi cavolo è, so che è un grande professionista, so che è una trasmissione *border line*, nuova, diversa... Ho tentato di spiegare come cazzo sia. Cioè una trasmissione dove non c'è un tocco politico, non c'è un tocco satirico: c'è un tocco di profondità, c'è la sintesi e la profondità su vari singoli argomenti. Ma non gliene importava un cazzo, perché nella logica del grande circo Barnum di questo cavolo di paese, ogni tanto vengono, nella loro logica di chi ha il potere, innestati... come dire... dei... «Hai visto? Noi siamo in grado di fare queste cose!». Ma non per un potere vero, ma come simbolo. E in questo caso hanno rotto il cazzo a me. A noi. Questa è la vera storia ... [*inc*]. Io li ho tranquillizzati, tutto quanto, anche gli uffici legali. Quindi non è che ci fosse stato qualcun... «Oh, mio Dio, arriva Massimo Fini, blocchiamo tutto!» ... [*inc*]. No. È vero che qualcuno a livello politico... ha raccolto questa situazione ... [*inc*]. Allora io devo decidere: se andare in onda e quindi aprire un fronte, oppure ... [*inc*]. Però mi sembrava onesto nei tuoi confronti dire qual è ... [*inc*].

FINI Allora: la risposta è no. Lei capisce che [...] io ci metterò tutto il mio possibile. Non credo che possa passare inosservato un fatto di questo genere. [...] Non so con chi pensavate di trattare. Nonostante tutto, non sono proprio l'ultimo ... [*inc*]. Sono un outsider, ma un minimo di notorietà ce l'ho. Come si fa a trattare così una persona? Ma su, ma siamo seri! Si può fare una cosa di questo genere? Non si può. Non si può nemmeno dal punto di vista personale. È una violenza che in altri tempi avrebbe provocato ben altre reazioni. Oggi siamo nella legge, nelle cose civili, uno deve stare tranquillo. Ma questa è una violenza inaudita.

MARANO Io avrei potuto dire: «Il programma fa schifo, sono cazzi tuoi»...

FINI Come «il programma fa schifo»? Non so, io non posso entrare nella sua testa. [...] La questione di fondo è che, se al posto mio ci fosse Pietro Bianchi e io sapessi una situazione del genere, scatenerei un casino d'inferno. Va oltre la persona di Edoardo, va oltre la mia persona... Io spero che serva per far capire in che razza di sistema si vive. Non ci possono essere cittadini di serie B che a priori non possono fare dei lavori. Queste erano le leggi razziali del '38. Con un'aggravante: che qui la cosa è tutta kafkiana. Se almeno ci sono le leggi, tu lo sai: «Tu non puoi fare quello», vabbè, mi dedicherò all'usura, non so, a fare delle altre cose. Ma io non posso fare, per una parte, il mio mestiere. Viene giustificato questo. E questo non lo posso accettare ... [*inc*]. Io non ho cercato nessuno, c'era l'approvazione della direzione di rete, mi hanno detto «C'è questa figura [Cyrano], mi pare che tu sia adatto»... Perché a un certo punto devo dire no? Ma cosa ho: la peste? Ho l'Aids? ... [*inc*]. È una questione di principio di fondo, che vale per me, ma vale per tutti quelli, magari meno noti di me, che devono subire questioni di questo genere...

MARANO Scusa, Fini, però se domani, nella trasmissione con Carmen Lasorella, ci sono delle obiezioni su Carmen Lasorella come conduttrice di un certo tipo di format piuttosto che come conduttrice del telegiornale, beh, le dicono no e la rimandano ... [*inc*] dopo due anni...

FINI Ma noi non abbiamo nemmeno questa verifica. La verifica interna dice che il programma va benissimo.

MARANO Qui la verifica interna non è fatta sul fatto che sei brutto, che ... [*inc*] non hai gli occhi azzurri o che non parli italiano ... [*inc*] professionalmente ... [*inc*]

FINI Ma in fondo è anche poco importante. È un meccanismo che porta a questo.

MARANO La cosa che posso confermarti è che non ho mai avuto preventivamente da nessuna parte obiezioni su di te. Quindi non era il problema dell'appestato che arriva. No ... [*inc*]. C'è qualcuno che non accetta il mio modello di rete ... [*inc*]. È successo. Potevo prendere lui [Fiorillo] e dirgli: «Guarda, è una merda, tienitela a casa tua, non va in onda. Qual è il problema? Cento milioni? Son sempre soldi, ma voglio dire... Beh, francamente ho detto no: ho voluto spiegargli il perché, dirgli che è importante quella trasmissione ... [*inc*]

FINI Facciamo finta che vada questa ipotesi. Tu pensi che si fa questa trasmissione, Fini non c'è più nella parte di Cyrano, e qualcuno non si chiede qualcosa?

MARANO Quello è garantito, ma io mi sto ponendo un altro problema. Io non accetto quello che sta succedendo.

FINI E allora, se non accetti, devi dirgli di no.

MARANO Eh lo so...

FINI Non c'è una via di mezzo.

MARANO Ma, se dico no, ho perso.

FINI Pazienza.

MARANO Se io dico di no, non va in onda *Cyrano*, e che cosa ho risolto? Mando davvero un telefilm, che mi fa anche gli ascolti: non è quello il mio problema. Ma che cosa ho ottenuto? Ma dov'è che ho vinto?

FINI Guarda che è sui princìpi che si gioca tutto, perché se si comincia ad accettare una cosa, poi se ne accetta un'altra e poi un'altra e un'altra ancora. Tutta la storia è andata così. Guarda che il fascismo non si afferma in virtù dei fascisti, si afferma in virtù di quelli che per opportunismo, per viltà, per non aver capito la situazione, si adeguano... Queste cose, ripeto, non sono accettabili in radice. È come se io dicessi a una ragazza: «Guarda, ti stupro, però poi dopo...». No! Io ti sto stuprando, punto, fine. Io non posso accettare la faccenda, se non voglio farmi stuprare. Non c'è una mediazione su queste cose, non c'è assolutamente...

* * *

A questo punto la registrazione s'interrompe, perché è finito il nastro della cassetta. La conversazione prosegue per un altro po'. Marano aggiunge che *Cyrano* non è gradito al suo vicedirettore con delega all'informazione: Antonio Socci.

Le bugie del giorno dopo

Chi ha posto il veto? Non certo la Lega, il partito di Marano. Non certo An, visto che Marano rivela a Fiorillo che l'altro vicedirettore, Spoto (in quota An), ne ha parlato col ministro Maurizio Gasparri il quale, pur dicendo di non amare Fini (Massimo), non ha obiezioni sul suo conto. Improbabile l'Udc: conta come il due di picche. Resta Forza Italia, rappresentata a Rai2 dal vicedirettore ciellino-berlusconiano Antonio Socci. Il quale – a detta di Marano – era molto agitato perché temeva che *Cyrano* potesse interferire con l'informazione (si fa per dire) di Rai2, di cui lui è il responsabile (si fa sempre per dire). Ma c'è pure, fra gli indiziati, l'ala milanese di An incarnata da Ignazio La Russa, molto vicino al direttore generale della Rai Flavio Cattaneo e alla famiglia Berlusconi.

In attesa di saperne più, Fini denuncia subito l'accaduto in un articolo sull'«Unità» e in alcune interviste al «Gazzettino», a «Libero», alla «Padania», a «Linea» (organo del Msi-Fiamma Tricolore) fra il 1° e il 2 ottobre. La Rai prende tempo: «Per il momento la trasmissione è solo posticipata di una settimana», si legge in una nota dell'ufficio stampa, che il 29 settembre annuncia il cambio di programma per il 30: «Abbiamo visto la prima puntata montata e non andava bene. Piuttosto che uscire con un prodotto imperfetto, preferiamo aspettare e fare le cose come si deve. Ma non abbiamo preso alcuna decisione definitiva». L'indomani si fa vivo anche Marano: «Si è ritenuto che questo programma non fosse già pronto per la messa in onda, e allora lo abbiamo bloccato. Lo rimonteremo, vediamo di costruire qualcosa che sia sulla stessa linea. È solo una questione di tempo. Da Roma, mi hanno comunicato che il coordinamento palinsesto non lo ha valutato idoneo alla messa in onda. Tutto qui». Due bugie in poche righe: il veto a Fini è arrivato prima che venisse registrata la prima puntata, è stato comunicato a Fiorillo prima che questa venisse montata e dunque visionata dai dirigenti Rai, e questi, dopo averla vista, l'hanno trovata ottima. Tant'è che, a prescindere dalla conversazione registrata di nascosto, *Cyrano* era stato regolarmente annunciato dall'ufficio stampa Rai alle agenzie e ai giornali fra i programmi in onda la sera del 30 settembre.

Il 3 ottobre Spoto scrive all'«Unità» per rispondere a Fini e smentire di aver mai «sondato» Gasparri. Però ammette: «È vero che in una normale conversazione, il ministro mi ha dimostrato positiva curiosità per *Cyrano*, ma è falso che abbia mai espresso alcun apprezzamento nei confronti dello stesso Fini». Fini replica:

L'episodio in questione fu riferito da Antonio Marano a [...] Fiorillo. Poiché però, in questa brevissima esperienza Rai, la mia prima e ultima, ho capito che i suoi dirigenti, funzionari e persino uscieri smentiscono in pubblico quello che dicono e fanno in privato, ho capito anche che con loro è opportuno parlare solo in presenza di almeno un paio di testimoni e, possibilmente, anche di un registratore. Perciò mi riferirò solo all'incontro avuto con Marano, in Rai, il 29 settembre, alla presenza di Edoardo Fiorillo e di Michele Bovi. Marano ci ha detto che quando, una ventina di giorni prima della messa in onda, cominciarono le prime turbolenze su *Cyrano* e a soffiare sul fuoco si misero alcuni personaggetti, come Antonio Socci che si agitava molto temendo che noi potessimo invadere il campo dell'informazione (invece ci occupavamo di costume), fece alcune verifiche per vedere se c'erano delle ostilità politiche nei miei confronti. Una la fece lui personalmente con l'onorevole Calderoli della Lega, l'altra l'affidò a Gian Stefano Spoto, uno dei suoi vice in quota An (com'è noto non c'è nessuno in Rai che non sia «in quota», tantomeno Spoto) presso l'«area di destra», vale a dire i vertici romani di quel partito. «Ma – aggiunse Marano – la destra di Roma non è la destra di Milano. Gasparri non è La Russa». Può bastare? O vogliamo andare avanti e costringere Antonio Marano a dire in tribunale il nome del mascalzone che, senza averne alcuna autorità formale, ha impedito la messa in onda di una trasmissione Rai e posto un veto quasi razziale sulla mia persona? Io sono disponibile. In quanto al ministro Gasparri, che un tempo, come i suoi amici della «Nuova Destra», era un cultore del mio *La Ragione aveva Torto?*, si diceva un mio fan e mi era grato perché difendevo il diritto suo e dei suoi camerati ad esistere politicamente, mentre ora che l'appestato sono io non muove orecchio, mi fa piacere che avesse delle curiosità per il *Cyrano*. Peccato che non possa esaudirle. Ma se viene a Milano gli faremo vedere la prima e unica puntata, che è bella e poetica, oltre che televisivamente valida, non per merito mio ma per il lavoro degli straordinari ragazzi di Match Music [...]. E la cosa più infame di questa vicenda dei Marani, degli Spoti e degli Innominati è la brutale pedagogia che la Rai – ma è più esatto dire il potere politico che arbitrariamente la occupa – ha fatto a questi giovani, professionalmente validi, entusiasti e, oso dire, moralmente puliti: o chini la testa, o ti uccidi a forza di umiliarti, come tanti dirigenti e funzionari Rai, oppure non lavori. Bravi, continuate così.

Dall'opposizione, alcuni parlamentari protestano e chiedono alla commissione di Vigilanza di intervenire. Non sono molti, c'è lo spazio per nominarli tutti: Sandro Battisti e Paolo Gentiloni della Margherita, Giuseppe Giulietti, Franco Grillini, Giovanna Melandri e Giovanna Grignaffini dei Ds, Alfonso Pecoraro Scanio e Mauro Bulgarelli dei Verdi, Franco Giordano di Rifondazione, Marco Rizzo dei Comunisti Italiani, Roberto Villetti ed Enrico Buemi dello Sdi. E, fuori del Parlamento, Antonio Di Pietro. Parlano di «epurazione politica, censura preventiva e inaccettabile discriminazione verso un giornalista sulla cui indipendenza e autonomia di giudizio concordano pressoché tutti». Anche l'associazione «Articolo 21-Liberi di», presieduta da Federico Orlando, chiede l'immediata convocazione di Marano davanti alla Vigilanza. Claudio Sabelli Fioretti e l'Osservatorio sulla legalità di Rita Guma, sui loro siti, avviano una raccolta di firme. Aldo Grasso, unico commentatore a occuparsi del caso, parla su «Sette» di «censura stupida» e di «disonore difficilmente cancellabile». Ma Veneziani, sul «Giornale», nega sdegnosamente qualunque censura e argomenta: «Visto che Fini è tanto bravo e così necessario al video» come mai la Rai dell'Ulivo «non aveva pensato a offrirgli un programma?». È la conferma che Fini non può lavorare, né sotto la sinistra né sotto la destra. Anzi, la Casa delle Libertà.

Il Pinocchio di Rai2

La Vigilanza si mette in moto. Il presidente Claudio Petruccioli (Ds) convoca anzitutto Marano. Il quale, in attesa di presentarsi in carne ed ossa, il 14 ottobre manda avanti una sua lettera in cui dà tutta la colpa a Fini:

> Posso sin d'ora confermare che nessun veto politico è stato imposto, ma che la mancata realizzazione del programma in questione con la presenza del Dott. Fini è stata determinata da scelte esclusivamente editoriali. Dopo aver visionato la prima puntata del programma, i miei collaboratori ed io abbiamo ravvisato la necessità di apportare alcune non marginali modifiche con specifico riguardo alla figura dell'opinionista che avrebbe rallentato il ritmo della trasmissione. Queste valutazioni sono state da me anticipate qualche giorno prima al Dott. Fiorillo che si assunse il compito di trasferirle al Dott. Fini. Successivamente lo stesso Fiorillo mi pregò di esporre direttamente al Dott. Fini la necessità delle modifiche da introdurre nel programma: ciò che io ho fatto immediatamente dopo, alla presenza dello stesso Fiorillo, proponendo al Dott. Fini di avere comunque parte nella confezione del programma con il ruolo di autore e motivando con opportuni eufonismi [*sic*] le ragioni per le quali il ruolo di opinionista non poteva essere mantenuto. Il Dott. Fini ha negato la sua disponibilità al preposto [*sic*] cambiamento e, essendo lui coautore del programma, questo ultimo non ha potuto aver seguito senza il suo consenso agli emendamenti richiesti.

A parte i rapporti conflittuali fra Marano e la lingua italiana, la sua versione è chiara: nessun veto, men che meno politico. È Fini che non funziona, anche se si è preferito non dirglielo e indorargli la pillola con opportuni «eufonismi». Anziché comunicare le sue più che legittime scelte editoriali, Marano si sarebbe inventato un inaudito «veto politico», screditandosi irrimediabilmente agli occhi di Fini e dei lettori di tutti i giornali sui quali Fini promise di rivelare quella conversazione. Non serve altro, per sottolineare l'assurdità della versione di Marano. Fini la smentisce a stretto giro di posta, con una lettera a Petruccioli, il 16 ottobre:

Lo stop alla mia persona per il programma *Cyrano* non può in alcun modo essere riferito ad una questione professionale, come afferma Antonio Marano, per la semplice ragione che esso avvenne prima che lo stesso Marano o altro dirigente Rai potesse vedere e valutare la prima e unica puntata da noi registrata. Noi [...] registrammo la puntata il pomeriggio del giorno 24 settembre, dalle 15 alle 19, senza che fosse presente alcun dirigente Rai. Immediatamente dopo, e quindi senza che la puntata avesse potuto essere visionata da alcuno (oltretutto doveva ancora essere montata, si trattava cioè di ridurre quattro ore di registrazione a un'ora, la durata effettiva del programma), Eduardo Fiorillo [...] fu chiamato da Antonio Marano che lo informò che le difficoltà erano aumentate (i rombi di tuono contro *Cyrano* erano infatti iniziati qualche tempo prima), che c'erano dei veti. «Sul programma?» chiese Fiorillo. «No, sulla persona, su Massimo Fini» rispose Marano che gli propose di eliminarmi dal programma [...]. Fiorillo rispose che non era possibile [...]. Queste cose me le raccontò Fiorillo, quella sera stessa, e così vennero da lui riferite anche agli altri protagonisti di *Cyrano* [...]. Finita la telefonata con Marano, Fiorillo, piuttosto sconcertato, parlò di questo veto alla mia partecipazione anche con due dipendenti della Rai di Milano lì presenti, Riccardo Perani, responsabile di Tv Uno, e il tecnico Silvio Palombella. Il 29 settembre Antonio Marano convocò me ed Eduardo Fiorillo presso la sede Rai di corso Sempione a Milano, alla presenza di Michele Bovi. A quel punto Marano aveva visto la registrazione della prima puntata che sarebbe dovuta andare in onda l'indomani [...], ma durante la discussione non fu fatto mai nemmeno un accenno alla mia prestazione professionale. Marano esordì dicendo che voleva parlarmi chiaro, senza trincerarsi dietro paraventi di comodo, e proseguì riferendomi che sulla mia persona c'era un veto, «aziendale e politico» e, aggiunse in seguito, «quasi antropologico», da parte di una persona che si era agitata molto contro il *Cyrano* e che poi doveva aver sollecitato le «alte sfere» per bloccarlo. Non intendeva farmi il nome di questa persona, né io glielo chiesi; lo avrebbe fatto, disse, «il primo gennaio», chissà perché. Eduardo Fiorillo è stato presente all'intera conversazione e può testimoniare in proposito. In più io posseggo una registrazione di questa conversazione che, seppur di fortuna e incompleta [...], conferma quanto ho scritto sopra. Chiedo quindi alla cortesia della Commissione da lei presieduta di sentire le seguenti persone come testimoni [segue l'elenco, *N.d.A.*]. Sono inoltre disponibile, se la Commissione ritenesse opportuno sentire la registrazione [...]. Le cose che qui ho riferito le ho pubblicate, negli stessi termini e con gli stessi dettagli, sul quotidiano «l'Unità» del primo ottobre, senza che il dottor Marano sentisse il dovere di smentire affermazioni così gravi con la motivazione che fornisce ora alla Commissione, ma dando, nelle riottose interviste rilasciate, risposte molto vaghe. Quasi inutile sottolineare, caro presidente, il danno di immagine, oltre che professionale, economico e di tempo, che la Rai mi ha procurato prima strombazzando il mio nome come protagonista di *Cyrano* e poi, solo dopo che è stata messa alle strette dall'indagine della Commissione Parlamentare, mascherando il veto a priori alla mia persona, configurando come motivazione una mia inadeguatezza professionale. Il danno e le beffe dopo 35 anni di attività giornalistica in cui nessun direttore – e ne ho avuti tanti e alcuni prestigiosi, da Guglielmo Zucconi a Indro Montanelli a Tommaso Giglio a Pier Luigi Magnaschi a Vittorio Feltri – abbia avuto mai, dico mai, alcunché da ridire sulle mie capacità professionali, anche se forse qualcosa sul mio carattere. Bisognava attendere il dottor Marano. Cordiali saluti, Massimo Fini.

Vigilanza, si fa per dire

Petruccioli non convoca i testimoni indicati da Fini (i due dipendenti Rai e lo staff di *Cyrano*). Il 23 ottobre si limita a chiedere a Fiorillo di confermare o smentire la versione di Fini, incompatibile con quella di Marano: «La Commissione di Vigilanza che presiedo vuole chiarire esattamente questo punto: se ci sia stato effettivamente il "veto politico" denunciato da Massimo Fini e se questo argomento sia stato usato dal direttore Marano». Fiorillo, in una lettera del 29 ottobre, conferma tutto.

Fini trasmette a Petruccioli la cassetta, da cui si evince chiaramente – se ancora esistesse qualche dubbio – che Marano racconta frottole. Ma incredibilmente Petruccioli decide di trattenere la bobina in Ufficio di presidenza, senza farla ascoltare ai commissari né utilizzarla né tenerne conto.

Il 16 dicembre Marano si materializza in commissione. Petruccioli lo rassicura subito: la bobina non verrà mai usata contro di lui. Ma fa notare che, «qualora la ricostruzione del dottor Fini e del dottor Fiorillo rispondesse a verità, ci si troverebbe di fronte a un episodio estremamente grave di censura e di ingerenza esterna sulla conduzione di una rete del servizio pubblico». Marano ringrazia sentitamente. Annuncia subito che denuncerà Fini per aver registrato di nascosto il colloquio. Poi, allegramente, cambia versione rispetto alla lettera di due mesi prima: *Cyrano* – spiega ora – è stato chiuso perché, contrariamente alle promesse e alle premesse, era risultato più un programma di informazione che di costume, e dunque rientrava sotto le competenze di Antonio Socci, il quale, senza nemmeno visionare il materiale, decise che non era «conforme alla linea editoriale della rete nel settore dell'informazione». Ecco la sintesi dell'intervento maranesco nel verbale della commissione:

Il dottor Marano ringrazia in primo luogo per l'opportunità che gli viene offerta di fornire una ricostruzione esauriente dei fatti, preannunciando peraltro che intraprenderà azioni legali nei confronti del dottor Fini per l'iniziativa da lui assunta di registrare di nascosto il loro incontro, che configura un reato e che rappresenta una grave violazione della privacy. Egli fa presente quindi di aver effettivamente segnalato al dottor Fiorillo fin dal 24 settembre l'esistenza di problemi sulla trasmissione, che però nulla avevano a che vedere con presunte ingerenze o pressioni esterne e potevano essere definiti politici solo in quanto inerenti alla politica editoriale della rete. In effetti le decisioni editoriali vengono prese da lui di concerto con il vicedirettore responsabile per il settore editoriale al quale appartiene il programma da realizzare o da acquistare. Poiché nella proposta originaria della società di produzione Match Music *Cyrano* si configurava come programma di costume, pensato per la terza serata televisiva, la sua realizzazione era stata decisa di concerto con il vicedirettore dottor Spoto – responsabile per il settore dell'intrattenimento – e affidato alla sua supervisione.

Avendo ricevuto però la sceneggiatura della prima puntata, ci si era resi conto che *Cyrano* si configurava piuttosto come un programma di informazione, e che pertanto rientrava nella competenza del vicedirettore dottor Antonio Socci. Quest'ultimo, da lui interpellato, riteneva che il programma non fosse conforme alla linea editoriale della rete nel settore dell'informazione. Poiché intendeva fare il possibile per salvare il programma in avanzata fase di realizzazione, il dottor Marano aveva rappresentato a Fiorillo il 24 settembre la necessità di intervenire sul programma nel suo complesso, prevedendo anche la possibilità che a Massimo Fini fosse riservato un ruolo unicamente di autore, e questa sua idea era rafforzata nei giorni successivi nella visione della prima puntata di *Cyrano*, dalla quale risultava a suo parere evidente lo scarso impatto televisivo della prestazione del dottor Fini, tutte questioni da lui esposte a Fini ed a Fiorillo nell'incontro del 29 settembre, seppure in termini tali da non ferire la suscettibilità del dottor Fini con una opinione troppo cruda sulla sua performance in video.

Il dottor Marano conclude ribadendo di non aver subito alcuna pressione esterna all'azienda e che comunque la società Match Music ed il dottor Fiorillo collaboreranno con la rete realizzando un programma dal titolo *Border Line* che ha appunto le caratteristiche che avrebbe dovuto avere *Cyrano* secondo l'originario progetto.

Anche queste, come dimostrano la *consecutio* degli avvenimenti e la registrazione, sono bugie. Ma in Vigilanza scrosciano gli applausi dei commissari di maggioranza, entusiasti per la brillante performance di Marano e sdegnati per l'«atto odioso e inqualificabile» di Fini, reo di aver «carpito la registrazione al dottor Marano». Così si esprime l'onorevole forzista Giorgio Lainati, che plaude alla denuncia minacciata da Marano e chiede che «Fini sia perseguito in via disciplinare dall'Ordine dei giornalisti». L'onorevole Davide Caparini (Lega Nord) «si associa alle considerazioni del collega Lainati sulla deprecabile iniziativa del dottor Fini». L'onorevole Alessio Butti (An) «condi-

vide le considerazioni dei colleghi Lainati e Caparini circa l'inqualificabile comportamento del dottor Fini» e chiede di finirla di correre dietro a «simili pettegolezzi». Il senatore Antonio
Jervolino (Udc) «si dichiara pienamente soddisfatto dalle spiegazioni fornite dal dottor Marano e si associa alle considerazioni dei colleghi circa il comportamento del dottor Fini». Marano, ormai in trionfo, conclude ribadendo che «non vi è stata
alcuna pressione su di lui né dall'interno né dall'esterno dell'a-
zienda». Il presidente Petruccioli, dopo un paio di precisazioni,
«ringrazia il dottor Marano e dichiara chiusa l'audizione formale». Tutti i salmi finiscono in gloria. Lo reincontreremo spesso, il debolissimo presidente diessino della Vigilanza. Forse non
proprio l'uomo giusto al posto giusto, visto che notoriamente è
amico del presidente Mediaset Fedele Confalonieri e che il
figlio di sua moglie, Giangiacomo Mazzucchelli, lavora al Tg5.

Un sopruso odioso

A questo punto, in Vigilanza, manca solo Socci, che Marano ha
tirato in ballo come colui che oppose il gran rifiuto. Il 12 gennaio Petruccioli lo invita a comunicargli per iscritto la sua versione dei fatti. Da Socci, però, nessuna risposta. Il 18 gennaio
replica invece Fini, esterrefatto dal verbale dell'audizione di
Marano.

> La Commissione parlamentare di vigilanza dei servizi radiote-
> levisivi non è in alcun modo abilitata a giudicare della mia
> integrità morale o di eventuali reati da me commessi. Per que-
> sto altre sono le sedi competenti. La Commissione deve solo
> valutare se nel caso di *Cyrano* ci sia stata una censura e di qua-
> le natura. Punto. Precisato questo, faccio osservare che della
> registrazione – che è del tutto lecita, perché è diritto di ogni
> cittadino registrare le *proprie* conversazioni anche all'insaputa
> degli interlocutori – io non ho fatto un uso né scandalistico né
> giornalistico, e quindi nemmeno l'Ordine dei giornalisti c'en-
> tra nulla, perché non ha sindacato sui nostri comportamenti
> privati. L'ho semplicemente messa a disposizione della Com-
> missione perché, se lo vuole, possa rendersi conto, con un

documento inequivocabile, che un dipendente Rai, il direttore di Rai2 Antonio Marano (che nelle sue due deposizioni davanti alla Commissione ha già dato due diverse versioni del blocco del *Cyrano*: nella prima era dovuto alla mia incapacità, nella seconda al fatto che in Rai si erano accorti, dalla scaletta della prima puntata che aveva per argomento la vecchiaia e la morte, che non di una trasmissione di costume si trattava, ma di informazione) mente, perché nella conversazione avuta con me ed Eduardo Fiorillo il 29 settembre, in cui non si accennò *mai*, nemmeno per un momento, nemmeno di passata, alla mia cosiddetta performance, Marano parla testualmente di «questo veto che è arrivato», di «una persona che ha fatto lo stronzo in modo vergognoso»; promette, non richiesto, di farmene il nome «il primo gennaio»; di questa stessa persona dice che non avrebbe avuto il potere di fermare la trasmissione ma «è chiaro che c'è chi gli ha dato il potere»; e ammette infine di aver visionato la cassetta dell'unica puntata registrata, e montata, solo la mattina del 29 settembre, quando il *Cyrano* era già stato bloccato. Inoltre Eduardo Fiorillo, produttore e regista del *Cyrano*, ha testimoniato davanti alla Commissione che il 24 gennaio, prima che alcuno avesse potuto vedere la puntata del *Cyrano* non ancora montata, Antonio Marano gli aveva riferito che erano sorti «problemi sulla partecipazione di Massimo Fini» e ha confermato che nella conversazione del 29 settembre lo stesso Marano parlò di un «veto politico». Può bastare? Evidentemente non basta. Don Rodrigo ha dato un ordine, don Abbondio ha eseguito, ma il colpevole è Renzo. Quante volte, caro presidente, abbiamo visto questa storia?

«Odioso» non è il mio comportamento, ma il sopruso perpetrato nei miei confronti dalla Rai, che prima mi ha avvicinato per la realizzazione di un programma (non sono stato io a farmi avanti), poi mi ha contrattualizzato insieme al gruppo di Match Music, impegnandomi in un lavoro per cui ho speso del tempo e ho dovuto rinviarne o annullarne altri, quindi tramite l'Ufficio stampa e la comunicazione all'Ansa, ha dato istituzionalmente pubblicità al *Cyrano* puntando soprattutto sul mio nome (che, evidentemente, allora non faceva tanto schifo), creando attese e un discreto battage giornalistico, poscia ha bloccato la trasmissione e infine, non sapendo come uscirne, ha, con Antonio Marano, scaricato la responsabilità su di me, sull'«evidente scarso impatto televisivo della prestazione del dottor Fini», che è una falsità in radice per gli stessi motivi per cui non può essere l'agnello a intorbidare l'acqua del lupo e cioè perché il *niet* alla mia persona era venuto *prima* che qualsiasi responsabile Rai avesse potuto visionare la trasmissione. Con estrema disinvoltura, e con mio grave danno, il dottor Marano non ha esitato a sporcare l'immagine di un professionista che fa da trent'anni il proprio mestiere più che onorevolmente e che non è proprio l'ultimo della pista se in una recente pubblicazione (*I giganti di carta*) è inserito fra i sessanta più prestigiosi giornalisti italiani. Cornuto e mazziato. Può bastare? Non basta. Alla fine della storia, infatti, il reprobo risulto essere io. Fin dove ritenete che si possa spingere ancora, impunemente, la violenza nei miei confronti? Distinti saluti. Massimo Fini.

L'apparizione di Socci

Fini, insieme a Fiorillo, inizia a lavorare per portare *Cyrano* nei teatri: il progetto è talmente appetibile che calcherà alcuni fra i migliori palcoscenici d'Italia, a partire dal Ciak di Milano. Intanto, il 16 febbraio, un mese e quattro giorni dopo la lettera di Petruccioli, Socci si degna finalmente di rispondere.

Egregio senatore Petruccioli, [...] mi permetta di iniziare, in via preliminare, con una richiesta di chiarimento che io faccio a Lei. Leggo infatti sull'«Unità» una Sua intervista dove – parlando di «censure» e «intimidazioni» – ad un certo punto Le vengono attribuite queste dichiarazioni: «Su Massimo Fini chiederò conto ad Antonio Socci, perché in Vigilanza il direttore di Rai2, Antonio Marano, ha detto di aver preso atto della volontà di Socci come responsabile dell'informazione». Al di là del tono («chiederò conto ad Antonio Socci»), osservo che nel testo dell'audizione di Marano [...] non si trova ciò che Lei gli attribuisce. Dunque da nessuna parte Marano parla di miei veti sulla conduzione di Massimo Fini. Le sarò molto grato perciò se Lei [...] vorrà rettificare o almeno precisare sull'«Unità» questa Sua dichiarazione che – essendo infondata e non veritiera – è ingiusta e per me dannosa sul piano personale e professionale.

Procedo dunque adesso a ricostruire il caso come io l'ho vissuto. In uno degli ultimi giorni di agosto mi trovavo a presentare un mio libro a un convegno, quando dall'ufficio stampa dello stesso mi chiedono informazioni su una «troupe» che sta facendo interviste e si presenta così: «Siamo di *Cyrano*, programma di informazione di Rai2...». Essendo totalmente all'oscuro dell'esistenza di questo programma, dal momento che ho la delega all'informazione di Rai2 da parte del consiglio di amministrazione, nei giorni successivi chiedo chiarimenti al direttore Marano, il quale mi dice che c'è un equivoco perché si tratta di un programma non di informazione, ma di costume, realizzato in esterno, e comunque non rientra nelle mie competenze.

In seguito, siamo già in settembre, essendo circolate altre informazioni sullo stesso programma, presenziando alla settimanale riunione di rete, sollevo il «caso *Cyrano*». Preciso: non il «caso Fini», ma il «caso *Cyrano*». In quell'occasione si accennò al dottor Fini di sfuggita solo perché – essendo un noto giornalista – la sua presenza in *Cyrano* dimostrava che trattavasi di programma di informazione. Nessuno invece fece valutazioni su Fini o sull'opportunità della sua conduzione [...]. Io posi a Marano quattro problemi che mi riguardavano personalmente: 1) ritenevo ingiusto, viste le mie deleghe, essere venuto a sapere di un programma di informazione in quel modo e addirittura alla vigilia della sua messa in onda; 2) mi aveva sorpreso questa vicenda dal momento che, nei mesi precedenti, alcune mie proposte non erano state prese in considerazione perché – si diceva – non c'era spazio in palinsesto per nuovi format informativi; 3) mi chiedevo perché investire in un programma per mandarlo in onda a un'ora così tarda; 4) infine esprimevo dubbi sui temi trattati e sul modo in cui venivano trattati.

A queste mie obiezioni Marano rispose che capiva qualcuna delle mie ragioni, ma che lui aveva deciso di fare comunque questo programma e che quindi il discorso era chiuso. Dopodiché io non ho più partecipato ad alcuna riunione sul caso *Cyrano*. Ho poi appreso dai giornali che in seguito era stato deciso di sospendere quel programma ed ho poi notato che su Rai2 è comunque andato in onda il programma *Border Line* che mi dicono essere analogo a *Cyrano*, ma senza la partecipazione di Fini [...]. Aggiungo che pur avendo posizioni culturali molto diverse dalle sue ho buoni rapporti di stima personale con Fini.

Concludo tornando, signor presidente, alla Sua intervista all'«Unità»: in questi verbali Marano non solo non mi attribuisce «veti» su Fini, ma – se non mi sbaglio – neanche afferma che egli «prese atto della volontà di Socci» (come Lei invece ha dichiarato). Anche perché al massimo io posso esprimere al direttore Marano un parere, non certo un diktat. Un parere che egli, come responsabile della rete, può ascoltare o che può rifiutare. Nel caso di *Cyrano* e *Border Line*, io non ho partecipato alle decisioni relative, e laddove ho espresso il mio parere – peraltro non richiesto – non è stato accolto. Giudico anche curioso che il presidente della commissione di Vigilanza mi venga a «chiedere conto» di quell'eventuale parere [...]. In attesa di una Sua eventuale risposta, La saluto cordialmente, Antonio Socci.

La replica di Petruccioli arriva il 19 febbraio:

Egregio Dottor Socci, ho finalmente ricevuto, datata 16 febbraio, la Sua risposta alla mia lettera del 12 gennaio [...]. Sulla base di quanto dichiarato da Marano e da Lei non mi è possibile fare chiarezza sull'accaduto. Lei esclude di aver posto qualunque veto. Marano dichiara che la decisione di sospendere *Cyrano* è stata conseguente alle Sue osservazioni. Marano esclude che ci sia stata alcuna pressione su di lui dall'interno o dall'esterno dell'azienda per escludere Massimo Fini. Lei rigetta con sdegno ogni sospetto che La coinvolga. Ambedue vi profondete in dichiarazioni di stima e di apprezzamento verso lo stesso Fini. Lei stesso, comunque, constata che Rai2 ha cancellato *Cyrano* e ha mandato in onda *Border Line* che sarebbe, a suo dire, una sorta di *Cyrano* senza Fini. Cosa si deve concludere? Risponda Lei.

È sicuro che non è stato Fini ad andarsene. Non mi sembra, peraltro, probabile che una decisione del genere possa essere stata presa da un soggetto terzo e misterioso alle spalle del direttore di Rai2 e del vicedirettore con delega all'informazione. Ne consegue che la responsabilità di questa decisione coinvolge queste due persone e – a loro stesso dire – nessun altro. La decisione può essere stata presa di comune accordo; o, invece, uno dei due può averla propugnata e l'altro accettata o subita. Su questo non mi sono stati forniti elementi.

So per certo, dunque, dove va collocata la responsabilità della decisione, ma non c'è nessuno che se la assume e – a maggior ragione – nessuno la motiva. Non ho elementi per affermare che ci sia stato un veto politico nei confronti di Fini; ma le reticenze e lo scaricabarile non mi consentono neppure di escluderlo. In questo senso riferirò alla Commissione. Trasmetto al direttore Marano copia di questa mia lettera, perché riguarda anche lui. Cordialmente, Claudio Petruccioli.

PS. Non ho nulla da modificare delle parole pubblicate dall'«Unità». Io non ho rivolto a Lei nessuna accusa, non ho parlato di veti. Ho detto che, dopo la deposizione di Marano che l'ha chiamata in causa, avrei *chiesto conto* a Lei: di come a Lei risulta siano andate le cose, non sui suoi pareri o sulle sue valutazioni. Se l'espressione non le piace ne prendo atto. Ma non c'è nulla di «curioso» nel fatto che il presidente della commissione di Vigilanza *chieda conto*. Anzi, per chi deve vigilare, il *chieder conto* è l'attività più importante.

Il verdetto di Ponzio Pilato

Pare avviato sul piede di guerra, Petruccioli. Anche a giudicare dal messaggio di accompagnamento scritto di suo pugno e allegato alla lettera di Socci trasmessa a Fini via fax il 17 febbraio: «Caro Massimo, dopo molti solleciti mi è finalmente giunta la risposta di Socci. Te la trasmetto immediatamente. Ti informerò, poi, del seguito. Perché, certamente, un seguito da parte mia ci sarà: verso Socci e verso Marano. Ciao, Claudio».

Invece non ci sarà alcun seguito, né per Socci né per Marano. Chiuso il giro di audizioni, l'alternativa è piuttosto stringente: o mentono Fini e Fiorillo, ma soprattutto la cassetta registrata (tre «voci» che coincidono in tutto e per tutto); oppure mentono Marano e Socci (due «voci» che si contraddicono), o almeno uno dei due. E infatti la «Nota conclusiva sulla sospensione della trasmissione *Cyrano*», stilata da Petruccioli il 2 aprile 2004, prende atto che «fra la ricostruzione dei fatti fornita da Marano e quella fornita da Socci [...] si manifestano vere e proprie divaricazioni» e che non si comprende come mai Socci abbia «fatto valere le sue competenze e le sue prerogative di vicedirettore di Rai2 con delega alla informazione» solo nei confronti di *Cyrano* e non di *Border Line*, a meno che Socci non ritenga che «il "carattere informativo" della trasmissione fosse legato solo alla presenza di Fini»: «Che cosa è cambiato fra *Cyrano* e *Border Line*, a parte la rimozione di Fini che hà indotto Socci a considerare fuori dall'ambito dell'informazione la seconda trasmissione? Se qualcosa c'è non lo sappiamo, non ci viene detto». Ancora: la rimozione forzata di Fini è stata decisa dalla «direzione di rete prima di aver visionato una qualunque registrazione» di *Cyrano*. Ed è pure chiarissimo chi ha preso la decisione: «il direttore di Rai2 e il vicedirettore con delega all'informazione». Sfuggono i motivi, anche se la tesi del «veto politico» non la sostiene soltanto Fini, ma anche Eduardo Fiorillo, cioè «la persona meno direttamente coinvolta nella vicenda e che ha mantenuto un rapporto positivo con entrambe le parti protagoniste della disputa, Fini e la direzione di Rai2, con la quale continua a collaborare». Né, peraltro, «sono stati forniti dalla direzione di rete altri motivi chiari e plausibili».

A questo punto non resterebbe che trarre le inevitabili conclusioni: Fini è stato vittima di un veto politico e antropologico, come in uno slancio di sincerità Marano gli confidò il 29 settembre 2003. Invece no. Incredibilmente, Petruccioli e l'ineffabile commissione di cosiddetta Vigilanza concludono come segue: «Alla fine, in mancanza di altre motivazioni limpide e convincenti, non si può affermare ma non si può neppure negare in modo perentorio che un veto nei confronti di Fini ci sia effettivamente stato». Nemmeno Ponzio Pilato sarebbe riuscito a non affermare né negare lo stesso fatto. La presunta Vigilanza ci riesce. Don Rodrigo ordina, don Abbondio esegue e il colpevole è Renzo: l'ha deciso Perpetua.

2
Daniele Luttazzi, censura censurata

L'invidia del cretino per l'uomo brillante
trova sempre qualche consolazione
nell'idea che l'uomo brillante farà una brutta fine.
Max Beerbohm

Un giorno Daniele Fabbri da Santarcangelo di Romagna (Rimini), in arte Luttazzi, legge sul «manifesto» un articoletto che lo colpisce. Racconta la presentazione di un libro semiclandestino uscito tre settimane prima, *L'odore dei soldi. Origini e misteri delle fortune di Silvio Berlusconi*, pubblicato da Editori Riuniti e scritto dal deputato dipietrista Elio Veltri, membro della commissione parlamentare Antimafia, e dal giornalista di «Repubblica» Marco Travaglio. Sono gli ultimi giorni del febbraio 2001. Alla presentazione romana, nella sala stampa della Camera, sono intervenuti diversi deputati del centrosinistra ma non solo (c'erano persino alcuni leghisti, come l'ex ministro Giancarlo Pagliarini); pochissimi giornalisti italiani, il direttore di «Liberazione» Sandro Curzi e la cronista del «manifesto» Daria Lucca; e molti corrispondenti della stampa estera. Del libro, salvo «la Repubblica», non ha parlato nessuno, eppure nelle prime due settimane ha venduto 18 mila copie (merito anche di misteriosi personaggi che si presentano nelle librerie più in vista, come quella dell'aeroporto di Fiumicino, a fare incetta di tutte le copie disponibili). Luttazzi se lo procura e comincia a leggerlo. C'è l'ultima vera intervista di Paolo Borsellino prima di morire (rifiutata da tutti i tg Rai e trasmessa nottetempo da Rainews24 il 19 settembre 2000), in cui il giudice antimafia parla di indagini sui rapporti fra Berlusconi, Marcello Dell'Utri e il cosiddetto «stalliere di Arcore», il boss mafioso Vittorio Mangano. Ci sono stralci della requisitoria del pm di Caltanissetta Luca Tescaroli, che parla anche delle indagini in corso su Berlusconi e Dell'Utri come possibili «mandanti a volto coperto» delle stragi politico-mafiose del 1992-93 (indagini archiviate soltanto nel 2002). C'è una sintesi dei rapporti dei consulenti tecnici della Procura di Palermo sui finanziamenti alle società – le «Holding Italiana» numerate dalla 1 alla 37 – che controllano la Fininvest, imbottite fra il 1978 e il 1983 di oltre 500 miliardi di lire al valore attuale di origine misteriosa e mai spiegata. Ci sono gli esilaranti interrogatori di Berlusconi e Dell'Utri nel processo di Torino, in cui Dell'Utri è stato appena condannato in via definitiva a 2 anni di carcere per false fatture e frode fiscale.

Luttazzi divora il libro in un paio di giorni. Trova strano che nessuno ne parli: il materiale è incandescente. L'attore conduce un programma su Rai2, *Satyricon*, dichiaratamente ispirato al *David Letterman Show* e di grande successo, vicino al 20 per cento di share, con un pubblico (2 milioni e mezzo di persone) addirittura superiore alla *Piovra 10* e a *Porta a Porta*, ma soprattutto alla concorrenza di Mediaset, che in prima serata strapazza la Rai con *Il grande fratello*. Ogni settimana Luttazzi intervista personaggi della politica, della cultura, dello spettacolo, dello sport. Decide di invitare Travaglio per parlare dell'*Odore dei soldi*. Il suo accordo con Carlo Freccero, direttore di Rai2, gli permette la più ampia libertà nella scelta degli ospiti e nell'elaborazione di ogni puntata. Freccero e il capostruttura Antonio Azzalini assistono alla registrazione per valutarne i contenuti prima del montaggio tecnico definitivo, che Luttazzi esegue il giorno seguente, a ridosso della messa in onda.

L'addetta al casting Raffaella Fioretta telefona a Travaglio per concordare la data: 13 marzo. Quel martedì sera Luttazzi registrerà la puntata che verrà trasmessa l'indomani, in seconda serata. Travaglio chiede di poter incontrare Luttazzi qualche minuto prima della registrazione. I due non si conoscono e, vista la delicatezza e la complessità dei temi trattati nel libro, il giornalista vuole sapere fin dove l'attore intende spingersi con le domande. Viene convocato in studio per le 20, un'ora prima della registrazione. Si sottopone al rito riservato dalla produzione (Bibi Ballandi) a tutti gli ospiti di *Satyricon*, all'insaputa di Luttazzi: posa per un'istantanea, sulla quale gli viene chiesto di scrivere a pennarello una dedica al conduttore. Scrive queste parole: «Ecco un teppista (quasi) paragonabile a te. Uno che, con quel che dirà, anticiperà la chiusura di *Satyricon*». Luttazzi, bloccato dal traffico, arriva qualche minuto dopo le 20,30. Appena in tempo per cambiarsi, incontrare la regista Franza Di Rosa per gli ultimi dettagli, salutare di corsa gli ospiti e infilarsi in studio. Travaglio riesce a malapena a stringergli la mano, senza poter concordare nulla.

L'intervista, dunque, è senza rete. Il comico fa domande su tutto quanto ha letto nel libro: la mafia, le stragi, lo «stalliere» mafioso, i soldi di dubbia origine, la nascita di Forza Italia. Il pubblico ascolta ammutolito i 26 minuti d'intervista, interrompendo più volte con applausi. Alla fine Luttazzi dice a Travaglio: «A questo punto mi chiedo in che paese viviamo. Comunque volevo ringraziarti perché, scrivendo questo libro e parlando come fai, dimostri di essere un uomo libero. E non è facile trovare uomini liberi in quest'Italia di merda». Travaglio ricambia: «Sai chi mi ricordi? Quel governatore della Pennsylvania che un giorno si presentò in televisione, si infilò la canna di una pistola in bocca, e si sparò».

Dietro le quinte, il giornalista incontra un Freccero molto emozionato che gli dice: «Sei stato efficacissimo. Se potessi, ti darei subito un programma. Ma, da domani sera, non avrò più una rete...». Finito di registrare, Luttazzi domanda a Freccero: «L'intervista a Travaglio può andare in onda?». Il direttore lo rassicura: «Certamente. Travaglio non ha fatto altro che raccontare i documenti del suo libro».

Da un pezzo Luttazzi è un sorvegliato speciale. Ha annusato gli slip rossi di Anna Falchi. Ha mangiato una finta cacca di cioccolato in risposta al consigliere Rai Alberto Contri che gliel'aveva suggerita come l'ultima cosa disgustosa che gli restava da fare. Ha intervistato Marco Pannella che ha attaccato la Chiesa per la sua posizione sulla droga, la pillola del giorno dopo e il preservativo («un brutale attacco al Papa», per l'«Osservatore romano»). E poi Paolo Flores d'Arcais, che ha rincarato la dose sul cardinale Camillo Ruini e su Massimo D'Alema. Visti i precedenti, ogni mercoledì mattina il consiglio d'amministrazione Rai convoca Freccero per conoscere in anticipo il menu di *Satyricon*. Il mattino del 14 marzo il direttore rassicura: «Stasera niente sesso né coprofagia». I consiglieri, visibilmente sollevati, dimenticano di informarsi su cos'è invece previsto.

Quei ventisei minuti

La sera, appena partita la sigla, Freccero spegne il cellulare e si gode lo spettacolo. In quelle stesse ore Maurizio Gasparri arriva negli studi di Rai3 per partecipare a una puntata di *Mediamente*, il programma di Carlo Massarini sulle nuove tecnologie informatiche. In attesa di andare in onda, fa zapping e s'imbatte in *Satyricon*. Pochi minuti dopo, quando Massarini comincia a interrogarlo su Internet, esplode: «Ma quale Internet, su Rai2 stanno dando del mafioso a Berlusconi! Questa Rai è una vergogna!».

Forse, alla Casa delle Libertà, sarebbe convenuta la strategia del silenzio: a parte i quasi 3 milioni di fedelissimi di Luttazzi, nessun altro avrebbe saputo di quel libro e del suo contenuto. Ma la sparata di Gasparri innesca la corsa allo stracciamento di vesti, la gara alla dichiarazione più indignata. Alle 23,57 l'Ansa dirama quella di Mario Landolfi (An), presidente della commissione di Vigilanza: «La misura è colma. Quello che è andato in onda stasera non ha precedenti nella storia della tv. Il programma di Luttazzi va chiuso e Freccero deve essere allontanato. Zaccaria e tutto il vertice Rai devono dare le dimissioni». Gli fa eco, per non esser da meno, Paolo Romani, responsabile per l'informazione di Forza Italia: «È stato un attacco proditorio, vergognoso, senza precedenti contro il presidente Berlusconi sul servizio pubblico. Richiediamo una riunione immediata della commissione di Vigilanza per chiedere le dimissioni dell'attuale vertice Rai e dei suoi direttori. Un'azienda totalmente allo sbando non è più in grado di gestire il servizio pubblico nella prossima campagna elettorale». Alle due del mattino, Freccero chiama Travaglio: «Ho riattaccato ora il cellulare. Meglio che non ti dica chi ha chiamato la segreteria telefonica, e cosa ha lasciato detto». Freccero e Zaccaria (che non sapeva nulla dell'intervista a Travaglio) difenderanno a spada tratta la libertà di *Satyricon*. E pagheranno prezzi altissimi.

Quella sera – racconta Bruno Vespa, sempre molto informato sul *menage* di casa Berlusconi – il Cavaliere è nella sua villa di Macherio, appena rientrato dopo una riunione ad Arcore. Un suo vecchio collaboratore lo chiama al telefono: «Dottore, guardi Rai2». «Accesi e vidi quello spettacolo che ci portava ai limiti della convivenza democratica», piagnucolerà il Cavaliere sulla spalla del fido Vespa, che troverà disdicevole l'assenza di «contraddittorio» a *Satyricon*, lui che da anni lascia parlare Berlusconi per due o tre ore a sera in beata solitudine.

L'indomani si scatena il putiferio. Berlusconi parte per Roma all'alba e alle 9 già incontra il suo portavoce Paolo Bonaiuti nella reggia-ufficio di via del Plebiscito. Chiama Fini e Bossi, trovandoli – riferisce sempre Vespa – «entrambi indignati. Il Senatùr in particolare usò espressioni più forti dello stesso Berlusconi». Nulla a che vedere, si presume, con quelle che usava fino a un anno prima per dipingere Berlusconi come «il palermitano che parla meneghino», «piduista», «affarista», «fascista», «nazistoide», «tiranno», «autocrate», «Berluskaiser», «Berluscàz», «peggio di Pinochet», «quel brutto mafioso di Arcore guadagna soldi con l'eroina e la cocaina». In una memorabile puntata di *Pinocchio*, collegato con Gad Lerner l'8 ottobre 1998, Bossi aveva detto in diretta su Rai2 che «i quattrini che fecero la Fininvest venivano da cose occulte, da Cosa Nostra. Se Berlusconi riuscisse a vincere [le elezioni, *N.d.A.*], la magistratura dovrebbe mettere un masso su tutto quel che bolle in pentola». Pierferdinando Casini, presente in studio, aveva ribattuto che le sue erano «assurdità schifose». Ma Bossi aveva rincarato: «Io credo che sia la verità. Io non sono un impostore come te. Io dico cose che hanno fondamento!». Berlusconi aveva denunciato sia Bossi sia Lerner e la Rai, chiedendo 7 miliardi di danni. Poi, dopo l'accordo con la Lega, aveva ritirato la denuncia.

Nel marzo 2001 Bossi e Berlusconi sono di nuovo amici. Alleati. Dunque Bossi è indignato per *Satyricon*, più indignato di Berlusconi. Il Cavaliere riunisce a pranzo il consiglio di guerra: Casini, Letta, Bonaiuti, Buttiglione, Pisanu, La Loggia, Scajola e Tremonti. Casini lancia l'idea che gli uomini della Cdl disertino i programmi della Rai. Tutti accettano entusiasti l'Aventino (un paio di giorni, non di più). Poi, mentre Landolfi si appella nientemeno che al capo dello Stato e Francesco Cossiga parla di «crimine politico alla Rai», Berlusconi incontra con Pisanu il presidente della Camera Violante. Annuncia azioni legali pesantissime, manipolando a suo piacimento le cose scritte nel libro e dette a *Satyricon*:

Davanti all'accusa di essere tra i mandanti occulti delle stragi di Capaci, di via d'Amelio, degli Uffizi, non mi abbasso a rispondere. Dovranno invece renderne conto l'autore del libercolo, il conduttore della trasmissione e i vertici della Rai. I miei legali chiederanno conto, nelle opportune sedi giudiziarie, del loro operato ai diffamatori autori del libercolo [in realtà l'ipotesi del suo coinvolgimento nelle stragi è della Procura di Caltanissetta, che in quel momento ha ancora aperta un'indagine su di lui e su Dell'Utri, *N.d.A.*].

Nelle stesse ore il presidente della Repubblica Carlo Azeglio Ciampi invia un messo in motocicletta nella sede degli Editori Riuniti a prelevare una copia dell'*Odore dei soldi*, ormai introvabile in tutte le librerie prese d'assalto fin dall'alba.

Luttazzi viene denunciato da un gruppo di ex carabinieri e poliziotti per vilipendio alla Nazione e per lo stesso reato la Procura di Roma apre, d'ufficio, un fascicolo (verrà archiviato nell'ottobre 2002 perché secondo il giudice «la frase denunziata, di contenuto certamente greve, va inserita nel contesto della trasmissione che Luttazzi stava conducendo e – come lui stesso ha precisato al pm e in una successiva puntata del programma televisivo incriminato – tendeva a stigmatizzare i fenomeni di affarismo e contiguità al crimine organizzato che si stavano illustrando: si può essere politicamente d'accordo o in radicale contrasto con le tesi che l'autore ha palesato, ma la sua rimane manifestazione di libera espressione di pensiero costituzionalmente garantita»).

Contro Luttazzi e Travaglio si scaglia persino colui che, più di ogni altro, dovrebbe difenderli: il presidente dell'Ordine dei giornalisti Mario Petrina:

L'Ordine approfondirà in ogni sede e con ogni garanzia nei modi istituzionali il problema e i comportamenti, trattandosi vieppiù di servizio pubblico quale la Rai è o dovrebbe essere. Da telespettatore sono rimasto stupefatto. Mi sono chiesto: si tratta di programma cultural-umoristico o di informazione? Né l'uno né l'altra. È stato il massacro delle regole dell'informazione che prescrivono sempre il contraddittorio. Invito Marco Travaglio a riguardarsi non da scrittore ma da giornalista il contenuto della mezz'ora di trasmissione che lo riguarda.

Lo invito a riflettere. Con serenità, ove possibile. Ho visto ed ascoltato in modo sbagliato, prevenuto, scorretto, le affermazioni riguardanti le dichiarazioni di un pm in un'aula giudiziaria di Caltanissetta e scambiate quasi per una sentenza. E la droga, la mafia e le stragi dolorosissime e le tragedie avvenute trattate a *Satyricon*? Ma si è perso il senno? Ma quale garantismo! Si tratta soltanto di un rispetto minimo delle regole dopo le quali esiste la barbarie tanto più grave se televisiva.

E ce n'è anche per Luttazzi: il Petrina annuncia di aver dato mandato ai legali dell'Ordine di denunciare l'attore per «esercizio abusivo della professione giornalistica» e il presidente della Rai Zaccaria «per concorso nell'esercizio abusivo». Per soprammercato, chiede «all'Ordine dei giornalisti del Piemonte di verificare se il comportamento di Travaglio rientra nella correttezza deontologica». La sera dopo Petrina sceglie un pulpito particolarmente adeguato per impartire un'altra lezione di giornalismo libero: il Tg4. «L'altra sera» tuona sotto lo sguardo tumido di Emilio Fede «si è assistito a un vero e proprio linciaggio. Il signor Luttazzi non ha fatto né il giornalista né il programmista. Mezze misure non ce ne possono essere più. Non si possono violare le regole. Regole di bon ton, di buona civiltà. Altrimenti c'è la barbarie».

«Vi chiudiamo noi...»

I politici del centrosinistra, colti di sorpresa, rispondono quasi tutti imbarazzati: dei processi a Berlusconi e ai suoi amici non parlano da prima della Bicamerale, quando promossero il Cavaliere addirittura al rango di padre costituente. D'Alema prende subito le distanze: per lui *Satyricon* è «un autogol, un boomerang per la sinistra» perché Berlusconi ne trarrà vantaggio facendo il martire. Walter Veltroni, invece, difende Luttazzi e Travaglio: «L'idea di censurare un programma Rai somiglia all'idea di censurare i libri di testo. Mi domando se è democratico stabilire che in tv ci sono libri che si possono presentare e altri no». Altri si rifugiano nella difesa della satira, senza entrare nel merito delle notizie e dei documenti presentati a *Satyri-*

con. Dice Piero Fassino, candidato vicepremier: «Credo che si debba dare alla satira il peso che ha e non farla diventare il centro della campagna elettorale». Anche Pierluigi Castagnetti (Ppi) e Grazia Francescato (Verdi) difendono genericamente la libertà di satira. I diessini Franco Debenedetti, Michele Salvati e Augusto Barbera firmano con Paolo Mieli un appello di Giuliano Ferrara contro i «demonizzatori» di Berlusconi. Passa la linea dalemiana secondo cui la «demonizzazione» (neologismo per definire l'informazione senza censure) di Berlusconi favorirebbe Berlusconi. Tesi alimentata da Berlusconi medesimo, con un apposito sondaggio di Datamedia pubblicato dal «Giornale», da cui risulterebbe che *Satyricon* gli ha fatto guadagnare 5 punti (dal 53 al 57,8%). Dell'Utri, una volta rieletto, ringrazierà addirittura Santoro e Luttazzi per avergli «fatto una grande campagna pubblicitaria. La demonizzazione a cui sono stato sottoposto ha fatto scattare una molla in tante persone, anche di sinistra». Un anno dopo però Berlusconi, citando un sondaggio della stessa Datamedia, sosterrà di aver perduto 17 punti in poche settimane a causa della «demonizzazione», chiedendo pure i danni ai «demonizzatori» ed epurandoli da tutti i teleschermi. Luttazzi fa subito notare l'assurdità della tesi berlusconiana-dalemiana: «Berlusconi dice di essere aumentato di cinque punti. È per questo che vogliono chiudermi: per non stravincere».

Il verde Marco Boato, appena entrato in Vigilanza, si unisce al coro del centrodestra: «Quel che è accaduto a *Satyricon* è inaccettabile, tanto più grave in quanto avvenuto a Camere sciolte. In una democrazia non si fanno processi sommari per via mediatica. Non si è trattato di satira, ma di una scorretta operazione televisiva». Per Francesco Rutelli, la reazione del Polo contro *Satyricon* «è stata legittima rispetto all'uso di una trasmissione per fare propaganda politica, ma c'è il diritto di replica. Comunque sulla satira si sta esagerando, bisogna accettare anche di essere presi in giro», mentre «alcuni conduttori di certi tg Mediaset mi attaccano continuamente senza alcun diritto di replica». Luttazzi racconterà che «all'indomani della puntata di *Satyricon* con Travaglio la nostra regista è stata contattata due volte da un persona dell'entourage di Veltroni che le disse: "Se non abbassate i toni, vi chiudiamo noi"». La persona, l'onorevole Franca Chiaromonte, responsabile per la comunicazione dei Ds, smentirà parlando di un innocente «scambio di battute» precedente alla trasmissione.

Molti commentatori, per esempio Paolo Franchi sul «Corriere della Sera», sostengono che l'intervista di Luttazzi a Travaglio «non è satira», fingendo di ignorare che il format del programma prevede interviste vere, serie, durante le quali Luttazzi può commentare «a soggetto», come fa da vent'anni negli Stati Uniti l'osannatissimo (forse perché non si occupa di politica italiana) David Letterman. Riflette oggi Luttazzi:

> Questa della par condicio applicata alla satira è davvero incredibile. La par condicio è nata per evitare che i politici si intrufolino in tv in campagna elettorale fuori dagli spazi consentiti. Invece viene usata per tappare la bocca agli artisti, per impedire la satira politica. Nell'estate del 2000 ho partecipato tra il pubblico a una puntata del *Letterman Show*, quella in cui il conduttore intervistava Al Gore in piena campagna elettorale. Non risparmiò battute né argomenti spinosi per metterlo in difficoltà. Un'altra volta intervistò Bush e gli diede del cocainomane tonto. Non ci furono polemiche, né denunce. La gente si sarebbe stupita del contrario. Da noi i politici non si fanno intervistare, non vogliono domande vere, non accettano nemmeno di venire ospiti, e poi se parli di loro strillano appellandosi alla par condicio, al contraddittorio.

Sempre sul «Corriere», il 17 marzo, l'ambasciatore Sergio Romano arriva a scrivere: «Non si può pretendere che Berlusconi spieghi come si è arricchito. Una pretesa inquisitoria, frutto di vecchio anticapitalismo, a cui non furono assoggettate le dinastie dei Kennedy e dei Bush». Maltese gli risponde su «Repubblica»: «In democrazia non esistono domande che non si possono fare a un politico, ma soltanto risposte che non si possono dare. È una regola fondamentale, quasi ovvia, della libertà d'informazione e quindi dell'Abc democratico [...]. Eppure sui capitali iniziali di Berlusconi imprenditore, il "corpo mistico" della sua politica, è proibito fare domande». Ma per Romano, che dimentica qualche centinaio di inchieste, programmi tv, libri su Kennedy come su tutti i presidenti e gli aspiranti presidenti americani, parlare dei soldi di un politico «è anticapitalismo». James Walston, sull'«Herald Tribune», trova invece che quella sulle origini delle fortune di Berlusconi è una domanda politica più che legittima, ed esige una risposta. Lo stesso farà di lì a poco l'«Economist», rilanciando le domande emerse a *Satyricon*.

Dal centrodestra si esterna a tutto spiano. Dell'Utri dà del «cretino» a Luttazzi e aggiunge: «Se l'avessi davanti, gli darei un *timpuluni*», un ceffone. Fini annuncia l'epurazione prossima ventura: «Zaccaria non si dimette? Se ne andrà subito dopo il voto. Ha i giorni contati. Dopo il voto, se vinciamo le elezioni, non potranno rimanere un minuto di più al loro posto». Verrà prontamente esaudito.

Originale l'analisi di Rocco Buttiglione (Udc), che intravede in *Satyricon* i tentacoli nientemeno che di Rutelli e del suo consigliere americano, Stanley Greenberg: «Sconfitto sul piano dei programmi e abbandonato dagli alleati che pensano già a dopo, Rutelli ha ritenuto di ricorrere all'arma totale, all'atomica mediatica». Anche Vespa racconterà mirabolanti retroscena complottardi nel suo libro *Rai: la grande guerra*, citando come «prova» del suo «scoop» due fonti davvero insospettabili: «Il Foglio» di Ferrara e la rivista «Prima comunicazione». Nell'autunno 2000 il presidente Zaccaria avrebbe riunito a cena in casa sua il direttore generale Celli, i consiglieri ulivisti Balassone ed Emiliani e i responsabili diessini per l'informazione: Veltroni, Vita e Giulietti. Lì si sarebbe deciso di schierare pesantemente la Rai contro Berlusconi, scatenandogli contro Luttazzi, Santoro, Travaglio, la Dandini, i Guzzanti, Biagi e chi più ne ha più ne metta. Soprattutto sulla Rai2 di Freccero. Le persone chiamate in causa smentiranno e Zaccaria farà causa civile a Vespa. La Rai, gestione Cattaneo, gli negherà l'assistenza legale, trovando evidentemente normale e commendevole che un dipendente dell'azienda come Vespa, in un libro pubblicato da Eri (l'editrice della Rai)-Mondadori (gruppo Berlusconi), accusi il suo presidente di complotto politico, ovviamente senza prove.

Quello della violazione della par condicio è un pretesto doppiamente falso: la regola riguarda le campagne elettorali e il 14 marzo la campagna elettorale non è ancora iniziata (il regolamento verrà stilato dalla Vigilanza e dall'Authority solo il

23 marzo, e non riguarderà i programmi di satira). Di più: è da ottobre che Luttazzi invita Berlusconi, come tutti i leader politici, per intervistarlo a *Satyricon*. Altri (Pannella, Fassino, Di Pietro) hanno accettato. Lui no. L'attore l'ha ricordato poco prima dell'intervista a Travaglio, rinnovando implicitamente l'invito. E, a poche ore dalla trasmissione, Rai2 ha invitato anche Dell'Utri a replicare alle accuse nella puntata successiva. Poi, nell'infuriare delle polemiche, il Cda preferisce sospendere *Satyricon* per una settimana e sostituirlo il 21 marzo con uno speciale *ad hoc* riservato alle repliche degli interessati e affidato ad Angela Buttiglione (sorella dell'onorevole Rocco). Berlusconi e Dell'Utri rifiutano anche quell'offerta. Molto più comodo continuare a fare i martiri per impedire, con la loro assenza, che si affronti un argomento sgradito. La Rai, quella sera, trasmette il *Satyricon* di Federico Fellini. E viene subito inondata di migliaia di fax ed e-mail: tutti abbonati che rivogliono in onda Luttazzi. Uno, un professore napoletano, gli scrive: «Grazie, Luttazzi. L'altra sera, per 20 minuti, ho avuto l'impressione di vivere in un paese libero».

Satira buona, satira cattiva

Ossessionato da quei 26 minuti di televisione libera dopo vent'anni di monopolio incontrastato, Berlusconi non parla d'altro. Stipa nello stesso calderone Montanelli, Freccero, Luttazzi e Travaglio, chiamandoli «miei ex dipendenti» e dando loro degli «ingrati». La parola d'ordine viene prontamente raccolta da Fede e da Mario Giordano (direttore di *Studio Aperto*). Quest'ultimo, nel suo piccolo, dedica ai quattro reprobi una serata speciale, con le loro foto segnaletiche mostrate e rimostrate per due ore, sotto la scritta «Ingrati». In studio, un testimone *super partes*: Silvio Berlusconi. Replica Luttazzi: «Ingrati noi? Berlusconi non riesce a capire che, anche se ci ha pagato uno stipendio, non ci ha comprati».

Qualche giorno più tardi, il Cavaliere tenta di scrollarsi di dosso l'etichetta di censore, di nemico della satira («era il fascismo che proibiva la satira, era Mussolini che non la tollerava», gli ha ricordato Indro Montanelli: «questa non è la destra, questo è il manganello»). Con la complicità delle sue televisioni, Rai1 compresa, s'inventa un'operazione simpatia. Fa sapere che lui la satira l'ha sempre amata, tant'è che è un grande *fan* di Sabina Guzzanti e le sue tv sono piene di programmi satirici; ma Luttazzi non fa satira, fa informazione distorta, diffama, semina odio. Da un lato la satira «buona», dall'altro quella «cattiva». Decide lui l'una e l'altra. Completano l'opera i sempre servizievoli Bruno Vespa ed Enrico Mentana. Il 22 marzo *Porta a Porta* fa linciare Luttazzi in contumacia da un parterre di satirici, o presunti tali: Forattini, Vincino, Tullio Solenghi, Pier Francesco Pingitore (quello del Bagaglino), Pippo Baudo, Vittorio Feltri e Mario Pirani, editorialista di «Repubblica». Tutti d'accordo – tranne Pirani, unico a difendere Luttazzi – sul fatto che quella di *Satyricon* non è vera satira. Ottima e abbondante, invece, quella di Benigni e Sabina Guzzanti (naturalmente, appena Biagi oserà intervistare Benigni e Sabina si azzarderà ad affacciarsi in tv, scatterà la mannaia della censura anche su di loro). Il 21 marzo Mentana chiama la Guzzanti per intervistarla sulle parole di simpatia del Cavalier Padrone. È lei stessa a raccontare l'episodio, nel suo *Diario di Sabna Guzz* (Einaudi, 2003):

> Mi aveva chiamato mio padre, turbandomi non poco, per farmi i complimenti: [...] «Ho visto il tuo Berlusconi... [pausa] Divertente... [pausa] Molto carino». Io: «Grazie, papà». E lui, calandola parecchio dall'alto: «E vedrai che c'è una bella sorpresa... [pausa] Berlusconi ha detto ai giornali che si è molto divertito». E io, che ero tesa, replico con un certo impeto e con un tono come a dire «E sai quanto me ne frega»: «Non mi importa molto che si sia divertito visto che addirittura minacciano di chiudere il programma [*L'Ottavo nano*, N.d.A.] una puntata prima. Che lo chiudono a fare se si diverte tanto? Se permetti, visto che stiamo andando verso una dittatura, la cosa non basta a mettermi di buon umore». La telefonata finisce male, con uno scambio di battute che non voglio ricordare e mio padre che mi attacca il telefono in faccia [...]. Dopo mio padre, alzo il telefono. È Mentana con la stessa solfa: «La sai la bella notizia? Berlusconi si è divertito, pure Ferrara lo scriverà sul "Foglio"». A lui rispondo con più diplomazia [...]. Gli dico che se vuole un'intervista gliela do, ma che sia chiaro,

quello che mi interessa è esprimere solidarietà a Luttazzi e dire che l'intervista a Travaglio era perfettamente legittima. Lui mi dice: «Certo, puoi dire quello che vuoi». [...] Insiste a dire che il suo è un tg indipendente e che non mi censurerà. Io per evitare equivoci ribadisco ancora una volta che della mia intervista può tagliare quello che vuole, tranne la dichiarazione di approvazione e solidarietà a Luttazzi, perché conosco i miei polli e voglio evitare che il messaggio dell'intervista sia una cosa tipo «C'è satira e satira, una è inaccettabile e volgare, l'altra ci piace». Voglio dire che ognuno ha diritto di parlare di quello che vuole, soprattutto sotto elezioni [...].

Arriva la troupe di Mentana, con Cesara Buonamici, e l'impatto non è buono. Cesara si tende subito quando le spiego cosa voglio dire nell'intervista, dice che vuole farmi delle domande sul trucco, quanto ci metto, come preparo i personaggi. Le dico che con Mentana abbiamo preso un altro accordo [...]. «A me – cerco di spiegarle – di essere intervistata dal Tg5 non me ne può fregare di meno. Non ne traggo vantaggi di sorta» [...]. Lei dice: «Chiamo il direttore». Lo chiama, parlottano, torna da me e me lo passa. Ancora rassicurazioni, e io: «Puoi tagliare quello che vuoi dell'intervista, ma non la mia dichiarazione di solidarietà e apprezzamento per il lavoro di Luttazzi». [...] Faccio l'intervista, dico quel che penso dello strapotere mediatico di Berlusconi, della presunta prevalenza della sinistra nella tv pubblica (Santoro una volta la settimana e Vespa tutti i giorni), dell'assurdità di estendere la par condicio alla satira e del fatto che Luttazzi come chiunque ha il diritto di fare tutte le interviste e le domande che vuole in qualsiasi momento dell'anno. E altro. Di Luttazzi parlo lungamente: spiego per filo e per segno perché a mio giudizio le accuse contro di lui sono assurde e lo spiego in più punti, in modo che, se vogliono tagliare, almeno gli costi fatica. Cesara saluta e se ne va. Non le sono rimasta simpatica [...]. È cominciato il Tg5 [...]. Lo guardiamo a bocca aperta: come può un telegiornale dare nel lancio d'apertura la notizia di Berlusconi che si è divertito a un mio sketch? Parte il servizio, è lunghissimo. Ma non è successo altro, nel mondo? Finisce il servizio, io sono apparsa più volte, ma ogni apprezzamento a Luttazzi è stato eliminato. In compenso il giornalista dice: «Il Cavaliere ha sempre amato la satira, ma un conto è quella dei fratelli Guzzanti che è ben fatta e imparziale, un conto sono le scorrettezze di Luttazzi». Ci guardiamo negli occhi: ha tagliato quello che aveva giurato di non tagliare. [...] Mi ha usata deliberatamente e consapevolmente contro la mia volontà per fare uno spottone a Berlusconi sotto campagna elettorale, per cercare di riparare alla brutta figura fatta col caso del libro di Travaglio e per sminuire l'effetto del mio lavoro [...]. Finisce il tg e telefona Mentana. Mi chiede se sono contenta dell'intervista e mi fa molti complimenti perché secondo lui sono venuta molto carina. Gli dico quello che penso e lui replica che mi ha dato uno spazio di quasi tre minuti. Rispondo che non ho chiesto spazio, e che avevo *strachiarito* che avrei partecipato solo per esprimere un parere diverso dal suo sull'episodio *Satyricon*. Insiste sul fatto che ero molto carina. Cosa devo pensare? Crede che sia stupida? O forse che siamo tutti come lui, che vogliamo esserci a tutti i costi, non importa come? Dice: «Ma non andrai mica a dire che ti ho censurato?». Dico: «Ma se non volevi che lo dicessi perché lo hai fatto? [...] E non lo dico io che mi hai censurato, lo dirà "Repubblica", perché il caso ha voluto che all'intervista e alle nostre telefonate assistesse un giornalista [Leandro Palestini, *N.d.A.*]». Lui dice: «Passamelo». [...] Porgo il telefono a Palestini [...]. Così noi ragazze osserviamo un giornalista degli spettacoli alle prese con un megadirettore. Mi domando se cederà. Passeggia avanti e indietro col telefono incollato all'orecchio, nervoso. Fa fatica a prendere la parola. «No... ma tu... no, guarda... io c'ero... no...». Lo tiene sotto parecchio. Quando attacca è tutto arruffato. Immagino che uno come Mentana, se volesse, di un Palestini potrebbe fare polpette. Ma lui ha deciso di resistere, mi congratulo e lo ringrazio. Il giorno dopo [...] nel pezzo si racconta anche con chiarezza l'episodio di Mentana.

Il Tg5 non si ferma qui e sabato 24 marzo, nella rubrica settimanale «Terra», si incarica di salvare la faccia a Dell'Utri e Berlusconi, tentando di depotenziare l'intervista francese a Paolo Borsellino. Toni Cappuozzo, il conduttore, manda in onda le testimonianze del pm Antonio Ingroia, di Dell'Utri e del tenente Carmelo Canale, già collaboratore di Borsellino, ora imputato per mafia. Dell'Utri racconta che, quando assunse Mangano, questi era incensurato (ma non è vero: aveva già subìto arresti e condanne). Poi aggiunge che il «cavallo» di cui parlò in una famosa telefonata intercettata non era, come sembra pensare Borsellino nell'intervista, una partita di droga, ma un equino vero, di nome «Epoca». Infine spiega che l'intervista a Borsellino è stata sicuramente manipolata. Canale sostiene che Borsellino non gli parlò mai di Dell'Utri e non conosceva Berlusconi: dinanzi alle domande dei giornalisti transalpini era molto «imbarazzato» e «impreparato», e quelle che mostrò ai giornalisti francesi erano vecchie carte relative al maxiprocesso, che riguardavano soltanto Mangano. Il fatto che Borsellino, nel filmato francese, parli apertamente di Berlusconi e Dell'Utri diventa un fatto secondario.

Un uomo nel mirino

«Mi sa che non ci rivedremo per un pezzo, ma è stato bello finché è durato», dice Luttazzi l'11 aprile, chiudendo l'ultima (in tutti i sensi) puntata di *Satyricon*. Il programma ha avuto ottimi ascolti, sia prima sia dopo la puntata incriminata. Sarebbe naturale proseguire con una nuova serie nella stagione che va a incominciare. Ma non è aria. Oltre a quelle pubbliche che gli piovono dai vertici del centrodestra, l'attore riceve minacce private: lettere anonime, telefonate a casa, visite di strani ladri nel suo appartamento sul litorale romano. «"Il Giornale" di Belpietro e Paolo Berlusconi» ricorda «pensò bene di pubblicare la mia dichiarazione dei redditi, col mio indirizzo di casa ben visibile. Oltre alle lettere, mi arrivarono alcuni dossier, ovviamente anonimi, pieni di informazioni sulla mia vita privata e le mie abitudini. Come per avvertirmi: ehi, guarda che sappiamo tutto di te... Ma Belpietro, in fondo, mi ha fatto un favore: da quella dichiarazione dei redditi non solo risultava che, a differenza di Berlusconi, Previti e Dell'Utri, io le tasse le ho sempre pagate fino all'ultima lira. Ma addirittura ero a credito. Ho cambiato commercialista e ottenuto il rimborso dal fisco».

La sera dopo l'ultimo *Satyricon*, Luttazzi è già in tournèe. «L'Espresso» gli ha appena dedicato la copertina: «Vota Luttazzi» è il titolo-sberleffo contro la scialba campagna elettorale del centrosinistra. Prima tappa del tour, Faenza. Clima da stato d'assedio, le auto della polizia che circondano il teatro. Si temono incidenti. Il management dell'attore ha ingaggiato due guardie del corpo.

Quelle minacce erano pesantucce, ed era la prima volta, dopo quel che era accaduto, che mi presentavo in pubblico. Dario Fo me l'aveva anticipato: il giorno dopo l'intervista a Travaglio, mi aveva telefonato alle 8 e mezza per complimentarsi: «Grandissima serata, ho tirato giù Franca [Rame, *N.d.A.*] dal letto, le ho detto di venire a vedere perché un programma così non si ripeterà per i prossimi vent'anni». Ma anche per mettermi in guardia: «Io ci sono già passato tanti anni fa. Sappi che la prima cosa che faranno sarà di metterti il telefono sotto controllo». Infatti, un'ora dopo, il mio telefono era intercettato. Parlavo e sentivo l'eco alla mia voce, mai successo prima. Dario mi preannunciò anche minacce, pedinamenti, strani incidenti. E, ovviamente, l'ostracismo totale in tv: «Ne passerà di tempo prima che ti facciano tornare. Avrai difficoltà anche a trovare dei teatri per i tuoi spettacoli. Io, per poter lavorare a Milano, negli anni Settanta dovetti aprire la Palazzina Liberty». Anche su questo fu preveggente.

Nelle settimane seguenti Luttazzi riceve due visite a domicilio. «La prima volta misero a soqquadro la casa, ma portarono via soltanto il computer portatile. Un furto insolito. La seconda volta mi svuotarono l'appartamento: non trovai più nulla, nemmeno i calzini. Sembrava un trasloco».

La Mondadori ritarda la pubblicazione del suo libro, *Satyricon*, pronto da settimane: pubblicato, come previsto, il 14 maggio, cioè all'indomani delle elezioni, avrebbe probabilmente sbancato. Invece esce soltanto a fine giugno, periodo editorialmente morto, con una curiosa censura. In quarta di copertina, Luttazzi ha elencato alcuni commenti sul suo conto: quello di D'Alema («*Satyricon* è un boomerang per la sinistra»), quello di Fede («*Satyricon* è un boomerang per la sinistra») e quello di Dell'Utri («Luttazzi è un cretino»). Ma quest'ultimo viene cancellato, all'insaputa dell'autore. Il quale, dal libro successivo, cambia editore. Imitato, per motivi analoghi, da Giorgio Bocca e da Gian Antonio Stella.

Per qualche settimana i giornali scrivono che Luttazzi farà parte della squadra di La7, nuovo logo della defunta Telemontecarlo che si propone di diventare il «terzo polo televisivo». Ma ne parlano, appunto, soltanto i giornali. Con Luttazzi nessuno si fa vivo, né durante la fugace gestione Colaninno, né tantomeno in quella successiva di Tronchetti Provera. Non resta che il teatro.

Anche la tournèe s'intitola *Satyricon*: tutta satira politica sulle elezioni e sui primi passi del secondo governo Berlusconi. Va avanti sino ad aprile 2002 con continui aggiornamenti. Un esaurito dopo l'altro. Ma, come da profezia di Fo, con vari problemi con i teatri. A settembre Luttazzi dovrebbe essere a Bari per una settimana intera. Ma la promoter lo chiama imbarazzata: «Sai, Daniele, lo sponsor dice che non mette più una lira se in cartellone ci sei tu, non so come fare, cerca di capirmi». «Non preoccuparti» dice lui «ho capito: sarà per un' altra volta». Spontaneamente o spintaneamente, su istigazione dei politici, gli sponsor ritirano i finanziamenti, frappongono ostacoli, alzano barriere anche ai teatri privati. Che spesso devono cedere al ricatto. «A Treviso ero di casa. Da quando c'è la Lega, non mi chiamano più. In Veneto giravo tutte le città, ora posso andare soltanto all'Estravagario di Verona e in un teatro di Vicenza. A Milano, porte sbarrate ovunque, salvo che al Franco Parenti. In poco tempo mi si chiusero molti circuiti che prima erano spalancati. Fortuna che l'Italia è grande». A Cagliari, qualche giorno prima dello spettacolo, il sindaco forzista Emilio Floris nega l'autorizzazione all'uso del teatro comunale adducendo «motivi logistici» per via di un'opera lirica in allestimento: «Sala inagibile». Luttazzi gli smonta l'alibi: «Io recito soltanto con un microfono, faccio un monologo, qualunque scenografia va bene». Il promoter fa sapere che c'è un contratto firmato, con una penale miliardaria da pagare in caso di disdetta. Così, come per incanto, la sala diventa agibile. Due serate, tutto esaurito. Stesse scene nella stagione successiva, 2002-2003, col nuovo spettacolo *Adenoidi, ovvero Bin Laden può andare in video e io no*, un'ora di satira politica seguita da una di satira religiosa e di costume.

Intanto piovono le denunce berlusconiane, alla spicciolata. «Berlusconi vuole 20 miliardi da me» racconta Luttazzi nel monologo, trasmesso in parte dai francesi di Canal Plus in uno speciale sul Cavaliere: «Dice che nell'intervista io e Travaglio l'avremmo danneggiato perché "ai telespettatori l'attore (cioè Berlusconi) è stato descritto non come un politico che rappresenta la Casa delle Libertà e tantomeno come un onesto imprenditore". Insomma, avete capito... Come ti arriva una citazione da 20 miliardi? Così: piegata in due, in una busta verde. Venti miliardi. Sono venti paginette: un miliardo a paginetta. Venti miliardi Berlusconi, 5 Mediaset, 5 Fininvest (sono cose diverse, Mediaset e Fininvest, quando devono riscuotere) e 11 Forza Italia. In totale vogliono da me 41 miliardi. Non ce li ho, non sono mica un idraulico». Quattro cause solo per quei 26 minuti di *Satyricon*, in condominio con Freccero e Travaglio. Quest'ultimo, in aggiunta, ne ha ricevute una da Tremonti e altre cinque «gemelle» per il libro, insieme a Veltri e agli Editori Riuniti. Luttazzi, poi, s'è visto chiedere 120 miliardi di lire dal gruppo Cremonini, per aver letto in trasmissione un articolo del «Corriere» a proposito di un blitz dei Nas nello stabilimento di Rieti. Legale di Cremonini, l'avvocato Vittorio Virga, lo stesso del gruppo Berlusconi. (Una sola causa finora s'è conclusa: quella di Forza Italia; il giudice l'ha respinta al mittente senza neppure entrare nel merito, perché il partito di Berlusconi non era neppure legittimato a chiedere danni: un gruppo parlamentare decade al cambio di legislatura, e, soprattutto, a *Satyricon* di Forza Italia non s'era proprio parlato; Forza Italia ha subito fatto ricorso in appello.)

Non bastando gli insulti, le minacce, le denunce, i sabotaggi, il 18 aprile 2002 arriva pure il diktat bulgaro del presidente del Consiglio: da Sofia, Berlusconi chiede di cacciare dalla Rai Biagi, Santoro e Luttazzi per «uso criminoso della tv pubblica». Gli sfugge che Luttazzi è già fuori da un anno. Ma anche quel diktat subisce una curiosa censura: per circa un anno, quotidiani e politici di sinistra dimenticano quasi sempre il terzo componente della lista di proscrizione. Molti lo sostituiscono con Fabio Fazio, che il Cavaliere non ha mai nominato. Si comincia a parlare del «diktat contro Biagi, Santoro e Fazio». Lo nota Antonio Ricci, in un'intervista all'«Unità»: «Non penso si possa fare opposizione contando delle palle, perché si entra nel campo di Berlusconi e lui in questo campo vince. Si fa una gran confusione, si creano martiri, si approfitta del polverone per far passare Fazio per uno che è stato cacciato, mentre se n'è andato lui dalla Rai. Fassino a Modena ha citato Santoro, Fazio e Biagi come quelli epurati dal diktat bulgaro di Berlusconi. È un falso storico: nessuno ha mai nominato Fazio dalla Bulgaria, mentre Luttazzi viene dimenticato perché non è coperto politicamente». Solo dopo il caso *RaiOt* Luttazzi riacquisterà i suoi diritti di epurato.

Gelati Bonolis, produzione propria

In tre anni di quarantena, manco fosse un appestato, qualche invito in tv Luttazzi lo riceve. I primi a farsi vivi, nel 2002, sono Antonio Albanese e Giorgio Panariello. Lo vorrebbero ospite dei loro programmi, ma muto. «In realtà» spiega «credo cercassero il brivido dell'attrito e dello scandalo, ma senza le conseguenze. Risposi: "No, grazie, vi metterei in difficoltà"». Poi parte alla carica Paolo Bonolis, appena passato da Mediaset alla Rai per condurre *Domenica In* e *Affari tuoi*. Ai primi di settembre un collaboratore di Bonolis fa sapere a un avvocato, amico comune, che Paolo vorrebbe incontrare Daniele «per mangiare un gelato insieme». Il *rendez-vous* è in un appartamento anni 30 a due passi dalla Rai, preso in affitto e adibito a redazione: «Bonolis mi riceve con tutti i suoi autori e il regista Gian Carlo Nicotra. "Ho intenzione – mi dice – di rivoluzionare *Domenica In*, voglio rompere gli schemi, sconvolgere le abitudini del pubblico della domenica. Ti va di venire alla prima puntata? Non devi dire nulla. Parlo io, tu stai lì in silenzio, poi esci. E di tanto in tanto fai capolino dai lati dello schermo, a mo' di spauracchio. Che ne dici?". Dico che l'idea non è nemmeno tanto originale, me l'hanno già proposta Panariello e Albanese. "Io – spiego a Bonolis – non posso più lavorare in tv perché ho detto certe cose e fatto certe domande. Se torno, parlo. In un programma di sei ore, potrò almeno farlo per cinque minuti, o no?". E Bonolis: "Ah beh, certo, se si considera la cosa da questo punto di vista..."». Luttazzi lo incalza: «Se davvero vuoi sostenere la mia causa, prenditi cinque secondi per dire in diretta: io sono contro la censura e mi dispiace che Luttazzi non lavori più in televisione». A quel punto interviene uno degli autori: «Eh no, se proprio bisogna pestare una merda, la si pesta insieme!». Gli altri lo fulminano con lo sguardo, come a dire: «Hai rovinato tutto». «Dov'è il gelato?», domanda Luttazzi. «Prima di andarmene, ne approfittai per ricordare a Bonolis una cosa che non mi era andata giù: qualche mese prima, a *Striscia la notizia*, mi aveva rubato una battuta: "Come si fa a capire quando una mosca scoreggia? Improvvisamente vola dritta". L'aveva detta come se fosse sua. Da un monologo di due ore zeppo di battute su Berlusconi, aveva estrapolato solo questa. Chiamai Ricci per protestare e lui, dopo aver cazziato Bonolis, mi richiamò: "Paolo dice che era una citazione, un omaggio". Obiettai che le citazioni si fanno, appunto, citando l'autore. In quel modo me l'aveva bruciata, non potevo più dirla. Era grottesco: io non potevo più metter piede in tv, ma chi ci andava ogni sera mi fregava pure le battute. Lo dissi a Bonolis, che si scusò per la leggerezza. Me ne andai». Furti analoghi si ripeteranno. «La mia battuta "Brutte notizie per i sosia di Saddam Hussein: Saddam avrebbe perso un braccio" me la ritrovai alle *Iene*, su Italia1, in bocca a Enrico Bertolino. Un brano sul rapinatore che dice al cassiere "Prendi tutti i soldi che ci sono in cassaforte. E adesso versali sul mio libretto" me lo rubò un comico napoletano di *Bulldozer* (Rai2). Nello spettacolo *Sesso con Luttazzi* dico: "Perché non vengono eseguiti trapianti di pene? Pochi donatori" e vengo plagiato da un duo comico a *Colorado Cafè* (Italia1). Lo stesso Bonolis ci ricasca nel 2004, in una delle ultime puntate di *Domenica In*. Battuta mia: "Secondo Clinton il sesso orale non è sesso. Beh, se il sesso orale non è sesso, c'è una nigeriana sui viali che mi deve un sacco di soldi". Versione di Bonolis, purgata sul finale: "Se il sesso orale non è sesso, c'è un mio amico che deve riavere un sacco di soldi da una prostituta"». A ogni plagio, i fans di Luttazzi lo avvertono via e-mail. Lui ringrazia per le segnalazioni con un'altra battuta: «Se non mi copiano, non sono divertenti».

Per chi suona il campanaccio

Si fa avanti anche Pippo Baudo. Conduce su Rai3 un programma intitolato *Cinquanta* sulle nozze d'oro della Rai. Una puntata vuole dedicarla alla censura. Nel novembre 2002 chiama

Luttazzi: «Daniele, verresti ospite in trasmissione?». «Posso parlare?». «Certo che sì. Naturalmente il programma è registrato. Io, in studio, mi armerò di un campanaccio. A ogni tua battuta eccessiva, lo suonerò all'impazzata per dissociarmi. Ti va?». «Perché no?». «Io ti mostrerò una serie di fotografie di soubrettes e tu le commenterai». «No, non è il mio stile. Perché invece non mi mostri delle foto di ministri? Tremonti, Fini, Bossi e Gasparri». «Benissimo, ma allora mettiamo anche D'Alema e Rutelli». Luttazzi accetta: «L'idea di essere censurato in diretta con un campanaccio in un programma sulla censura era divertente. Sapevo che qualcosa avrebbero tagliato, non essendo il programma in diretta. Ma, visto il buon rapporto che avevo con Baudo, pensavo che mi avrebbero avvertito».

Appena si viene a sapere del suo ritorno in tv, parte il fuoco di sbarramento. Il solito Bonatesta di An parla di «provocazione» e invoca «garanzie di contraddittorio». Baudo è costretto ad assicurare la massima par condicio, anche se non c'è nessuna elezione alle viste. La registrazione, una settimana prima della messa in onda, si svolge come da copione. Luttazzi riprende da dove aveva interrotto due anni e mezzo prima. Racconta, per gli smemorati, perché da trenta mesi nessuno l'ha più visto in tv. Ricorda l'intervista a Travaglio, le polemiche, le denunce, il lungo ostracismo. Baudo mostra dei suoi monologhi di repertorio a *Magazine3*, un programma del '92. Poi passa alle foto dei politici. A sorpresa, compare Berlusconi. Daniele ride col pubblico. Ma, come apre bocca, Baudo lo ferma simulando una *gag*. Luttazzi prosegue lo stesso e ricorda la megalomania del Cavaliere: «Sono il migliore del mondo! Sono l'uomo giusto al posto giusto! Ieri è stato ricoverato d'urgenza all'ospedale: aveva un'ernia all'aureola». Foto di Bossi: «Come ministro delle riforme, è l'ossimoro perfetto... È l'autore, insieme a Fini, di una legge razzista contro gli extracomunitari. Ora persino la Chiesa se n'è accorta. Ha detto: "Ehi! Questa è una legge razzista!". Ma io direi a quelli della Chiesa: li avete fatti eleggere voi, di che vi lamentate? Ciucciateveli, adesso». Foto di Fini: «Propone di punire penalmente il consumo delle droghe, anche di quelle leggere. Una legge repressiva, in base alla quale un tossico, se lo trovano con dieci spinelli, rischia da 6 a 20 anni di galera». «Le droghe sono pericolose», interviene Baudo. E Luttazzi: «Ma non si possono mettere le manette alla marijuana: è una piantina. Non si possono equiparare le droghe leggere a quelle pesanti. La gente dev'essere informata. Ci sono droghe molto pericolose, ma ce ne sono altre davvero eccellenti...». Il pubblico anziano rimane basito, mentre i giovani e gli orchestrali applaudono entusiasti. Poi la foto di Gasparri: «Questo è l'autore di una legge sulla tv che favorisce smaccatamente Mediaset». Baudo interrompe: «Ma non è vero!». Luttazzi: «Come no? È talmente vero che, dopo il voto sulla Gasparri, il titolo Mediaset è schizzato alle stelle. Per Mediaset gli affari vanno talmente bene che stanno seriamente pensando di aprire la partita Iva». Ultimo ministro: Tremonti. «Appena eletto, questo signore si presenta tutto solo al Tg1 delle 20 e dice di aver trovato, nelle casse dello Stato, un buco di 60 mila miliardi lasciato dall'Ulivo. Il Fondo monetario internazionale indaga, ma il buco non c'è. A quel punto Ciampi, che di economia se ne intende, convoca Tremonti per chiedere spiegazioni. Gli fa: "Tremonti, sette per otto?"». Poi tocca al centrosinistra. «Non capisco il riformismo di D'Alema. Emilio Fede lo considera il più capace e intelligente della sinistra. Fossi in D'Alema, qualche domanda me la porrei... Io ce l'ho con Berlusconi perché con un governo di destra non riesco ad avere erezioni. Infatti, quando c'era D'Alema al governo, ho avuto un sacco di difficoltà». Ecco la foto di Rutelli: «Lo presento: signori, questo è Rutelli. Perché forse non tutti lo conoscono, se guardano il Tg1... Berlusconi si vanta di aver vinto le elezioni. Se avesse corso da solo, Berlusconi le avrebbe perse. Purtroppo, aveva contro Rutelli... Comunque, c'è speranza anche per Rutelli: se hanno ricavato la penicillina dalla muffa, qualcosa ricaveranno anche da lui». Luttazzi chiude con un augurio: «Spero di tornare in tv con un programma satirico. A presto».

Il direttore di Rai3 Paolo Ruffini si felicita subito per «il ritorno in Rai di una voce importante che mancava: uno di quelli citati in Bulgaria». Ma si guarderà bene dall'affidargli un programma. La puntata va in onda il 10 novembre alle 21,30 e viene seguita in media da 2 milioni 734 mila telespettatori, pari al 9,83 di share. Con picchi d'ascolto incredibili: appena arriva Luttazzi l'audience s'impenna dall'8 al 21% e rimane a quei livelli per tutta la durata del suo passaggio. Ma le battute su

Bossi e la Chiesa, su Gasparri, su Tremonti e i riferimenti iniziali all'intervista a Travaglio sono spariti. Tagliati. Censurati. Restano solo le battute su Fini e naturalmente sui leader dell'opposizione, salvo l'accenno al Tg1. In onda, Baudo non suona mai il campanaccio. In realtà l'ha suonato più volte all'impazzata, ma per le battute poi tagliate. Una scena surreale. Luttazzi la riassume così: «Un programma sulla censura intervista un censurato censurandolo. Una censura al cubo. Anzi alla quarta potenza, visto che l'indomani i quotidiani censurano la censura sulla censura del censurato. I giornalisti infatti non se ne accorgono: su "Repubblica" scrivono addirittura che non ero più lo stesso, mi ero autocensurato, si vedeva che volevo tornare in Rai a qualsiasi costo. E dire che quanto era accaduto l'avrebbe capito anche un bambino, guardando la trasmissione. Non c'era continuità tra una frase e l'altra, il montaggio era persino maldestro, c'erano miei commenti che si riferivano a precedenti risposte censurate». Scrive infatti Leandro Palestini:

> Del caustico e dissacrante comico di *Satyricon* ieri sera si è visto ben poco. Le campane che Baudo avrebbe dovuto suonare di fronte al rischio «censura» si sono rivelate inutili. Luttazzi, versione soft, si è limitato a fare il solletico a Fini, Berlusconi e Bossi, preferendo svillaneggiare Rutelli e D'Alema: è la satira che prende di mira l'opposizione o gli sketch di Luttazzi sono stati amputati? Sono le battute di Luttazzi a far venire i dubbi [...]. Nessun problema per Flavio Cattaneo a dare il via libera a queste punture di spillo. I dietrologi fanno presente che Luttazzi sta cercando di rientrare in Rai (con una striscia satirica preserale anti-Ricci di 10 minuti: forse su Rai3) e non avrebbe voglia di irritare gli attuali padroni del servizio pubblico. Senza contare che, dopo essere stato cacciato da *Satyricon*, ora deve affrontare cinque cause civili [...]. Anche lui «tiene famiglia».

Sempre su «Repubblica», Sebastiano Messina rincara la dose:

> Il Luttazzi che ieri sera è tornato in tv [...] era un Luttazzi che ha imparato la lezione e non ha più tanta voglia di andare a testa bassa contro il muro d'acciaio del potere berlusconiano. Certo, con Bossi è stato tagliente come ai vecchi tempi, però a

Berlusconi ha dedicato solo una battuta riciclata, mentre su Fini non ha speso neanche un calembour. Tutta la sua verve, tutto il suo vetriolo, Luttazzi lo ha scaricato su Rutelli e su D'Alema – per attaccare i quali non è che oggi ci voglia un grande coraggio, specialmente su questa Rai – apparendo inevitabilmente una versione stemperata e addolcita del Luttazzi che conoscevamo [...]. Non poteva esserci modo migliore, forse, per ricordare in tv la censura televisiva: mostrarci gli effetti di quella forza invisibile che si chiama autocensura, e che spinge anche i comici più coraggiosi e brillanti a ricordarsi, di fronte alla «campana delle libertà» inventata da Pippo Baudo per suonare l'allarme-satira, che si può attaccare Berlusconi e fare un programma in televisione, ma raramente si possono fare le due cose insieme.

Eppure, che i censori Rai siano intervenuti pesantemente con le forbici, è una voce ricorrente fin da quel pomeriggio. Tant'è che, per parare il colpo, viale Mazzini convoca una ventina di giornalisti televisivi in una saletta per mostrare loro la puntata della sera. Qualcuno domanda se sia stata tagliata. «No, solo due minuti di tagli tecnici, concordati con lo stesso attore», smentisce Aldo Piro, uno degli autori. Baudo racconta che Luttazzi era presente al montaggio. Ma è una bugia. L'attore precisa che tutto è avvenuto in sua assenza e a sua insaputa:

Le cose andarono così. Nell'intervista con Baudo, avevo esordito dicendo che Fini è un fascista. Senonché, sui giornali dell'indomani, erano uscite dichiarazioni di Fini che prendeva nettamente le distanze dal fascismo. Così chiamai Pippo e gli dissi di togliere quel riferimento al fascismo: per una volta che Fini faceva qualcosa di buono, andava incoraggiato. Lo richiamai un po' più tardi: «Tutto il resto va in onda?». Lui mi tranquillizzò: «Va tutto in onda». Anche la battuta su Tremonti? «No, quella l'abbiamo tagliata». In realtà avevano levato quasi tutto. Su sei minuti di intervista politica, ne avevano segati cinque. Quando Messina scrisse che mi ero ammosciato perché volevo tornare in Rai, gli scrissi com'erano andate le cose. Precisando che non c'era niente di male a voler tornare a fare il mio lavoro in tv, visto oltretutto con chi mi avevano sostituito. E raccontando i pesanti tagli che avevano sfigurato l'intervista. Ma nessuno sembrava aver voglia di approfondire. Non solo: dieci giorni dopo, Messina tornava sull'argomento per chiedere come mai ci avessi messo cinque giorni per avvertire la stampa dei tagli. A parte il fatto che non ho il filo diretto con le redazioni, che spetta al critico tv accorgersi di un video manipolato e che non sopporto fare quello che si lamenta, ricordo che dopo la trasmissione ci fu la strage di Nassiriya e il mio caso perdeva ovviamente d'importanza, per me. Così, in chi aveva seguito il programma solo sui giornali, restò l'impressione che mi fossi censurato da solo per accomodarmi su qualche strapuntino Rai.

La Rai non ha mai smentito la versione di Luttazzi.

Sodomie in corpo zero

Non passano due settimane e Luttazzi è di nuovo nell'occhio del ciclone. Stavolta non per cose dette e censurate. Ma per cose mai fatte che gli vengono attribuite. Da due mesi è partito con la nuova tournèe, che ripresenta un suo vecchio spettacolo di grande successo, nato dalla Rai3 di Angelo Guglielmi: *Sesso con Luttazzi*. Quasi una vacanza dalla satira politica per disintossicarsi, lasciando che Grillo, Fo, Paolo Rossi e Sabina Guzzanti gli diano il cambio. Senza per questo rinunciare all'impegno civile. A Genova, al Teatro G. Modena, mette in scena per due sere una pubblica lettura sperimentale dei suoi *Dialoghi platonici*, affidati a cinque attori che interpretano Fedone, Menone, Gorgia, Timeo e una ninfa. Con l'aria di parlare del processo a Socrate, affronta invece il processo a Previti e altre questioni terribilmente attuali come la politica, la droga, la pedofilia nel clero, la fecondazione assistita, l'immigrazione e i misteri del terrorismo. Dice Timeo: «Ve lo immaginate Previti che, per non violare la legge, accetta la condanna e beve la cicuta?». E Gorgia: «Una volta ho cercato di immaginarmelo: mi è venuta la meningite». Risate a crepapelle alternate a momenti seri, drammatici, anche di rara crudezza. Come quelli dedicati alla tragedia di Aldo Moro, in un dialogo che occupa appena 8 minuti sui 70 della serata. Satira a tutto tondo, che non indietreggia di fronte a nulla e nessuno. All'inizio, il pubblico che affolla il teatro viene avvertito dallo stesso autore della durezza di alcuni passaggi. E alla fine esplode in un lungo applauso. È il 24 novembre 2003. L'indomani nessun giornale parla della prima serata. La stampa è ancora piena del caso *RaiOt*, il programma di Sabina Guzzanti chiuso da Rai3 soltanto otto giorni prima. Luttazzi ha subito solidarizzato con lei: «Siamo nell'Italia di Brežnev. L'informazione sembra la "Pravda", sotto forma di *Porta a Porta* e Tg1, trionfo di veline di palazzo. Ora accusano la Guzzanti di fare informazione: dimenticano che la grande satira è sempre stata grande giornalismo, come nel caso di Karl Kraus, che dirigeva anche un giornale. Poi si vede come finisce quando si va a votare: la gente ha eletto Berlusconi per insufficienza di informazioni».

Servono rinforzi per la nuova campagna di criminalizzazione della satira. Ogni pretesto è buono. Il 25 novembre, alle 13,39, l'Ansa lancia il seguente dispaccio:

Pubblico imbarazzato ieri sera al Teatro Modena di Genova, dove Daniele Luttazzi, in veste di autore, ha messo in scena in anteprima nazionale i suoi «Dialoghi platonici»: sotto accusa una scena in cui Giulio Andreotti, davanti al cadavere di Aldo Moro nella tristemente celebre Renault 4, preso da eccitazione lo denuda e lo sodomizza. Uno spettacolo choc quello di Luttazzi, a dispetto del titolo forse più simile per crudezza di linguaggio al *Platoon* di Oliver Stone che alle opere del filosofo ateniese [...]. Luttazzi ha deciso di affrontare il terrorismo facendo raccontare ai suoi attori un incontro del senatore Giulio Andreotti con Prospero Gallinari, Mario Moretti e gli altri carcerieri di Aldo Moro che lo portano a vedere il cadavere dello statista appena ucciso. Ma Andreotti non soffre alla vista di Moro riverso nella Renault 4 rossa, la sua morte gli mette addosso una strana eccitazione, fino al punto di denudare il cadavere e sodomizzarlo. Applausi alla fine, ma anche molto imbarazzo fra il pubblico per uno spettacolo destinato a scatenare molte polemiche.

Infatti le polemiche si scatenano subito. Ma non per lo spettacolo, bensì per quello che le agenzie di stampa e poi i giornali raccontano essere avvenuto. Un'altra agenzia riprende la precedente, scrivendo addirittura che «Luttazzi, sul palco, travestito da Andreotti fa atti osceni col cadavere di Moro».

Davvero Luttazzi ha fatto tutto ciò? Naturalmente no. Lui sul palco nemmeno c'era. C'erano gli attori, rimasti seduti per tutta la serata davanti al microfono con il copione in mano, trattandosi di una lettura scenica e non di una rappresentazione. E poi, come si può chiaramente evincere dal testo, non c'è alcuna sodomia: un personaggio, in un'atmosfera rosso cupo, racconta un incubo di Andreotti che sogna di penetrare i fori dei proiettili che crivellano il corpo senza vita di Aldo Moro. Nulla di quanto ha raccontato l'Ansa è vero. Ma ormai la miccia è innescata e la bomba esplode.

Il 26 novembre «Il Giornale» dedica all'evento mezza pagina, con un commento in prima di Ruggero Guarini, che naturalmente non ha visto lo spettacolo. Infatti parla di «sketch infame e cretino» e di un «attore travestito da Giulio Andreotti» che fingeva di «sodomizzarne un altro che a sua volta fingeva di essere il cadavere di Aldo Moro». Conclusione: Luttazzi e gli altri «petulanti birichini della satira targata Rai, impiegati dello Stato stipendiati dai contribuenti, statali con l'uzzolo della satira» non possono non avere dei «mandanti e tutori politici e mediatici [...]. A lui e a tutti i guitti della sua specie, l'accesso al servizio pubblico dovrebb'essere impedito dalla legge». Per la verità, Guarini sta parlando di un attore a cui l'accesso alla Rai è precluso da due anni, non dalla legge ma da un editto del presidente del Consiglio. A pagina 16, poi, c'è la cronaca di una giornalista della redazione di Genova, che naturalmente non ha visto lo spettacolo. Tant'è che è costretta a scopiazzare interi brani dall'Ansa e vaneggia di un «Andreotti che sodomizza Aldo Moro». «Il Messaggero» non è da meno: «Viene evocata sotto forma di dialogo una scena in cui Giulio Andreotti, davanti al cadavere di Aldo Moro chiuso nella tristemente celebre Renault 4, viene preso da eccitazione, lo denuda e lo sodomizza. Al di là di ogni immaginazione». Compresa quella dell'articolista, che naturalmente non ha visto lo spettacolo. Decine di quotidiani prendono per buona la bufala della sodomia, dalla «Stampa» di Torino al «Giornale di Sicilia». E continueranno a farlo per giorni e giorni, incuranti delle smentite dell'autore e del regista Giorgio Gallione del Teatro dell'Archivolto, nonché dei (pochissimi) giornalisti che hanno visto lo spettacolo. La «verità» deve essere quella, e poco importa se non collima con la realtà dei fatti. Così, a tavolino, si crea il mostro. A poco valgono anche le cronache dei pochi giornali – «Repubblica», «Corriere della Sera», «Unità» e «manifesto» – che informano correttamente i lettori. Anche il «Secolo XIX» di Genova racconta come si sono svolti i fatti, ma poi commenta che «Luttazzi ha passato la misura» con quella «scena agghiacciante e gratuita» che sembra fatta apposta per «voler provocare i censori e stupire a tutti i costi». «È il momento di domandarsi se questa è satira», anche perché «dopo la censura segue inevitabilmente un altro autore satirico che si scopre opinionista». Insomma, questi attori la censura se la vanno a cercare, lo fanno apposta per fare i martiri.

Si scomoda addirittura il direttore del Tg2 Mauro Mazza, con un editoriale nell'edizione delle 13: «La scena in questione – pontifica, come se l'avesse vista – è una schifezza [...]. A quanto riferiscono le cronache, frasi e gesti dello spettacolo hanno lasciato perplessi e imbarazzati molti spettatori. Se si dice che è una schifezza e solo averla pensata, progettata e messa in scena è una mascalzonata, commettiamo forse reato di lesa satira?».

«In galera!»

La caccia alle streghe è appena cominciata. Col solito contorno di sdegnati commenti politici. «Non si può fare satira su una tragedia», sostiene Marco Follini dell'Udc, «irridere al dolore delle persone è fuori dal sentimento che ho della civiltà». «Battute immorali, disgustose, ripugnanti», rincara Paolo Barelli di Forza Italia, membro della Vigilanza: «probabilmente quello di Luttazzi è solo un modo per uscire da quello che sarebbe un mediocre anonimato. In ogni caso i suoi spettacoli sono sempre contraddistinti da battute e scene immorali, disgustose, ripugnanti [...]. Si continua a issare presunte bandiere di libertà per Sabina Guzzanti. Questi personaggi hanno censurato il buon gusto e la corretta informazione. Facciano autocritica, invece di proclamarsi martiri mediatici». Pierluigi Castagnetti della Margherita trova che «la satira non può essere priva di responsabilità e limiti etici: quando degenera in volgarità va semplicemente definita per quella che è: volgarità, appunto, non satira». Pino Pisicchio, capo dei deputati Udeur, presenta addirittura un'interrogazione parlamentare al ministro dell'Interno, perché «chiarisca la compatibilità dello spettacolo, definito comico, del Luttazzi, laddove esplicitamente si rappresenta il vilipendio del cadavere di Aldo Moro attraverso una rappresentazione disgustosa e oscena. Non ci sono parole per commentare tale deprecabile atteggiamento, che getta un cono d'ombra sull'intera attività "artistica" di un personaggio il cui diritto a fare satira abbiamo più volte difeso in passato. Evidentemente abbiamo sbagliato. La farneticazione di Luttazzi, per paradosso, rende sane anche le critiche di Berlusconi».

Franco Corbelli, coordinatore di un sedicente Comitato dei diritti civili, pensa bene di inviare «con raccomandata espresso» un esposto-denuncia alla Procura di Genova perché «apra subito un'inchiesta sull'accaduto» e possibilmente ordini «l'immediata sospensione di questo spettacolo ignobile e osceno». L'avvocato da copertina Nino Marazzita, a nome della vedova Moro, fa sapere che la signora Eleonora ha reagito con «disprezzo totale», ma «non intraprenderà alcuna iniziativa legale: non sa nemmeno chi sia Luttazzi». Il vicepresidente della Camera Alfredo Biondi (Forza Italia) parla di «vilipendio ai morti e ai vivi» e si rammarica perché «purtroppo non esiste alcuna censura preventiva contro questi spettacoli che sfiorano il cattivo costume». Gianni Plinio, vicepresidente della Regione Liguria nonché assessore alla Cultura, si meraviglia «che un teatro genovese, che fra l'altro gode di finanziamenti pubblici, si sia prestato ad accogliere un arcinoto provocatore come il signor Luttazzi». Notare l'accenno ricattatorio ai finanziamenti e l'implicita conclusione: non basta epurare Luttazzi dalla Rai, bisogna proprio cancellarlo dalla faccia della terra, impedirgli di lavorare e proibire al pubblico di vederlo in qualunque sede. Freme di sdegno anche il ministro dei Beni culturali Giuliano Urbani, in pieno raptus giustizialista: «La roba andata in scena a Genova riguarda, per definizione, la magistratura. È materiale che può interessare solo ed esclusivamente i giudici per accertare la responsabilità penale e civile di tutti coloro che l'hanno messa in scena. Poi trarremo le conclusioni». Addirittura strepitoso, e non solo per la sintassi, il comunicato del senatore di An Michele Bonatesta: «Questa è la satira che piace al centrosinistra, il cui erotomane autore, già coprofago in tv e, manco a dirlo, sodale della Guzzanti, è stato ed è difeso a spada tratta dall'opposizione [naturalmente nemmeno una voce si è levata dall'opposizione in difesa di Luttazzi, *N.d.A.*]. Il centrosinistra dei Luttazzi, delle Guzzanti, dei Giulietti, dei Falomi e dei Gentiloni pensa che la satira sia un porto franco, il lasciapassare per offendere, calpestare, oltraggiare, diffamare impunemente. Ma si sbaglia di grosso: anche alla satira, come a ogni campo dell'attività umana, devono essere posti dei limiti. L'auspicio è che lo stop a *RaiOt*, per Guzzanti e compagni, abbia una funzione pedagogica». Colpirne uno per educarne cento.

Luttazzi, con interviste e dichiarazioni alle agenzie, fa di tutto per spiegare che «la scena di sodomia non esiste, non l'ho mai scritta, nessuno l'ha mai interpretata. Non è vero niente. La serata è stata una lettura scenica da parte di un gruppo di attori in abiti borghesi. Uno di loro racconta un incubo di Andreotti. È teatro. E l'intento è esattamente l'opposto di quello che mi è stato attribuito: non mancare di rispetto a Moro, ma al contrario raccontare l'orrore della tragedia di questo grande statista divenuto la vittima sacrificale di un sistema. Una metafora, che invece è stata presa alla lettera. La descrizione di un incubo da cui l'Italia, evidentemente, non s'è ancora svegliata».

Andreotti, al tg di Sky, parla di «storia disgustosa», invoca «forti sanzioni finanziarie» contro gli «eccessi della satira, altrimenti si va all'anarchia assoluta». Poi annuncia: «Ho rinunciato a un incontro che promuoveva Genova come capitale della cultura. Non che questo poveraccio di Luttazzi rappresenti Genova, però mi dispiace che in un teatro di Genova si sia arrivati a questo. Ho mandato un telegramma, me ne sto a Roma». Una vendetta trasversale contro la città «rea» di aver ospitato, in un libero teatro, un comico sgradito. La «Repubblica» fa notare l'assurdità della reazione: «Scusi, senatore: se Luttazzi avesse esordito in un teatro romano, lei avrebbe cambiato residenza?». Invece «Il Giornale» dipinge la rinuncia andreottiana come una perdita incolmabile, un colpo mortale per Genova capitale della cultura 2004: «La "satira" di Luttazzi fa piangere il 2004», perché delle celebrazioni «il senatore a vita era uno dei fiori all'occhiello» e ora «Genova resterà sempre la città del teatro dello spettacolo di Luttazzi». E ancora, in un'escalation di incontenibile catastrofismo: «Insieme a Genova 2004, sotto le macerie rischiano di rimanerci l'Archivolto e la sua storia». Nessun accenno al fatto che il «fiore all'occhiello» è stato appena definito dalla Corte d'appello di Palermo colpevole di associazione per delinquere con la mafia fino alla primavera 1980 (reato «commesso», ma «estinto per prescrizione»). Lo ricorda soltanto Beppe Grillo, grato a Luttazzi per aver tenuto Andreotti lontano dalla sua città: «Bisogna ringraziarlo per aver fatto arrabbiare Andreotti, che ha smesso di sostenere il 2004. Come genovese e come cittadino europeo mi sento di dirgli grazie». Il sindaco di centrosinistra Giuseppe Pericu, invece, si scapicolla a Roma per omaggiare Andreotti in Senato e «chiedergli scusa a nome della città, che ovviamente è estranea allo spettacolo di Luttazzi».

Il 3 dicembre l'avvocato Marazzita informa la stampa che ha cambiato idea: ha denunciato Luttazzi su mandato di Eleonora Moro per il suo spettacolo «lesivo e offensivo sia del comune senso del pudore e della morale pubblica, sia dell'immagine di Aldo Moro», in quanto – scrive testualmente l'avvocato, anche lui ignaro del reale contenuto dello spettacolo – «Luttazzi rappresenta un Andreotti che, alla vista del cadavere riverso nella Renault 4 rossa, si eccita sessualmente e lo sodomizza».

La Procura di Genova, in base agli esposti di Corbelli e Marazzita, apre un fascicolo per «oscenità» e fa acquisire il testo del dialogo incriminato, nonché la videocassetta dello spettacolo: «Per fortuna – dice Luttazzi – ormai conosco i miei polli e videoregistro tutto ciò che faccio».

Non può mancare un vibrante comunicato di Clemente Mastella (Udeur-Ap): «Quella di Luttazzi certamente non è satira e bene ha fatto la famiglia Moro a querelarlo per diffamazione. Il suo spettacolo è vergognoso e l'unico sentimento che suscita è quello della umana indignazione. Il personaggio in questione non è nuovo a cadute di stile, ma questa volta ha superato ogni limite». Anche il coordinatore nazionale di Forza Italia Sandro Bondi, solitamente allergico alle Procure, plaude entusiasta all'iniziativa giudiziaria e invoca pene esemplari: «Il caso

di Daniele Luttazzi, giustamente chiamato in causa per il reato
di diffamazione della famiglia Moro [il reato è un altro, ma fa lo
stesso, *N.d.A.*], dimostra l'abominio morale della cosiddetta
satira di sinistra che dovrà essere più propriamente considerata
come la putrescenza di un'ideologia che prima conduce a ucci-
dere e poi si accanisce anche sulla memoria delle persone». Per
la cronaca, si tratta della stessa ideologia a cui Bondi ubbidì ciecamente per vent'anni nel Partito comunista. Luttazzi, mai.

Resta da vedere che cosa davvero è accaduto in scena, quella sera fatidica. Ecco il passo incriminato, letto da un attore:

Le sue labbra e le sue mani [di Andreotti, *N.d.A.*] esplorava-
no in un lento, dolcissimo viaggio ogni piega del cadavere.
Quando, con impeto crescente, le sue dita raggiunsero l'interno delle cosce per insinuarsi con desiderio nella calda intimità
dei fori di proiettile, Andreotti avvertì che il presidente della
Dc, l'ex presidente, era ormai senza alcuna difesa.

Racconta Luttazzi:

Prima dello spettacolo, che poi era una prova aperta al pubblico a prezzo ridotto per dare l'idea della serata sperimentale, avevo personalmente avvertito gli spettatori che avrebbero
assistito ad alcune scene molto forti: chi voleva poteva uscire,
se non se la sentiva. Non è uscito nessuno, ovviamente. Ma se
queste cose non si fanno in teatro, allora dove si fanno? Solo
un ignorante può pensare che la satira debba far ridere sempre e per forza. Non è mai stato così, da Aristofane in avanti.
Non è neppure vero che l'arte coincida per forza con il bello:
pensiamo ai quadri di Francis Bacon e alle reazioni che suscitano in chi le guarda. La satira usa spesso l'arma del grottesco.
Il brano su Moro, in un'atmosfera tragica e dolente, trasforma
lentamente la realtà sotto gli occhi dello spettatore che pensava di conoscerla, trasmettendogli un senso di orrore e di fasci-
nazione. Era l'effetto che cercavo e, dalla reazione collettiva di
quella sera, penso di averlo ottenuto: il pubblico è rimasto
affascinato, orripilato, interdetto, ha ascoltato il dialogo in
religioso silenzio e alla fine, dopo averlo metabolizzato, è
esploso in un grande applauso che io ho inteso come un
applauso a Moro. Io stesso che l'ho scritto, e che assistevo alla

lettura dal fondo della sala, sono rimasto molto colpito dall'effetto. L'orrore artistico ti rende partecipe, per un attimo, dell'orrore vero, con una ricostruzione metaforica della realtà. Provo un profondo senso di *pietas* per Moro, il mio testo è molto rispettoso nei suoi confronti. So che fa male sapere che Moro è stato la vittima sacrificale di qualcosa che non ci è dato di conoscere, ma lo è stato. A vent'anni dal suo omicidio finalmente se ne parla, e anche il teatro deve raccontarlo. La satira è un punto di vista e un po' di memoria. Tutta la satira, se ben fatta, è politica, perché è politico tutto ciò che si occupa delle forze che condizionano i rapporti fra gli esseri umani. E il teatro mette al centro di ogni suo discorso il potere. La satira non c'entra niente con la parodia, l'imitazione, lo sfottò. Quella è comicità, non satira.

L'Ordine dei giornalisti apre una pratica contro Luttazzi, che si è appena iscritto all'albo dei pubblicisti. E questa è comicità allo stato puro: dopo *Satyricon*, Mario Petrina voleva punirlo per aver intervistato Travaglio senza essere giornalista; ora si tenta di processarlo in quanto pubblicista per quel che fa come attore o autore. La pratica sarà archiviata appena visionata la videocassetta della serata, da cui si evince chiaramente che nulla di quel che si è scritto è mai avvenuto.

Ma ormai quello di Luttazzi sodomizzatore di Moro è un luogo comune. E non c'è smentita, chiarimento, assoluzione che valga a cancellarlo. Nessuno, una volta accertati i fatti, chiederà scusa.

Tentata annessione

Baudo a parte, l'ostracismo a Luttazzi in televisione dura ormai da più di tre anni. Mai una telecamera Rai o Fininvest ai suoi spettacoli che riempiono i teatri d'Italia. Soltanto Canal Jimmy, sul satellite, rompe l'embargo la sera di San Silvestro 2003, in contemporanea con il messaggio a reti unificate del capo dello Stato, ospitando le riprese di *Adenoidi 2003* precedute da un quarto d'ora inedito di fulminanti ritratti luttazziani di alcuni ministri. Gasparri: «Ha la faccia di un cameriere a cui non hanno dato la mancia. Avete presente *Forrest Gump*? Bene, Gasparri non aveva capito che il protagonista era un ritardato». Martino: «Ha sempre l'espressione di uno che ha appena sbagliato cesso». Castelli: «Ha la faccia di un tassista abusivo. Ha una risposta per ogni domanda. E la risposta è: "Boh?"». Lunardi: «Ha detto che con la mafia bisogna convivere. Berlusconi l'ha rimproverato: perché solo conviverci, quando ti può fornire degli ottimi stallieri?». Frattini: «Ha un suo fascino. Quando sei con lui, è come essere da solo». Maroni: «Nella sua famiglia, è quello normale». Fini: «Ha la faccia di uno che è stato picchiato da piccolo, ma non abbastanza. Dice che nel suo partito non c'è posto per i razzisti: si vede che sono al completo». Moratti: «Non è un ministro: è l'idea che una parrucchiera ha di un ministro». Schifani: «Sembra una di quelle cose che scappano quando sollevi una pietra». Elio Vito: «Mi manca: dov'è Elio Vito ogni volta che hai bisogno di mandare affanculo qualcuno?». Ferrara: «Non è grasso, è pieno di sé». Vespa: «Sembra un pluriomicida con problemi intestinali». Fede: «Se avessi un negozio, userei i suoi assegni come esempio del perché il mio negozio non accetta assegni». L'Ulivo: «Fanno cadere le braccia. Devono cambiare strategia. Berlusconi suggerì ai propri candidati di rivolgersi agli elettori come se fossero dei bambini di 11 anni. E vinse. Quindi l'Ulivo dovrà usare slogan più semplici. Per esempio "Vota Ulivo perché Berlusconi ti ruba tutti i giocattoli"». Ottimo successo di share. Ma nessun giornale ne parla: altrimenti, vista la ferocia e la bellezza delle battute, qualcuno dovrebbe scusarsi con Luttazzi per averlo dipinto come un comico spompato in fila per un posto in Rai. Silenzio assoluto, dunque. Luttazzi è ormai un'ombra che cammina, un nome impronunciabile, un «paria».

A questo punto il regime pensa di averlo fiaccato, massaggiato e prostrato abbastanza. E gli lancia una ciambellina di salvataggio, per farne un sol boccone con la più classica delle operazioni di annessione. Verso fine marzo del 2004 squilla il suo cellulare. «Daniele? Ciao, sono Giuliano Ferrara». «Ciao, dimmi tutto». I due si conoscono da quando l'attore aveva intervistato il giornalista a *Barracuda*, su Italia1. «Il Foglio», il quotidiano edito da Veronica Berlusconi e diretto da Ferrara, sta perdendo i pezzi: Berlusconi ha promesso di procurare la grazia ad Adriano Sofri, poi s'è tirato indietro; e nel giro di pochi giorni il giornale s'è visto sfuggire Mattia Feltri e Pierluigi Diaco, autori di brevi rubriche quotidiane. Infatti è proprio per offrirgli una rubrica di quel tipo che il corpulento «consigliori» di Berlusconi chiama Luttazzi.

> FERRARA Volevo proporti una collaborazione sulla quarta pagina del «Foglio». Sai, è molto letta e tu potrai scrivere quel cazzo che ti pare. Avrai dieci-quindici righe al giorno, in totale libertà. Poi ci mettiamo d'accordo sul prezzo. Ti va?
> LUTTAZZI No, mi dispiace, per me il contesto è importante. E io sul «Foglio» non voglio comparire.
> FERRARA Quindi la tua è un'obiezione politica?
> LUTTAZZI (*ride*) Proprio così. Un'obiezione politica.
> FERRARA Ah beh, allora è insormontabile. Va bene, come non detto, buona fortuna.

La Rai, intanto, mette a punto su Internet un servizio di archivio telematico, *Raiclik*, con tutte le informazioni sui personaggi e i programmi dei suoi primi cinquant'anni. Ma, se si digita il nome Luttazzi, non viene fuori nulla, come se non fosse mai esistito. Di tutto, di più: nel novembre 2003 un redattore del *Tg3 Primo piano* chiede alla cineteca la cassetta del *Satyricon* con l'intervista a Travaglio, ma quando la riceve e cerca il brano «incriminato» scopre che non c'è più. È stato tagliato. La puntata del 14 marzo 2001 inizia dalla metà: la prima parte, quella che non piace a Berlusconi, è sparita. Come i volti dei gerarchi sovietici epurati e cancellati via via dalle foto con Stalin.

3

Enzo Biagi, censura criminosa

*Da qualche tempo,
in Argentina come in altre parti del mondo,
è andato perduto un valore: la vergogna.*
Ernesto Sabato

Enzo Biagi da Lizzano in Belvedere (Bologna) lavora per la Rai dal 1961. Ma la sua voce, prim'ancora che il suo volto, è nota agli italiani da sessant'anni. Nel 1945 fu Biagi, direttore della radio della Quinta Armata alleata, ad annunciare insieme ad Antonio Ghirelli la liberazione di Bologna. Sedici anni dopo, Ettore Bernabei lo chiamò a dirigere il telegiornale Rai, quando ce n'era uno solo. Se ne andò dopo nemmeno un anno: pretendeva di assumere i giornalisti a prescindere dalla tessera di partito, ma non dal talento. Da allora inventò l'approfondimento televisivo, creando programmi memorabili. L'ultimo, *Il fatto*, partito il 23 gennaio 1995, fu per centinaia di giorni la trasmissione più vista dell'intera televisione pubblica, con uno share medio su otto anni del 24% (sei milioni di telespettatori, con punte fino a dieci): il più alto di tutti i programmi messi in onda dalla Rai nella fascia oraria 20,30-21. Poi un giorno il presidente del Consiglio Berlusconi parlò dalla Bulgaria: «uso criminoso della televisione pubblica». La sentenza irrevocabile di condanna fu emessa così, su due piedi, senza processo né possibilità di difesa. L'apposito consiglio di amministrazione, da lui stesso nominato tramite i presidenti delle Camere Pera e Casini, e l'apposito direttore generale Agostino Saccà, da lui stesso imposto, s'incaricarono di eseguirla. Per la verità il premier, nella sua magnanimità, aveva lasciato aperto uno spiraglio: «Certo, se cambiano...». Biagi non cambiò, non si pentì, non prestò giuramento di fedeltà al regime. Come pure Santoro e Luttazzi. E il discorso si chiuse lì.

Eppure Berlusconi conosce e dice di apprezzare Biagi da molti anni. Sul finire degli anni Ottanta, prima della discesa in campo, l'aveva convocato ad Arcore per ingaggiarlo nelle sue tv. Biagi ci era andato con la moglie Lucia. «Lei è un fuoriclasse, deve venire a lavorare da noi», aveva esordito il Cavaliere. «Poi» racconta Biagi «estrasse il libretto degli assegni, lo aprì e me lo mise davanti: "Metta lei la cifra". Io risposi: "No, grazie". A quel punto il Cavaliere si rivolse a mia moglie: "Signora Lucia, lei lo sa che ho fatto la corte più a suo marito che alle donne?". E lei, pronta: "Si vede che lei non è il suo tipo"...». Un'altra volta, verso la fine del '93, il Cavaliere confessò al vecchio Enzo quel che aveva già confidato a Montanelli e a pochi altri: «Se non entro in politica, mi mettono in galera e mi fanno fallire».

Il contratto di collaborazione di Biagi con la Rai è biennale e viene rinnovato dunque ogni due anni, anche se una clausola ne prevede la prosecuzione automatica alla scadenza, salvo disdetta di uno dei due contraenti. L'ultimo scade il 31 dicembre 2001. Nell'aprile di quell'anno, alla vigilia delle elezioni politiche, il dirigente responsabile del *Fatto*, Loris Mazzetti, fedelissimo di Biagi, incontra il presidente della Rai Roberto Zaccaria e il direttore di Rai1 Maurizio Beretta per sollecitare quello nuovo, così da proseguire il rapporto per le stagioni 2002 e 2003. Fra aprile e maggio 2001, come prevede la legge sulla par condicio, *Il fatto* viene ricondotto sotto il Tg1 diventando «testata», per poter andare in onda anche durante la campagna elettorale. Ma Beretta telefona a Mazzetti per proporgli di chiudere in anticipo e permettere a Biagi «di riposarsi». Mazzetti risponde che Biagi non è affatto stanco e si continua come previsto dai palinsesti.

I *due toscanacci*

Biagi segue la campagna elettorale dando voce a politici, giornalisti e artisti di tutti gli orientamenti. Fa scalpore soprattutto la sua intervista a Montanelli, oggetto di odiose minacce di morte per le sue critiche a Berlusconi, in contemporanea con gli annunci di epurazioni alla Rai lanciati dal Polo dopo il caso *Satyricon*. Il vecchio Indro critica aspramente il Cavaliere (come del resto fa sul «Corriere della Sera» e su Telemontecarlo). Beretta censura due sue risposte: «Berlusconi governerà senza quadrate legioni, con molta corruzione» e «Voterò questo centrosinistra perché [...] è pieno di difetti, però non fa paura, mentre questa destra mi fa paura». Poi lascia Rai1 per diventare capo delle relazioni esterne della Fiat e in seguito addirittura direttore generale della Confindustria di Luca di Montezemolo.

Il 10 maggio, due giorni dopo il monologo di Berlusconi a *Porta a Porta* con contratto, notaio e scrivania incorporati, Biagi intervista un altro toscanaccio: Roberto Benigni, premio Oscar 1999 per il film *La vita è bella*. Fra una battuta su Berlusconi e una sulla sinistra, Benigni ribadisce quello che tutti sanno, e cioè che voterà per l'Ulivo. Ma alla sua maniera. Colta, spiritosa, poetica.

BIAGI Cosa te ne pare della situazione italiana?
BENIGNI No, signor Biagi. Siamo in campagna elettorale: non voglio parlare di politica. Sono qui per parlare di Berlusconi, quindi mi voglio tenere più lontano possibile dalla politica. [...] Accadono cose mai viste [...]. Il Papa nella moschea, i bambini geneticamente modificati, Berlusconi probabile presidente del Consiglio... Cose innaturali, insomma [...].
BIAGI Chi è Rutelli? Adesso smetti di ridere, eh?
BENIGNI No, Rutelli... Tutto gli si può dire, ma la bellezza... La bellezza attira i ladri e gli assassini più dell'oro, dice Shakespeare, quindi trovarsi di fronte a Rutelli in un faccia a faccia, capisco che Berlusconi possa dire: eh, insomma... è un po' in difficoltà. Ora è come se invitassero me a fare un «pisello a pisello» con Bossi... Non c'è sfida [...]. Però sarebbe un bel gesto, perché [...] vedere i due contendenti che si danno la mano davanti a tutto il popolo italiano [...] è una cosa che non ci possono levare, è una cosa democratica di bellezza, di poesia. Io non voglio dare indicazione di voto eh... Si è capito che Berlusconi non mi piace e Rutelli sì [...]. Siamo equidistanti [...].
BIAGI Si parla tanto del conflitto di interessi di Berlusconi. Ma che cos'è?.
BENIGNI Ma dico, 'sto conflitto d'interessi dico, ma Gesù ce lo insegna nel Vangelo! Quando Gesù ha chiamato i suoi apostoli, che gli diceva? Spogliatevi di tutte le vostre proprietà... era la prima cosa, ma dico: siamo un paese cristiano, c'è il Papa, ma qui c'è bisogno di spiegare il conflitto d'interessi? In due parole... la gente dice, è come se ci abbiamo io, lei e un altro, tre aziende: una di pasta, una di ciliegie e una di caffè,

devo levar le tasse a una di queste tre. Io sono il proprietario di quella di ciliegie, a chi le levo? A quella delle ciliegie. E gli altri due: «'a scemo!», e mi danno uno scappellotto in testa! Invece no, si pensa al conflitto d'interessi come a una cosa che non riguarda i problemi della gente. Ma no, perché il conflitto d'interessi è una delle basi della democrazia. Se viene a mancare una regola così alta, potente, dopo non c'è più neanche il lavoro, l'occupazione, le tasse, le pensioni, la sanità, perché dall'alto vengono le cose; se crolla una, crollano tutte.

BIAGI Hai ricevuto il libro *Una storia italiana*?

BENIGNI È una cosa spettacolare: ci manda a casa 'ste cose perché secondo lui il pubblico è come un bambino di undici anni nemmeno tanto intelligente, e vuole essere il nostro babbo. Quando è arrivato questo libro ho imparato tante cose [...]. Lui ha cominciato dal nulla, ha fatto tutto con la sua intelligenza, quindi ha cominciato proprio da zero. È uno che ha costruito un sacco di cose: elicotteri, ville; ha cinque o sei figli; ha avuto una decina di mogli, di cui due sue. È un uomo eccezionale. Allora ci manda a casa questo libro per farci vedere questa bellezza. Uno se lo sfoglia e lo mette là, in mezzo ai *cult* perché è un regalo; ci manderà anche un etto di tonno a famiglia. Ora quello di cui noi abbiamo bisogno lui ce lo manda, insomma è un benefattore.

BIAGI Se tu incontrassi ancora il bambino del tuo film *La vita è bella*, che cosa gli diresti del mondo che lo circonda?

BENIGNI Il grande filosofo tedesco Immanuel Kant ha scritto tante cose che ci hanno insegnato a campare, ma una particolarmente poetica ci ha colpito [...]: «Vorrei andare con il cielo stellato sopra di me e la legge morale in me». Allora gli direi questo al mio bambino: «Ecco, fai che il cielo stellato sia sopra di te e dentro pensa cos'è che in questo momento che devi scegliere». Perché è bello scegliere, ci è dato di scegliere una volta ogni tanto, abbiamo il libero arbitrio, è una cosa anche cristiana, la più naturale, la più bella che bisogna fare. Pensiamo semplicemente qual è la persona più pulita, onesta, brava, capace, perché noi abbiamo in prestito questo mondo per i nostri figli, non è che l'abbiamo ereditato dai nostri padri, allora ai nostri figli gli dobbiamo far trovare una cosa e gli diciamo: ti abbiamo voluto bene, ti abbiamo amato, pensiamo allora a chi è la persona più pulita, bella, capace, che non ci siano ombre, dubbi. Profondamente ci dobbiamo guardare e dire: eccolo qua, questo qua, allora uno è a posto e guarda il cielo stellato luminosissimo sopra di sé e una bella legge morale in sé. Così uno si addormenta tranquillo, la notte, e sicuro: ha fatto un bel futuro ai suoi figlioli. Io questo gli voglio dire, caro Biagi, e se lei mi permette gli voglio dare un altro bacio, come se lo dessi a mio figlio.

Biagi finisce di nuovo nel mirino del centrodestra. C'è chi annuncia apertamente che in Rai durerà poco. Per Adolfo Urso di An, Biagi s'è macchiato dell'«ennesima porcata». Per Alessio Butti, sempre di An, «Biagi potrebbe lasciare il campo a qualche giovane». Gasparri lo inserisce in una lista di personaggi «faziosi» dettata da lui e da altri esponenti del Polo al giornalista Daniele Vimercati nel programma *Iceberg*, su Telelombardia, il 26 marzo 2001. La lista di proscrizione comprende anche Santoro, Luttazzi e il Tg3 in blocco.

Il nuovo contratto

In giugno, dopo il voto, Beretta lascia la Rai per la Fiat. Fa comunque in tempo a confermare *Il fatto* nel palinsesto della nuova stagione. L'interim lo assume il direttore generale Claudio Cappon, ma operativamente la rete finisce in mano al vicedirettore Sergio De Luca, un vecchio giornalista di area socialista e poi forzista, che però conferma anche lui il programma. Il 28 giugno 2001 la nuova bozza di contratto, concordata con De Luca e approvata dal responsabile delle risorse artistiche e strategiche della Divisione Uno (cui fanno capo Rai1 e Rai2) Giancarlo D'Arma, viene inviata a Biagi, che la accetta nel mese di luglio. Ma il 1° agosto viene nominato il nuovo direttore di Rai1: che poi è un «ex», Agostino Saccà, calabrese di Taurianova, passato dal «Giornale di Calabria» a «Panorama» e nel '76 alla Rai: un altro ex craxiano approdato alla corte di Berlusconi. Il contratto s'inabissa nel suo cassetto. Per sempre. Biagi ripartirà in virtù di quello vecchio, scaduto ma automaticamente prorogato. Qualcuno però deve assumersi la responsabilità di rimandare in onda *Il fatto*.

Il direttore di Divisione Giancarlo Leone invita subito Saccà a confermarlo per iscritto. Saccà nicchia: non vuole mettere la sua firma sotto una dichiarazione così compromettente. Si sa cosa pensa Berlusconi del *Fatto*: la firma di Saccà sotto il nome di Biagi potrebbe compromettere la sua scalata alla direzione generale, poltrona ambita anche da Leone. Questi però continua a pretendere il «visto» del nuovo direttore: altrimenti, dice, il vecchio contratto diventa lettera morta e si apre un buco nella programmazione di Rai1 dopo il tiggì. Leone non vuole passare come l'epuratore di Biagi e tenta di incastrare, con quella firma, Saccà. Lo dice anche Cappon: senza quella firma, il contratto di Biagi dev'essere disdetto. Il tira e molla si trascina fino a metà settembre, quando mancano pochi giorni alla ripartenza del programma. Mazzetti affronta Saccà a muso duro: «Tu sei il direttore, tu devi firmare». Volano parole grosse. Saccà recalcitra ancora un po', ma alla fine, negli ultimi giorni di settembre, firma. In ottobre *Il fatto* riapre i battenti con l'ottava edizione, anche se il contratto di Biagi è scaduto da ormai due anni.

Spostare, anzi eliminare

Quanto poco convinta sia la firma di Saccà lo si capisce quasi subito. A novembre il direttore di Rai1 comincia a ipotizzare di spostare *Il fatto* dopo il Tg1 delle 13,30. Biagi e Mazzetti rispondono picche, e la cosa sembra finire lì. Ma il mobbing contro Biagi, che continua a registrare ascolti altissimi mentre la Rai perde punti su Mediaset un po' a tutte le ore, riprende anche dal fronte politico. Il 3 ottobre 2001 il sottosegretario alle Comunicazioni Massimo Baldini (Forza Italia) annuncia: «*Il fatto* si può eliminare: non serve a niente». Zaccaria taglia corto: «Biagi è una risorsa per la Rai». E Biagi: «Baldini si vergogni e si informi sui nostri ascolti e introiti pubblicitari». Persino il ministro Gasparri prende le distanze dal suo vice: «Ha parlato male e a titolo personale». Certe cose si fanno, ma non si dicono.

Saccà torna alla carica ai primi del 2002, durante un'audizione in Vigilanza. «Biagi – dichiara il 29 gennaio – è per la

Rai una risorsa preziosa e da non perdere. Ma la concorrenza di *Striscia la notizia* è troppo forte. Quando dovremo rinnovare il contratto, potremmo decidere un cambiamento di orario. In quella fascia la rete ha un problema: fare concorrenza a *Striscia*. Ci vorrebbe un programma di almeno 18-20 minuti con all'interno la pubblicità. *Il fatto* ha una media di ascolti del 21,5%. Rispetto all'anno scorso, complice anche l'allungamento del Tg5, ha perso 3-4 punti. Per questo riteniamo che in quella fascia oraria sia necessaria un'offerta alternativa». Sfortuna vuole che proprio quella sera *Il fatto* stabilisca il nuovo record di ascolto del 2002, con uno share del 27,92% pari a oltre 8 milioni 39 mila telespettatori (punta massima di 8 milioni e mezzo). In ogni caso i dati forniti da Saccà sono sballati. A smentirli provvede subito lo stesso Biagi, con un comunicato stampa:

Ho appreso dalle agenzie che il direttore di Rai1 Agostino Saccà – che mercoledì scorso ho incontrato senza che me ne abbia minimamente accennato –, alla scadenza del mio contratto (per lui il prossimo settembre) ha intenzione di trasferire *Il fatto* ad un altro e più vago orario e che i dati di ascolto sono del 21,5%. Rispetto all'anno scorso avremmo perso 3 o 4 punti. Devo precisare che, pur dirigendo una rete, è male informato [...]. Dovrebbe leggere meglio i dati di ascolto. La media della trasmissione non è uno stato d'animo, perché è riscontrabile. È di circa il 23%, con circa 6 milioni e 300 mila spettatori di media, per 81 puntate. E sono più o meno sugli stessi valori dello scorso anno, tenendo conto che l'ascolto della rete, in questa fascia oraria, è notevolmente calato. Se Dio vuole, non per colpa nostra. E, proprio questa mattina, il direttore generale Claudio Cappon ha sottolineato gli elevati ascolti della puntata di ieri. Se è una scelta editoriale, mi pare discutibile. Se, invece, è una scelta politica, la capisco benissimo.

Anche il raffronto fra gli ascolti del gennaio 2001 e quelli del gennaio 2002 segna una crescita: da una media del 21,27% a una del 22,98% (6 milioni 302 mila spettatori, con punte di 8 milioni 776 mila), il tutto mentre Rai1 è scesa dal 22,57% al 22,06%.

Carte false

Saccà ha fornito alla Vigilanza i dati relativi ad alcune serate, non alla media degli ultimi mesi. Ma, anziché scusarsi, sostiene di essere stato «frainteso». Aggiunge che «Biagi, insieme a Vespa, è uno dei punti di forza e una risorsa preziosa della nostra offerta». Ma conferma che, «se Rai1 e la Rai dovessero decidere di fare un'offerta compatta di mezz'ora per fare concorrenza a *Striscia*, Biagi troverà un'altra collocazione degna della sua importanza». Puntuale, in suo soccorso, accorre il premier, con un'intervista del 30 gennaio a «Le Figaro»: «In Italia la tv pubblica è tutta nelle mani della sinistra», mentre «la tv privata non è partigiana, non pratica la diffamazione, non ha mai attaccato la sinistra». Le truppe d'assalto partono all'attacco, a bordo di Giuliano Ferrara, che scrive una lunga lettera aperta a Biagi su «Panorama»: «Caro Biagi, non faccia il martire, ci risparmi la solita sceneggiata [...]. Lei ha fatto campagna elettorale con i quattrini di tutti, anche degli elettori del centrodestra [...]. Quando si sparge l'incenso conformista lei è sempre il primo». Spostare *Il fatto* in un altro orario «non sarà come violare una vergine o sgozzare un agnello sull'altare dell'informazione».

Il 31 gennaio il «Corriere» invia Ranieri Polese al quinto piano di corso Sempione, per trascorrere una giornata con Biagi e la sua redazione sotto assedio. Ecco il suo reportage:

Verso le 6 del pomeriggio un'Ansa molto lunga riporta una marcia indietro di Saccà: «Sono stato frainteso». A questo punto, Mazzetti lo chiama al telefono. Saccà risponde con voce provata, lo invita a richiamarlo dopo poco. Così, dopo le 6 e mezzo, i due si parlano. «Saccà mi ha detto che quando parlava di calo di ascolti si riferiva alle cifre del 1995», racconta Mazzetti. «E quanto al termine della trasmissione, sarà come da palinsesto. Cioè, secondo il contratto, il 31 maggio. Poi, consultato Biagi, si penserà a eventuali ricollocazioni orarie o modifiche che comunque riguarderanno la nona edizione, quella del 2002-2003. Domani ha infine assicurato che chiamerà Biagi per spiegarsi con lui». Una schiarita, insomma? Sì e no. Qualcosa è evidentemente successo, un segnale è stato dato, *Il fatto* è sotto avvertimento. E se Giuliano Ferrara, dando alle agenzie l'editoriale che apparirà su «Panorama» («Non faccia il martire, signor Biagi»), parte all'attacco, per tutto il giorno continuano ad arrivare e-mail, fax, telefonate di solidarietà. I comuni spettatori raccolgono l'appello di Borrelli («resistenza!»), i direttori di giornali si stringono accanto al loro collega (Ferruccio de Bortoli, Marcello Sorgi, Ezio Mauro e Furio Colombo), la Federazione della Stampa lancia l'allarme di fronte alle minacce di censura. Telefonano Daniele Luttazzi, lo scrittore Ernesto Ferrero, un'ascoltatrice settantenne che incita ad andare avanti. «A Biagi questo governo non ha mai perdonato le trasmissioni con Montanelli e Benigni durante la campagna elettorale», commenta Mazzetti. Annarosa Macrì, che da due anni lavora a *Il fatto*, dice che «Biagi è cambiato, prima reagiva con impeto, oggi si chiede perché. Certo, martedì, quando arrivarono per agenzia le frasi di Saccà, si arrabbiò. Ma recuperò anche il distacco: io ho visto Hitler, disse, che sarà mai questo Saccà». Rosino Verri, leggendario archivista della Rizzoli periodici, conosce Biagi da quasi quarant'anni: «Una crisi così non l'avevo vista, nemmeno quando ci fu il primo governo Berlusconi». Quando gli portano l'agenzia con le frasi di Ferrara, Biagi risponde: «Non le voglio sentire, non m'interessano, non replico niente» [...]. Poi ricorda che appena una settimana prima, mercoledì, Saccà era venuto in visita a Milano: «Per dirmi che Biagi non si tocca, è un pilastro dell'azienda ecc. ecc. Ora non capisco che cosa gli sia successo». Fa una pausa, poi dice: «Ho altri pensieri, mia moglie non sta bene, che volete che m'importi di Saccà...». Ma subito dopo cita La Fontaine: «*La loi du seigneur est toujours la meilleure*, la legge del padrone è sempre la migliore». Mazzetti riferisce a Biagi gli auguri che Antonio Di Pietro, intervistato per la puntata di stasera, gli manda da Roma: «Scherzando, ha detto che questa potrebbe essere l'ultima trasmissione, che quindi è giusto approfittare degli ultimi spazi di libertà». E Biagi ribatte: «Una libertà condizionata; facciamo finta che sia totale». Mazzetti sdrammatizza: «Auguriamoci di reggere almeno un giorno di più di questo governo». E Biagi, smagato, replica: «Sì, ma bisognerebbe aver fiducia in quelli che vengono dopo».

Soccorso rosso

A difendere Saccà nella bufera interviene curiosamente il presidente diessino della Vigilanza, Claudio Petruccioli: «Con una certa sorpresa ho visto oggi che si è parlato di licenziamento di Biagi e dell'intenzione di sostituire *Il fatto*. Stando a quello che abbiamo ascoltato qui dentro, queste cose non sono state dette. Saccà ha espresso, innanzitutto, un forte apprezzamento per Biagi, accostandolo a Vespa e definendo i due giornalisti come le punte di diamante della informazione di Rai1».

L'ingenuità, chiamiamola così, di Petruccioli viene prontamente smontata qualche settimana appresso, quando Saccà riparte all'attacco ventilando la sospensione del *Fatto* nella settimana di Sanremo, con la scusa di dare più spazio al Festival della canzone italiana e intanto sperimentare un programma alternativo. Biagi resiste e, al termine di un'aspra quanto solitaria battaglia, ottiene che se ne riparli in vista della nuova stagione, con i nuovi vertici Rai (quelli attuali sono ormai in scadenza). Intanto Ciampi ha lanciato un duro monito in difesa del pluralismo dell'informazione. E dal vertice internazionale di Caceres (Spagna), nella giornata della foto ricordo con corna, Berlusconi l'ha rivoltato contro i suoi avversari, tornando ad accusare Biagi, Santoro e la Rai di Zaccaria di «attentato alla democrazia» per avergli «fatto perdere 17 punti» nell'ultima campagna elettorale.

Il 5 marzo 2002 arriva il nuovo Cda. Saccà è promosso direttore generale, dopo aver dichiarato al «Corriere» il suo voto e quello di tutta la famiglia per Forza Italia. Un giuramento di fedeltà al regime in piena regola: «Io sono un aziendalista. Un uomo che ha il senso delle radici. Mio padre era socialista, io sono socialista. Resto uomo di sinistra, è la sinistra che si è spostata. Per questo voto Forza Italia. Io e tutta la mia famiglia votiamo Forza Italia, ma questo è un fatto privato». «Il mio pensiero è corso subito alla nonna...», lo fulminerà Biagi.

A Rai1 va Fabrizio Del Noce, ex giornalista del Tg1, poi deputato di Forza Italia, poi di nuovo in Rai come corrispondente da New York, ultimamente conduttore di *Linea Verde*, il programma sull'agricoltura. Il nuovo presidente della Rai è il professor Antonio Baldassarre, docente di diritto costituzionale, già giudice e poi presidente della Consulta, già direttore del Giurì della pubblicità e ora presidente della Sisal (concorsi Totip e Superenalotto). Un pedigree che, dimenticando la sua intima amicizia con Cesare Previti e la sua vicinanza ad An a dispetto di un passato di comunista ingraiano, sembra ideale per una figura di garanzia, *super partes*. Tanto da trarre in inganno anche due leader dell'opposizione come Mastella e Violante. Il primo si spertica in elogi: «Baldassarre lo conosco bene e lo stimo, credo che non sarà ostaggio di nessuno. È indubbiamente un giurista di grande valore, che farà ricredere i critici di queste ore e pentire quanti pensano di poterlo condizionare o, peggio, guidare». E il capogruppo ds alla Camera commenta così la nomina del nuovo Cda: «È stata soddisfatta l'esigenza del pluralismo». Baldassarre sembra confermarlo nella sua prima dichiarazione d'intenti: «Ho proposto come primo punto del mio programma quello di far diventare la Rai indipendente dalle forze politiche e attenta invece ai movimenti e ai sentimenti della gente e quindi anche al pluralismo sociale oltre a quello politico». Tant'è che il 5 marzo, appena nominato, interviene nella puntata del *Fatto* e Biagi gli rivolge pubblicamente un augurio: «Buon lavoro per lei, e anche per noi». Il neopresidente risponde gentile: «La ringrazio, e soprattutto sappiate che avrete in me un punto di riferimento che difenderà sempre le vostre professionalità». Poi, il 12 marzo, annuncia solenne che «chiunque abbia professionalità in Rai sarà protetto dal presidente. Finora i giornalisti Rai sono stati umiliati dalla pratica della lottizzazione e per il costume degli appalti alle aziende private che hanno fatto il loro lavoro. I due aspetti saranno i punti contro i quali mi batterò». Le ultime parole famose.

La guerra della cosiddetta Casa delle Libertà a Biagi continua sempre più virulenta. Per Bonatesta (An) il giornalista è il sintomo di una «democrazia insana». Biagi, intervistato da «Le Monde», replica: «Questa offensiva mi lascia del tutto indifferente. La mia generazione ha conosciuto il fascismo, il nazismo, il comunismo, pensate davvero che io possa preoccuparmi ora? La scomparsa del mio programma potrebbe fare comodo a Canale 5 di Mediaset [...]. Ma facciano un po' come vogliono».

«*Io non mi pento*»

Mercoledì 17 aprile Baldassarre sale a Milano per incontrarlo. Un'ora di colloquio per parlare della nuova stagione e ribadire che «Biagi rappresenta la Rai». Ma l'indomani, in una conferenza stampa da Sofia, Berlusconi spara. Biagi risponde a stretto giro, con una dichiarazione all'Ansa:

> L'uso della lingua italiana non è il forte del presidente del Consiglio e la frequentazione con Bossi non lo aiuta a esercitarlo, ma siccome ha detto «uso criminoso della tv», vorrei sapere quale reato ho commesso: stupro, assassinio, rapina? Non sono certo un suo estimatore, ma non credo di aver fatto niente. Sono stupito che, mentre il mondo si preoccupa del Medioriente e dell'Afghanistan, il presidente del Consiglio di un paese di circa 60 milioni di abitanti in giro per il mondo si preoccupi invece di Santoro, Luttazzi e Biagi. Sono atteggiamenti che fanno riflettere: il presidente del Consiglio ha un concetto della libertà di stampa che mi pare ristretto. È un peccato che non si possa querelare il presidente del Consiglio, perché lui ha diritto di critica. Mi viene in mente quello che disse una volta John Kenneth Galbraith a proposito di un certo personaggio: «In altri tempi sarebbe stato un fascista, ora è soltanto un cretino». Uno che fa battute come quella di Berlusconi dimostra che, nonostante si alzi i tacchi, non è all'altezza. Purtroppo si dimostra che gestire un paese è un po' più complicato che gestire un'azienda. Continuo a credere che un presidente del Consiglio che ha conti aperti con la giustizia avrebbe dovuto avere la decenza di sbrigare prima le sue pratiche legali e poi proporsi come guida del paese.

Poi prepara un editoriale straordinario, intitolato *Libertà e pluralismo*, che legge quella stessa sera a *Il fatto*:

> Non è un gran giorno per l'Italia: per quello che succede in casa e per quello che si dice fuori. A Milano, lo sapete, un piccolo aereo da turismo è andato a sbattere contro il Pirellone [...]. Disgrazia. Ma c'è anche chi all'estero parla di crimine. Da Sofia il presidente del Consiglio, Silvio Berlusconi, non trova di meglio che segnalare tre biechi individui, in ordine alfabeti-

co: Biagi, Luttazzi, Santoro che, cito tra virgolette, «hanno fatto un uso della televisione pubblica – pagata con i soldi di tutti – criminoso. Credo sia un preciso dovere della nuova dirigenza Rai di non permettere più che questo avvenga». Chiuse le virgolette. Quale sarebbe il reato? Stupro, assassinio, rapina, furto, incitamento alla delinquenza, falso o diffamazione? Denunci. Poi il presidente Berlusconi, siccome non prevede nei tre biechi personaggi pentimento o redenzione – pur non avendo niente di personale –, lascerebbe intendere, se interpretiamo bene, che dovrebbero togliere il disturbo. Signor presidente Berlusconi, dia disposizione di procedere, perché la mia età e il senso di rispetto che ho per me stesso mi vietano di adeguarmi ai suoi desideri. Sono ancora convinto che in questa nostra Repubblica ci sia spazio per la libertà di stampa. E che ci sia perfino in questa azienda che, essendo proprio di tutti, come lei dice, vorrà sentire tutte le opinioni. Perché questo, signor presidente, è il principio della democrazia. Sta scritto, dia un'occhiata, nella Costituzione. In America, ne avrà sentito parlare, Richard Nixon dovette lasciare la Casa Bianca per un'operazione chiamata Watergate, condotta da giovani cronisti alle dipendenze di quel grande e libero editore che era la signora Katharine Graham proprietaria del «Washington Post». Questa, tra l'altro, viene presentata come televisione di Stato, anche se qualcuno tende a farla di governo, ma è il pubblico che giudica. Nove volte su dieci, controllare, *Il fatto* è la trasmissione più vista della Rai. Lavoro qui dal 1961 e sono affezionato a questa azienda. Le voglio bene. Ed è la prima volta che un presidente del Consiglio decide il palinsesto, cioè i programmi, e chiede che due giornalisti, Biagi e Santoro, dovrebbero entrare nella categoria dei disoccupati. L'idea poi di cacciare il comico Luttazzi è più da impresario, quale lei è del resto, che da statista. Cari telespettatori, questa potrebbe essere l'ultima puntata de *Il fatto*. Dopo 814 trasmissioni, non è il caso di commemorarci. Eventualmente, è meglio essere cacciati per aver detto qualche verità, che restare al prezzo di certi patteggiamenti. Signor presidente Berlusconi, non tocca a lei licenziarmi. Penso che qualcuno mi accuserà di un uso personale del mio programma che, del resto, faccio da anni, ma ho voluto raccontare una storia che va al di là della mia trascurabile persona e che coinvolge un problema fondamentale: quello della libertà di espressione.

Oltre alle proteste dei politici dell'opposizione, c'è anche l'imbarazzo del segretario Udc Follini: «Sono affezionato all'idea che in tv vi siano molte opinioni». Baldassarre se la cava con un «ho già chiarito come la penso sull'autonomia di questa azienda dalla politica». La denuncia più lucida viene da un liberale di vecchia scuola, il politologo Giovanni Sartori, che rilascia una durissima intervista al «Corriere»: quelle del premier – dice – sono dichiarazioni «avventate, gravi e bambinesche. Berlusconi non si tiene, quello che ha in pancia gli scappa in bocca. E così getta la maschera [...]. C'è il pericolo di un regime berlusconiano. [...] Regime non vuol dire regime fascista, in passato si è parlato di regime democristiano o di regime gollista. A me sembra esatto dire che Ciampi sta spalancando le porte a un regime berlusconiano. Le regole di fondo della democrazia sono in pericolo».

I girotondi manifestano davanti alle sedi Rai. La Cdl, in Vigilanza, chiede che i programmi d'informazione Rai (Biagi, Santoro, Mannoni e persino Vespa) vengano chiusi fino alle amministrative del 26 maggio. Proposta respinta.

Del Noce studia...

Il 23 aprile, davanti alla Vigilanza, Baldassarre proclama: «La Rai è un'istituzione indipendente autonoma dalla politica. L'ho detto cinque o sei volte al telefono a Biagi. Biagi e Santoro sono un patrimonio professionale dell'azienda e la Rai farà di tutto per non privarsi del loro apporto giornalistico. Con Biagi abbiamo avuto un colloquio di un'ora mercoledì a Milano; ieri mattina mi ha telefonato per annunciarmi che stava partendo per Mosca a intervistare Putin e tra noi ci sono state parole di simpatia e di affidamento reciproco». Lo stesso giorno anche Saccà scioglie inni al vecchio Enzo: «L'azienda non può subire dall'esterno interventi né censori né di epurazione. Personalmente, nessuno mi ha chiesto di fare epurazioni. Enzo Biagi è un grande professionista, ha la stima dell'azienda, è equilibrato, forse con qualche scivolata, ma non va associato né a Luttazzi né a Santoro. Infatti non ha avuto nessuna sanzione dall'Authority. Finché sarò direttore generale episodi del genere non si ripeteranno». Ma, secondo Gasparri, sono Biagi e Santoro che «stanno cercando con tutti i mezzi il martirio mediatico. Verrebbe proprio da dire: allora diamoglielo, quello che cercano. O no?».

Il nuovo direttore di Rai1 Del Noce fiuta l'aria che tira. Dovrebbe programmare il palinsesto della nuova stagione, ma non degna il volto più noto della sua rete nemmeno di una telefonata. La redazione del *Fatto* continua a lavorare al buio, senza sapere quel che sarà del suo futuro. «Sto studiando...», risponde Del Noce a chi gli chiede notizie di Biagi. Biagi compreso. Mazzetti, dirigente di Rai1, non viene mai invitato a una sola riunione operativa dal nuovo direttore. Ormai è chiaro che Biagi è out, ma nessuno ha il coraggio di dirlo all'interessato e al suo pubblico. Stanco di aspettare e offeso da tanta indifferenza, il giornalista si sfoga il 22 maggio con «l'Unità», «La Stampa», «Il Messaggero» e il «Corriere» e dice: «Baldassarre continua a ripetere che la Rai si identifica con me, ma forse Saccà ha un'altra idea e chissà qual è quella del consiglio di amministrazione. La sensazione è che si vogliano fare dei favori politici, non c'è altra spiegazione. Alla Rai hanno sempre un referente, anzi un "editore di riferimento" per usare il gergo locale. Con me nessuno s'è ancora fatto vivo. L'altro giorno ho parlato con uno che si chiama Del Noce, il quale continua a dire che sta studiando. Io qui studio da 41 anni e mi pare di aver completato il corso, almeno tanto da capire che si tratta di scuse che si usano con una persona non gradita». L'ipotesi di spostare l'orario del *Fatto* sarebbe un errore: «Ci sono degli orari per ogni tipo di programma: *Il fatto* è legato al telegiornale, è la spiegazione di un fatto che è stato raccontato poco prima. Solo un cretino può pensare di toglierlo da quella collocazione: sta lì perché si presume che sia l'approfondimento di una notizia, è il commento dell'argomento che in quel giorno si pensa abbia appassionato di più la gente. Spostarlo sarebbe come mettere un articolo di fondo in mezzo agli annunci economici. Tutto qui. Ero pronto anche a finire a mezzanotte. In mezzo agli annunci economici del tipo: bolognese prosperosa riceve caldissima in portineria...». Ancora un pensiero a Saccà: «Questa è gente che è partita socialista ed è finita in Forza Italia. E pensare che credono di essere dei tecnici e degli esperti di tivù. Vedo più conversioni sulla via di Arcore di quante ci furono sulla via di Damasco». E uno a Del Noce: «Che umiliazione essere esaminati da uno così. Del Noce è stato strappato all'agricoltura e buttato dentro la direzione della Rai, che è qualcosa di assai complicato. Che bellezza essere studiato da uno che si occupava di agricoltura, sia pure a sfondo culturale, visto che trovava il modo di presentare fra i pascoli il libro del suo amico Bruno Vespa...». Infine un accenno all'opposizione, pressoché inesistente: «Difeso dalla sinistra? Sinistra? E cos'è la sinistra? Le pare che un programma con sei milioni di spettatori abbia bisogno di essere difeso da qualche partitino?».

Il servo furbo

Ancora una volta è Giuliano Ferrara a incaricarsi della difesa d'ufficio dei censori Rai, con un durissimo attacco a Biagi sul «Foglio» del 23 maggio. Titolo: *Biagi, il trombone e il segnale orario*. Sommario: «Ipocrita e arrogante, dà di cretino a chi studia il suo posto in palinsesto». Svolgimento: Biagi è «un mostro sacro degli affari suoi» e un «ipocrita»:

Dice che vuole continuare a fare il testimone del suo tempo, raccontando storie, e non il protagonista di un caso personale. Intanto però soffia sul fuoco, restringe ogni spazio di mediazione, punta al carisma del martire, e dà fiato alla tromba, anzi al trombone: mi cacciano, mi spostano dal «mio» orario, sono liberticidi. E arrogante: dice infatti Biagi che è un comportamento da «cretini» spostare di una virgola o di un'ora il suo programmino su Rai1, e tratta con disprezzo e insopportabile sussiego il mite Fabrizio Del Noce. Questo mostro sacro degli affari suoi dovrebbe imparare a essere più parco di aggettivi, di contumelie, di isterismi politici. Quando gli hanno negato la cattedra epistolare di Indro Montanelli al «Corriere della Sera», preferendogli Paolo Mieli che rompe meno le palle di uno il cui orizzonte sono le solite mille camere in cui guardava la Storia in cammino, lasciandosi a sua volta guardare da Lei, Biagi non ha dato di cretino a Ferruccio de Bortoli, direttore del giornale di via Solferino, e tanto meno a

Cesare Romiti, il suo editore, quello che gli passa la mesata come succede a noi tutti e che mette i capitali per produrre e diffondere la tribuna dei suoi ricordi. Ha solo contrattato un altro posto in palinsesto, chiedendo che le sue coloriture strettamente personali, e strettamente provinciali, finissero la domenica in prima pagina. Con giubilo suo superiore a quello dei lettori, forse. Anche l'orario della sua rubrichina è tutt'altro che «suo». È nostro, perché paghiamo. E di chi amministra la Rai per volontà del Parlamento (fatto surreale, perché la Rai andrebbe privatizzata e lì vedremmo se davvero un Murdoch lascerebbe per 41 anni al suo posto l'omino in bianco che lava più bianco). Oltre tutto quello spazio in palinsesto è di Berlusconi, come al solito e come tutto ormai in Italia, perché è sulla sua rete ammiraglia, Canale 5, che andò in onda prima del *Fatto* il programma d'informazione *Radio Londra*, in quello stesso identico orario, ma preceduto non dal primo telegiornale italiano bensì dal quiz *Tra moglie e marito*. Anche il segnale orario del rubrichista-martire, le cui opinioni sono come scrive Francesco Merlo «indifferenti», è dunque copiato. Altro che suo. Biagi lo difendiamo e lo difenderemo se qualcuno lo vuole cacciare perché gli sta antipatico il governo, ma se si caccia da solo per cupidigia di eroismo, dopo 41 anni in cui di cupidigie se ne è levate tante, con tutti i regimi, allora sono affaracci suoi.

Ecco: non è la Rai che sta cacciando Biagi su ordine di Berlusconi. È Biagi che «si caccia da solo per biechi interessi di bottega». Contro di lui Baldassarre e Saccà si mobilitano addirittura con una nota ufficiale congiunta, come nelle ore gravi:

La Rai deprecca il fatto che un collaboratore autorevole dell'azienda come Enzo Biagi usi espressioni e toni offensivi nei confronti di un giornalista, quale Fabrizio Del Noce, stimato da sempre per la sua indiscussa attività professionale e che ora è stato chiamato dal consiglio di amministrazione, su proposta del direttore generale, a dirigere una delle più importanti strutture editoriali dell'azienda stessa. Il presidente e il direttore generale esprimono solidarietà al direttore di Raiuno Fabrizio Del Noce, confermandogli la stima e la fiducia da sempre riposta in lui.

Per conto terzi

Biagi non si lascia intimidire e risponde con la consueta ironia: «Troppo onore. Saccà e Baldassarre hanno scritto una nota insieme? Si vede che vanno d'accordo...». E continua a lavorare alle ultime puntate dell'ottava edizione: in quel momento è a Palermo, per i dieci anni dalla strage di Capaci. «Forse» dice «sarebbe meglio che Saccà e Baldassarre si preoccupassero più dei programmi che del caso Biagi, visto che la Rai è in crisi ed è battuta abbastanza di frequente da Mediaset. Per cui non si capisce più per chi stiamo lavorando». Poi ripete che solo un cretino può spostare l'orario del *Fatto*: «Lo capisco che certe frasi non siano piaciute. Ma continuo a pensare che togliere da una fascia oraria un programma che – lo dicono loro – è il più visto, nove volte su dieci, tra quelli della Rai, non mi sembra molto illuminato. Oppure lo fanno per altre ragioni. Voglio comunque accordargli la buona fede, non voglio pensare che lo facciano in conto terzi...». Quanto a Del Noce, «mi ricordo i programmi che faceva, finivano tutti a tavola. Sembrava una specie di collaudo di ribollite. Dicono che l'ho offeso? Io piuttosto mi sento offeso da chi mi sposterebbe, ma che non mi ha ancora parlato. Quello che so lo leggo dai giornali. Se mi fanno delle proposte, che non mi hanno fatto, io le valuterò. Ma sono un vecchio da riposo, non sono un giovane da studio. Lo spostamento orario è legittimo, basta però che sia spiegato, che non abbia l'aria di una punizione o di una cosa fatta in conto terzi. Se è dettata da ragioni editoriali, come no? Posso dire che non la condivido, ma questo è quasi fisiologico». Infine un accenno a Baldassarre, che si era sempre sperticato in elogi e ora lo attacca a quattro mani con Saccà: «Mi dispiace molto che il presidente Baldassarre abbia cambiato opinione su di me, ma da una vita sono abituato a correre da solo».

Il 24 maggio Santoro dedica al caso Biagi la penultima puntata di *Sciuscià*, intitolata appunto «Per conto terzi?». E presenta un sondaggio dell'Abacus: all'87% degli intervistati *Il fatto* piace e solo al 12 non piace; gli elettori dell'Ulivo che l'apprezzano sono il 95%, quelli della Casa delle Libertà il 74%. Il 94% degli ulivisti ritiene Biagi una risorsa importante per la Rai, e così il 68% dei polisti. In studio (come vedremo

alle pp. 133-134), tutti gli ospiti berlusconiani sorridono all'idea
che Biagi possa essere cancellato, tantopiù dopo il diktat bulgaro di Berlusconi. Mentana, anziché prendere le difese del-
l'anziano collega, dice che «Biagi è uno dei giornalisti più
potenti d'Italia. Per Sergio Zavoli, nonostante fosse stato mar-
ginalizzato, tutta questa levata di scudi non c'è mai stata. Nel
mondo dell'informazione nessuno può avallare la presenza di
qualcuno che dice "tu scompari". Ma, nonostante l'attacco di
Berlusconi, Biagi e Santoro ora sono in Rai e se qualcuno volesse toglierli dopo quell'attacco sarebbe più difficile. Se poi si
discute di palinsesti il discorso è diverso e non vorrei che il
problema fosse la collocazione alle 20,40. Se, invece di cinque
minuti ogni sera, Biagi facesse una prima serata di due ore, che
facciamo, scendiamo in piazza? Comunque io non voglio che si
tolgano le persone e se tolgono Biagi e Santoro non resteremo
certo indifferenti». Anche Marcello Veneziani si dice pronto
alla pugna. Troverà il modo di dimenticarsene presto.

Il 31 maggio va in onda l'ultima puntata del *Fatto*. Biagi e
Mazzetti tracciano il bilancio dell'ottava edizione: 168 puntate
con uno share medio del 21,8% contro il 16,88% del programma successivo; per 110 giornate il programma di Biagi è stato il
più visto della Rai. Eppure l'avvenire è tutto da scrivere: «Io
non so quello che farò in futuro» dice Biagi, «beato chi non
conosce la sua sorte, come dice la Bibbia. Potrà essere anche
una trasmissione in seconda serata. Può esserci qualsiasi cosa,
ma mi piacerebbe che me lo avessero detto. È giusto che chi ha
potere lo eserciti, se avesse anche un po' di garbo sarebbe
meglio. Io smetto di fare *Il fatto*. Ma se quelli che vengono dopo
fanno meno ascolti di noi, si dimettono. Mi sembra una sfida
leale». E ancora: «Rimango stupito quando leggo sui giornali
che c'è qualcuno che mi sta studiando per capire quello che
devo fare. Se mi studiano, vuol dire che sono un po' ripetenti.
Aspetto che mi dicano. Ma non sono un uomo buono per tutte
le stagioni. Si sa come la penso, sono un ex Partito d'azione e
ho fatto parte delle brigate "Giustizia e Libertà". Non è esclu-
so che io abbia i miei punti di vista e le mie faziosità, ma rispetto sempre quelle degli altri». Se ci sono stati errori, aggiunge,
«sono imputabili a me». Ma fra questi non c'è l'intervista a
Benigni: «Roberto è prima di tutto un amico, e ogni anno con

lui faccio un numeretto. Inoltre Benigni è venuto da noi gratis, quando altri erano disposti a ricoprirlo d'oro. C'erano le elezioni, e allora? Era libero in quel periodo e io l'ho invitato ben volentieri. Perché quando va a Sanremo, pagato profumatamente, viene ricoperto di fiori, ma se viene da me, gratis, è condannabile? Io non ho violato nessuna par condicio, infatti nessuna Authority è mai intervenuta nei confronti del *Fatto* per averla violata». Biagi sa già, in cuor suo, che questo non è un arrivederci, ma un addio alla Rai: «A 82 anni, ormai, la mia vita se n'è andata, ma posso considerarmi fortunato perché ho fatto un lavoro che ho sempre amato e per il quale sono anche stato pagato. Inoltre questa professione è un po' come un acquedotto che deve portare nelle case acqua potabile. C'è chi la porta più o meno frizzante, ma sempre potabile deve essere».

«Fatemi sapere»

Per un altro mese il suo telefono resta muto. Nessuno si fa vivo per proporgli qualcosa. Spetterebbe a Del Noce. Il quale però continua a tacere. Biagi gli telefona più volte, ma le risposte sono le solite. Evasive, snervanti, umilianti: «Sono appena arrivato, sto valutando, sto studiando, ti farò sapere...». Alla quinta risposta del genere, Biagi perde la pazienza e scrive a Baldassarre e Saccà:

Alla cortese attenzione del presidente prof. Antonio Baldassarre e del direttore generale dottor Agostino Saccà. Questa nota non è un sollecito, ma vuole essere soltanto un piccolo richiamo d'attenzione. Da quarant'anni lavoro in Rai e vedo che si annunciano i programmi dell'autunno, mentre non so niente del lavoro che mi attende. Penso che dopo la dichiarazione del Presidente del Consiglio in Bulgaria non ci siano prospettive per *Il fatto*, anche se per oltre cento sere è stato la trasmissione più seguita della Rai (controllare eventualmente i dati). Poiché il mio contratto scade a dicembre desidero sapere se la Rai intende rinnovarlo e che progetti ha. Se vale il palinsesto del presidente del Consiglio o se ci sono alternative. Nonostante l'opinione dell'on. Gasparri [che lo ha elegantemente paragonato al confetto Falqui, *N.d.A.*], non mi ritengo né eterno né indispensabile come il purgante che citava, dimostrando ancora una volta molta attenzione per il corpo e poca per la mente. Cordiali saluti, Enzo Biagi.

Nessuna risposta. Nemmeno quando Biagi sottolinea con orgoglio aziendalista i grassi introiti pubblicitari incassati dalla Rai grazie al *Fatto*. E fa notare come viale Mazzini stia giocando contro se stessa, a tutto vantaggio di Mediaset:

Apprendo con piacere che l'ottava edizione del *Fatto* (che su 168 puntate per 111 volte è stato il programma più visto della Rai) ha anche contribuito notevolmente alle entrate pubblicitarie dell'azienda. Come è stato comunicato in commissione di Vigilanza, uno spot da 30 secondi nella fascia oraria della messa in onda della nostra trasmissione ha reso 86.900 euro (168 milioni 262 mila lire), mentre i programmi che l'hanno sostituito nella stessa collocazione hanno reso 84.200 euro (163 milioni di lire), cioè 2.700 euro (5 milioni 262 mila lire) in meno. Poi ci sono altre trasmissioni, sempre di informazione, che, se pur in altre fasce orarie, non riescono a superare i 18.000 euro (34 milioni 853 mila lire) per ogni spot pubblicitario, quasi 5 volte in meno del *Fatto*. Tutto questo è accaduto in una stagione televisiva che, purtroppo, ha visto Rai1 perdere la leadership nei confronti di Canale 5 e il calo delle entrate pubblicitarie, come è stato più volte denunciato dai responsabili della Sipra. Tali perdite hanno condizionato, tra l'altro, il palinsesto della scorsa stagione portando alla chiusura di alcune trasmissioni leader, come il traino del Tg1, *Quiz Show*. A questo punto mi pongo una domanda: è proprio vero che la soppressione del *Fatto*, dopo otto edizioni, nel consueto orario, in qualche modo annunciata dal presidente del Consiglio e padrone di Mediaset niente meno che in una conferenza stampa in Bulgaria, è dovuta esclusivamente a ragioni di palinsesto e di concorrenza? O perché, con la collaborazione di Benigni, facemmo una puntata, niente meno, «criminosa»? Enzo Biagi.

Saccà continua a ripetere che si appresta a incontrarlo per chiarire tutto. Ma dell'annunciata visita non c'è traccia. Baldassarre, dal canto suo, ripete che la collocazione del *Fatto* dipende esclusivamente da Biagi. Il quale cade dalle nuvole e riprende la penna in mano per un breve, sconsolato comunicato:

> Non credo, come ha detto il presidente Baldassarre, che la collocazione del mio programma dipenda da me, perché, in questo caso, sarebbe già a posto. Non ho che un malinconico privilegio da vantare: lavoro in Rai da 41 anni e non ho mai accampato diritti di orario. Mi è capitato perfino di andare in onda dopo mezzanotte. Penso di avere acquisito, invece, un solo diritto: quello di essere rispettato. Nessuno mi ha detto né se, né come, né quando potrò mantenere il mio impegno di collaborazione. Da un mese aspetto la più volte annunciata visita del direttore generale, Agostino Saccà. Visto che non figuro in nessun palinsesto, presumo sia stata rimandata. Enzo Biagi.

A fine giugno Baldassarre e Saccà presentano a Cannes i nuovi palinsesti Rai. E del *Fatto*, come pure di *Sciuscià*, non c'è traccia alcuna. Nemmeno del programma condotto da Fabio Fazio che avrebbe dovuto riempire la fascia di Rai1 parallela a *Striscia*, appaltata invece alle comiche di *Max & Tux* (Massimo Lopez e Tullio Solenghi). Del Noce fa l'offeso: «Biagi mi ha insultato e prima di comunicare con lui mi aspetto delle scuse». Già, ma i presunti «insulti» sono arrivati proprio perché lui non comunicava con Biagi.

«Nessuno tocca Biagi»

Contro l'epurazione di Biagi e Santoro protestano in tanti. Oltre al centrosinistra, si fanno sentire la Federazione della stampa, la Cgil, migliaia di telespettatori, i girotondi e persino la Federazione europea dei giornalisti, che il 26 giugno parla di «situazione intollerabile» per la libertà d'informazione in Italia, dove è «il presidente del Consiglio a usare la televisione pubblica in modo criminale». Il 27 giugno il rappresentante dell'Osce (che riunisce 55 paesi d'Europa, America settentrionale e Asia) per la libertà dei media, il tedesco Freimut Duve, scrive a Berlusconi per chiedere immediati «chiarimenti sulla rimo-

zione del *Fatto* e di *Sciuscià*», visto che molte voci in Italia
«hanno definito questa rimozione una mossa politica».

Saccà minimizza: «La prossima settimana andrò a Milano
per parlare a Biagi col direttore di Rai1 Fabrizio Del Noce».
Anche dopo che Biagi gli ha dato del cretino e lui ha chiesto le
scuse ufficiali? «Del Noce si conferma dirigente di grande livello umano e professionale: passa sopra un legittimo fastidio personale. Comunque sia, ci sono molte ipotesi. Una nuova collocazione oraria del *Fatto* legata, ripeto, solo a esigenze di palinsesto; seconde serate dedicate a inchieste; eventuali prime serate. Vedremo la disponibilità di Biagi». Ma Biagi – domanda il
«Corriere» a Saccà – tornerà in autunno su Rai1? «Per quanto
riguarda la direzione generale e la direzione di Rai1, certamente sì. Con tutto il rispetto vorrei solo dire a Biagi: non è vero
che *Il fatto* sia la trasmissione più vista di Rai1. In una fascia
oraria di altissimo ascolto anche una percentuale si traduce in
milioni. Ma noi ragioniamo in share: e ci sono programmi che
ne totalizzano di più. Però non credo sia quello il problema di
Biagi che assicura una qualità, un timbro, un segno che fanno
parte del patrimonio della Rai». Il diktat bulgaro non c'entra?
«Macché. Infatti nessuno tocca Biagi. Tutte le opinioni sono
legittime [...]. Per me quelle di Berlusconi erano solo riflessioni
amaramente critiche e credo lo fossero anche per Berlusconi».

Baldassarre si spinge anche più in là e assicura che Biagi è
«un pezzo del patrimonio della Rai: mi auguro che *Il fatto* resti,
solo che bisogna trovare la fascia oraria consona alle esigenze
dell'audience». Ma il capufficio stampa della «nuova» Rai,
Giuseppe Nava, sembra parlare un'altra lingua, quando il 9
giugno rilascia questa dichiarazione ufficiale all'«Unità»: «I
vertici della Rai sostengono che Enzo Biagi ha perso appeal».

Biagi monta su tutte le furie. Ma il 1° luglio Baldassarre torna a rassicurarlo: «La Rai non si priverà di nessuno dei giornalisti che oggi rappresentano voci discordanti rispetto alla maggioranza». E il 9 luglio, dinanzi alla Vigilanza: «Ho sempre detto
che Biagi e Santoro sono due pezzi del patrimonio della Rai, di
cui la Rai non si sarebbe mai privata. È quindi falso che ci fosse l'intenzione di escludere autorevoli personalità come Biagi e
Santoro dalla programmazione». Con Biagi – spiega – «l'accordo è già concluso», mentre per Santoro «i tempi sono un po'

più lunghi», ma già «nel prossimo incontro definiremo la vicenda». Saccà aggiunge che «Biagi è il passato, il presente e il futuro di Rai1» e se la prende con il «circo mediatico assurdo che ha montato un'inesistente esclusione di Biagi e Santoro dai palinsesti. Forse faceva comodo ai giornali vendere qualche copia in più». Il Cda prende atto delle zuccherose dichiarazioni dei due capatàz e il consigliere diessino Donzelli annuncia soddisfatto: «Oggi possiamo dire che la vicenda di Biagi e Santoro è avviata a soluzione positiva». Gli fa eco Zanda (Margherita): «Il caso Biagi è risolto al 100% e quello di Santoro al 90».

Baldassarre non si limita alle dichiarazioni pubbliche. Telefona più volte a Biagi, altre volte risponde a sue telefonate, garantendogli sempre che continuerà a lavorare per la Rai: «Stia sereno, Biagi: è più facile che salti il direttore generale che la sua trasmissione...». Le conversazioni si chiudono regolarmente con il presidente che trasmette a Biagi i saluti del comune amico cardinale Ersilio Tonini, «col quale una volta dobbiamo andare a cena...».

L'estate della vergogna

Il 2 luglio, in corso Sempione, Saccà e Del Noce incontrano finalmente Biagi e Mazzetti. «Siamo molto soddisfatti dell'incontro», dicono all'uscita i due direttori. «Soddisfazione per questo incontro chiarificatore» esprime anche Biagi. Il quale si è chiarito con Del Noce dopo le polemiche, e gli ha riconosciuto il diritto di modificare il palinsesto per esigenze di concorrenza. L'impasse pare sbloccarsi. Rai1 ufficializza l'intenzione di combattere *Striscia* con un nuovo programma di 30 minuti. Biagi e Mazzetti si dicono disposti a progettarlo. Ma niente da fare: la mezz'ora anti-*Striscia* dovrà essere un varietà. A Biagi la Rai propone un contratto per venti «speciali» in seconda serata e cinque in prima serata, a partire da gennaio-febbraio 2003. Le seconde serate riguarderanno grandi temi storici e internazionali (l'Europa, il Papa, il crollo del comunismo e così via), le prime saranno legate a eventi straordinari di cronaca. Come la lunga intervista che il presidente russo Vladimir Putin ha proposto di rilasciare a Biagi, anche in vista di un libro sulla «nuova» Russia (l'appuntamento, più volte rinviato, verrà poi annullato, e l'uomo che faceva da intermediario fra Putin e Biagi rivelerà a Mazzetti un intervento di Berlusconi per dissuadere l'amico presidente russo: «Vladimir, non è il caso...»).

L'accordo dovrà essere formalizzato con un apposito contratto, che viene confezionato prima delle vacanze dopo varie telefonate fra Mazzetti e il dirigente responsabile D'Arma. Saccà e Del Noce hanno promesso, il 2 luglio, di inviarlo a Biagi al più presto. Ma la promessa non potrà essere mantenuta, perché Del Noce continua a non trasmettere alla Divisione Uno la lettera ufficiale con la richiesta della rete. Il contratto è pronto fin da subito, ma senza quella missiva non vale nulla. E quella missiva arriverà con clamoroso ritardo rispetto agli impegni presi: Del Noce la sbloccherà soltanto dopo la metà di settembre, cioè alla vigilia della messa in onda di *Max & Tux*, due mesi e mezzo dopo l'incontro di presunta «riconciliazione».

L'estate porta altre cannonate contro Biagi. Un fuoco di sbarramento che parte ancora una volta da Forza Italia e da An. «Enzo Biagi – dichiara il ministro Gasparri il 23 luglio – da 40 anni occupa tutti gli spazi in tv, senza lasciare nemmeno una serata libera. È come il confetto Falqui, basta la parola, e non certo perché stimoli certe funzioni come quel prodotto...». Gasparri – ricorda Mazzetti – si mostrava molto più disponibile, solo qualche mese prima: «Spesso è stato nostro ospite. Una volta lo volevamo invitare ma non lo trovavamo al telefono, così chiamammo Storace. Subito dopo Gasparri mi chiamò e mi diede addirittura il numero della madre, per essere sempre raggiungibile dal *Fatto*. Ci teneva, forse perché conosceva i nostri veri dati di ascolto».

In settembre, per la prima volta dopo otto anni, i telespettatori di Rai1 non trovano più *Il fatto*. Al suo posto, gettando platealmente la maschera, la «nuova» Rai manda in onda la mini-striscia comica (o presunta tale) di *Max & Tux*. Una scelta sconcertante, visto che Saccà e Del Noce avevano giustificato lo spostamento e poi la soppressione del *Fatto* proprio con l'esigenza di tener testa a *Striscia* con un programma più lungo, della stessa durata. *Max & Tux* è ancor più breve del *Fatto* (3-5 minuti contro gli 8-14 delle ultime edizioni del programma di Biagi) e ancor meno compatto, trattandosi di una serie di comiche-lampo. La fascia 20,30-21 di Rai1 è addirittura frantumata in tre programmi: dopo le comiche, c'è il breve varietà itinerante *La zingara*, seguito da un montaggio di vecchi spezzoni dalla cineteca Rai.

Biagi si sente preso in giro. I preparativi per le sue prime serate vanno a rilento. Ogni giorno spunta un nuovo intoppo. E si scopre una miriade di clausole non dette: Biagi non potrà praticamente occuparsi di attualità politica italiana (il contratto fa «particolare riferimento a situazioni internazionali»). Dovrà andare in onda solo la sera del venerdì, l'unica rimasta libera dall'occupazione di Vespa (imperversante dal lunedì al giovedì col suo *Porta a Porta* extralarge), ma anche la più infelice per gli ascolti, visto che molti italiani sono in viaggio per il week-end. Infine Del Noce pretende di controllare a priori i temi trattati e, a posteriori, la scaletta di ogni trasmissione, a dispetto della totale autonomia di cui Biagi ha sempre goduto («i contenuti saranno definiti con la Direzione di rete»).

«Tolgo il disturbo»

Ormai è chiaro che quella ingaggiata dai vertici Rai è una guerra di logoramento ai fianchi, volta a indispettire Biagi per indurlo a rinunciare. Obiettivo centrato. Biagi chiede «un po' di rispetto, dopo 41 anni di Rai». Poi sbotta: «Con questa gente non voglio avere più nulla a che fare». Il nuovo programma non partirà, come conferma a «Repubblica» il 19 settembre:

Io voglio rifare *Il fatto*: questa è l'unica proposta di lavoro che mi sento di accettare, nessun'altra. Non mi sento di restare in Rai a qualsiasi condizione. Posso fare le seconde serate, anche le terze. Posso fare perfino un po' di pornografia, così sono contenti i nonni e i babbi. Ma non posso accettare certe collocazioni come se fossero una punizione. Non sono disponibile a morire per strangolamento, per una lenta asfissia. È da settembre che non vedo e non sento più nessuno. Un progetto, soprattutto se nuovo, ha bisogno di lavoro, di scambi di idee, di prime iniziative. Invece, intorno a me, c'è solo silenzio e indifferenza: e allora andassero a quel paese. Un portavoce dell'azienda ha detto che non ho più il vecchio smalto. Gli ricordo che il mio nuovo libro ha già 62 mila prenotazioni. E che le università di Pisa e Bari mi assegnano due lauree *honoris causa*. Niente male, per un vecchio rincoglionito. Siamo una vecchia generazione di cronisti. Indro Montanelli se n'è andato. Restiamo io e Giorgio Bocca, che teniamo botta perché entrambi dell'agosto del '20. Ma, voglio dire, non durerà in eterno. Ho 82 anni. Tra un po' tolgo il disturbo e raggiungo la mia povera moglie al camposanto. E lì, tra i miei ultimi ricordi, avrò le stucchevoli discussioni con questa gente, dopo la mia onorata carriera, dopo aver lavorato in ogni epoca e con qualsiasi vertice Rai. Ma sì, ma che vadano a quel paese.

Oltretutto il suo amico Sandro Parenzo, patron di Telelombardia, sembra pronto a consorziare cento emittenti locali per rimandare in onda *Il fatto* in tutta Italia.

Intanto gli ascolti della «nuova» Rai precipitano. Rispetto al luglio del 2001, nello stesso mese del 2002 le tre reti pubbliche hanno perso 348 mila spettatori, mentre quelle di Mediaset ne hanno guadagnati 281 mila. In picchiata anche Tg1 e Tg2: solo il Tg3 guadagna qualche posizione. *Max & Tux* vanno malissimo: sono precipitati in pochi giorni dal 27 al 18%, e contro una concorrenza molto blanda di Canale 5 che non schiera ancora *Striscia la notizia*, ma gli ultimi scampoli del concorso estivo per le nuove «veline». Del Noce, anziché fare autocritica, se la prende col destino cinico e baro: «*Max & Tux* sono vittime della solidarietà a Biagi che ha provocato un accanimento senza precedenti contro il nuovo programma. La solidarietà a Biagi va benissimo, ma la trovo oltre ogni livello». Poi ammette che è già allo studio «un format alternativo». Antonio Ricci rivela a Biagi di aver ricevuto una telefonata da Saccà: «Voleva che diluissi le prime puntate di *Striscia*, almeno nella fascia di *Max & Tux*, per aiutarli a reggere il confronto con *Il fatto*. Naturalmente gli ho detto di no». Infatti, lungi dal perdere ascolti con la nuova «concorrenza» di Rai1, *Striscia* consolida il suo primato proprio contro *Max & Tux* e per la prima volta supera il 40% di share.

Per Biagi (ma anche per Santoro) si fa sotto il Tg3. Il 18 settembre il direttore Antonio Di Bella, dopo vari contatti informali, va a trovare Mazzetti e butta lì: «E se portassimo Enzo da noi? Pensavo a una coproduzione fra la rete e il telegiornale. Che ne dici?». Qualche giorno dopo il direttore di rete Paolo Ruffini sale a Milano per incontrare Biagi. Si discute di uno spazio fisso dentro il Tg3 e, in alternativa, di una striscia quotidiana sul tipo del *Fatto* alla fine del tg e dei notiziari regionali, fra le 19,55 e le 20. Biagi preferirebbe la seconda proposta. Ma ecco subito un nuovo fuoco di sbarramento.

«Lavorerò gratis»

«La Padania» cannoneggia Biagi e Mazzetti, domandando «a quale titolo» quest'ultimo abbia incontrato Di Bella e invitando «il direttore del personale Rai a intervenire». Gigi Moncalvo, direttore dell'*house organ* della Lega, annuncia una querela contro Mazzetti, sostenendo di essere stato da lui «insultato e minacciato al telefono» (della denuncia, poi, non si saprà più nulla). I vertici Rai escogitano prontamente nuovi pretesti e bugie per bloccare la trattativa. Anzitutto puntano sui costi veri o presunti del programma di Biagi, argomento demagogico, ma di sicuro effetto. Saccà sostiene che il budget di Rai3 non può permettersi Biagi e il suo staff, anche se poi scrive a Biagi una lettera piena di complimenti. Baldassarre gli va dietro e, incontrando Ruffini e Di Bella il 19 settembre, li avverte: «Non chiedeteci un euro in più rispetto alle disponibilità di bilancio». Poi ammette che per il nuovo contratto di Biagi c'è stato «un colpevole ritardo» di Del Noce che ha indispettito il giornalista. Ma alla fine dichiara: «Il direttore Ruffini ci ha esposto il palinsesto e noi abbiamo ribadito che può fare quello che vuole, ma che non sono possibili integrazioni sul budget». Ma il vecchio Enzo, il 20 settembre, rimuove l'ostacolo con una lettera a Saccà che è un capolavoro di ironia. Offre di lavorare praticamente gratis:

> Caro direttore, ti ringrazio della lettera e dei pensieri affettuosi che contraccambio, ma devo rinnovarti il senso del mio disagio. Da 41 anni faccio il giornalista in Rai: ho cominciato come direttore del tg e ho continuato con programmi annua-

li; l'ultimo – *Il fatto* – è stato trasmesso per 8 stagioni di seguito. Confermo che mi sento legato profondamente alla Rai,
anche per motivi di gratitudine, ma sempre nel rispetto della
mia dignità professionale e umana. L'ultima edizione del *Fatto*, dati incontrovertibili, su 168 puntate per 111 sere è stato il
programma più visto delle 3 reti. Riconosco al direttore di
Rai1 il diritto di cambiare il palinsesto con l'intenzione di battere *Striscia la notizia*, ma in quell'incontro – che ormai è
diventato famoso – mi fu prospettato il proposito aziendale di
una trasmissione unica e omogenea che avrebbe riempito lo
spazio tra Tg1 e prima serata. Mi risulta invece che ieri sera
sono andati in onda ben 4 spezzoni diversi. Ho letto che Rai3
è disponibile a programmare *Il fatto*, ma viste le dichiarazioni
del presidente Baldassarre si opporrebbero problemi economici. Glieli risolvo subito: io sono pronto a rinunciare alle
clausole finanziarie del mio contratto, che non risulta certo tra
i più onerosi (anche nel mio settore) e desidero che diate
anche a me il compenso che tocca all'ultimo giornalista assunto (senza raccomandazioni), da spedire però ogni mese a don
Giacomo Stagni, parroco di Vidiciatico (Bo) che in un istituto
ricovera i vecchi delle mie parti che non hanno nessuno. Sono
a disposizione se il mio lavoro può ancora servire. Auguri e
molti cordiali saluti da Enzo Biagi.

La palla torna nelle mani della Rai. Ma qui, morto un alibi, se
ne fa subito un altro: il dopo-Tg3 – sostiene Saccà – sarebbe
una collocazione «suicida», con al massimo uno share del 5%.
E comunque quella fascia è già stata promessa ad Angela Buttiglione, nuovo direttore dei notiziari regionali, per uno «spor-
tello federalista». Il 23 settembre Ruffini scrive ufficialmente a
Saccà e a Giuseppe Cereda (responsabile della Divisione Due,
in cui è inserita Rai3) per confermare la sua intenzione di dare
un tetto a Biagi, Santoro e Fazio: «Sarebbe un errore per Rai3
non cogliere l'inaspettata opportunità di coinvolgere Santoro,
Biagi e Fazio nei palinsesti della rete (permettendo così anche
il recupero dell'immagine dell'azienda, rispetto a coloro che ci
accusano di voler parlare con una voce sola, mettendo in
discussione il pluralismo interno e dunque il ruolo stesso del
servizio pubblico)». Ma in contemporanea Saccà rilancia la
proposta degli speciali in seconda serata su Rai1. Del Noce dà

quasi del bugiardo a Biagi: «Si era detto soddisfatto della nostra offerta, ora è libero di ripensarci, ma non dica di essere perseguitato». Ricci se la ride: «*Max & Tux* e *Il fatto* potevano coesistere benissimo, invece han voluto togliere di mezzo uno che rompeva le scatole: Biagi è stato eliminato per ragioni politiche». Il 21 ottobre esce su «Sorrisi e canzoni tv» un sondaggio di Datamedia (l'istituto prediletto da Berlusconi): il 42% dei telespettatori preferiva *Il fatto* a *Max & Tux*, apprezzato soltanto dal 7% del pubblico.

Dice Biagi all'«Unità» il 26 settembre: «Io vado volentieri su Rai3 e sono gratissimo a chi me lo ha proposto. Ma lo devono decidere loro. C'è un signore che è direttore generale... Chi può impedirmi di andare in onda? Chissà, la direzione generale, il governo, diciamo chi comanda». Alla lettera di Ruffini, nessuno risponde. Il direttore di Rai3 sollecita l'azienda il 3 ottobre, in un'intervista al «Corriere»: «Mi aspetto un sì o un no dai vertici Rai. Ci vuole il "concerto" dell'azienda per partire». Ma Saccà è il solito muro di gomma: prima non dice né sì né no, poi scrive a Ruffini per respingere l'idea del *Fatto* dopo il Tg3, alle 19,53. A suo avviso è impossibile, in quanto bisognerebbe ridurre la durata del Tg3 e spostare il meteo e la pubblicità. Biagi potrà andare in onda su Raitre, ma alle 18,50, cioè prima e non dopo il Tg3. Proposta insensata, visto che un programma di approfondimento deve seguire, non precedere il notiziario. «A casa mia» osserva Biagi, stremato «prima si danno le notizie, poi i commenti».

Ricevuta di non ritorno

Quello stesso giorno, 26 settembre, accade un fatto che chiude per sempre la partita. Biagi si vede recapitare una lettera raccomandata con ricevuta di ritorno. È firmata da Agostino Saccà. Contiene l'annullamento del contratto che lo lega a viale Mazzini e che, come abbiamo visto, si rinnova automaticamente a ogni scadenza salvo disdetta di una delle due parti. Il mancato aggiornamento del contratto entro il 30 settembre del 2001 l'aveva prorogato di un altro anno, fino al 31 dicembre 2002. Ora, se nessuno lo avesse modificato o annullato entro il

30 settembre 2002, sarebbe rimasto valido sino alla fine del 2003. Ecco perché, in tutta fretta, a quattro giorni dalla data fatidica, Saccà chiude i conti con Biagi per raccomandata R.R. Il destinatario coglie al volo il messaggio: «Mi hanno licenziato, dopo 41 anni, senza nemmeno il preavviso che si dà alle colf». Dopo l'adorata moglie Lucia, scomparsa in febbraio, il vecchio Enzo ha perso anche la Rai.

Rimanda indietro senza la sua firma la nuova bozza di contratto che Del Noce gli ha spedito con due mesi e mezzo di ritardo per i famosi e fumosi «speciali» su Rai1. E si affida a un civilista di fama, Salvatore Trifirò, per portare la Rai in tribunale con una causa che lo risarcisca dei danni d'immagine, professionali e biologici subìti nella lunga epurazione. È una causa vinta in partenza, ma l'avvocato, visti i tempi medi della giustizia italiana e l'età di Biagi, sconsiglia la via giudiziaria e propone una transazione. Viale Mazzini accetta. Discorso chiuso. Ma con una coda tragicomica.

Il 14 novembre il Cda Rai vota una delibera che, per l'ennesima volta, dà mandato al direttore generale di risolvere i casi Biagi e Santoro. Anche Petruccioli, in una lettera, chiede lumi sullo stato dell'arte. L'indomani, presentando la nuova campagna abbonamenti della Rai, Saccà annuncia: «Mi metterò a lavorare, anche con i direttori di rete, per trovare una collocazione in Rai per Biagi e Santoro. Poi saprete». E risponde per iscritto a Petruccioli:

> Il dott. Biagi ha in corso con la Rai un contratto di lavoro autonomo, regolato con scambio delle lettere [...], con scadenza al 31 dicembre p.v. suscettibile di tacito rinnovo in difetto di disdetta tre mesi prima del termine finale. In sede di rielaborazione della linea editoriale di Rai1, presso la quale il dott. Biagi rendeva la sua opera professionale, si è ritenuto che convergenti esigenze di articolazione del palinsesto del canale e di riconsiderazione del formato del programma da affidare al dott. Biagi suggerivano di non far luogo ad una pura e semplice proroga tacita del rapporto e di addivenire invece ad un nuovo contratto. Di questo intendimento della Rai il dott. Biagi è stato messo tempestivamente al corrente e si sono con lui avviate trattative per definire l'oggetto, i termini e le condizioni di un nuovo impegno contrattuale, previa

disdetta di quello precedente. La trattativa è stata conclusa nel luglio di quest'anno in un incontro tra lui, il dott. Del Noce e il sottoscritto e, dopo la pausa estiva, ne è stato presentato l'esito al dott. Biagi in forma di bozza contrattuale fattagli pervenire il 18 settembre scorso, con ritardo certo non commendevole ma imputabile a disguidi burocratici, verosimilmente assecondati dal ragionevole convincimento che l'accordo era da ritenere già raggiunto nella menzionata riunione e che il documento contrattuale dovesse solo riprodurlo.

Forse mosso da pur comprensibile fastidio per tale ritardo ma in concomitanza con notizie di stampa intorno ad alcune ipotesi prospettate dal direttore di Rai3, dott. Paolo Ruffini, di ospitare il programma *Il fatto*, oggetto del precedente contratto, nella terza rete in collocazione oraria da definire, il dott. Biagi, nonostante le intese raggiunte (che, si ripete, richiedevano soltanto di essere formalizzate), ha sollevato anche pubblicamente non poche né lievi perplessità in ordine al contenuto normativo della bozza.

Al fine di dissipare le perplessità, il sottoscritto inviava una lettera al dott. Biagi per confermare la migliore disponibilità a discutere la bozza contrattuale trasmessagli onde compiutamente definire il nuovo contratto nell'ambito di quanto già convenuto con le richiamate intese.

Alla lettera il dott. Biagi ha replicato con riferimento non già al nuovo oggetto del contratto, cioè alla nuova tipologia di programmi da affidare alle sue cure, ma semplicemente ad alcune clausole della bozza.

Successivamente, però, le perplessità sono state estese anche al nuovo oggetto contrattuale, con richiesta di ripristinare quello del contratto anteriore, peraltro già disdettato sulla base delle intese intercorse circa il rinnovo. Il dott. Biagi, cioè, ha ritenuto di poter ritirare il consenso manifestato nella citata riunione del luglio corrente anno e si è dichiarato disponibile a rendere le sue prestazioni professionali esclusivamente per realizzare il programma *Il fatto* su Rai3.

La situazione si presenta, pertanto, nei termini su esposti e può trovare soluzione – trattandosi di materia contrattuale che richiede la volontà convergente delle parti positivamente espressa e non solo la buona disposizione di una o di entrambe – se si raggiunge un accordo sulla tipologia del programma e sulla collocazione in palinsesto.

La scelta tipologica e una riequilibrata inserzione del programma nella programmazione complessiva della Rai richiedono, a loro volta, il concorso del direttore di rete, del direttore generale e del consiglio di amministrazione, titolari a diverso livello di competenze editoriali. Spetta, infatti, al consiglio determinare i piani editoriali e al direttore generale, in collaborazione con i direttori di rete e di testata, assicurare che la programmazione sia con essi coerente. Ed è in questo senso che gli organi aziendali si stanno adoperando per risolvere la questione.

Ritengo, Signor presidente, di aver corrisposto alle Sue richieste con la «trasparenza» da Lei raccomandata e segnalata come cifra qualificante del rapporto tra la Commissione e la Concessionaria del servizio pubblico radiotelevisivo. Mi corre, tuttavia, l'obbligo di domandarLe – richiamandomi allo stesso principio di trasparenza da Lei evocato – se la richiesta di dati conoscitivi, alla quale con la presente ho dato seguito senza riserva, trovi fondamento, a norma del regolamento interno dell'organo bicamerale da Lei autorevolmente presieduto, in una previa deliberazione collegiale e se i poteri di indirizzo generale e di vigilanza con i correlativi poteri strumentali di acquisizione informativa intestati alla Commissione parlamentare si estendano, alla stregua della vigente normativa, anche alla materia contrattuale, che trova il suo fulcro nei valori dell'autonomia e del consenso. Rimango a Sua disposizione per quant'altro dovesse occorrere e Le porgo i più cordiali saluti. Agostino Saccà.

Tradotto in italiano, il messaggio di Saccà è questo: il discorso fra Rai e Biagi resta aperto e, se non fosse per le bizze del giornalista che s'è rimangiato gli impegni e ha cominciato a fare il doppio gioco fra Rai1 e Rai3, sarebbe già tutto risolto; il fatto che il vecchio contratto sia stato disdetto per raccomandata mentre la bozza di quello nuovo, promessa a luglio, è arrivata a settembre, è tutto un «disguido»; comunque la Vigilanza non deve impicciarsi della cosa, che rientra nell'autonoma discrezionalità dei vertici Rai. Parole che il presidente Petruccioli giudica «sorprendenti» e «deprimenti», esternando tutto il suo «disappunto perché la mia richiesta di una risposta conclusiva viene evasa». Il che, nel suo linguaggio felpato, vuol dire che è proprio arrabbiato.

Intanto la Rai perde altri colpi: dal 1° settembre al 9 novembre, la seconda rete è scesa di 12,5 punti di audience rispetto allo stesso periodo del 2001. *Max & Tux* ed *Excalibur*, cioè i sostituti di Biagi e Santoro, continuano a precipitare. Saccà, per tutta risposta, si aumenta il Tfr. Rivela che «con Biagi non c'è nessun problema». E, a chi contesta la nuova infornata di nomine, ricorda che «mi ha chiamato Berlusconi». Per complimentarsi, si suppone. Anche Gasparri è soddisfatto, ma è costretto a diffondere dati falsi su *Max & Tux* per affermare che addirittura farebbero più ascolti del *Fatto*: «E questo» commenta il ministro «è triste per Biagi, perché francamente *Max & Tux* non è un granché». Il giochino del ministro è semplice: paragonare due dati incomparabili, cioè i dati Auditel dei due comici nel periodo settembre-novembre 2003 (con un bacino di utenza complessivo di 25-27 milioni di telespettatori) con quelli di Biagi nel bimestre aprile-maggio (bacino di 19-20 milioni). I dati veri, senza giochi delle tre carte, dicono esattamente l'opposto: nelle 44 puntate andate in onda, *Max & Tux* hanno totalizzato uno share medio del 19,90%, mentre nello stesso periodo dell'anno precedente (settembre-dicembre 2002) Biagi faceva registrare il 23.

La risposta definitiva della Rai sul caso Biagi non arriva, né arriverà mai. Il gioco è proprio questo: fingere una trattativa eterna (ormai con l'avvocato di Biagi), per attribuire al giornalista la responsabilità dello scontato esito negativo. Il 12 dicembre Saccà rivela di aver inviato una lettera all'avvocato Trifirò per offrire a Biagi «ospitalità su Rai3 alle 18,53, prima del telegiornale». Ma da mesi il giornalista ripete che i programmi di approfondimento vanno in onda dopo, e non prima dei tg, dunque la risposta è scontata: nessun rischio che possa accettare. «Ho l'impressione che la disponibilità di Biagi si sia spenta», arguisce acutamente Ruffini. Infatti, il 13 dicembre, Biagi decide di metter fine per sempre all'inverecondo balletto, declinando la proposta indecente. Il comunicato di Trifirò parla di «ragioni personali». Chiunque abbia seguito l'estenuante e umiliante trattativa le conosce benissimo, dal diktat bulgaro in poi. Ma non c'è peggior cieco di chi non vuol vedere, e così parte il coro delle prefiche, dell'unanime rammarico. Rattristato Ruffini, costernato Saccà, «moltissimo dispiaciuto» Vespa il quale però spera «che Biagi torni presto». Mentana si consola: «Non potrò più vedere Biagi, ma per fortuna potrò ancora leggerlo». Nessuna censura, per il direttore del Tg5, per carità: «Ci sono ragioni personali che vanno assolutamente rispettate. Se ci fossero altri risvolti, andrebbero segnalati». Ecco, Mentana non vede proprio altri risvolti. Beppe Giulietti prova a segnalarglieli, ricordando lo «spaventoso caso di mobbing commissionato dal presidente del Consiglio e subito eseguito» e sottolineando che la Rai «ha creato tutte le condizioni politiche e ambientali per accompagnare Biagi alla porta». Ma deve trattarsi di un visionario.

E il mobbing continua. Il 5 dicembre la Rai avvia una procedura di sospensione contro Loris Mazzetti, reo di aver pubblicamente criticato i vertici dell'azienda: «Non avendo il coraggio di licenziare Biagi, adesso se la prendono con i suoi più stretti collaboratori per tappare loro la bocca», denuncia l'associazione Articolo 21. Qual è la colpa di Mazzetti? Aveva scritto e diffuso, il 14 novembre, alle agenzie e ad alcuni siti Internet una lettera aperta al presidente Baldassarre e, per conoscenza, a tutto il Cda:

> I 469 giorni che mancano alla fine del suo mandato sono tanti per tutti, se in lei non scatta quel sussulto che la sua storia dovrebbe darle. Non voglio fare polemica, ho soltanto il dolore di assistere, purtroppo passivamente, al fatto che Enzo Biagi dopo 41 anni è costretto a un inesorabile addio alla Rai mentre continua a scrivere sulla prima pagina del «Corriere», sull'«Espresso» e forse lo rivedremo su altri network tv [...]. I responsabili nominati dal suo Cda non sono riusciti a mettere in onda un solo programma di nuova produzione che sia stato accolto con successo, mentre per i programmi di informazione, più che di faziosità, bisognerebbe parlare di mancanza di capacità professionali.

Mazzetti rammenta che *Il fatto*, in 834 puntate per otto edizioni e sempre contro *Striscia*, ha avuto una media di share del 24%, «un ascolto superiore a tutti i programmi messi in onda nella fascia oraria dalle 20,30 alle 21, incluso quella *Zingara* che sta tornando in onda perché ritenuto l'unico programma che in passato ha battuto *Striscia*. Immagino le risate di Ricci quando ha letto queste dichiarazioni. In Rai invece non c'è niente da ridere». Poi c'è il caso penoso di *Max & Tux*, «che mediamen-te fa 15-20 punti di share in meno di *Striscia*» e chiuderà i battenti con un 17-18% di share contro il 24 medio del *Fatto*. Nessun altro programma infilato dalla Rai in quella fascia riscuoterà il benché minimo successo: un flop dopo l'altro, dal *Castel-lo* di Pippo Baudo a Mara Venier, dalla *Prova del cuoco* di Antonella Clerici al programma annunciato nell'estate 2003 e mai trasmesso con Luca Giurato e Luisella Costamagna. Solo con *Affari tuoi* di Paolo Bonolis si otterranno buoni risultati, ma non incompatibili con una striscia di informazione. Questa, come vedremo, verrà affidata nella campagna elettorale del 2004 a Pierluigi Battista con *Batti e ribatti*, con un buon risultato di ascolto. Ma a un prezzo molto caro: per tenere incollati i telespettatori al video dopo le 20,30, la Rai deciderà addirittura di privarsi del lucrosissimo stacco pubblicitario post-Tg1, che ai tempi di Biagi separava *Il fatto* dal telegiornale con l'aggiunta di un lungo Tg1 Sport.

Il 4 settembre 2003 il quotidiano britannico «The Spectator» pubblica un'intervista a Berlusconi che, dopo aver riabilitato Mussolini e dato dei «matti» a tutti i magistrati, risponde a una domanda sugli attacchi che ha subìto da giornalisti famosi come Montanelli e Biagi: «Credo ci sia un elemento di gelosia in ognuna di queste persone, perché non riesco a trovare un'altra spiegazione. Tutti questi giornalisti, Biagi, Montanelli, erano più anziani di me e credevano di essere loro quelli importanti nel nostro rapporto. Poi il rapporto si è capovolto e io sono diventato ciò che loro stessi volevano essere. Dunque, dato che loro non mi sono politicamente affini, si è sviluppato un sentimento irrazionale tra giornalisti italiani molto famosi». Montanelli non può più rispondere: è morto da due anni. Biagi, invece, replica: «Sai che risate si sta facendo Indro adesso. Ma c'è poco da ridere e tanto da piangere. Non per me che ho 82 anni, ma per i giovani: quale esempio arriva da questo personaggio che rappresenta l'Italia?».

Incensurato, dunque censurato

La redazione di Biagi, in corso Sempione, viene smantellata. Nello studio Tv5 del *Fatto*, ora, si girano le telepromozioni. Nel

2003 cambia il vertice Rai. Baldassarre e Saccà se ne vanno col resto della compagnia, dopo un anno di disastri. Alla presidenza, come vedremo, viene designato Paolo Mieli, ma appena accenna all'intenzione di riportare in Rai Biagi e Santoro, lo rimandano da dove era venuto. Al suo posto arriva Lucia Annunziata, che non pone condizioni e infatti non fa nulla di concreto per riportare i due fuoriclasse al loro posto. Il 15 marzo l'Abacus rende noto un nuovo sondaggio: il 78,7% degli italiani rivuole in Rai Enzo Biagi e il 67,9% Michele Santoro. Favorevole anche la maggioranza degli elettori della Casa delle Libertà (il 62,9% per Biagi, il 51,2% per Santoro). Ma il nuovo direttore generale Flavio Cattaneo è sprezzante. Dinanzi alla Vigilanza, il 15 maggio, risponde così a una domanda: «Biagi ha concluso un accordo soddisfacente con la Rai che gratifica 41 anni di collaborazione». E il 19 settembre, interpellato da Enrico Lucci delle *Iene*, si supera. Domanda: quando tornano Biagi e Santoro? Risposta: «Bisogna chiederlo a loro, noi stiamo lavorando, stiamo incontrando Santoro e discutendo varie opportunità, c'è un rapporto cordiale, speriamo di risolvere la questione a breve. Quanto a Biagi, non è più un dipendente Rai. Se lo volete a Mediaset... è libero sul mercato». Il cerchio si chiude. Berlusconi ordina alla Rai di cacciare Biagi. La Rai lo caccia. Poi il direttore della Rai lo offre a Mediaset.

In Rai Biagi non può metter piede nemmeno in veste di ospite. Quando Morandi chiede di poterlo intervistare a *Uno di noi* e Bonolis a *Domenica In*, dalle alte sfere non arriva nessuna risposta. Che, comunque, è un'ottima risposta. In compenso Bonolis potrà liberamente intervistare maghi, fattucchiere, Monica Lewinsky e Donato Bilancia, il serial killer con 17 delitti sulla coscienza e 12 ergastoli sul groppone. Biagi meglio di no: è incensurato. Dunque, censurato.

Nelle infinite celebrazioni per i cinquant'anni della televisione (1954-2004), Enzo Biagi che ne ha attraversati quarantadue non è contemplato. Non esiste. Ai primi di dicembre del 2003 Pippo Baudo, che conduce su Rai3 il programma celebrativo *Cinquanta*, ha la malaugurata idea di chiedere a una giuria di 25 fra critici e giornalisti della carta stampata di votare il miglior programma del secolo. E i 25 malcapitati hanno l'incauta idea di premiare *Il fatto*. Appena la valletta gli porta il foglio con i risultati della votazione, Baudo trasecola. Interrompe la registrazione e s'infila dietro le quinte, per far ricalcolare i voti due o tre volte. Alla fine deve arrendersi: ha vinto proprio Biagi. L'imbarazzo dilaga in viale Mazzini. Cattaneo – dicono i bene informati – vorrebbe pareggiare il conto con un premio speciale a Vespa per *Porta a Porta*. Ma, mentre alla Rai si manovra, un giornalista presente in studio dà la notizia sul suo giornale: «*Il fatto* è il programma del secolo». Nessuno ha il coraggio di alzare il telefono e di informarne Biagi, che lo apprende per caso da un amico che ha letto i giornali. La presidente Annunziata parla di «giusto riconoscimento per una straordinaria carriera che non è ancora finita». Butti di An concede: «Biagi è stato un buon giornalista, ma solo quando non parlava di politica con i soliti sermoncini anti-Berlusconi». L'altro epuratore di An in Vigilanza, Bonatesta, vomita: «Se vince *Il fatto*, vuol dire che il livello dei programmi Rai in questo mezzo secolo è stato davvero basso».

Sabato 3 gennaio, nel gran galà *Buon compleanno tv* officiato da Baudo su Rai1, fra veline sculettanti e imbarazzanti sketch di Montesano e Banfi, alcune sedie rimangono desolatamente vuote: quelle di Arbore, Guglielmi, Santoro e Biagi, che si sono tenuti a debita distanza. Si tratterebbe di premiare *Il fatto*, ma la cerimonia non avrà mai luogo. Nello speciale calendario del cinquantenario Rai, il nome di Biagi non compare nemmeno una volta. E nel librone che racconta i primi cinquant'anni della tv pubblica, si parla del *Fatto* solo nel capitolo sul 2001 e solo per le polemiche seguite all'intervista con Benigni. Come se non fosse in onda dal 1995. Biagi, ancora una volta, ne esce da gran signore: «Poco male, quel che ho fatto per la Rai la gente lo sa. E i riconoscimenti che vengono dal basso contano più di quelli dall'alto». Ma quella raccomandata con ricevuta di ritorno, firmata Saccà, pesa ancora come un macigno: «Sono un vecchio cronista, se non mi avessero cacciato avrei continuato a raccontare l'Italia. Una notizia al giorno, per cinque minuti. Per questo non mi hanno più voluto. Li spaventa la realtà. Mi viene quasi voglia di fondare un comitato per la riabilitazione di Achille Starace. Era un gerarca anche lui, ma almeno è morto da uomo».

4

Michele Santoro, censura bulgara

La verità non trionfa mai,
ma i suoi oppositori
soccombono sempre.
James Clerk Maxwell

Michele Santoro da Salerno, classe 1951, è stato cacciato dalla Rai due volte. La prima dalla Rai dell'Ulivo, sotto la presidenza di Enzo Siciliano, al grido di «Michele chi?». Lui, essendo il Cavaliere all'opposizione e destinato – si pensava – a rapida estinzione, passò a Mediaset. La seconda fu cacciato dalla Rai del Polo, per ordine espresso del presidente del Consiglio Silvio Berlusconi. Con lo stesso capo d'imputazione di Biagi e Luttazzi: «uso criminoso della televisione pubblica» durante la campagna elettorale del 2001 (quella trionfalmente vinta da Berlusconi medesimo). Questa volta, però, non trovò un altro posto di lavoro. Perché, nella Televisione Unica, un altro posto non c'è.

Santoro lavora in Rai dal 1982, dopo un'esperienza di giornalista e direttore alla «Voce della Campania». Ma il grande pubblico comincia a conoscerlo dal 1986, quando al Tg3 di Sandro Curzi s'inventa un programma di approfondimento in seconda serata: *Samarcanda*. Il primo talk show a dare volto e voce alla «piazza», cioè alla società civile, anticipando la grande stagione della primavera di Palermo e di Mani Pulite. Per la prima volta il conduttore resta in piedi e si aggira per lo studio dialogando con ospiti e inviati collegati da un maxischermo. Un format tutto nuovo, che la Bbc chiederà di riprodurre. «Comunque la pensiate, benvenuti a Samarcanda». Un successone. Rai3, partita al 2%, raggiunge il 15. *Samarcanda* anche il 30. Nel 1994 diventa *Il rosso e il nero* e nel '95 *Temporeale*. Nascono una squadra e una scuola di giornalisti e reporter d'avanguardia, in testa Sandro Ruotolo e Riccardo Iacona. Nel 1996 il gruppo si trasferisce in blocco a Mediaset, con *Moby Dick*. Nel 1999 torna in Rai sotto la nuova gestione del presidente Zaccaria e del direttore generale Pierluigi Celli. La proposta economica è nettamente inferiore agli stipendi

Mediaset. Ma per Santoro alla corte del Cavaliere l'aria s'è fatta irrespirabile. Soprattutto dopo una puntata sulla mafia e Dell'Utri (che incappò in un clamoroso lapsus freudiano: «La verità è che io sono un mafioso... cioè, volevo dire, io sono un siciliano...»). Ma nemmeno i vertici del Pds lo amano granché, soprattutto dopo una puntata dal ponte di Belgrado contro i bombardamenti ordinati dal governo D'Alema.

Il contratto che firma con la Rai il 14 aprile '99 prevede la sua «stabile utilizzazione, a tempo indeterminato, come realizzatore e conduttore di programmi televisivi di approfondimento dell'informazione di attualità in prima serata e di reportage in seconda serata, con cadenza settimanale, inseriti nei palinsesti di Rai1 da settembre a maggio». Con la qualifica di «direttore giornalistico *ad personam*», Santoro dipende direttamente dal direttore generale e dovrà coordinarsi col direttore di rete. Farà parte della Divisione Uno (che comprende Rai1 e Rai2) e si avvarrà di quattro colleghi assunti anch'essi a tempo indeterminato (Ruotolo, Iacona, Corrado Formigli e Alessandro Renna), di altri due già in forza alla Rai (Maria Cuffaro e Alessandro Gaeta) e di trenta fra giornalisti, registi e tecnici a contratto annuale.

Nel 2000 gira l'Italia sotto il tendone di *Circus*. Va in onda su Rai1, ma soltanto una volta al mese. Nella rete diretta dal berlusconiano Agostino Saccà, lo tollerano appena. Dà ombra a Bruno Vespa, passato da una prima serata a quattro seconde serate settimanali. A fine stagione, con *Il raggio verde*, trasloca su Rai2. Ma anche lì è figlio di un dio minore: lo relegano al venerdì, l'unica sera lasciata libera dal tracimante Vespa (che non tollera concorrenti nemmeno sulle altre reti), la meno indicata per l'attualità e la più insidiosa per gli ascolti. Eppure il programma raccoglierà uno share medio del 18%: il più alto fra quelli dei programmi d'informazione in prima serata.

Guerra preventiva

È la stagione delle elezioni politiche, dell'annunciato ritorno al potere di Berlusconi. La lunga campagna elettorale è già nell'aria fin dalla prima puntata, il 3 novembre 2000, quando *Il raggio verde* apre i battenti. Santoro ingaggia due opinionisti fissi, il ciellino-berlusconiano Antonio Socci, editorialista del «Giornale», e il direttore del «manifesto» Riccardo Barenghi. Ma la coppia scoppia subito dopo la prima puntata, che mette a confronto l'ex premier D'Alema e il futuro ministro Tremonti. Socci se ne va sbattendo la porta e accusando il programma di faziosità. Nessuno capisce di che stia parlando, visto che quella sera non è accaduto nulla di eclatante, ospiti e opinionisti hanno potuto esprimere liberamente le proprie idee. Socci, il 5 novembre, tenta di spiegare la sua mossa sul «Giornale»: «Era diventata per me insopportabile la faziosità dei servizi e dell'impostazione della puntata». Santoro gli risponde con una profezia: «Caro Socci, sono sicuro che sei sul punto di conquistare una qualche Parigi. E Parigi val bene una messa». L'altro nega sdegnato: «Sono uno scribacchino senza programmi in tv (è questa la Parigi che tanto ti affanna?), senza cariche e senza poltrone e non mi sento sacrificato: ho la libertà e questo mi basta». Poi definisce *Il raggio verde* «un agguato con una tesi precostituita e a senso unico, bombardata da lunghi servizi, e un dibattito tutto orientato». Senza saperlo, sta descrivendo il suo futuro programma, *Excalibur*, che prenderà il posto proprio di Santoro. La sua piccola, piccolissima Parigi.

Quelli di Socci, in realtà, sono i primi fuochi di una campagna studiata a tavolino per squalificare il programma di Santoro, accusandolo genericamente di «faziosità», anche se ha sempre dato voce a tutte le voci. Soprattutto a quelle minoritarie o addirittura spente nel resto del panorama televisivo. Ma il Polo cerca la provocazione a tutti i costi. Il 24 febbraio 2001 *Il raggio verde* ospita Elio Vito, vicepresidente dei deputati azzurri, e Francesco Rutelli per parlare di conflitto d'interessi. Per tutta la puntata, appena Rutelli tenta di dire qualcosa, Vito lo interrompe e lo sommerge con un torrente di parole. Santoro sbotta: «Prendo atto che Paolo Bonaiuti, portavoce di Berlusconi, ci ha mandato una persona che fa di tutto per impedirci di affrontare l'argomento della trasmissione. È una cosa lucidamente programmata e questo è insopportabile». Ma Vito continua a interrompere, a commentare, a tracimare, non si spegne mai. «È una provocazione» lo zittisce Santoro «onorevole Vito, lei fa parte di una forza politica che si richiama alla libertà, ma poi non rispetta la libertà di parola. In tanti anni non mi è mai capitato un parlamentare che si è comportato come lei».

I piagnistei del Polo contro la «tv dell'Ulivo» non hanno alcun fondamento, anzi già allora il centrodestra occupa il video molto più del centrosinistra. Fra novembre 2000 e gennaio 2001, il Tg1 ha dedicato 3 ore e 39 minuti al Polo contro 3 ore e 41 minuti all'Ulivo; al Tg2 il rapporto destra-sinistra è stato di 4 ore e 28 minuti contro 3 ore e 12 minuti; al Tg3, 4 ore e 13 minuti contro 5 ore e 3 minuti; al Tg4, 9 ore e 47 minuti contro 2 ore e 26 minuti; al Tg5 (quello di «sinistra»), 2 ore e 34 minuti contro 1 ora e 23 minuti; a Studio Aperto, 1 ora e 19 minuti contro 1 ora e 4 minuti.

La campagna elettorale si trascina sonnacchiosa fino al 14 marzo, giorno del caso *Satyricon*. Due sere dopo *Il raggio verde* ospita in studio, per discuterne, Antonio Di Pietro, il giornalista francese Fabrizio Calvi (autore dell'ultima intervista a Borsellino su Mangano, Dell'Utri e Berlusconi), il condirettore del «Giornale» e candidato forzista Paolo Guzzanti, i giornalisti Andrea Purgatori, Felice Cavallaro e Roberto Morrione. Quest'ultimo, direttore di Rai News 24, ha scoperto e trasmesso l'intervista di Borsellino, dopo averla offerta invano a tg e programmi di approfondimento. L'unico che l'avrebbe trasmessa volentieri era Santoro, ma quando la cassetta saltò fuori, nel maggio 2000, aveva già chiuso la trasmissione. La Casa delle Libertà, che ha appena annunciato l'Aventino televisivo, non invia in studio nessun rappresentante, ma le sue posizioni sono comunque rappresentate da Guzzanti. I *berluscones* sostengono che l'intervista di Borsellino è stata manipolata. Così, per completezza, Santoro manda in onda anche le parti tagliate nel montaggio francese, ma riportate nella versione integrale (purtroppo soltanto scritta) pubblicata dall'«Espresso» nel 1994. Così è chiaro a tutti che il montaggio non ha alterato il senso del discorso del giudice: Mangano era un mafioso, «testa di ponte di Cosa Nostra al Nord» per il traffico di droga e il riciclaggio del denaro sporco; quando parlava al telefono di «cavalli» (come anche nella famosa telefonata con Dell'Utri intercettata nel 1980) si riferiva di solito a partite di droga; la Procura di Palermo, nell'estate '92, fra le stragi di Capaci e via d'Amelio, indagava sui rapporti fra Mangano, Berlusconi e Dell'Utri. Aggirando l'Aventino da lui stesso proclamato, il Cavaliere non si trattiene e telefona in diretta. Santoro fa presente di averlo invitato in studio, inutilmente. Berlusconi lo zittisce con protervia.

BERLUSCONI Complimenti per questi processi in diretta, siamo allibiti per come la Rai usa le cosiddette trasmissioni di approfondimento politico, specialmente in campagna elettorale...

SANTORO Vuole fare un dibattito con me? Dobbiamo andare da Costanzo, in territorio neutro...

BERLUSCONI Vorrei solo che lei mi lasciasse dire due cose, altrimenti posso anche mettere giù subito...

SANTORO Sì, ma sul fatto. E senza insultarci, perché prima lei dice ai suoi di non venire, poi vuole parlare senza rimuovere il vincolo politico...

BERLUSCONI Io non intervengo da politico. Noi come politici continueremo a non intervenire nelle trasmissioni della Rai finché non saremo garantiti per non dover cadere in trasmissioni trappola come quella...

SANTORO Allora mi dispiace, ma chiudo il collegamento telefonico... Non si può accettare questa sua posizione. Se lei non rimuove il vincolo, non può parlare stasera.

BERLUSCONI Santoro, lei è un dipendente del servizio pubblico, si contenga!

SANTORO Io sono un dipendente del servizio pubblico, non sono un suo dipendente, Berlusconi!

BERLUSCONI Ma come imprenditore si è detto stasera che io dovrei dare delle spiegazioni sulle società...

SANTORO Allora vuole parlare per fatto personale? Va bene, dica...

Il Cavaliere approfitta del collegamento per piazzare un paio di bugie delle sue. Nega di essere mai stato convocato dai giudici al processo Dell'Utri («Non è assolutamente vero, non mi hanno mai chiamato»), mentre invece, più volte convocato, ha sempre rinviato l'appuntamento in tribunale per motivi elettorali. Quanto poi alle società off-shore del gruppo Fininvest, di cui Di Pietro ha chiesto conto citando l'inchiesta milanese per falso in bilancio, Berlusconi sostiene: «Non ci sono stati nomi di copertura né ricorso a società estere. Tutto si è svolto in Italia alla luce del sole con operazioni sulle quali sono state pagate tante tasse». Sarà lui stesso a sbugiardarsi, il 3 maggio, incontrando gli industriali romani: «Le società estere sono cose assolutamente legittime che il mio gruppo ha poi abbandonato, ma che in un certo momento, affidandosi alla responsabilità di chi gestiva il sistema estero, si facevano perché si doveva trovare un modo in Europa per pagare tasse più convenienti».

Santoro pagherà cara quella risposta ferma al nuovo padrone d'Italia. L'indomani, mentre l'Auditel comunica che oltre 6 milioni di italiani (23,89 di share) hanno visto *Il raggio verde*, primo programma della prima serata, parte l'attacco della Cdl che accusa il conduttore di violare la par condicio e di parteggiare per l'Ulivo. Un'accusa ridicola per tre motivi. 1) È stato il Polo a impedire ai suoi uomini di partecipare al programma, nonostante i reiterati inviti. 2) Mancano due mesi alle elezioni e la campagna elettorale scatterà, con le sue regole, soltanto un mese prima del 13 maggio, con i trenta giorni «protetti» decisi il 23 marzo dalla Vigilanza e dall'Authority. 3) *Il raggio verde* – come ribadirà l'Authority – non è un programma di comunicazione politica, una tribuna elettorale, ma una trasmissione di informazione e approfondimento che deve seguire l'attualità, le notizie. E la notizia del giorno, per molti giorni, è questa: la polemica su *Satyricon*, l'attacco del centrodestra alla Rai, le inchieste sui rapporti fra Berlusconi, Dell'Utri e Cosa Nostra. Per oltre un mese i giornali non parlano d'altro e così fa Santoro in quattro puntate: una sul caso Mangano-Dell'Utri (quella con la telefonata di Berlusconi), una su satira e censura, una sulla campagna elettorale, una con Dell'Utri ospite.

La destra del manganello

Nella puntata sulla satira, il 24 marzo, discutono in studio Vittorio Feltri, Pierluigi Battista della «Stampa», Miriam Mafai di «Repubblica», Marco Travaglio, Dario Fo, Franca Rame, Sabina Guzzanti, Gianfranco Funari, i vignettisti Vincino e Vauro. Santoro apre con l'intervista rilasciata qualche giorno prima da Indro Montanelli a Telemontecarlo, a proposito della telefonata di Berlusconi al *Raggio verde* e dell'annuncio di Fini sulle imminenti epurazioni alla Rai. Dice Montanelli:

> Tutto questo mi evoca dei ricordi poco simpatici. Era il fascismo che si conduceva così, era il fascismo che proibiva la satira che, in un paese civile e democratico, dovrebbe essere assolutamente indenne da controlli politici... Era Mussolini che non la sopportava. E qui pensano: «ripuliremo la stalla», «faremo piazza pulita». Ma questo linguaggio, al signor Fini, chi glielo ispira? Ci ricorda delle cose che avremmo voluto dimenticare. Questa non è la destra, questo è il manganello. Gli italiani non sanno andare a destra senza finire nel manganello [...]. Alla Rai faranno piazza pulita. Lo hanno già annunziato. Ma come fa a chiamarsi democratico un partito che annunzia: «Quando saremo al potere, noi faremo piazza pulita»? Ma questo è un linguaggio del peggiore squadrismo, che loro non sanno cosa fu, ma io me lo ricordo. Questo era il linguaggio con cui [i fascisti] andarono al potere.

Feltri gli dà subito del voltagabbana: «Montanelli dipinge due figure di Berlusconi. Per oltre vent'anni Berlusconi è stato l'editore di Montanelli e Montanelli è stato bene in quei vent'anni, ha sempre detto che Berlusconi è stato il miglior editore possibile. Oggi lo dipinge come una specie di dittatore che ama le maniere spicce, e che ha una certa vocazione per il manganello. Queste due figure contrastanti non si possono conciliare. Come ha potuto Montanelli stare per vent'anni con un fascista che ama il manganello? A quale Montanelli dobbiamo credere? Come si fa ad avere un'opinione così diversa della stessa persona? Io sono sgomento. C'è un'ambiguità che mi lascia esterrefatto e che vorrei capire». Travaglio difende Montanelli e ricorda che fu Berlusconi a cambiare, trasfigurandosi da imprenditore a politico, non Montanelli, che semplicemente rifiutò di trasformare «Il Giornale» nell'organo di Forza Italia e se stesso in galoppino elettorale del Cavaliere.

Battista assicura che Berlusconi, Fini & C. non faranno nulla di preoccupante: «Non è che l'Ulivo abbia fatto qualcosa di diverso, quando ha vinto le elezioni ha cambiato il Consiglio d'Amministrazione della Rai e ne ha messo un altro: si può dire che c'è stato un difetto della democrazia in questo paese, si può dire che c'è stato un regime autoritario per questo? In Italia c'è questa credenza superstiziosa che le elezioni si vincano grazie alle televisioni, è una falsità assoluta». Sabina Guzzanti prova a obiettare: «Ma, se fosse vero che non si vince per le tv, perché sono così preoccupati per le trasmissioni di satira?». Montanelli telefona in studio:

Io voglio ringraziare Travaglio, il quale ha detto l'assoluta e pura verità. La versione che lui ha dato degli avvenimenti è quella esatta. Debbo manifestare una certa sorpresa per quello che ha detto Feltri, il quale senza dubbio sa come andarono le cose [...]. Feltri dice che la mia condotta verso Berlusconi è stata ambigua. E gli rispondo che io ho conosciuto due Berlusconi: il Berlusconi imprenditore privato che comprò «Il Giornale», e noi fummo felici di venderglielo – perché non sapevamo come andare avanti – su questo patto: tu, Berlusconi, sei il proprietario del «Giornale»; io, direttore, sono il padrone del «Giornale», nel senso che la linea politica dipende solo da me. Quando Berlusconi mi annunziò che si buttava in politica, io capii subito quel che stava per accadere. Cercai di dissuaderlo [...]. Ma tutto fu inutile. Dal momento in cui lo decise, mi disse: «Da oggi "Il Giornale" deve fare la politica della mia politica». Io gli dissi: «Non ci pensare nemmeno». Allora lui riunì la redazione a mia totale insaputa, come ha raccontato Travaglio, e disse: «D'ora in poi "Il Giornale" farà la politica della mia politica». E a quel punto me ne andai [...]. Nella mia vita ci sono stati due Berlusconi, completamente opposti. E questo non è mica colpa mia [...]. Come capo politico è quello che io ho conosciuto in quei brutti giorni in cui scorrettamente, nella maniera più scorretta e più volgare, saltandomi, lui radunò la redazione del «Giornale» per dirle: «Qui si cambia tutto», all'insaputa del direttore. Se questo sembra a Feltri un modo di procedere democratico e civile, è affar suo. Io lo trovo di una volgarità e di una prepotenza... e una segnalazione di certe tendenze che animano il Berlusconi politico che mi mettono un certo sgomento.

Anche quel *Raggio verde* è il programma più visto della televisione italiana: 6.133.000 telespettatori, 25,08 per cento di share.

Il 21 aprile, in studio, c'è Dell'Utri in carne e ossa. È una puntata «riparatoria», suggerita dall'Authority per consentirgli il diritto di replica. Gli ospiti sono squilibrati a favore del centrodestra: da un lato due politici, e cioè Dell'Utri scortato dall'amico Lino Jannuzzi, direttore del «Velino», collaboratore del «Foglio», del «Giornale» e di «Panorama» e candidato al Senato per Forza Italia; dall'altra parte di nuovo Di Pietro (nessun esponente dell'Ulivo se l'è sentita di partecipare). C'è anche il giornalista Saverio Lodato, esperto di mafia e collaboratore dell'«Unità». E fino all'ultimo è data per certa la presenza in studio di Max Parisi, giornalista della «Padania», autore in passato di un libro ferocissimo su mafia e Fininvest pubblicato dalla casa editrice della Lega (*Soldi sporchi al Nord*, Editoriale Nord, Milano, 1996), ma *in extremis* Roberto Maroni gli consiglia caldamente di evitare.

Dell'Utri ha seguito passo passo la preparazione della puntata. Santoro avrebbe voluto in studio anche Feltri e Flores d'Arcais, ma – secondo «Il Giornale» – il primo ha declinato e sul secondo s'è abbattuto il veto di Dell'Utri. Quest'ultimo s'è allenato per tutta la giornata in via del Plebiscito con uno squadrone di avvocati: Trantino, Tricoli, Federico e Di Peri, che hanno pure trattato con Santoro per la scaletta della trasmissione.

Quella sera, per smorzare sul nascere le solite accuse di faziosità, Santoro concede alla coppia Dell'Utri-Jannuzzi più del doppio del tempo riservato a Di Pietro e Lodato: 66 minuti contro 30. Ma più Dell'Utri parla, più si inguaia. «Tecnicamente, lei è un pregiudicato», lo incalza Di Pietro ricordando la sua fresca condanna definitiva per frode fiscale e false fatturazioni a Torino: «Come può candidarsi al Senato?». «Su questa candidatura – replica Dell'Utri – non mi sento minimamente in colpa. Per me si tratta di legittima difesa. Ho voluto fare il politico per non soggiacere a una ingiustizia». «Ma è inaccettabile – rilancia Di Pietro – perché altrimenti dovremmo candidare tutti i pregiudicati». Poi si parla di Mangano, degli incontri con altri mafiosi (ammessi dallo stesso Dell'Utri) e così via. Alla fine va in onda un breve spezzone dell'intervista al finanziere Filippo Alberto Rapisarda, trasmessa due settimane prima, e una testimonianza di sua moglie che racconta presunte minacce ricevute dal marito. Dell'Utri ha tutto il tempo per replicare, ma non fa una bella figura. Basta guardarlo in faccia e sentirlo parlare, così, al naturale, per trarne un'impressione a dir poco sgradevole: non certo quella di un politico impegnato nella lotta alla mafia. Da un sondaggio riservato del Cavaliere, risulterà che quella comparsata – vista da oltre 5 milioni di italiani (21,74% di share) – ha fatto perdere a Forza Italia parecchie migliaia di voti. Nell'entourage berlusconiano circola un aneddoto sul dopo-*Raggio verde*: quella sera, uscito dagli studi Rai e rientrato a Palazzo Grazioli, in via del Plebiscito, dove l'amico Silvio gli mette a disposizione alcune stanze, Dell'Utri trova ad aspettarlo un Berlusconi furibondo, che lo affronta a brutto muso: «Te l'avevo detto di non andare da Santoro, sei caduto nel trappolone, hai fatto una pessima figura, ci hai fatto perdere un sacco di voti». Al che Dell'Utri avrebbe raccolto le sue cose e sarebbe andato a dormire in albergo.

Verità o leggenda che sia, è un fatto che Berlusconi il giorno dopo sente il bisogno di esternare tutta la sua rabbia per l'accaduto: «*Il raggio verde* di ieri è stato un nuovo processo in diretta contro Dell'Utri. Vi è stata una sistematica manipolazione della verità, la Rai è diventata strumento di alterazione sistematica del confronto. Preannuncio fin d'ora un ricorso all'Authority. Mi chiedo cosa farà Santoro nell'ultimo venerdì prima delle elezioni. Mi chiedo proprio che trasmissione possiamo attenderci». Santoro replica:

Nessun processo in diretta, la nostra trasmissione è stata più che rispettosa delle indicazioni che ci aveva dato la stessa Authority: una puntata equilibrata, con due esponenti di Forza Italia contro uno solo dell'altra parte. Altro che processo. In un processo l'accusa ha qualche diritto maggiore. Certo, se fossimo restati in silenzio, senza fiatare, forse non ci sarebbero state altre polemiche. Ma abbiamo il diritto di respirare, di parlare e di fare informazione. Abbiamo mandato in onda solo fatti accertati, ammessi dallo stesso Dell'Utri. Materiali che non potessero essere oggetto di interpretazioni giudiziarie, semmai politiche. Ho evitato accuratamente non solo le deposizioni dei pentiti, ma anche documenti come la famosa telefonata sul cavallo o la versione integrale dell'intervista a Rapisarda. L'ultimo *Raggio verde* prima del voto sarà come tutti gli altri. Non capisco cosa voglia intendere Berlusconi. Dobbiamo essere liberi di informare, come sancisce la Costituzione. Lui che fa tanti proclami di libertà, alla fine si muove per limitare la libertà degli altri. Evidentemente la vuole solo per se stesso, questa libertà.

Spegnete quel «Raggio verde»

Il 25 aprile parte l'ennesimo esposto all'Authority contro Santoro, il secondo firmato personalmente dal Cavaliere. «Oggetto esclusivo della trasmissione» scrive il futuro premier «è stata la presunta mafiosità dell'on. Dell'Utri, chiamato a partecipare non già per replicare all'intervista di Rapisarda (proditoriamente) inserita nella trasmissione del 6 aprile dedicata alle candidature, ma per difendersi – da vero e proprio imputato – da un dossier di (nuove) accuse predisposto dalla redazione della trasmissione e supportato da una pubblica accusa costituita da Santoro, Ruotolo, Di Pietro e Lodato (nonché dalla "lettrice" di atti giudiziari, Luisella). Solo la pacata fermezza dell'onorevole Dell'Utri, forte della serenità che gli deriva dalla consapevolezza della sua estraneità a ogni imputazione, ha impedito a una trasmissione così impostata di produrre gli effetti devastanti che il suo orchestratore Santoro aveva immaginato sarebbero derivati». Risponde Santoro: «Berlusconi mi chiede di non essere più quello che sono. Secondo lui dovrei mandare in onda una controfigura. E questo non è possibile. Berlusconi ci imputa di aver ricordato che tecnicamente Dell'Utri è un pregiudicato e che negli Usa questo avrebbe reso impossibile una sua candidatura politica. Io d'altra parte sono un giornalista e come tale mi comporto. Peraltro la puntata era stata concordata in tutte le sue parti con l'onorevole Dell'Utri».

L'esposto berlusconiano, poi incredibilmente accolto dall'Authority, viene aspramente contestato dalla stessa Rai. Il capo dell'ufficio legale Rubens Esposito lo definisce «generico, inammissibile e improcedibile» in quanto «non precisa minimamente quando e come sarebbe avvenuta la violazione» e impedisce qualsiasi «difesa e contraddittorio»; ricorda che fin dal 6 aprile Santoro aveva offerto il diritto di replica a Dell'Utri («a prescindere da qualsiasi ordine di codesta Autorità»); e osserva che «il programma era lievemente sbilanciato in favore della Casa delle Libertà, al contrario di quanto è accaduto nei programmi informativi delle emittenti Rti [Mediaset, *N.d.A.*], nelle quali codesta Autorità ha accertato una enorme sproporzione di presenze delle forze politiche e l'ha sanzionato con un blando richiamo all'equilibrio». Quanto alla conduzione di Santoro, questa fa parte dell'«incomprimibile esercizio del suo diritto di opinione e di critica del tutto compatibile e coerente con il suo ruolo di conduttore di una trasmissione informativa e non di comunicazione politica, dal quale non può pretendersi che assuma la figura del "convitato di pietra" né la funzione del mero semaforo del flusso comunicativo altrui». Eppure, come vedremo, dopo aver sostenuto tutto ciò, la stessa Rai si farà scudo anche della sanzione dell'Authority – nemmeno definitiva – per cacciare Santoro.

Nel *rush* finale della campagna elettorale, il Cavaliere è preoccupato. Il distacco abissale che fino a qualche tempo prima lo separava da Rutelli va assottigliandosi e l'euforia per una vittoria scontata cede il passo all'allarme per una possibile inversione di tendenza. Una partita che pareva chiusa si riapre all'improvviso. Anche perché gli appelli contro i rischi per la democrazia lanciati dai grandi vecchi Bobbio, Galante Garrone e Sylos Labini, gli allarmi di Montanelli, i servizi della stampa internazionale capitanata dall'«Economist» e gli ultimi vagiti di libera informazione che verranno poi liquidati come «demonizzazione di Berlusconi» risvegliano dal torpore e «mobilitano» tanti elettori delusi dall'Ulivo, intenzionati ad astenersi, e li convincono a trascinarsi un'altra volta alle urne: da uno a due milioni di persone, secondo uno studio del professor Luca Ricolfi dell'Università di Torino.

Il Comunicatore non comunica

L'attacco al *Raggio verde* è martellante e forsennato. Il Polo, in Vigilanza, fa il diavolo a quattro. I ricorsi di Forza Italia all'Authority diventano tre, sempre per invocare la chiusura del programma per violazione della par condicio. Il clima è pesante. Mentre Montanelli viene minacciato di morte, davanti all'abitazione di Ruotolo compare una scritta con lo spray nero: «Ruotolo, sei una merda comunista».

Venerdì 11 maggio è l'ultimo giorno prima del silenzio elettorale. Santoro propone ai due contendenti per Palazzo Chigi di confrontarsi finalmente in un faccia a faccia. Rutelli accetta. Berlusconi rifiuta, ma così rischia di regalare l'ultima serata televisiva utile all'avversario. Gianni Letta, al solito, è incaricato di mediare con Santoro. Gli propone un confronto a distanza in due sere separate, il 4 e l'11 maggio, e solo a patto che l'ultima tocchi a Berlusconi. Santoro tiene duro: «Ho invitato entrambi per l'11, Rutelli ha accettato. O viene anche Berlusconi, oppure non posso certo spostare Rutelli». Letta scende a più miti consigli: «È possibile che Silvio accetti di venire il 4». Però pretende una serie di garanzie. Anzitutto sul cast degli intervistatori. Negli altri programmi il Cavaliere è abituato a sceglierseli. Santoro non si presta. Propone a Letta una terna di giornalisti non certo estremisti, in rappresentanza dei primi tre quotidiani italiani: Gad Lerner del «Corriere», Mario Pirani di «Repubblica» e Gianni Riotta della «Stampa». Letta accetta, ma Berlusconi rovescia il tavolo: non ci sta. Santoro gli viene incontro, aggiungendo alla terna l'innocuo Paolo Graldi, direttore del «Messaggero», e Carlo Rossella, direttore del berlusconiano «Panorama». Letta accetta di nuovo, ma il Cavaliere fa saltare tutto. Anche perché nel frattempo è spuntato un nuovo scoglio: le domande. Berlusconi, altrove, è abituato a conoscerle in anticipo per cassare quelle sgradite e prepararsi sulle altre evitando l'effetto-sorpresa. Altro diktat inaccettabile, almeno per Santoro, che si limita a un fax inviato a Letta in cui promette la massima correttezza e anticipa i temi che intende toccare:

> Ribadisco che la mia conduzione non sarà né aggressiva né polemicamente preconcetta, ma giornalisticamente motivata. Il primo aspetto riguarda il tempo: mi pare che il presidente Berlusconi possa ragionevolmente avere a disposizione un'ora di trasmissione, mentre un'altra ora sarebbe il tempo a disposizione per tutto il resto (servizi, altri ospiti, conduzione). I temi in discussione, prendendo come spunto l'editoriale di

Sergio Romano sul «Corriere della Sera» del 27 aprile, saranno quattro: le critiche della stampa estera (in particolare quelle dell'«Economist») e il conflitto d'interessi; la questione giudiziaria e la questione morale; i risultati del governo di centrosinistra e le ricette della Casa delle Libertà su Welfare e tasse; infine una domanda: la Casa delle Libertà è europeista? Le risposte dell'on. Berlusconi dovrebbero essere contenute nei due minuti circa, un tempo ragionevole televisivamente parlando che gli consentirebbe di rispondere a trenta domande.

La trattativa va per le lunghe e il tempo stringe: senza un sì o un no da Arcore, non si possono programmare le ultime due puntate. A questo punto s'intromette Saccà, che come capo del Marketing strategico della Rai non ha alcun titolo per intervenire, ma telefona a Santoro chiedendo di incontrarlo in veste di messaggero ufficioso di via del Plebiscito, per dispensare qualche «consiglio da amico». All'appuntamento, fissato al bar Antonini, Santoro si fa accompagnare da Ruotolo. Davanti a un aperitivo, il messaggero Saccà viene subito al punto: «Michele, guarda, Berlusconi non gradisce i giornalisti che gli hai proposto, e vuole sapere in anticipo le domande. Ti conviene accettare le sue condizioni. Sappi che qui, ora, ti stai giocando il tuo futuro in Rai». La proposta è chiara: Santoro potrà anche inscenare un'intervista aggressiva, ma Berlusconi, sapendo in anticipo che cosa gli verrà chiesto e quando, farà un figurone. Più che un'intervista, una sceneggiata per salvare la faccia a tutti. Santoro rifiuta. Saccà riferisce al suo mandante. E giovedì 3 maggio, nel pomeriggio, dopo un supplemento di tira e molla, Letta chiude ogni residuo spiraglio: «Per domani sera non se ne fa più nulla. Silvio non ritiene opportuno intervenire, mi dispiace. Ho fatto di tutto per convincerlo, sei stato molto gentile, ma non c'è nulla da fare».

Manca solo un giorno alla puntata riservata al Cavaliere. Invitare altri politici non si può, altrimenti salterebbe anche la serata dell'11 con Rutelli. Così Santoro decide di andare in video da solo. Avendo rifiutato l'intervista senza domande, ne manda in onda una senza risposte. Con tutto ciò che avrebbe chiesto a Berlusconi:

Io ho fornito tutte le garanzie possibili e immaginabili perché il presidente Berlusconi potesse essere qui stasera. Sono andato molto vicino al limite, quasi oltre il limite della dignità, della professionalità del giornalista e della mia dignità di persona. Ho cercato di tranquillizzare da tutti i punti di vista. Ma non è servito a molto, come vedete, anche se questo spazio era di Berlusconi e resterà di Berlusconi, nel senso che non sarà riempito. Perché io Berlusconi l'avevo invitato non per questa sera, ma per l'ultima puntata, quella dell'11, perché finalmente avvenisse questo confronto con Rutelli. Invece lui mi ha detto: «Preferisco fare una puntata in par condicio, prima vengo io, poi viene lui». Invece non è venuto.

Niente di drammatico, caro presidente. Lei ha tantissime occasioni per parlare in televisione, ha anche tantissime televisioni, quindi può parlare quanto e come vuole. Però io al suo posto non avrei disprezzato questa occasione piccolissima che le avevamo proposto, perché era del tutto particolare [...]. Dirigere un'impresa è importante [...] però per dirigere un paese bisogna convincere gli altri che si riesce a convivere con i diversi, con quelli che non la pensano come te [...]. Ecco, questa piccolissima occasione poteva rassicurare tutti che possiamo vivere insieme, anche quelli che non la pensano esattamente come lei: convivere, discutere, confrontarci e dialogare. Non è avvenuto.

Io avevo preparato pochissime domande. Cinque o sei. Naturalmente una prendeva spunto dall'«Economist»: lo so, lei mi avrebbe ricordato che Luciano Violante ha detto che il presidente del Consiglio non lo nomina l'«Economist», lo nominano gli elettori italiani. A me questa affermazione di Violante non è che sia piaciuta molto, perché francamente l'ho vissuta come una specie di disprezzo del ruolo che la stampa deve avere dentro un'elezione [...]. Perché i giornali non scelgono i presidenti, ma sono indispensabili perché gli elettori si facciano un'opinione coerente, serena e vadano a votare avendo ricevuto il maggior numero di informazioni possibile. Poi, diciamolo chiaramente, non è che la sinistra sia stata molto limpida nei suoi confronti. Le leggi sul conflitto d'interesse potevano tranquillamente essere approvate prima, e anche il comportamento nella regolamentazione del sistema televisivo non è stato coerente con i programmi del centrosinistra. Qualche ascoltatore mi ha scritto: ma voi queste cose ve le ricordate sempre prima delle elezioni? Magari per il centrosinistra può essere vero, ma per quanto riguarda noi sicuramente non è vero. Quando io lavoravo a Mediaset, si era appena formato il governo D'Alema con il contributo determinante del presidente Francesco Cossiga [...]. Io allora portai il presidente Cossiga proprio dentro gli studi di Mediaset e gli feci una lunghissima intervista. Se lo ricorda certamente, perché tentò di telefonare, però purtroppo la trasmissione era registrata e lei non è potuto entrare. C'è qualcuno di tutti gli sterminati elettori della Casa delle Libertà che si ricorda questo episodio di Cossiga che parla del conflitto d'interessi dentro Mediaset? Sicuramente non c'è nessuno, come nessuno ricorda di quando sono andato sul ponte di Belgrado, ed era presidente del Consiglio D'Alema. Siamo un paese con una memoria veramente cortissima [...].

Il più grosso dei problemi che ha sollevato l'«Economist» è questo: potrebbe accadere che lei, una volta diventato presidente del Consiglio, sia chiamato a comparire come imputato in tribunale per rispondere di un'accusa gravissima: aver corrotto dei magistrati [...]. Ora, lei avrà milioni di risposte da dare, anche se alle 59 domande dell'«Economist» ha preferito non rispondere. Ma sono anche sicuro della risposta che avrebbe dato immediatamente a me [...]: «Ma in Italia quei magistrati che se la prendono con me non sono sereni, non sono dei veri magistrati, sono dei politici travestiti, dei comunisti che vestono la toga». Bene, allora le avrei fatto la mia vera domanda [...]: poniamo che lei abbia ragione, anzi diciamo che lei ha ragione; ma chi può decidere se un magistrato è sereno o no? Lo può decidere solo un altro magistrato. Perché fino a quando un altro magistrato non lo decide, quei magistrati di Milano sono dei magistrati nell'esercizio delle loro funzioni [...]. E allora le avrei chiesto: ma se un presidente del Consiglio in carica mi dice che quei magistrati non sono sereni, come faccio io, cittadino qualunque, cittadino della strada, cittadino che non ha legioni di avvocati a sua disposizione, che non ha immunità parlamentari per difendersi dalla giustizia, come faccio io a entrare in tribunale e a essere sicuro che lì si amministra la giustizia, quando il presidente del Consiglio del mio paese mi dice che quelli non sono sereni? Le avrei chiesto, allora: mi faccia fare uno scoop, questa sera, lo dica che lei, una volta eletto, polemiche con i magistrati non ne farà più. Che anzi farà in modo che le cose vadano così velocemente per quanto riguarda la giustizia che ci libereremo di queste polemiche nel più breve tempo possibile [...].

Però sa qual è la verità? Mentre faccio queste domande mi rendo conto che è completamente inutile, anzi, le dirò di più: che è sbagliato fare queste domande a lei [...]. Faccio già l'autocritica in diretta per averle pensate, queste cose. Queste domande sarebbe giusto rivolgerle direttamente ai cittadini, come dice Berlusconi, come dice lo stesso Violante, visto che i cittadini devono decidere [...]. Allora io dico ai cittadini italiani: provate a immaginare. Abbiamo un presidente del Consiglio che va in un tribunale e deve rispondere dell'accusa di corruzione dei magistrati. Cosa faranno le televisioni di tutto il mondo? Cosa faranno i giornali di tutto il mondo? Lo so: c'è un 40% di italiani che già la sua risposta ce l'ha, probabilmente dopo il 13 maggio saranno molti di più del 40%, probabilmente saranno la maggioranza a dire «e chi se ne frega delle televisioni e dei giornali di tutto il mondo» [...]. Ecco perché dico che è inutile chiedere queste cose a lei, perché queste cose bisogna chiederle ai cittadini che poi decideranno di lei, di me e di tutti noi [...]. E così do ragione a lei, do ragione a Violante che questo l'ha ricordato a noi e all'«Economist». E do ragione anche a Umberto Bossi, la cui intervista che tra poco sentiremo avremmo potuto sentire insieme, io e lei, in questo studio e invece sono costretto a sentirmela da solo. Ma credo che anche lei, da casa sua, uno sguardo glielo butterà. Grazie dell'attenzione, e spero che sia per la prossima volta.

Bossi, intervistato da Corrado Formigli, promette «una legge chiara sul conflitto d'interessi», perché «penso che lì sia d'accordo anche Berlusconi» e perché «nessuna parte del mondo è messa così». E la Rai?

Lì ci sono i nemici... certe soluzioni vanno affrontate subito... Il Machiavelli diceva che il Principe i nemici li deve radunare e fare fuori in una notte. Non so se Berlusconi batterà quella strada, perché in realtà Berlusconi è un po' buono, un po' buonista [...]. Adesso abbiamo la Rai in mano ad alcuni personaggi che di democratico non hanno niente [...]. Io sono per intervenire con decisione. Il popolo qui direbbe che occorrono i coglioni per fare le cose, anche se gli altri reagiranno invocando la democrazia. Ma la loro democrazia la conosciamo: ieri la sinistra ha fatto tirare una bomba contro una nostra sede a Modena [...]. Ora non vorrei che fossero troppo buoni, dalla parte di Forza Italia. Chi ha sbagliato in Rai, chi s'è comportato volutamente in modo antidemocratico, deve andarsene fuori dalle scatole. Vadano a zappare la terra.

Sono lontani i tempi in cui Bossi, nel '94, dichiarava alla commissione Cultura della Camera: «Senza le trasmissioni di Santoro l'Italia non avrebbe preso coscienza degli sprechi di denaro pubblico, del disastro culturale, economico e sociale del Sud provocato dal sistema dei partiti». I tempi in cui Occhetto considerava Santoro «un leghista di sinistra» per aver dato spazio alla Lega e al Msi che, in tutto il resto della Rai, non esistevano.

Monologo in casa P2

L'editoriale di Santoro lo vedono in 6 milioni. Brutto segno per il Cavaliere, anche in vista dell'ultima puntata con Rutelli. Berlusconi gioca l'ultima carta per bloccarla: il 7 maggio chiede per la quarta volta all'Authority di chiudere il *Raggio verde*. Ricorso respinto. Allora il padrone di Mediaset chiama Costanzo e prenota in fretta e furia uno speciale del suo show per farsi intervistare (si fa per dire) in prima serata, in contemporanea con il rivale. Così, l'11 maggio, monologa per un paio d'ore su Canale 5, travolgendo ogni tentativo di domanda (si fa sempre per dire) dell'amico Maurizio. Intanto, su Rai2, Rutelli si trova di fronte Maurizio Belpietro, direttore del «Giornale» berlusconiano; Pierluigi Battista, già vicedirettore del berlusconiano «Panorama»; e Lucia Annunziata, ufficialmente «di sinistra» ma futura collaboratrice del «Foglio» della signora Berlusconi. La più astiosa con Rutelli sarà proprio lei. «Dove c'era Francesco Rutelli» scrive l'indomani Curzio Maltese su «Repubblica» «si è assistito a un confronto vero, anche duro ma interessante, fra un politico che accetta il contraddittorio, domande vere, e spesso anche ostili, in cambio di risposte vere. Dall'altra, dove c'era Berlusconi, s'è visto l'infinito e ormai vecchio monologo di un uomo di potere che è anche un grande venditore, nella sua televisione, davanti al suo pubblico, in assenza di qualsiasi contraddittorio». Il pubblico premia clamorosamente *Il raggio verde*: quasi 7 milioni di telespettatori contro i 4 e mezzo dei due piduisti. Gianni Letta chiama Santoro e gli rende l'onore delle armi: «Sei un grande professionista, ora non sappiamo che succederà alle urne...». E Santoro: «Te lo dico io, Gianni, che succederà: Berlusconi vince e poi ci massacra». Previsione azzeccata, in tutto e per tutto.

L'Authority del più forte

Il 13 maggio Berlusconi vince le elezioni e torna a Palazzo Chigi dopo sette anni. Ma non s'accontenta: il 20 presenta un nuovo esposto all'Authority, il quinto in poche settimane, contro *Il raggio verde* che ha osato intervistare Rutelli senza il suo permesso. Ricapitolando. Il 6 aprile, esposto per la puntata su *Satyricon* e il caso Mangano; l'Autority ordina la puntata riparatoria con Dell'Utri. Il 24 aprile, secondo esposto di Berlusconi anche contro la puntata riparatoria. Ai primi di maggio, terzo esposto di Forza Italia per l'intervista a Rapisarda. Il 4 maggio Berlusconi rifiuta l'invito, Santoro gli fa lo stesso le domande in diretta e scatta il quarto esposto; il 9 maggio l'Authority anticipa che le modalità di conduzione del *Raggio verde* sono state «solo in parte conformi alla norme in materia di par condicio elettorale», ma rinvia il verdetto finale a dopo le elezioni. L'11 maggio tocca a Rutelli; il 20 maggio, quinto esposto di Berlusconi per la violazione della par condicio che lui stesso, con la sua continuata assenza, ha provocato. Per tutta risposta, appena saputo chi ha vinto le elezioni, a fine maggio l'Authority sanziona la Rai per *Il raggio verde* con una sentenza che risponde a tutti gli esposti berlusconiani: multa di 40 milioni di lire per non aver dato sufficiente prevalenza a Forza Italia nella puntata «riparatoria» con Dell'Utri: «La società Rai nel ciclo di trasmissioni *Il raggio verde* non ha ripristinato la completezza e l'imparzialità dell'informazione», e questo perché «il conduttore del programma ha inteso influenzare le scelte di voto dei telespettatori, mostrando palesemente i propri orientamenti politici a favore della coalizione del centrosinistra e, in conseguenza delle modalità di conduzione e gestione della trasmissione, ponendo la coalizione di centrodestra in una situazione di oggettivo svantaggio», violando «i principi di parità di trattamento e di completezza, imparzialità e obiettività dell'informazione». Non una frase, un'affermazione, una battuta di Santoro viene citata a suffragio di queste apodittiche conclusioni. Figurarsi se l'Authority dovesse giudicare i talk show americani e inglesi, che si nutrono di scandali politici, anche e soprattutto nelle campagne elettorali. *Il raggio verde* è come un rotocalco di attualità: va dove lo portano le notizie, parla dei temi della settimana, a nessuno verrebbe in mente di imporre all'«Espresso» o a «Panorama» la par condicio negli argomenti e nelle scelte editoriali: proprio quello che l'Authority teorizza in questa sentenza. Se in America scoppia lo scandalo Clinton, giornali e tv parlano dello scandalo Clinton, senza doverne cercare uno equivalente sul suo avversario politico. In Italia si candida un signore imputato, circondato di pregiudicati, e per giunta proprietario di tre televisioni: di questo parla tutta la stampa, italiana e internazionale, e di questo parla anche Santoro. Ma quello che fa l'informazione libera, alla Rai non è consentito. O si trova qualche pregiudicato e imputato per mafia al fianco del leader del centrosinistra, o si trova un leader dell'Ulivo con tre televisioni, oppure non si parla nemmeno del leader del centrodestra. Questa è, per l'Authority, la completezza e l'obiettività dell'informazione. Un abominio, contro cui nessun «liberale» – salvo i soliti tre o quattro «demonizzatori» – dice una parola.

Ma c'è di più. Nel periodo di fuoco che va dal 10 marzo al 20 aprile, dal caso *Satyricon* alla vigilia della puntata riparatoria con Dell'Utri, *Il raggio verde* ha dato più spazio al Polo che all'Ulivo. Sì, proprio così: dai dati del Centro di ascolto dell'informazione radiotelevisiva (l'Osservatorio di Pavia), elaborati dalla Rai il 26 aprile 2001, risulta che in quei quaranta giorni cruciali gli esponenti del Polo hanno parlato il doppio di quelli dell'Ulivo: 163 minuti e 12 secondi contro 85 minuti e 43 secondi, vale a dire il 49% del tempo disponibile contro il 26%. Una prevalenza schiacciante del centrodestra, che non si riequilibra nemmeno se si aggiungono all'Ulivo due formazioni affini, anche se non alleate e concorrenti: Rifondazione comunista (18 minuti e 18 secondi, pari al 5,6%) e Lista Di Pietro (34 minuti e 56 secondi, pari al 10,6%), mentre la Lista Bonino-Pannella fa storia a sé (27 minuti 47 secondi, 8,4%).

Ma nemmeno questo basta all'Authority, geniale invenzione dei governi di centrosinistra subito finita nelle grinfie della partitocrazia e divenuta l'ennesimo fucile puntato contro la libertà d'informazione. A farne parte, infatti, non sono personalità *super partes*, esperti di comunicazione e informazione, ma per lo più uomini lottizzati dai partiti. Il presidente Enzo Cheli, giurista di fama, vicino a Giuliano Amato, già consigliere Rai e giudice costituzionale, troneggiava nell'Assemblea socialista di Craxi, quella dei «nani e ballerine». Al suo fianco siedono quattro commissari del Polo: Alfredo Meocci, Mario Lari, Alessandro Luciano e Antonio Pilati e quattro del centrosinistra: la diessina Paola Manacorda; Giuseppe Sangiorgi, ex collaboratore di De Mita e marito della giornalista Rai Anna Scalfati; il diniano Silvio Traversa, che spesso si schiera col Polo; Vincenzo Monaci, indicato da Bertinotti ma quasi sempre d'accordo col centrodestra. In pratica, sulle decisioni importanti, destra batte sinistra 6 a 3.

Dinanzi al verdetto dell'Authority, il presidente Zaccaria potrebbe patteggiare, versando subito 40 milioni, e chiuderla lì. Invece difende l'equilibrio del programma, ne fa una questione di principio e si appella al Tar del Lazio. L'Authority, sfumata la transazione, quintuplica la multa portandola a 200 milioni. La causa si trascinerà per mesi, anche perché a rappresentare Forza Italia è l'avvocato Romano Vaccarella, il civilista di Previti e Berlusconi, che nel 2002 viene promosso dal Parlamento (anche coi voti del centrosinistra) giudice costituzionale e non può più assistere i suoi clienti. La causa si interrompe e dev'essere «riassunta». Cioè ricominciare daccapo. Intanto la Rai cambia gestione e quella di centrodestra, diretta da Cattaneo, si guarderà bene dal riassumerla davanti al Tar. Così Santoro, non essendo parte in causa, non potrà mai difendersi né il Tar pronunciarsi sulla correttezza o meno della sanzione.

Due torri, due voci

Il premier non perde tempo e comincia subito ad attivarsi per occupare militarmente la Rai. Ma gli occorre qualche mese di tempo e in autunno, prima che ci riesca, sia Biagi sia Santoro ripartono con i loro programmi per quella che sarà la loro ultima stagione prima della Grande Epurazione.

L'attacco alle Torri Gemelle, l'11 settembre 2001, costringe Santoro e i suoi ad anticipare i tempi del nuovo programma. In uno studio improvvisato al Teatro delle Vittorie, il 13 settembre, parte su Rai2 *Emergenza guerra*. Serate di controinformazione a più voci contro il pensiero unico che marcia a tappe forzate, dalla Casa Bianca a Palazzo Chigi a *Porta a Porta*.

Poi, il 23 novembre, inizia *Sciuscià Edizione Straordinaria*, che si occuperà ancora di Afghanistan e di terrorismo. Ma anche di giustizia, con la guerra preventiva scatenata dal governo Berlusconi contro i giudici di Milano per bloccare con ogni mezzo i processi «toghe sporche». Il 7 dicembre si parla del caso Previti, all'indomani dell'incredibile voto del Senato contro il tribunale di Milano, «reo» di aver interpretato la nuova legge sulle rogatorie e una sentenza della Corte costituzionale in senso contrario alle aspettative dei deputati (e soprattutto degli imputati) della maggioranza. Nemmeno il fascismo aveva mai osato tanto contro l'indipendenza della magistratura. Il sottosegretario all'Interno Carlo Taormina chiede l'arresto dei giudici di Milano ed è costretto a dimettersi. Il vertice dell'Anm si scioglie per protesta. I segugi di Santoro vengono sguinzagliati alle calcagna di Previti. Formigli lo sorprende all'uscita di casa Squillante, cioè del suo principale coimputato. «Ho accompagnato mio figlio in palestra», balbetta il deputato-imputato. Ma Squillante lo smentisce: «Sì, è venuto da me». Lo stesso Formigli intervista i soci del Circolo Canottieri Lazio (il club dove, secondo l'accusa, Previti consegnò almeno una mazzetta al giudice), e ne trova uno che conferma di avervi visto Stefania Ariosto: circostanza sempre negata da Previti. Il reportage documenta anche le ripetute assenze di Cesarone dalle aule parlamentari fino all'inizio del processo, quando invece l'onorevole divenne un deputato modello e non mancò più a una sola seduta, facendo così slittare le udienze al Tribunale di Milano. Santoro gli chiede un'intervista o una presenza in studio. Ma, anziché rispondere alle domande, Previti fa di tutto per bloccare la trasmissione, denunciandola al Garante della privacy e poi al tribunale di Roma per fantomatiche violazioni della sua riservatezza. Le pressioni sui vertici Rai sono inimmaginabili. Per la prima volta nella sua carriera, Santoro è costretto a far visionare il reportage al direttore generale Claudio Cappon. Alla fine, dopo un'ora di conciliaboli con l'ufficio legale, Cappon dà il via libera alla messa in onda. La trasmissione, come sempre, è equilibrata: in studio, a difendere le posizioni di Previti e del Polo, ci sono il sottosegretario Jole Santelli, l'onorevole Chiara Moroni e Arturo Diaconale; dall'altra parte della barricata, Antonio Di Pietro e Anna Finocchiaro (Ds). Ma i fatti parlano da soli. Chi vuol capire capisce. Previti chiederà a Santoro, con un'apposita causa civile, 2 miliardi di danni senza riuscire a contestargli un solo elemento falso: l'unica colpa è essersi occupato di lui. Quella delle cause civili è un'altra arma intimidatoria per mettere in difficoltà i personaggi scomodi agli occhi del vertice Rai. E per tappare loro la bocca, delegittimandoli con il decisivo argomento che, essendo denunciati, sono parte in causa e dunque non più «imparziali»; ma soprattutto, dovendo sostenere il giudizio, la Rai preferisce non occuparsi più di chi l'ha denunciata per non pregiudicare l'esito del processo. Oltre a intimidire, le denunce servono anche a censurare.

Resistere, resistere, resistere

Gennaio 2002. Il governo Berlusconi depenalizza di fatto il falso in bilancio, mandando in fumo quattro processi a carico di Berlusconi. E toglie la scorta a decine di magistrati in prima linea, compresa Ilda Boccassini. Il 12 gennaio 2002, inaugurando il suo ultimo anno giudiziario, Francesco Saverio Borrelli invita la cittadinanza a «resistere, resistere, resistere» al «naufragio della coscienza civica nella perdita del senso del diritto, ultimo estremo baluardo della questione morale». L'appello viene raccolto da migliaia di cittadini che organizzano «girotondi» in tutta Italia in difesa dell'indipendenza della magistratura. Il 18 gennaio se ne parla a *Sciuscià*. Per il centrodestra sono invitati l'avvocato del premier, Niccolò Ghedini, e l'ex ministro Paolo Cirino Pomicino (Udc). Per il centrosinistra, Francesco Rutelli. Poi Marco Travaglio, che torna in tv dieci mesi dopo il caso Luttazzi. Ma il direttore di Divisione Leone e il capo dell'ufficio legale Esposito si oppongono alla sua presenza: sostengono che, essendo stato denunciato insieme alla Rai da Berlusconi & C., non può più comparire nella tv pubblica. Tesi assai singolare: chi volesse cancellare dai teleschermi un personaggio sgradito non avrebbe che da denunciarlo. E poi molti altri giornalisti della Rai o ospiti della Rai subiscono denunce, a cominciare da Bruno Vespa: come mai vanno in onda indisturbati? Pomicino è stato condannato con sentenza definitiva per finanziamenti illegali e corruzione, ma su di lui nessuno trova nulla da obiettare. Freccero però tiene duro e, alle lettere dell'azienda che gli intimano di non far entrare Travaglio, replica: «La battaglia è aperta, censura assolutamente mai, il motto di Borrelli è anche il motto di Rai2: resistenza, resistenza, resistenza». Santoro è sulla stessa linea: senza Travaglio la puntata non va in onda. Dal Cda, i due membri del Polo Contri e Gamaleri tuonano: «È un atto di pura provocazione». Alla fine Santoro e Freccero scrivono a Cappon: il primo assicura di aver «recepito il forte richiamo di responsabilità dell'azienda, che non è un divieto» e garantisce che Travaglio, se non provocato, non entrerà nel merito del caso *Satyricon*; il secondo si assume la piena responsabilità della partecipazione del giornalista. Cappon, sollevato, dà il via libera. Zaccaria è soddisfatto, ma annuncia che se ne dovrà riparlare nel prossimo Cda: «È chiaro che non possono essere in alcun caso invocate regole limitatrici, costruite *ad hoc* e in contrasto con i fondamentali principi costituzionali, primo fra tutti quello che sancisce la presunzione di non colpevolezza delle persone». La puntata va in onda, combattuta ma corretta, finché Previti chiama in diretta alla maniera del Capo, giurando che non ha mai inteso sottrarsi al processo, né ritardarlo con vari pretesti. Dopo cinque minuti di arringa, Santoro lo sfuma e lo invita a una prossima puntata in studio. Ma Previti non verrà: sceglierà le più confortevoli poltrone di *Porta a Porta*.

L'8 febbraio Ciampi ricorda che «non c'è una democrazia sana se non c'è pluralismo dell'informazione, sia nella carta stampata, sia nel sistema radiotelevisivo». Berlusconi gli fa subito il verso da Cáceres (Spagna): «La Rai del centrosinistra, durante le ultime elezioni politiche, ha messo in atto un attentato alla democrazia, con un continuo killeraggio politico che ha fatto perdere 17 punti percentuali alla Cdl. Nel marzo 2001 Datamedia mi assegnava un indice di fiducia del 64% e allora cominciò l'offensiva della Rai di Zaccaria con i suoi Travaglio, Santoro, Biagi, con tutta quella falsa satira che invece era un'azione volta a demolire l'immagine del leader dell'opposizione. Guardate cosa è successo: la prima settimana c'è stata una discesa di 6,5 punti, 3,5 la seconda, poi addirittura 5 nelle due settimane successive, fino ad arrivare al 47% il giorno precedente alle elezioni, che poi vincemmo con il 49,4%». Poi non resiste alla tentazione di dare la linea alla nuova Rai: «Nella mia Rai [*sic*] non ci sarà un Santoro né un Biagi né un Travaglio di centrodestra. Noi abbiamo davvero un'anima liberale...». Santoro replica mostrando, in un grafico, l'enorme spazio riservato agli uomini del Polo nella Rai «occupata dai comunisti»: Saccà a Rai1, Vespa per quattro sere la settimana a *Porta a Porta*, Leone alla Divisione Uno (e poi a Raicinema), Mimun al Tg2, Esposito (vicino ad An) all'ufficio legale, La Rosa a *Telecamere*, Valzania a Radio2 e così via.

E proprio questo contestano i girotondi all'Ulivo: la corrività nei confronti di Berlusconi nell'ultima legislatura e l'opposizione troppo morbida in quella nuova. Santoro organizza una puntata di *Sciuscià* sulla crisi che lacera l'opposizione. In studio Fassino, i professori fiorentini Paul Ginsborg e Francesco Pancho Pardi, le giornaliste Maria Laura Rodotà e Lucia Annunziata. Ne vien fuori un durissimo processo all'Ulivo, ma la Cdl trova il modo di protestare: «È un programma a senso unico», strilla Schifani in un'imbarazzante telefonata in diretta.

Il 23 gennaio, in un'intervista al «Corriere», Santoro lancia un'idea per il nuovo vertice Rai: «L'opposizione, anziché comportarsi come se il rinnovo dei vertici Rai fosse una normalissima scadenza, e di preoccuparsi dei nomi dei consiglieri riservati al centrosinistra, dovrebbe chiedere un presidente di garanzia, che tuteli il 50% di italiani che non ha votato per Berlusconi e ha diritto di vedere rappresentate nella Rai le proprie idee. La vera battaglia è sul presidente garante»: una figura *super partes*, di grande prestigio, che sfugga alle logiche di maggioranza e opposizione, e tenga al riparo il servizio pubblico dal conflitto d'interessi berlusconiano. Nessuno gli dà retta, anche se la proposta verrà ripescata un anno più tardi. Riveduta e corretta. Anzi, corrotta.

«Perché non vai a Mediaset?»

Se ne parla anche al *Costanzo Show*, il 19 febbraio, in un dibattito con Santoro, il forzista Romani, Landolfi di An e il consigliere Rai Alberto Contri. «Sei fazioso, Santoro, ammettilo», attacca Romani, «sei un ottimo professionista, ma il simbolo di una tv di parte». «Faccio una televisione scomoda, ma non di parte», ribatte Santoro: «Un giornalista non si deve preoccupare di fare una tv parziale o imparziale, ma di dire la verità». Poi tocca a Landolfi: «Non è corretto che lei usi la tv pubblica come una tribuna delle sue personali inquietudini, per fare propaganda alle sue idee». E Santoro: «Lo schematismo che io sarei un giornalista organico alla sinistra non regge proprio. Lo dimostrano i tanti programmi che ho fatto, scomodi anche per la sinistra. Nell'ultima campagna elettorale, come Biagi e Montanelli, non volevo che un signore proprietario di tre reti diventasse presidente del Consiglio senza una seria discussione pubblica». Appena si spengono le telecamere, la rissa si scioglie nel solito chiacchiericcio da terrazza romana. Romani e Landolfi si avvicinano a Santoro e, fra un sorriso e un ammiccamento, gli buttano lì: «Michele, rassegnati: alla Rai non c'è più posto per te. Perché non torni a Mediaset?».

Il 22 febbraio il nuovo Cda Rai è cosa fatta. Ed è anche cosa loro: tre consiglieri alla destra (Baldassarre, Staderini e Albertoni) e due alla sinistra (Donzelli e Zanda). Tutti contenti nel Palazzo. Il nuovo presidente Antonio Baldassarre precisa subito che di tv non sa nulla. E lo dimostra fattivamente, spiegando di non amare «il giornalismo aggressivo». Cioè il giornalismo *tout court*, come si presenta in tutte le democrazie. Con chi ce l'abbia è chiaro a tutti, anche se si guarda bene dal fare nomi. Anzi, giura che lui vuole una Rai pluralista, lontana dai partiti, indipendente come la Banca d'Italia. Promette «massima collegialità nel Cda», giura che «chiunque abbia professionalità, in Rai sarà protetto dal presidente», mentre «finora i giornalisti Rai sono stati umiliati dalla lottizzazione, contro la quale mi batterò». Naturalmente farà l'esatto contrario. Sgarbi lo invita a chiudere *Il fatto* e *Sciuscià*. Verrà presto esaudito.

Il 23 febbraio «MicroMega» convoca i cittadini al Palavobis per i dieci anni di Mani Pulite. Arrivano 40 mila persone. Due giorni dopo i professori di Firenze Paul Ginsborg e Pancho Pardi invitano D'Alema a discutere nella fossa dei leoni, tra fischi e applausi. Se ne parla a *Sciuscià*, con Paolo Flores d'Arcais, Fausto Bertinotti, Giovanna Melandri e alcune «girotondine»: un'altra puntata sulle turbolenze nel centrosinistra, un altro processo all'Ulivo. Ma il solito Schifani, in astinenza da video, protesta per non essere stato invitato e comunica all'Ansa: «Sto vedendo *Sciuscià* e Santoro sta facendo un uso criminoso della tv pubblica». Un'espressione che farà fortuna.

Il 5 aprile Berlusconi profitta del congresso di An a Bologna per influenzare le prossime nomine dei direttori Rai: «Solo fra una settimana ci sarà qualche possibile cambiamento e, dobbiamo esserne tutti orgogliosi, non ci saranno mai un Biagi, un Luttazzi, un Santoro di centrodestra che attaccheranno la sinistra. Noi non useremo mai in modo criminoso la televisione pubblica pagata con i soldi di tutti». Infatti il Cda nomina direttore di Rai1 un ex deputato di Forza Italia, Fabrizio Del Noce; direttore di Rai2 un ex deputato e sottosegretario leghista, Antonio Marano; vicedirettore di Rai2 l'editorialista del «Giornale» Antonio Socci. Nel Cda siede un assessore regionale della Lega, Ettore Albertoni, che neppure riterrà opportuno lasciare l'incarico politico. Vicedirettore delle tribune politiche Simonetta Faverio, ex deputato ed ex capoufficio stampa della Lega. Vicedirettore del Marketing strategico: l'ex assistente di Berlusconi, Deborah Bergamini. Capo della sede Rai di Milano: l'ex presidente leghista della provincia di Varese, Massimo Ferrario. Il berlusconiano Mimun viene promosso al Tg1. Al Tg2 va Mauro Mazza, in quota An. Diversamente dall'Ulivo, che aveva lasciato Rai1 e Tg2 all'opposizione, la Casa delle Libertà occupa militarmente le prime due reti e i primi due tg, relegando l'opposizione nella riserva indiana di Rai3 e del Tg3, avendo cura di scorporarne i notiziari regionali, affidati ad Angela Buttiglione, sorella del ministro Rocco. Confermato al Tg3, il direttore Antonio Di Bella ringrazia la maggioranza e precisa che il suo telegiornale dovrà ispirarsi a «Repubblica», mentre *Sciuscià* gli ricorda «il manifesto». L'accerchiamento a Santoro si stringe. Anche a sinistra.

Dal nostro duce in Bulgaria

Il 18 aprile, nuovi ordini di scuderia da Sofia. Oltre alle accuse di «uso criminoso della televisione pubblica», Berlusconi aggiunge che i costi di una risoluzione del contratto di Santoro non sono un problema suo. Santoro replica per le rime: «Berlusconi è un vigliacco, abusa dei suoi poteri per attaccare persone più deboli di lui, alle quali non concede diritto di difesa». La sera dopo *Sciuscià* s'intitola «Fuori chi?». Si parla – come programmato da tempo – dell'articolo 18, ma anche della lista di proscrizione. Mario Landolfi di An ed Emilio Fede, che nei giorni precedenti avevano accettato l'invito in studio, si allineano al padrone e si ritirano all'ultimo momento. Santoro li rimpiazza in corsa con Diaconale e Battista, per dibattere con Rutelli e Maltese. Ed entra in studio canticchiando *Bella Ciao* con voce roca e volutamente stonata. Poco prima ha dovuto subire l'ennesimo assalto del Polo. Alle 20,15, a tre quarti dalla messa in onda, Saccà ha telefonato per rivoluzionare lo studio: «La Cdl ha designato Schifani per sostituire Landolfi. Devi farlo venire a tutti i costi». Santoro ha risposto picche: «Gli inviti li faccio io, il responsabile del programma sono io. Landolfi aveva accettato, poi ha cambiato idea. Peggio per lui. Non siamo a tribuna politica, nessuno può autoinvitarsi, non prendo ordini da nessuno». Concita De Gregorio, che si aggira negli studi per un pezzo di colore, origlia parte della telefonata e racconta tutto su «Repubblica». Saccà pensa che l'abbia informata Santoro e annuncia due lettere di richiamo. Che non arriveranno mai. Schifani parla di «censura *ad personam* contro un esponente del centrodestra indicato dal proprio partito». Cioè lui.

Il giorno dopo è sabato. In mattinata, nel giro di poche ore, Flores d'Arcais organizza con Nanni Moretti e gli altri leader dei girotondi una manifestazione di protesta contro il diktat bulgaro al teatro Ambra Jovinelli. Per gli inviti, solo un passa-parola via e-mail, radio e telefono. Nel pomeriggio accorrono in cinquemila: mille riescono a entrare, gli altri rimangono fuo-ri, davanti a un megaschermo, ad ascoltare Flores, Moretti, Serena Dandini, Fiorella Mannoia. Quando arriva Santoro, cantano *Bella Ciao*. Intonati, però. Moretti si appella a Ciampi, chiedendo un messaggio alle Camere contro la censura: «Qual-che suo silenzio» dice «anziché rispettoso del ruolo di garante della comune libertà che la Costituzione le assegna, è stato troppe volte interpretato dal capo del governo come un via libera alle proprie insopprimibili pulsioni antidemocratiche».

Se l'Italia dei movimenti reagisce, l'opposizione dei partiti balbetta, o si volta dall'altra parte. Il massimo dell'indignazio-ne che riesce a esprimere il suo leader Piero Fassino è una denuncia sul «rischio di conformismo informativo». *Bella Ciao* riecheggia alle manifestazioni del 25 aprile e del 1° maggio. L'Associazione partigiani ringrazia Santoro per aver cantato l'inno della Resistenza. E il 25 aprile, sotto casa sua, compare uno striscione firmato dai neofascisti di Forza Nuova: «Santo-ro: dal soldo berlusconiano al finto partigiano». Il leader forza-novista, Roberto Fiore, spiega che è la risposta a *Bella Ciao*: «Quello che ha fatto dimostra ancora una volta che le sue tra-smissioni sono faziose e possono generare odio. Non dovrebbe avere lo spazio che ha». Santoro chiama la Digos e denuncia che venerdì notte, mentre andava in onda *Sciuscià*, qualcuno aveva bloccato con una catena il cancello della sua abitazione. «È normale» commenta Fiore «queste cose capitano a chi semina odio». Poi annuncia che, in occasione di un sit-in roma-no a sostegno della candidatura di Jean-Marie Le Pen alla pre-sidenza della Repubblica francese, Forza Nuova lancerà una sottoscrizione per chiedere alla Rai di «licenziare Santoro o almeno tagliargli lo stipendio». L'accusa è la stessa che gli rivol-ge la Casa delle Libertà: «Santoro è colpevole di utilizzare il servizio pubblico per fare propaganda per una parte politica attaccando e denigrando le altre, in particolare un movimento scomodo come Forza Nuova».

Il 23 aprile, intanto, Baldassarre e Saccà vengono convoca-ti in Vigilanza per parlare del diktat bulgaro. Il presidente definisce Biagi e Santoro «un patrimonio professionale del servizio pubblico» e promette: «l'azienda farà di tutto per non privarsi del loro apporto come giornalisti. Con Santoro ho avuto ieri un incontro di due ore, buono e molto costruttivo. Ma gli ho ricordato i doveri di un giornalista del servizio pubblico: massima imparzialità e osservanza della regola della par condicio nelle presenze politiche» (non sa, Baldassarre, che la par condicio, fuori dalla campagna elettorale, non esiste). Saccà invece ha parole di comprensione per l'amico premier, ma assicura che «nessuno mi ha mai chiesto di fare epurazioni». Poi si fa intervistare dal «Foglio» per annunciare che il format di *Sciuscià* «è superato»: Santoro potrebbe dedicarsi più proficuamente «a programmi di scienza, cultura, costume e storia». *Sciuscià* non ha ancora un anno di vita, è il solo programma Rai di informazione in prima serata, fa ascolti da record, ma per il nuovo direttore generale è già «superato». Il diktat bulgaro di Berlusconi, naturalmente, non c'entra: «Scelte editoriali».

In attesa di occuparsi di botanica, Santoro segue la clamorosa inchiesta della Procura di Napoli sulle violenze dei poliziotti contro i no-global nella primavera del 2001, regnante ancora l'Ulivo. In studio ne discutono Violante per la sinistra e La Russa per la destra, oltre a varie vittime dei pestaggi e all'avvocato degli agenti arrestati. Perfetto equilibrio, come sempre. Ma quel che avviene nella realtà, ormai, non conta più nulla. Ciò che importa è calunniare, infangare, inventare ogni giorno false accuse e pretesti inesistenti per giustificare preventivamente l'epurazione che verrà. Così Forza Italia presenta all'Authority l'ennesimo esposto contro *Sciuscià*: «Viene lanciato un sondaggio Abacus dal quale emerge che per il 58% degli italiani i magistrati di Napoli bene hanno fatto a spiccare degli ordini di arresto a danno di alcuni esponenti delle forze dell'ordine». Anche se così fosse, non ci sarebbe nulla di scorretto. Ma il sondaggio non esiste: non è stato mai trasmesso. Se l'è inventato, su due piedi, Forza Italia.

Un altro pretesto, sempre invocato, è la multa dell'Authority per la puntata con Dell'Utri, peraltro non definitiva visto il ricorso della stessa Rai al Tar. E, nell'ultima campagna elettorale, l'Authority ha aperto ben 152 procedimenti per altrettante, pretese violazioni della par condicio, condannando quattro volte Mediaset e cinque la Rai (Tg1, Tg3, Rai1, Rai3 e *Il raggio Verde*). Ma si parla solo di Santoro.

Salvate il soldato Vespa

Le elezioni amministrative incombono. La Casa delle Libertà fa onore alla sua ragione sociale chiedendo alla Vigilanza di chiudere tutti i programmi di informazione Rai: *Il fatto, Sciuscià, Primo Piano* e persino *Porta a Porta*. Pur di imbavagliare Biagi e Santoro, i *berluscones* sono disposti a sacrificare l'amico Vespa come scudo umano. Anche a lui, con tutto quel che ha fatto per loro, tocca l'accusa di «faziosità». La proposta comunque viene respinta: «Bloccare i programmi» spiega Cheli «è fuori dal quadro costituzionale». Ma il polverone non resta senza conseguenze: Saccà coglie la palla al balzo per sposare la proposta del «doppio conduttore» lanciata, in ossequio a una malintesa par condicio, dal solito Giuliano Ferrara e riservata in esclusiva a *Sciuscià*. Non, per esempio, a *Porta a Porta*. Sempre in nome della par condicio, s'intende.

Il diktat bulgaro fa altri proseliti. Marano, direttore di Rai2, come già Saccà per *Il fatto*, annuncia che *Sciuscià* potrebbe cambiare «giorno e fascia oraria»: «Santoro è un giornalista carismatico e sa usare il mezzo televisivo. Purtroppo ha anche la sua faziosità. Peccato che ora non lo guardi più quel grande pezzo d'Italia che ha idee diverse dalle sue e considera l'obiettività un valore chiave della buona informazione».

«Il Foglio», fornitore ufficiale di argomenti «intelligenti» alle ragioni del più forte e di giustificazioni «alte» alla bassa cucina degli epuratori, avvia subito un ampio dibattito sulla «faziosità» (da qual pulpito!) di Santoro «Conduttore Unico delle Coscienze». Scrive Ferrara: «Non vogliamo formule giornalistiche il cui contraddittorio, che deve essere una regola professionale e civile, sia invece la generosa, eventuale e precaria elargizione di un principe o padrone dello schermo, di un Conduttore Unico delle Coscienze». Anziché seppellirlo sotto una gragnuola di risate, a sinistra c'è chi lo prende sul serio. Il solito Petruccioli, presidente della Vigilanza, tuona contro i «feudatari» della tv che «decidono il tema, gli ospiti, la regia, il pubblico, in modo autonomo e sovrano». Ciò che in qualunque altra democrazia è la norma – l'autonomia delle redazioni – in Italia diventa uno scandalo. Anche all'opposizione. Invano Furio Colombo, che di democrazie vere se ne intende avendo vissuto negli Stati Uniti, ricorda quel che avviene oltre Oceano: «È talmente importante, essenziale e simbolico il ruolo del conduttore, che i personaggi titolari di quella funzione non si alternano mai». Di par condicio si discute a *Sciuscià* il 17 maggio, con Gasparri, Fassino e il professor Giovanni Sartori, che dà del pluralismo una definizione definitiva: «Pluralismo è dare la libertà a tutti di dire liberamente quello che vogliono».

Negli stessi giorni Marano convoca Santoro e Ruotolo. Conferma la programmazione estiva dei documentari *Sciuscià* in seconda serata, chiede notizie sul programma *Donne* a cura della stessa redazione, che sarà condotto da Luisella Costamagna. Poi confida: «Non vi nascondo che, per la prossima stagione, voi siete un bel problema politico. Sappiate che il vostro futuro non dipende da me». Non è una novità. Biagi parla di epurazione «per conto terzi». E *Per conto terzi?* è il titolo della penultima puntata di *Sciuscià*, il 24 maggio. Santoro invita Costanzo con l'intenzione di metterselo accanto: un po' per ironizzare sulla «doppia conduzione», un po' per riservarsi la possibilità di intervenire su una questione che lo riguarda in prima persona. Gli altri invitati sono l'ex presidente Zaccaria, il direttore del Tg5 Mentana, Marcello Veneziani, i giornalisti Maltese e Belpietro e due politici: Pecoraro Scanio per i Verdi e Adornato per Forza Italia. Massimo equilibrio, ancora una volta. Ma, come al solito, le ultime ore prima di andare in onda sono tempestate di telefonate di fuoco: oltre a quella abituale di Saccà, ne arriva una di Marano, che non gradisce Zaccaria e nemmeno il ruolo assegnato a Costanzo: niente doppia conduzione, Costanzo rappresenta «la concorrenza». Marano contesta pure, preventivamente, il tema della puntata, sostenendo che potrebbe gravemente danneggiare la Rai. Per la prima volta i vertici Rai s'intromettono addirittura nei linguaggi e nei contenuti di un programma.

Tartufi e «Sciuscià»

Santoro escogita un compromesso: Costanzo starà nel centro dello studio, al suo fianco, ma la trasmissione sarà condotta come sempre da lui. Osserva Costanzo: «Oggi a Mediaset c'è più libertà che in Rai». Una constatazione di puro buonsenso, che però farà imbestialire Saccà & C. Certe cose si fanno, ma non si dicono. Poi Mentana, Adornato, Veneziani e Belpietro fanno a gara a minimizzare l'*ukase* bulgaro del premier e i pericoli di epurazione. Mentana sorride: «Biagi e Santoro sono regolarmente in Rai. Se qualcuno volesse toglierli, dopo il discorso di Berlusconi a Sofia sarebbe ancora più difficile. Non vorrei invece che il problema fosse soltanto la collocazione alle 20,40 di Biagi, che è una cosa completamente diversa. Biagi, fra l'altro, è il giornalista più forte d'Italia. Comunque, se vogliono togliere Biagi e Santoro, noi ci mettiamo qui». «E non ci muoviamo più!», chiosa Costanzo, impegnandosi a cantare *Contessa* se *Il fatto* e *Sciuscià* dovessero sparire. «Ma si accettano scommesse che ciò non accadrà!», vaticina Veneziani. Adornato rassicura: «Berlusconi non ha licenziato nessuno. Berlusconi non può licenziare nessuno. Santoro è una risorsa e nel palinsesto ci deve rimanere, io sono d'accordo con Costanzo». Veneziani getta il ricciolo oltre l'ostacolo: «Io faccio zapping e trovo in tv Santoro e Biagi. Dov'è allora il regime di Berlusconi? Sottoscrivo qui che, se ci dovesse essere una censura politica nei confronti di Santoro e Biagi, anch'io scenderò in piazza per impedirlo, per manifestare in loro difesa. Ma siamo nel surrealismo, la realtà è tutt'altra. Non ho mai sentito epurazioni annunciate pubblicamente. Sono dei pareri ingenui, perfino rozzi. Ingenui perché di solito le epurazioni si fanno sorridendo, senza mai annunciarle. Se Berlusconi ha detto queste cose, ha sicuramente sbagliato nell'espressione, ma sicuramente questo non produrrà un effetto politico, quindi mi sembra una operazione-martirio fatta a priori: è una forma assicurativa in cui si chiede il risarcimento prima del danno, ecco, mi sembra un errore». La stessa tesi svilupperà, con il consueto acume, Bruno Vespa nel libro *Rai, la grande guerra*: «Con la sua battuta, Berlusconi firmò ai due (Luttazzi non era sotto scrittura) un contratto vitalizio alla Rai e gli appuntò sul petto la medaglia d'oro di martiri della Resistenza». Insomma, il diktat bulgaro è un gentile omaggio di Berlusconi a Biagi e Santoro. Di che si lamentano?

Maltese ricorda che in fondo, a minimizzare il diktat bulgaro, sono tutti dipendenti del Cavaliere. Apriti cielo: Mentana (direttore del Tg5), Costanzo (già direttore di Canale 5, ora conduttore di due programmi, oltre ai due della moglie), Veneziani (editorialista del «Giornale») e Belpietro (direttore del «Giornale») saltano su come la rana di Galvani alla scossa elettrica, sdegnati per essere stati descritti per quello che sono: «Non siamo dipendenti, che diamine!». Lo dimostreranno presto, quando l'editto bulgaro si realizzerà. Costanzo reciterà un pezzettino di *Contessa*, il più innocuo. Adornato non dirà una parola, se non per plaudire all'epurazione dei due giornalisti. L'eroico Veneziani non scenderà in piazza: salirà invece i gradini di viale Mazzini, promosso consigliere di amministrazione e darà una mano a tener lontani Biagi e Santoro dalla Rai, avallando altre censure ed epurazioni. Mentana, come sempre, cambierà discorso.

L'indomani Saccà trascina *Sciuscià* dinanzi al Cda, riscontrandovi «gli estremi di violazione delle norme aziendali e contrattuali». Il tutto per la frase di Costanzo e per la «doppia conduzione» annunciata e poi ritirata. Santoro replica: «Costanzo non ha insultato la Rai, s'è limitato a dire che a Mediaset c'è più libertà. E io non mi sono affatto associato: come conduttore, ho messo la sua frase in discussione. Come potevo censurare l'opinione di un ospite? Quanto alla doppia conduzione, che non ho peraltro realizzato, ricordo che nel 1999 Rai1 diretta da Saccà mandò in onda con Canale 5 una staffetta Vespa-Costanzo sulla guerra nel Kosovo. E dieci anni prima, nella Rai di Pasquarelli, realizzammo un'altra celebre staffetta con Costanzo: quella Rai3-Canale5 contro la mafia dopo l'assassinio di Libero Grassi». Ma è tutto inutile. La Rai è a caccia di pretesti per giustificare ciò che sta per fare. Saccà chiede un triplice parere sul comportamento di Santoro, all'ufficio legale e a due avvocati esterni.

Sciuscià, il 31 maggio, chiude da dove aveva cominciato: dall'Afghanistan. Ospite d'onore il medico fondatore di Emergency, Gino Strada. Santoro saluta il pubblico: «Ci rivediamo a settembre, almeno spero».

Il 4 giugno si rifà vivo Baldassarre: «Noi abbiamo dato a Santoro delle direttive, degli indirizzi, e Santoro li ha tutti violati. Si deve dare una regolata. Adesso il Cda dovrà esaminare il caso e vedere se ci sono da parte di Santoro delle gravi violazioni». L'indomani «Il Giornale» anticipa, in esclusiva, il fulmineo verdetto degli avvocati interpellati da Saccà, prim'ancora che qualcuno si degni di contestare a Santoro le sue presunte violazioni. Titola il quotidiano del premier: «La Rai può licenziare Santoro: ecco perché». Il professor Oberdan Scozzafava è il più duro: ipotizza addirittura «sanzioni risolutive», cioè il licenziamento, perché Santoro sarebbe «venuto meno al dovere di fedeltà verso l'azienda, dato che ha accreditato l'immagine di una Rai riserva di interessi esterni».

Il Cda si riunisce una settimana dopo, mentre l'Italia è concentrata sui mondiali di Corea e Giappone. Zanda, consigliere di minoranza, chiede di fare chiarezza sul futuro di Biagi e Santoro. I tre della maggioranza rispondono che ciò «non rientra fra i punti all'ordine del giorno». Nessuna notizia – salvo che sul «Giornale» – dei tre pareri legali contro Santoro. Saccà li tiene nel cassetto. Mancano pochi giorni all'appuntamento di Cannes, dove la Rai deve annunciare i nuovi palinsesti.

La battaglia di Cannes

A Cannes, il 22 giugno, Saccà intona il *De Profundis* per *Il fatto* mentre Marano s'incarica di liquidare *Sciuscià*: «L'informazione di Rai2 resterà il giovedì in prima serata, anche se non ho ancora deciso chi sarà il conduttore. Il Cda deve stabilire se sanzionare Santoro, ci sono in ballo questioni disciplinari. In Rai ci sono 1600 giornalisti che non mi pongono problemi di personalismi». Lo stesso giorno, il solito incontinente Berlusconi rincara la dose dal vertice di Siviglia: «Quando subentrano nuove gestioni si presentano anche le nuove linee editoriali. E ci saranno senz'altro programmi come quelli di Biagi e Santoro, affidati magari a conduttori diversi». Mentre la Cdl si allinea compatta, Cossiga prorompe: «Neanche i re della monarchia assoluta di Francia ebbero mai il coraggio di mettere le mani su Molière e Racine».

Il 26 giugno Saccà si ricorda di quei pareri legali nel casset-to. E li tira fuori. Non in una sede istituzionale, ma in un'inter-vista al «Corriere»: «Due prestigiosi studi legali esterni concor-dano: per comportamenti soggettivi, cioè per non avere osser-vato le indicazioni della direzione generale e del direttore di Rai2, e per comportamenti oggettivi, Santoro è venuto meno al rapporto di lealtà e fedeltà verso l'azienda [...]. I pareri di fior di giuristi, per spiegare il *vulnus* all'azienda, immaginano una solu-zione estrema, che la Rai non percorrerà mai [...]. Però c'è un format che per la sua costruzione drammaturgica non riesce nemmeno a tutelare gli interessi dell'azienda». Santoro diventa un giornalista «licenziabile». Ma Saccà, nella sua grande magna-nimità, fa sapere che non lo caccerà. Certo, non dovrà preten-dere di lavorare. Anche l'apposito Baldassarre conferma: se vuole lavorare, Santoro deve cambiare (lo stesso concetto espresso da Berlusconi da Sofia), visto che finora ha agito «in spregio dei principi democratici». Poi il presidente si supera: «Trasmissioni faziose come quelle di Santoro ci sono in Vene-zuela, non in un paese civile». L'idea di vedere iscritto il pro-prio paese fra quelli incivili da un Baldassarre qualsiasi suscita l'immediata protesta diplomatica dell'ambasciatore venezuela-no a Roma, Fernando Gerbasi. Interviene anche l'Osce, con una dura lettera a Berlusconi per contestargli il «gesto politi-co» contro Biagi e Santoro. Il premier non risponde. E non risponde nemmeno Baldassarre, quando Zanda e Donzelli chiedono la convocazione urgente del Cda. Marano comunica che, per decidere su Santoro, aspetta che il Cda si pronunci sui ventilati procedimenti disciplinari.

Santoro, processato da due mesi sui giornali in contumacia, senza possibilità di replicare e difendersi, scrive a Baldassarre e Saccà il 27 giugno:

Signori, da quando il Presidente del Consiglio ha espresso l'avviso che la Rai debba privarsi del mio apporto, a meno che io cambi registro, sono stato sottoposto, da parte dell'Azien-da, a un bombardamento di richiami, censure e avvertimenti, dei quali ho avuto notizia dai giornali. Ho così appreso che l'azienda mi fa carico di gravi inadempienze, tali da giustifica-re il mio licenziamento [...]. Ho sinora atteso che l'azienda proceda nei miei confronti, mettendomi così in condizione di difendermi o che si consenta a me e ai miei collaboratori di lavorare come in passato. Visto che ciò non avviene e continuo a essere processato sui giornali, ho anch'io consultato uno studio legale [...] per avere un parere sul comportamento da Voi tenuto nei miei confronti. Il mio avvocato mi ha detto: che l'azienda non può muovermi alcuna censura per essermi mantenuto fedele al mio pubblico, come previsto dall'art.2 dell'ordinamento professionale e dall'art.1 del contratto nazionale dei giornalisti; che lo Statuto dei lavoratori vieta ogni discriminazione di natura politica; che l'azienda non può sospendermi, di fatto, dall'attività lavorativa perché ciò è vietato dallo Statuto dei lavoratori; che i pesanti giudizi pubblicamente espressi sul mio conto dai rappresentanti della Rai sono ingiustamente lesivi della mia reputazione e configurano una violazione degli elementari obblighi di correttezza, nonché del dovere di rispettare la mia personalità di lavoratore. Vi sottopongo questo parere perché possiate confrontarlo con quello degli illustri giuristi che Vi assistono, augurandomi che ciò Vi aiuti a superare le perplessità e Vi induca a chiarirmi, nella debita forma, le Vostre intenzioni. Sono a Vostra disposizione per un confronto e mi riservo ogni diritto. Con i migliori saluti, Michele Santoro.

Nessuna risposta. Il 4 luglio, finalmente, il Cda esamina i casi Biagi e Santoro. Alla vigilia, nel tentativo di separarli, Saccà e Del Noce sono volati a Milano per incontrare Biagi e proporgli, al posto del *Fatto*, una serie di «speciali». Santoro, in vacanza in Sardegna, viene invece convocato a sorpresa a Roma da Baldassarre per essere ascoltato dal Cda alle ore 11. E alle 11 si presenta accompagnato da Ruotolo e Iacona. Ma il Cda salta perché Baldassarre arriva in ritardo e, infuriati per lo sgarbo, Zanda e Donzelli lasciano la riunione. Santoro viene ricevuto da Baldassarre e Saccà. «Incontro utile e proficuo», dichiara alla fine il presidente. In realtà non s'è deciso un bel nulla. Baldassarre s'è limitato a raccomandare il rispetto di non meglio precisate «regole», senza confermare né escludere la ripresa di *Sciuscià*, ma promettendo di far lavorare Santoro: «Lei potrebbe occuparsi di politica, ma anche di storia...». All'uscita Saccà lo prende sottobraccio: «Guarda, Michele, è meglio che ti met-

ti il cuore in pace. Rasségnati. Prenditi due anni sabbatici, poi
vedrai che tornerà il tuo turno...».

Scene da un patrimonio

Il 9 luglio, dinanzi alla Vigilanza, Baldassarre smentisce sdegnato le voci di esclusione di Biagi e Santoro:

> Chi ha scritto, dopo Cannes, che sarebbero stati esclusi dalla
> programmazione, ha dato voce a illazioni prive di fondamen-
> to. Ho sempre detto che Biagi e Santoro sono due pezzi del
> patrimonio della Rai, di cui la Rai non si sarebbe mai privata.
> I palinsesti presentati a Cannes erano ancora incompleti. È
> quindi falso che ci sia l'intenzione di escludere autorevoli per-
> sonalità: l'azienda intende mantenerle tutte nel proprio ambi-
> to, soprattutto quelle che rappresentano voci dissonanti
> rispetto all'attuale maggioranza. [...] Con Santoro abbiamo
> avuto un incontro estremamente positivo e costruttivo. Santo-
> ro s'è detto interessato a entrambe le nostre proposte e nel
> prossimo incontro definiremo la vicenda. I tempi dipendono
> da lui, che ora si trova in vacanza in Sardegna.

«Quello dell'esclusione dei due giornalisti – conferma Saccà –
è un circo mediatico assurdo, forse ai giornali faceva comodo
vendere qualche copia in più. Il direttore di Rai2 ha detto che
Santoro è un grande professionista, che vi è un problema disciplinare all'esame del Cda e che si sta aspettando di vedere
come si risolve per prendere delle decisioni». Donzelli e Zanda, ingenuamente, gli credono: «Oggi possiamo dire, anche
formalmente, che la vicenda di Biagi e Santoro è avviata a soluzione». Non è vero nulla, ma intanto si prende tempo fino
all'autunno senza decidere, così *Sciuscià* resterà congelato almeno fino all'anno nuovo.

L'indomani, 10 luglio, Santoro riprende carta e penna per
scrivere al presidente e al Cda:

> Gentile presidente, dopo l'esito incoraggiante del nostro
> recente incontro, pur trovandomi in vacanza, Le confermo
> una completa disponibilità a favorire la rapida soluzione [...].

Dopo aver ascoltato le sue personali valutazioni sull'opportunità che *Sciuscià* prosegua, ho ritenuto che il Consiglio si pronunciasse nel merito. Qualora il Consiglio deliberasse, come io auspico, che *Sciuscià* continui, sarei tuttavia pronto ad aprire un tavolo di lavoro con il direttore generale per studiare nuove iniziative. Lei sa che i nuovi progetti richiedono tempo e sa anche che è impossibile sostituire, dalla sera alla mattina, con proposte equivalenti, un prodotto come *Sciuscià*, importante per l'ascolto, la lunga serialità, la pubblicità. Se si è finalmente avviata tra noi una vera collaborazione editoriale, è naturale che essa si concretizzi in un lavoro costruttivo, permanente e duraturo.

Ciò vale anche per la sua esortazione ad agire conformemente alle regole. Io non ritengo di aver compiuto violazioni, ma farò tutto il necessario per concretizzare le Sue esortazioni. A questo scopo mi piacerebbe sottoporre a Lei e al Consiglio le varie situazioni con le quali è costretto a misurarsi il nostro lavoro, per definire insieme una linea di condotta. Una linea naturalmente valida per me e per chiunque altro. Per una discussione di tal genere occorrerebbe qualche ora e mi auguro che nel frattempo si fissi finalmente la data di inizio delle nuove trasmissioni di *Sciuscià* (che noi prevediamo per la prima settimana di ottobre) rimuovendo gli ostacoli che impediscono il rinnovo dei contratti e l'espletamento delle pratiche necessarie.

Stavolta una risposta arriva, il 15 luglio, firmata Baldassarre:

Caro Santoro, La ringrazio a nome dell'azienda per la Sua lettera e per il Suo spirito collaborativo. Per quanto riguarda la ripresa delle nuove trasmissioni ed il contenuto delle stesse, ho invitato il direttore generale, unitamente ai direttori di rete, a contattarLa al fine di trovare al più presto un soddisfacente accordo. Mi è gradita l'occasione per cordialmente salutarLa.

Il 17 luglio, all'improvviso, Marano comunica al «Corriere» che su Rai2 non c'è più spazio per *Sciuscià*, il programma più visto della sua rete. Strano: aveva sempre garantito che, prima di decidere, avrebbe atteso la pronuncia del Cda sulle eventuali sanzioni disciplinari per il duetto Santoro-Costanzo. Sanzioni mai arrivate. Eppure ora Marano annuncia: «Io sto rimodellando, in accordo con il vicedirettore di rete per l'informazione Antonio Socci, la metodologia di lavoro. Realizzeremo una redazione di rete. Se penseremo, ad esempio, a una donna, non credo che Santoro avrà le caratteristiche necessarie. Per me servizio pubblico non è faziosità, ma equilibrio». Parola di un ex sottosegretario della Lega Nord divenuto dirigente Rai. Naturalmente alla fine non verrà scelta una donna. Verrà scelto Socci.

Il 18 luglio nuova audizione di Baldassarre alla Vigilanza. E nuove bugie. Il presidente recita ancora la parte del poliziotto buono, lasciando a Saccà quella del cattivo. Ma è un gioco delle parti finalizzato al medesimo obiettivo: mai più *Sciuscià*. «Sono continuati» assicura il presidente «i contatti con Santoro. Inizialmente li ho tenuti essenzialmente io, in quanto autore della "linea" per così dire trattativista, cioè dello sforzo massimo di trattenere Santoro all'interno della Rai. Ora che il Consiglio e tutti i dirigenti si sono convinti che questa è la linea più corretta ho dato mandato al direttore generale di seguire nei dettagli, insieme ai direttori di rete, un modo per inserire l'apporto professionale di Santoro all'interno dei palinsesti. È in corso una discussione tra Santoro e i direttori delle reti su questo, e mi auguro che si giunga a un esito positivo».

Il 23 luglio, finalmente, batte un colpo il presidente Ciampi con il suo primo messaggio ufficiale alle Camere, dedicato al pluralismo dell'informazione minacciato «dalle posizioni dominanti». Il riferimento, per chi ha orecchi per intendere, è chiarissimo. Invece la Casa delle Libertà lo capovolge, arrivando a sostenere che Ciampi ce l'ha con Biagi e Santoro. Ecco, per esempio, Gasparri: «Trovo difficilmente compatibile un conduttore come Santoro con le cose sagge dette dal presidente della Repubblica. Io dico: più Ciampi e meno "conducator" nell'emittenza».

La lunga estate calda

L'ultimo Cda prima delle vacanze è fissato per il 31 luglio. Il 30 Saccà riconvoca Santoro. Ma quel che ha da dirgli, peraltro scontato, lo anticipa quel mattino il solito «Foglio»: *Sciuscià* chiude i battenti, la squadra si scioglie, i contratti a termine non verranno rinnovati, Santoro dovrà «studiare nuovi format». Strano: l'ultima volta Baldassarre aveva informato il Cda di aver incaricato Saccà di proporre una soluzione per Santoro. Erano balle anche quelle. La Rai sopprime addirittura le previste repliche dei documentari *Sciuscià* in seconda serata. Meglio far sparire al più presto dal video quello scomodo logo, nella speranza che la gente dimentichi.

Santoro gioca l'ultima carta. Convoca subito una conferenza stampa nella sede dell'Fnsi e annuncia: «Se nel Cda del 30 agosto non sarà ripristinato il nostro programma, ci batteremo con tutte le forze e in tutte le sedi per far valere i diritti del pubblico, privato del *Fatto* e di *Sciuscià*. Mobiliteremo le piazze, ma anche la magistratura per far valere il nostro contratto e i principi sanciti dai trattati di Maastricht e di Amsterdam sui diritti dell'uomo: "Ogni persona ha diritto alla libertà di espressione", senza "interferenze di pubbliche autorità"». Molte televisioni e giornali stranieri, compreso «Le Monde», si occupano del caso.

Il 1° agosto Santoro scrive a Saccà:

> Gentile direttore, ieri mi hai comunicato che nel palinsesto autunnale non c'è posto né per me né per la mia squadra. Praticamente le stesse cose che aveva scritto «Il Foglio». Di conseguenza il gruppo di lavoro di *Sciuscià*, giornalisti e tecnici, una risorsa aziendale che gode il favore del pubblico e che è in grado di realizzare importanti risultati produttivi, viene condannato alla dispersione senza nessuna certezza per il futuro. Mi auguro che il consiglio di amministrazione, convocato per il 30 agosto, voglia correggere questa tua impostazione, esercitando appieno le sue prerogative editoriali. D'altro canto ribadisco che noi siamo e saremo pronti ad andare in onda a partire dalla prima settimana di ottobre. Se ciò non avverrà mi batterò con tutte le mie forze e in tutte le sedi per far valere, insieme ai miei diritti e a quelli dei miei collaboratori, i diritti del pubblico, al quale sono stati sottratti in rapida successione sia *Il fatto* di Enzo Biagi che *Sciuscià*, così come era stato indicato in Bulgaria dal presidente del Consiglio Silvio Berlusconi [...].
>
> Privandomi del mio lavoro, l'azienda si renderebbe responsabile della violazione, oltre che degli accordi contrat-

tuali, di precise norme di legge che tutelano la mia professionalità e vietano ogni discriminazione di natura politica [...]. Le azioni che, se sarà necessario, promuoverò in ogni sede, al di là delle forme, non saranno contro la Rai ma in difesa della Rai e del servizio pubblico.

Il 5 agosto Saccà ritarda le ferie per una pratica urgentissima: si ricorda finalmente di aprire in tutta fretta il procedimento disciplinare contro Santoro per la puntata del 24 maggio con Costanzo. E, già che c'è, gli contesta anche l'ultimo reportage di *Sciuscià*: quello del 16 luglio sull'emergenza idrica in Sicilia, che non è piaciuto al «governatore» Totò Cuffaro. Nel filmato sui blocchi stradali di protesta, si sente un tizio che urla «cornuto» a Cuffaro; inoltre il governatore contesta a Santoro di aver ignorato i provvedimenti legislativi adottati dalla sua giunta sul problema dell'acqua. Santoro ribatte che l'insulto era uno dei tanti di quei momenti di tensione, e ovviamente non aveva un significato letterale; quanto alle fantomatiche leggi regionali ignorate, nessun giornale italiano vi aveva mai fatto cenno nei servizi dedicati per giorni e giorni alla vicenda. Ancora una volta la contestazione non ha alcun fondamento. Ma l'autodifesa di Santoro verrà bellamente ignorata. La sanzione è già decisa prima ancora che l'imputato possa difendersi.

Questa volta i capi d'imputazione che Saccà, tarantolato in piena estate, ha deciso di scagliare contro Santoro vengono pubblicati dalla «Padania», che ha avuto in esclusiva il testo della «lettera di richiamo». Eccoli: «uso personale e privato del mezzo televisivo» e «violazione dei doveri di diligenza e fedeltà» nonché dei «criteri di pluralismo, imparzialità, correttezza e obiettività». Accuse generiche, impossibile difendersi. Ma anche accuse che sembrano piovere da Marte, visto che la puntata incriminata era la più pluralista che si potesse immaginare (Mentana, Veneziani, Belpietro e Adornato, che alla fine si era congratulato con Santoro per l'irreprensibile conduzione). Quanto al reportage sull'acqua in Sicilia, era stato preventivamente visionato e approvato dal direttore Marano: ma inspiegabilmente, o forse molto spiegabilmente, contro Marano non parte alcun'azione disciplinare.

Il 30 agosto Donzelli e Zanda chiedono la ripresa di *Sciuscià*. Ma Baldassarre, Albertoni e Staderini respingono la richiesta, giudicandola «contraria alla legge e al contratto collettivo», in quanto limiterebbe l'autonomia dei direttori di rete, che ora sarebbero tutti contrari a utilizzare Santoro. È l'ennesima balla, visto che poco dopo arriva una lettera di Paolo Ruffini, direttore di Rai3, pronto a ospitare sia Biagi sia Santoro. L'ipotesi, subito accolta da Santoro, è quella di un programma mensile (il settimanale d'informazione, *Ballarò*, è già stato appaltato al giovane ex corrispondente del Tg3 dagli Usa, Giovanni Floris, sponsorizzato dalla Margherita), con i documentari di *Sciuscià* a cadenza settimanale. «Può essere una soluzione», commenta Baldassarre. Il Cda incarica Saccà di sondare Ruffini per trovare una collocazione a Santoro. Ma Saccà replica che al momento Santoro non può andare in onda per il *vulnus* che avrebbe inferto all'azienda nella puntata del 24 maggio (poco importa se nessuno l'ha mai accertato). Poi, visto che quel pretesto non sta in piedi, ne escogita uno nuovo di zecca: *Sciuscià* (come *Il fatto*) costa troppo e Rai3 non può permetterselo.

Tutti in piazza

L'Italia che tiene all'informazione libera si mobilita. Articolo 21 lancia una petizione per il ritorno del *Fatto* e di *Sciuscià*. Il 14 settembre, alla grande manifestazione dei girotondi in piazza San Giovanni, Santoro e la sua squadra partecipano al completo con un grande striscione («E non finisce qui. Sciuscià»), raccolgono 100 mila firme e realizzano in tempo reale un reportage di 50 minuti che viene trasmesso quella stessa sera in tutta Italia da un pool di emittenti private, bucando il muro di omertà eretto da Rai e Mediaset. Alcuni imprenditori hanno contribuito alle spese e alle attrezzature, ma a patto che non comparisse il loro nome: una sponsorizzazione all'incontrario, per paura di rappresaglie. Il 16 settembre la Rai apre un procedimento disciplinare contro Ruotolo, reo di aver rilasciato un'intervista a «Liberazione» per dire che *Sciuscià* è vittima di un «attacco politico», causando così «una grave lesione dell'immagine e degli interessi aziendali». Ecco: la colpa dell'abuso non è di chi lo commette, ma di chi lo denuncia.

Il 18 settembre Costanzo invita Santoro al suo show, che riapre i battenti il 23. Promette che canterà *Contessa*. Ma Santoro declina e, in una lettera, spiega perché:

Caro Maurizio, innanzitutto voglio ringraziarti per aver firmato la petizione che chiede il ritorno in onda del *Fatto* e di *Sciuscià* e per tutte le posizioni che hai assunto pubblicamente a nostro favore. Ho a lungo riflettuto sul tuo invito [...]. Sarebbe stata una buona occasione per spiegare a tante persone cosa sta accadendo nella televisione italiana. Apprezzo il tuo invito, ma non posso accoglierlo. Mi sentirei come un galeotto che gode di mezz'ora d'aria nella prigione messa su dal suo carceriere. Chi ci ha tolto il lavoro non ci ha tolto la dignità. Continueremo a batterci finché le nostre telecamere saranno riaccese. Sarebbe veramente paradossale che il presidente del Consiglio, dopo aver chiesto e ottenuto il nostro oscuramento, vestisse i panni dell'editore liberale, concedendoci mezz'ora d'aria sulle reti di sua proprietà. Preferisco il silenzio o il rumore della strada. Rifiuterò anche i numerosi inviti che mi vengono rivolti a partecipare a programmi di intrattenimento molto prestigiosi. Non avertene a male. *Contessa*, se puoi, cantala da solo. Del resto anch'io ho cantato da solo *Bella Ciao* e non ho avuto paura di stonare. Tu farai più fatica con le parole che con la musica. Comunque starò in prima fila a guardarti. In bocca al lupo.

Costanzo mantiene la promessa solo a metà: recita (senza cantarli, come invece aveva annunciato) alcuni versi di *Contessa*, l'inno del Sessantotto firmato dal suo regista Paolo Pietrangeli, debitamente selezionati. I meno rivoluzionari: «Ma se questo è il prezzo l'abbiamo pagato / nessuno più al mondo deve essere sfruttato. / Se il vento fischiava, ora fischia più forte / le idee di rivolta non sono mai morte. / Se c'è chi lo afferma, non state a sentire / è uno che vuole soltanto tradire». Tutt'altro effetto avrebbe sortito declamando il ritornello: «Compagni dai campi e dalle officine / prendete la falce e portate il martello / scendete giù in piazza picchiate con quello / scendete giù in piazza e affondate il sistema...». Ma Costanzo se ne guarda bene. Poi spiega al pubblico del Parioli: «Santoro è un professionista che dovrebbe continuare a fare questo lavoro. Un datore di lavoro impone le regole, uno può accettarle o meno, ma lui merita di lavorare. È inutile incatenarsi a viale Mazzini, ma incatenarsi a delle idee sì. Spero che in Italia si affronti il tema della libertà d'espressione».

Il 1° ottobre lo affronta, a modo suo, Agostino Saccà con una mossa davvero elegante: rende noto dinanzi al Cda il compenso lordo di Santoro. Dal 23 settembre, ha sul tavolo una lettera in cui Ruffini conferma di esser pronto a ospitare «Santoro e la sua squadra» per «un ciclo di prime serate su Rai3 nel palinsesto del 2003; o (nel caso Biagi non fosse più disponibile a condurre *Il fatto* sulla terza rete) una striscia di circa mezz'ora fra le 20 e le 21 che possa efficacemente controprogrammare Mediaset ed in particolare *Striscia la notizia*». Ma non se ne farà nulla.

Sciuscià viene sostituito con *Excalibur*. Il programma, inizialmente, pareva destinato ad Anna Scalfati, moglie di un commissario dell'Authority. Ma alla fine si è optato per Socci, ciellino già in forze al «Sabato», poi passato al «Giornale» con Feltri e Belpietro. Berlusconi stravede per lui, anche se Mediaset si è sempre guardata dall'ingaggiarlo. Vedendolo poi all'opera, si comprende il perché: il programma è semplicemente imbarazzante, e non si avvicina mai al 10% di share. Partito all'8, meno della metà di *Sciuscià*, scenderà fino al 3 virgola qualcosa: impresa davvero improba, peggio che fare zero al Totocalcio. Finché una mano pietosa provvederà a chiuderlo e a cancellare dal video lo sventurato conduttore, paracadutato alla Scuola di giornalismo Rai di Perugia. Non come alunno, ma come direttore.

Carte bollate

Santoro fa causa alla Rai. Primo passo, il tentativo obbligatorio di conciliazione per annullare la delibera del Cda che il 30 agosto ha chiuso *Sciuscià*. La Rai, per tutta risposta, il 14 ottobre gli notifica la sanzione disciplinare per la puntata con Costanzo (sempre utile in ogni momento) e per il documentario sulla Sicilia: sospensione di quattro giorni dal lavoro e dallo stipendio.

Il 16 ottobre Ruffini comunica che il Cda l'ha incaricato di sistemare Santoro su Rai3 con un programma settimanale dopo la Pasqua del 2003, senza aumenti di budget per la rete. Ma due giorni dopo arriva un altro stop da Saccà, sempre dalle colonne del «Corriere»:

> I direttori sono autonomi, ma c'è una direzione generale che studia tutte le compatibilità. L'Autorità delle Telecomunicazioni ha comminato una multa a Santoro per violazione delle regole durante la campagna elettorale e il giudice, dopo il ricorso Rai, ha confermato la sanzione. Santoro ha ricevuto sanzioni dalla Rai. Ha sbeffeggiato pubblicamente presidente, direttore generale e direttore di Rai2. Ha denunciato alla magistratura i primi due e i consiglieri Albertoni e Staderini. Credo ci siano elementi sufficienti a dir poco per una riflessione [...]. Ruffini può stabilire tutti i contatti che vuole. Ma ciò che ha detto [Santoro, *N.d.A.*] pesa come un macigno. E mi chiedo se la Rai può far finta di niente di fronte a chi si sente *legibus solutus*, cioè libero dai legami della legge.

Un'altra derrata di bugie (a cominciare da quel riferimento a un presunto «giudice» che avrebbe irrogato una sanzione definitiva, mentre si tratta della solita Authority). Santoro le rintuzza il 22 ottobre, sempre sul «Corriere»:

> Il ricorso proposto davanti al Tar dalla Rai contro la sanzione pecuniaria che le è stata inflitta non è stato ancora deciso dal giudice amministrativo [...]. La Rai, nelle sue controdeduzioni difensive, ha sostenuto che «non vi è stata alcuna condotta scorretta da parte del conduttore della trasmissione» e che l'azienda ha chiesto al Tar del Lazio di annullare la sanzione perché viziata da «eccesso di potere e violazione di legge». Poiché la sanzione non è stata applicata a me, ma alla Rai, non ho potuto difendermi personalmente, ma sono certamente interessato – perché è in gioco la libertà di informazione – all'esito positivo del giudizio, mentre il direttore generale dà l'impressione di volere che l'azienda perda la causa.

Ormai siamo alle carte bollate. I legali di Santoro intimano al direttore generale di dire chiaramente, una volta per tutte, se intenda onorare il contratto che impone alla Rai di utilizzare Santoro per programmi settimanali di approfondimento in prima serata, oppure calpestarlo. Saccà fa rispondere dall'Ufficio legale che la richiesta è «irricevibile» e che è Santoro a «sottrarsi agli obblighi contrattualmente assunti, mediante il rifiuto di rendere le prestazioni richieste e dovute (per esempio in relazione al programma *Donne*)».

È il mondo capovolto: dopo aver cancellato Santoro dai palinsesti, la Rai lo accusa di non lavorare. I legali del giornalista replicano, attoniti, che il programma *Donne* è stato già completato nelle sue cinque puntate (andate in onda su Rai2 in ottobre!) con la collaborazione di Santoro; e che lo stesso Saccà, il 1° ottobre in Vigilanza, aveva risposto a chi contestava il suo mancato impiego che in realtà Santoro stava lavorando a *Donne*.

Il 1° novembre, intervistato da «Repubblica», Baldassarre getta definitivamente la maschera del poliziotto buono e si allinea a quello cattivo: «La posizione di Santoro è ben più difficile di quella di Biagi». Di quali colpe si sarebbe macchiato? «Mi hanno colpito le sue continue interviste che ci dipingono come dei censori. E poi ha fatto causa all'azienda sostenendo di non essere impiegato come meriterebbe». Meccanismo perfetto: il premier ordina di epurare Santoro, i vertici Rai obbediscono, Santoro denuncia l'epurazione e i vertici Rai allargano le braccia: abbiamo dovuto epurarlo perché ci accusa di averlo epurato.

A fine mese Saccà ordina di portar via i computer dalla redazione di *Sciuscià*. Smantellato anche l'archivio, con dieci anni di lavoro. Nessuno dei contratti a termine viene rinnovato, mentre Maria Cuffaro e Alessandro Gaeta vengono reinseriti rispettivamente al Tg3 e al Tg1. Spariscono anche l'assistente di Santoro e persino l'automobile con autista che gli spetta per contratto come direttore.

Il 4 novembre Petruccioli, con involontaria ironia, scrive a Baldassarre per sapere se esistano «pregiudiziali ostative» contro Santoro. Sublime risposta del presidente: «La posizione del dottor Santoro è all'attenzione del direttore generale, al quale spetta la trattativa relativa alla stipulazione dei contratti. Sarà egli, pertanto, che Le risponderà al riguardo». Egli, cioè Saccà, si guarderà bene dal rispondere al riguardo. Risponde il direttore delle Risorse umane Gianfranco Comanducci, il 5 novembre, confermando che Santoro è *out*.

Il 7 novembre il consigliere Donzelli scrive ai presidenti di Camera e Senato: «Disarmante è la irresponsabilità con cui si continua a rinviare la decisione circa il ripristino delle trasmissioni condotte da Biagi e Santoro». Casini e Pera fanno orecchi da mercante.

A metà novembre Santoro, con l'avvocato Domenico D'Amati, presenta un ricorso urgente (articolo 700 del Codice di procedura civile) al tribunale del Lavoro di Roma: sfumata ogni possibilità di conciliazione, chiede l'immediata «condanna della Rai all'adempimento dell'obbligo di farlo lavorare con le mansioni concordate all'atto dell'assunzione e concretamente in effetti da lui svolte sino al termine della stagione televisiva 2001-2002», oltre ovviamente al risarcimento del danno (da stabilire in un altro giudizio) per il suo «demansionamento professionale» che gli ha causato gravi «lesioni della dignità, dell'identità personale e della professionalità di lavoratore». La denuncia è rivolta a Berlusconi, mandante dell'epurazione, e agli esecutori materiali: Saccà, Baldassarre, Albertoni e Staderini. La Rai, nella replica, sostiene che è Santoro a non voler lavorare: prova ne sia il suo rifiuto di realizzare un «docudrama» (una specie di fiction storica in cinque puntate, più una o due di talk show) sul bandito Salvatore Giuliano. Replica anche Palazzo Chigi, con una strepitosa memoria difensiva: «La Rai è giuridicamente autonoma dalla Presidenza del Consiglio» e dunque, anche se cacciando Santoro «l'azienda avesse ritenuto di conformare i propri comportamenti alle opinioni politiche altrui [cioè di Berlusconi, *N.d.A.*], era solo nei confronti dell'azienda stessa che il Santoro, ritenutosi leso, avrebbe potuto attivarsi in sede giudiziale». Il premier ordina, la Rai esegue, Santoro protesta, il premier dice di prendersela con la Rai perché lui non c'entra.

Michele deve tornare

Il 9 dicembre il giudice Massimo Pagliarini emette un'ordinanza che intima urgentemente alla Rai, ex articolo 700, di rimettere Santoro al suo posto, come previsto dal contratto, affidandogli un programma di approfondimento dell'informazione in prima serata. Quanto alle «mansioni propostegli dalla Rai e consistenti nella realizzazione del docudrama su Salvatore Giuliano», queste «non appaiono per nulla equivalenti, sotto il profilo quantitativo e qualitativo [...], a quelle svolte in precedenza». Dunque «può ritenersi pienamente consumata da parte della Rai la violazione dell'art. 2103 C.c. [Codice civile, *N.d.A.*]» e «accertato il demansionamento del Santoro». Ed è urgente riparare, visto che «la professionalità del Santoro, il suo diritto a lavorare come realizzatore e conduttore di programmi televisivi di approfondimento dell'informazione su temi di stretta attualità seguiti da un vasto pubblico, il suo diritto a non perdere il patrimonio professionale acquisito anche attraverso le predette forme di visibilità televisiva, corrono il concreto rischio di venire irrimediabilmente compromessi».

Santoro dedica «questa bella giornata a Biagi, a Freccero e alla mia squadra che era stata cancellata. Ora mi aspetto di poter riprendere il mio lavoro. Il nome? Quello che vogliono, anche *Pincopallo*. Ma quello di *Sciuscià* resta un format nuovo, vitale, un patrimonio capace di attirare il 18% di ascolto e risorse pubblicitarie, un appuntamento leader della rete. Io chiedo ai liberali: chi decide, in un'ottica di mercato, se un format è superato? Il governo, il Cda, la Vigilanza, l'Authority? Io dico che la risposta è una sola: il pubblico». Ma la Rai fa spallucce e, annunciando ricorso in appello contro la sentenza, comunica: «Il giudice ha rimesso all'azienda l'individuazione delle trasmissioni da affidare a Santoro con l'unico limite dell'obbligatorietà del carattere informativo. Quindi non ha imposto che debba rifare *Sciuscià* [...]. La Rai aveva già proposto a Santoro un nuovo programma di approfondimento giornalistico rispettoso del pluralismo, ma Santoro aveva negato questa possibilità rivendicando il suo diritto alla faziosità». Le solite plateali bugie.

L'appello viene esaminato dalla II sezione Lavoro del tribunale di Roma in formazione collegiale: presidente Domenico Cortesani, giudici a latere Daniela Blasutto (relatore) e Margherita Leone. Il 13 febbraio 2003 arriva la sentenza: piena conferma di quella di primo grado, per la «infondatezza dei motivi addotti» dalla Rai. Santoro, come da contratto, deve realizzare programmi informativi in prima serata e ha «comunque diritto a vedere reintegrata la propria posizione lavorativa lesa dal comportamento illegittimo» della Rai. Ma viale Mazzini s'infischia anche della seconda sentenza. Santoro chiede al giudice Pagliarini di costringerla a eseguirla con le relative «misure di attuazione» e di trasmettere gli atti alla Procura perché proceda per il reato di inosservanza del provvedimento del giudice civile. La Rai, alle corde, chiede una serie di rinvii per dar tempo al Cda di riunirsi.

Ma poi prosegue la manfrina. I suoi legali annunciano al tribunale che il direttore di Rai3 è pronto a ospitare Santoro e illustrano due diverse proposte che potrebbero concretizzarsi «dalla fine di ottobre»: «un programma nel pomeriggio del sabato, dalle 16 alle 18, articolato in 8 puntate di 90 minuti ciascuna»; e «una trasmissione in 16 puntate da 20 minuti ciascuna nella terza serata di sabato o domenica», cioè intorno all'una di notte. Due proposte indecenti.

Santoro si rimette al giudizio del tribunale: se riterrà che siano congrue, lui le accetterà. Ma ormai il giudice Pagliarini si sente preso in giro. E, in una nuova ordinanza del 3 giugno 2003, scrive:

> Per collocazione oraria, durata e mancanza di serialità e continuità, la proposta formulata dall'azienda non esegue e non attua il provvedimento del giudice [...]. Andare in onda il sabato pomeriggio oppure il sabato e la domenica notte dopo le ore 24, per 20' e in entrambe le ipotesi per una durata complessiva di non più di due mesi, si traduce in un'evidente variazione peggiorativa delle mansioni affidate a Santoro e in una *deminutio* del suo patrimonio professionale [...]. La Rai è destinataria da ormai più di cinque mesi di un ordine giudiziale non ancora eseguito – determinato da una precedente violazione da essa posta in essere – e rispetto al quale tutte quelle situazioni create dalla stessa obbligata [la Rai] non hanno la possibilità di giustificare il protrarsi dell'inottemperanza.

Carta straccia, in tribunale, anche la censura dell'Authority sulle puntate dell'ultima campagna elettorale, altro alibi accampato da viale Mazzini: «La delibera dell'Autorità per le Garanzie nelle Comunicazioni – scrive il giudice – nel presente procedimento non può rivestire nessun rilievo», essendo un «richiamo diretto nei confronti dell'azienda convenuta», non di Santoro. Tra l'altro, nel frattempo, l'Authority ha censurato anche Mediaset per il Tg4 e Rai2 per *Excalibur*. Ma Mediaset e Rai se ne sono bellamente infischiate, lasciando Fede e Socci ai loro posti. Quando la sanzione colpisce gli amici di Berlusconi, è una medaglia al valore. Quando colpisce i nemici, è una condanna al confino.

Pagliarini giudica perciò «legittimo il rifiuto di Santoro» e ordina alla Rai di

affidare a Santoro la realizzazione e la conduzione di un programma di approfondimento giornalistico sull'informazione di attualità; collocato in una fascia oraria che abbia un ascolto quantitativamente e qualitativamente non inferiore a quello proprio della fascia oraria in cui era collocato il programma *Sciuscià* ovvero in cui sono collocati programmi di genere analogo quali *Porta a Porta, Excalibur, Ballarò*, e cioè in prima o seconda serata; realizzato mediante puntate essenzialmente o tendenzialmente monotematiche; che abbia una durata complessiva equivalente a quella – tra i 90' e i 150' per puntata settimanale per non meno di otto mesi – dei programmi realizzati in precedenza dal ricorrente; con dotazione di risorse – umane, materiali e tecniche – idonee ad assicurare la buona riuscita del programma, in misura equivalente a quella praticata per i programmi precedenti.

La neopresidente della Rai Lucia Annunziata – unico consigliere dell'Ulivo in un Cda monopolizzato dal centrodestra – si dice molto «soddisfatta» per la terza sentenza che dà torto all'azienda che presiede. Ma non farà assolutamente nulla perché il servizio pubblico vi dia esecuzione. Gli altri quattro consiglieri, quelli della Cdl, quelli che comandano, si riuniscono separatamente dalla presidente, schiumanti di rabbia: «Non spetta al giudice – tuonano – fare i palinsesti». Infatti spetta al presidente del Consiglio, dalla Bulgaria. «Se decide il giudice, noi che ci stiamo a fare?» domanda il professor Rumi. Ma il meglio lo dà Veneziani, furibondo contro l'ordinanza che «limita la libertà d'impresa sancita dalla Costituzione». È lo stesso Veneziani che aveva promesso di «scendere in piazza a manifestare» per Biagi e Santoro. Ora, accomodato sul cadreghino del Cda, si batte come un leone contro il loro ritorno in Rai.

Anche la stampa filoberlusconiana, «il Riformista» in testa, attacca a testa bassa il giudice che «impone Santoro alla Rai» e «vuole decidere i palinsesti». Ferrara sul «Foglio» parla addirittura di «abuso di potere» da parte del giudice e accusa Santoro (da qual pulpito!) di essere un «giornalista estremamente squilibrato e fazioso», sempre in cerca di «martirio mediatico», ricordando immancabilmente la «devastante sanzione dell'Authority». Niente male, per uno che non riconosce nemmeno le sentenze dei tribunali che condannano per corruzione i suoi amici e padrini. Più onestamente, Pierluigi Battista ricorda sulla «Stampa» che la sentenza di Pagliarini «non è l'iniziativa estemporanea di un pretore presenzialista e arrogante, ma la replica al comportamento elusivo della Rai», che ha obbedito all'«invasione di campo del presidente del Consiglio che, da Sofia, decise di chiedere la messa al bando di Santoro dalla tv di Stato». «Stupisce – conclude Battista – che consiglieri Rai certamente liberali come Rumi, Petroni e Alberoni e uomini liberi [...] come Veneziani non capiscano che, stavolta, non si tratta di giudici invasori ma dell'esercizio di un diritto di libertà». Una voce nel deserto, subito coperta dagli strepiti dei «liberali» alla Piero Ostellino. Quest'ultimo, sul «Corriere», anziché prendersela con la Rai per i suoi soprusi illiberali, attacca il giudice e soprattutto Santoro, «agitatore politico», «uomo che non solo non sembra né psicologicamente in grado, né politicamente intenzionato, a rispettare [...] la par condicio». Secondo il «liberale» Ostellino, «il problema consiste nel farlo lavorare, ma al tempo stesso nell'evitare, per quanto possibile, altre lamentele da parte del presidente del Consiglio e della Casa delle Libertà». Poi il «liberale» Ostellino ricorda che «Santoro ha una retribuzione di parecchie centinaia di milioni di lire», sebbene «nella situazione di duopolio (Rai e Mediaset) non abbia, di fatto, mercato». La sentenza Pagliarini – conclude Ostellino – «minaccia di creare un problema di natura etica, riconoscendo a Santoro una condizione di privilegio economico». Intanto, stranamente, il privilegiato – «forte del martirio professionale inflittogli dal capo del governo e dei clamori politici sollevati» – continua a non lavorare. A Santoro arriva pure la solidarietà pelosa di Bruno Vespa che, magnanimo, concede: «Tutti devono avere la possibilità di andare in onda, ma devono rispettare le regole. Non vorrei essere l'unico a farlo». Ad esempio, ospitando a *Porta a Porta* Scattone e Ferraro, gli assassini di Marta Russo, profumatamente pagati con 260 milioni di lire di denaro pubblico.

Ribaltone giudiziario

All'ennesimo reclamo della Rai, il tribunale di Roma torna a riunirsi in composizione collegiale: stesso presidente (Cortesani), stesso giudice a latere (Blasutto); cambia soltanto l'altro giudice, che è anche il relatore: Alessandro Nunziata. Ma stavolta, il 17 luglio 2003, i tre si rimangiano in parte quanto i primi due avevano stabilito cinque mesi prima e, pur dando ragione a Santoro sul diritto a tornare in video con un «programma di approfondimento giornalistico sull'informazione di attualità», lasciano libera la Rai di collocarlo in orari diversi dalla prima serata. Motivo: l'orario e la durata non influiscono sull'importanza dell'incarico e quindi sulla qualità delle mansioni. L'esatto contrario di quanto lo stesso tribunale collegiale aveva sostenuto, sentenze della Cassazione alla mano, nell'ordinanza di febbraio.

Per non sbagliare, comunque, la Rai s'infischia anche del nuovo ordine del tribunale e continua a menare il can per l'aia. Ma per dimostrare ai giudici la sua ferrea volontà di reintegrare Santoro, lo invita a prendere contatto con il nuovo dirigente dei palinsesti Alessio Gorla, uomo Fininvest già responsabile della campagna elettorale di Berlusconi nel 1994. Santoro lo incontra. «Noi vorremmo farvi lavorare», gli dice Gorla. Inizia così l'ennesima interminabile trattativa segreta. La proposta è indecente, una vera e propria discesa agli inferi. Ma Santoro decide di «andare a vedere», per non regalare altri alibi alla Rai. Si tratta di questo: Santoro dovrà uscire dall'azienda con una risoluzione anticipata del suo contratto, per essere riassunto con un accordo biennale che prevede la realizzazione di un programma in 5-7 puntate che spazierà su temi sociali e storici (per esempio, un'inchiesta sui giovani). Nulla che somigli al suo lavoro di sempre, niente diretta, tutto registrato per evitare sorprese. Santoro, pur di tornare in onda, accetta le condizioni-capestro. A una sola condizione: che sia garantita la sua autonomia. Ma, quando l'accordo sembra fatto, *in extremis* viene aggiunta una clausola davvero impossibile da accettare: tutte le scelte, le spese, le trasferte, persino le persone da intervistare andranno sottoposte alla supervisione di un apposito ufficio. In pratica è la rinuncia a qualunque barlume di autonomia dell'autore, ma anche una garanzia di sicuro insuccesso per il programma. Così anche l'ultima trattativa si arena.

Trappola in piazza Farnese

Il 30 aprile 2003 Rifondazione comunista organizza un pubblico dibattito in piazza Farnese sul prossimo referendum per l'articolo 18 dello Statuto dei Lavoratori. E chiede a Santoro di condurlo, in stile *Sciuscià*, con tre giornalisti di vari orientamenti: Antonio Polito del «Riformista» e Pierluigi Battista della «Stampa» schierati per il No, Piero Sansonetti dell'«Unità» per il Sì. Santoro ha già realizzato uno *Sciuscià* in piazza, a Castel Sant'Angelo, qualche mese prima, sulla guerra in Iraq: Lucia Annunziata, non ancora presidente della Rai, era in prima fila. Ora però, a scanso di equivoci, Santoro si cautela informando il nuovo direttore generale Flavio Cattaneo della proposta di Bertinotti. Nessuna risposta. Nelle vacanze pasquali, riceve una telefonata di Lorenzo Ottolenghi, assistente dell'Annunziata: «Cattaneo rifiuta di autorizzarti, ma noi vogliamo che tu lo faccia lo stesso». Santoro teme di pregiudicare la causa in corso con la Rai: «Forse è meglio lasciar perdere». A quel punto Bertinotti chiama l'Annunziata e la trattativa si riapre: Santoro dovrà contattare il nuovo capo delle relazioni esterne Rai, Guido Paglia. Santoro informa Paglia di tutto, compreso il fatto che la manifestazione sarà trasmessa in tutta Italia da un circuito di tv locali collegate a Telelombardia. Paglia lo incoraggia ad andare avanti. Santoro non si fida. Ma Paglia assicura che non c'è problema: «Vuoi che chiami io Sandro Parenzo a Telelombardia, per dirgli di fare le riprese?». Così la serata si fa, davanti a migliaia di persone. L'indomani, 10 maggio, doccia fredda: Cattaneo annuncia l'ennesimo procedimento disciplinare contro Santoro: sospensione di cinque giorni dallo stipendio, per aver «violato una disposizione aziendale che proibisce ai dipendenti Rai di partecipare a manifestazioni in cui non sia garantito il pluralismo». Una circolare demenziale, che pretende di sindacare la libertà d'espressione e persino il tempo libero delle persone. E che oltretutto non può applicarsi al caso di specie, visto che in piazza Farnese il pluralismo era pienamente soddisfatto dalla presenza di sostenitori del Sì e del No. Ma, anziché difendere Santoro e spiegare che la Rai era d'accordo, l'Annunziata lo scarica: «Michele – dice – mi ha presa in giro, non facendomi capire di che cosa si trattava esattamente». Trappola perfetta.

Veneziani coglie la palla al balzo per dire che lui sarebbe anche favorevole a un ritorno di Santoro in video, ma è proprio Santoro «con i suoi comportamenti e le sue dichiarazioni» a renderlo impossibile: quel che ha fatto in piazza Farnese è «gravissimo», perché avrebbe «violato il codice deontologico». Santoro gli risponde il 15 maggio, per lettera:

> Caro Veneziani, mi dispiace constatare che fai finta di ignorare che la conduzione da parte mia del dibattito sul tipo di *Sciuscià* a piazza Farnese era stata autorizzata dalla Rai che era altresì stata informata della presenza delle emittenti private. Da più di un anno la Rai ci impedisce di fare il nostro lavoro. Senza alcuna considerazione né per gli ascolti, né per gli introiti pubblicitari, né per le richieste e le proteste del pubblico e degli abbonati. La magistratura ha ripetutamente accertato l'esistenza di una discriminazione ai nostri danni ed ha ordinato alla Rai di reintegrarci. Da sei mesi la Rai si rifiuta di eseguire l'ordine del giudice. In tribunale ho dichiarato che per la prima volta proposte televisive [quelle di lavorare il sabato pomeriggio o la notte della domenica, *N.d.A.*] non sono state concordate con l'autore. Non avendo alcun senso dal punto di vista editoriale, esse sembravano concepite più ad Arcore che a viale Mazzini. Tu le trovi televisivamente interessanti e motivate? Il codice deontologico al quale fai riferimento non esiste. Nessun codice potrebbe impedire di partecipare a un dibattito e di condurlo, né tantomeno potrebbe impedire a chi vuole riprendere una manifestazione pubblica di farlo. Ciò si porrebbe in contrasto con quanto prevede la nostra Costituzione riguardo alla libertà di espressione.

A questo punto si fa viva la Rai:

> Non è vero che Santoro era stato autorizzato a condurre la manifestazione in piazza Farnese, ma soltanto a parteciparvi. La Rai ignorava che la manifestazione sarebbe stata ripresa da un network concorrente. E non risponde al vero che la Rai gli impedisce di lavorare: semmai è stato Santoro a rifiutare sistematicamente le ipotesi di programma che via via gli sono state proposte [...], violando ancora una volta il dovere di fedeltà nei confronti della Rai con asserzioni denigratorie dell'indipendenza e dell'autonomia dell'azienda.

Cattaneo completa l'opera giurando, davanti alla Vigilanza, che «non c'è nessuna volontà persecutoria nei confronti di Santoro. A me personalmente non ha fatto proprio nulla». Già, l'ha fatto al presidente del Consiglio.

Su «Liberazione», la capufficio stampa di Rifondazione, Ritanna Armeni, ricostruisce il caso di piazza Farnese minuto per minuto, sbugiardando *in toto* la Rai: «Ai vertici del servizio pubblico era stato anche comunicato prima dell'avvenimento che alcune tv private avevano chiesto di riprendere la manifestazione: il 24 aprile l'autorizzazione fu negata, ma poi la presidente della Rai Annunziata assicurò a Santoro e allo stesso segretario Bertinotti che c'era stato un errore e che l'iniziativa si poteva svolgere regolarmente. Quando abbiamo saputo che alcune emittenti private chiedevano di riprendere la manifestazione, ne parlammo con i vertici della Rai, che ci risposero che non c'erano problemi». Il caso è talmente scandaloso che, a difendere Santoro, interviene persino «il Riformista»:

> Da mesi tentiamo di convincere la sinistra italiana che in questo paese non c'è un regime. È un'opera difficile e che incontra molti ostacoli. Perciò quando ci troviamo di fronte qualcuno che fa di tutto per dimostrare che il regime c'è, ci incazziamo di brutto [...]. Se l'editore di questo giornale dicesse al direttore di questo giornale ciò che il direttore generale della Rai ha detto al suo dipendente Santoro, verrebbe mandato a quel paese, con appuntamento in un'aula di tribunale. [...] Se la Rai non vuole che Santoro partecipi a manifestazioni pubbliche, lo faccia lavorare, così lo tiene impegnato. Possibil-

mente non alle tre di notte o al pomeriggio del sabato, perché altrimenti avrebbe comunque il tempo di un volantinaggio mattutino. Per quello che fa nel suo tempo libero, lo lasci in pace, ha i medesimi diritti di tutti noi.

Il 16 maggio 2003 rispunta l'Authority: censura per mancanza di equilibrio un'intervista in ginocchio di Antonio Socci a Berlusconi in una puntata di *Excalibur* dedicata al processo Sme, accogliendo un ricorso di Falomi (Ds) e Gentiloni (Margherita). E invita la Rai a riparare. Ma nel contempo, con un capolavoro di cerchiobottismo, sanziona Rai e Mediaset riassumendo un vecchio procedimento: quello contro il Tg4 di Fede e le ultime puntate di *Sciuscià* trasmesse più di un anno prima (quelle in cui esponenti di destra e di sinistra parlarono liberamente di censura, compresa quella con Costanzo). «Mi auguro – commenta Santoro – che contro questo provvedimento tardivo e infondato la Rai voglia presentare ricorso, visto che a suo tempo si era difesa sia contestando il potere dell'Autorità di compiere questo tipo di intervento, sia dimostrando che nei programmi da me condotti le regole del pluralismo e della corretta informazione sono state rispettate». La Rai non ricorre, anzi usa anche quella pronuncia contro Santoro. Gasparri la spalleggia: assolve Socci («una sola puntata accusata di "disequilibrio" è un'infrazione lieve») e Fede («non lavora per il servizio pubblico, dunque la sua posizione è notevolmente più leggera»), ma condanna il defunto *Sciuscià*: «Su Santoro l'Authority ci dà ragione, ha sistematicamente calpestato il pluralismo, è un fazioso recidivo. Ora voglio vederli Nanni Moretti e i suoi scansafatiche fare girotondi contro l'occupazione della Rai. Ora non ci sono più dubbi: la Rai ha fatto bene a togliere Santoro dal video». Socci rimane in viale Mazzini, vicedirettore di Rai2 e conduttore di *Excalibur*. Santoro rimane fuori dal video.

Esilio a Bruxelles

Il 30 gennaio 2004 una cinquantina di associazioni, tra cui la Fnsi, Articolo 21, la Filt-Cgil e l'Arci organizzano a Roma gli «Stati generali dell'informazione». Politici, esponenti dei movimenti, giornalisti. «Flaiano diceva che i giornalisti a volte hanno il loro dittatore preferito», dice Enzo Biagi collegato al telefono: «Nell'ultima campagna elettorale, intervistando Montanelli, avevo previsto una dittatura morbida. Mi ero sbagliato su quel "morbida"...». Giorgio Bocca, in un messaggio registrato: «Vedo obbedienza e rassegnazione a un regime che, nonostante sia continuamente smentito, è sotto gli occhi di tutti». Per Dario Fo «hanno cancellato l'informazione, l'ironia, la satira. Abbiamo provato la censura della Dc, ma brutale e organizzata come questa non la conoscevamo». Poi parla Santoro: «Viviamo nell'impero dei tarocchi. Tutti corriamo il rischio di trasformarci in figuranti, per primi noi che facciamo i martiri della libertà. Così come Lucia Annunziata è un figurante del presidente di garanzia: in realtà è un consigliere di opposizione». L'Annunziata risponde a muso duro: «Santoro è bravo a fare comizi e inventarsi figure retoriche, ma io non mi sento affatto una figurante e credo di averlo dimostrato. Stare fuori è politicamente e storicamente inutile, andarsene vuol dire solo liberare una casella, l'ho detto anche a Daniela Tagliafico [che ha lasciato il Tg1 di Mimun, *N.d.A.*]. Si può essere prigionieri, ma non figuranti». Poi rivendica non meglio precisate «battaglie» condotte durante la sua presidenza. Alla fine, molto alla fine, se ne andrà anche lei senz'aver lasciato traccia di sé.

Succede di tutto, fra il 2002 e il 2004, in Italia e nel mondo. Ma i giornalisti di Santoro, come quelli di Biagi, non possono più seguire i fatti, a meno che non emigrino in altre testate. Due anni passati come leoni in gabbia: ogni mattina in redazione a leggere le agenzie per non perdere il contatto con il mondo reale, ma senza più poterlo raccontare. Per un giornalista è l'umiliazione più cocente. La frustrazione più bruciante. Roba da impazzire. Il 12 giugno 2004 Santoro si presenta alle elezioni europee con la lista Prodi-Uniti nell'Ulivo e raccoglie 729.656 preferenze, di cui 530 mila al sud dove è il più votato dopo D'Alema, la Gruber e Berlusconi: il primo in assoluto fra i non capilista. Viene eletto eurodeputato. Al viatico per Bruxelles pensa il ministro Gasparri: «Ora abbiamo le prove: la Gruber e Santoro erano un calcare che andava scrostato dalla Rai». Fatto.

5

Freccero, censura masochista

*L'attività del cretino è molto più dannosa
dell'ozio dell'intelligente.*

Mino Maccari

Carlo Freccero è uno degli uomini simbolo della televisione dell'ultimo quarto di secolo. Studioso di cinema, dal 1979 lavora per la neonata Canale 5: consulente di Berlusconi per i cataloghi dei film, poi responsabile del palinsesto. Nel 1983 diventa direttore di Italia1, appena passata dalla Rusconi alla Fininvest. Dal 1985, dopo una breve parentesi alla Mondadori, è in Francia per mettere in piedi La Cinq, di cui segue tutta la parabola fino alla ritirata del 1990. Nel '91 torna a Italia1, dove lancia – fra gli altri – Gianfranco Funari e Giuliano Ferrara. Ma un anno dopo si brucia le dita con le *Lezioni d'amore* dei coniugi Ferrara, osteggiate dalla Dc e dal Vaticano. Il Cavaliere, incassata la legge Mammì, attende con ansia le concessioni tv e deve ingraziarsi più che mai il Palazzo, scosso dai primi smottamenti di Tangentopoli. Così, su consiglio di Gianni Letta, chiude le *Lezioni* e licenzia Freccero. Il quale, nel '93, presta una breve consulenza nella Rai1 dei «professori». Poi viene chiamato a Parigi come consigliere del presidente di France Television e responsabile dei programmi delle reti pubbliche France 2 e France 3. Nell'estate '96 la Rai ulivista di Enzo Siciliano e Franco Iseppi lo chiama a dirigere la seconda rete. Prima con contratti annuali poi, dal 1999, come dipendente a tempo indeterminato.

La sua tv onnivora e vistosa, mai grigia, mai piatta, vince la partita degli ascolti, tiene a debita distanza la diretta concorrente Italia1, lancia una serie di programmi di successo, dalla satira di Serena Dandini e dei fratelli Guzzanti (*Pippo Chennedy Show*, *La posta del cuore* e *L'ottavo nano*) a quella di Luttazzi (*Satyricon*), dal teatro impegnato di Marco Paolini (*Vajont*) ai varietà di Fabio Fazio (*Anima mia* e *Quelli che il calcio*), Gianni Boncompagni e Alba Parietti (*Macao*), Piero

Chiambretti (*Chiambretti c'è*) e Gregorio Paolini (*Convenscion*), fino all'informazione di Santoro & C. Un modello di tv alternativa rispetto all'ultima frontiera della spazzatura berlusconiana, sublimata a partire dal 2000 dal *Grande Fratello* e dai «reality» gemelli. «Con Rai2 – spiega Freccero – ho creato un nuovo modello di servizio pubblico, alternativo al pensiero unico, anzi al non-pensiero della tv commerciale ultima versione, facendomi forza proprio del concetto di Rai "pubblica" con la sua storia, la sua tradizione, la sua autonomia culturale, la sua dimensione "politica" nel senso più alto del termine. E portando questo progetto alle estreme conseguenze dopo il 2000, con i Santoro, i Luttazzi e i Guzzanti in contrapposizione al *Grande Fratello* che preannunciava il ritorno di Berlusconi».

L'abate Faria

Pagherà salata quell'esperienza, Freccero. Pagherà per i suoi peccati, tutti mortali nella tv del mono-duopolio: ascolti, innovazione, anarchia, incontrollabilità. Pagherà anche per l'idea di sguinzagliare al G8 di Genova, nella torrida estate del 2001, quando ormai erano chiuse le redazioni di tutti i programmi d'informazione, una troupe finanziata con il suo budget di direttore. Una troupe che produrrà, con immagini inedite, un eccezionale documentario sulle violenze di frange delle forze dell'ordine contro centinaia di pacifici manifestanti. Il reportage, intitolato *Bella Ciao* e realizzato per Rai2 da Roberto Torelli e Marco Giusti, non andrà mai in onda, stoppato con le scuse più variopinte dal direttore di Divisione Giancarlo Leone. Presentato al Festival di Cannes nel maggio 2002, riscuoterà enorme successo. Ma in Italia nessuno lo potrà vedere.

Luttazzi, Santoro e *Bella Ciao*. Ce n'è abbastanza per catapultare Freccero in cima alla lista nera del Cavaliere. E se il suo nome non compare nell'editto bulgaro del premier, è soltanto perché alla Rai la sua sorte è da tempo segnata: «Anche se regnava ancora il vecchio Cda, io fui completamente depotenziato fin dall'estate 2001, all'indomani della vittoria di Berlusconi. Alla Rai erano già passati tutti dall'altra parte. Riuscii ancora a fare *Chiambretti c'è* e a difendere l'ultima edizione di

Santoro, ma nient'altro. Ero già uno *zombie*, prima ancora di esser fatto fuori». Dal marzo 2002, quando il padano Marano s'insedia alla direzione di Rai2, Freccero viene trasferito dal settimo piano al secondo, senza più segreteria né auto direttoriale. Gli lasciano solo un computer, che peraltro non funziona. Per aver collaborato con lui, paga con due anni di limbo senza lavoro anche la fedelissima Enza Gentile, già brillante responsabile della comunicazione di Rai2.

L'annuncio del siluramento Freccero lo riceve dal neopresidente Baldassarre, in un colloquio (l'unico) di ben cinque minuti: «Lei è rimosso da direttore di Rai2, ma rimane una grande risorsa per la Rai. Troveremo quanto prima un'adeguata soluzione...». Il presidente non si farà più vivo. Ufficialmente Freccero è un direttore «a disposizione del direttore generale», cioè di Agostino Saccà. Ma non ha mai la ventura di incontrarlo, né di sentirlo al telefono. Tutti i direttori di rete e di tg detronizzati dalla nuova lottizzazione troveranno presto un altro posto. Tutti tranne uno, il più prestigioso. Freccero trascorre le giornate murato vivo nel suo ufficio a studiare e a scrivere saggi, salvo il tempo che dedica a conferenze, convegni e lezioni universitarie (insegna teoria e tecnica del linguaggio televisivo all'università di Genova e alla terza università di Roma). Ma anche ai cinque processi che Berlusconi e i suoi cari gli hanno intentato per *Satyricon* in condominio con Luttazzi e Travaglio, e per i quali la Rai gli nega la difesa degli avvocati aziendali: dovrà pagarseli lui.

Per oltre due anni, nemmeno una telefonata dai piani alti. Nemmeno una proposta, un invito alle riunioni e ai seminari interni, un colpo di telefono per un parere da esperto. Freccero è una sorta di «maschera di ferro» della Rai, l'abate Faria di viale Mazzini, un fantasma che cammina. Del suo caso si parla poco. Sia perché – da uomo libero qual è – non ha «sponde» nemmeno a sinistra (avendo una rete a disposizione, la terza, l'Ulivo preferisce affidarla al timorato e timoroso Paolo Ruffini). Sia perché la sua signorilità tutta francese gl'impedisce di lamentarsi, di fare di se stesso un «caso», di darla vinta a chi vorrebbe vederlo umiliato, in ginocchio, col cappello in mano. Mai un'intervista, una denuncia, una dichiarazione polemica, nemmeno per rispondere alle falsità sui budget e sugli ascolti di Rai2 che i nuovi padroni del vapore seminano a piene mani per mascherare le loro Waterloo. Meglio assistere in silenzio alle mirabolanti imprese di Marano e dei suoi *boys*, che nel breve volgere di due anni riescono a distruggere Rai2 e a rianimare Italia1. Fino all'inimmaginabile sorpasso in retromarcia della seconda sulla prima, che porterà all'uscita di scena di Marano, rimpiazzato da un altro leghista, Massimo Ferrario. Già a fine 2002 Rai2 perde 2 punti di share rispetto all'anno precedente e nell'ambita prima serata precipita a una media del 9,1%, contro l'11 della diretta concorrente Italia1. Il Tg2 scende dall'11% del 2001 al minimo storico del 7-8. *Excalibur* è una catastrofe annunciata. *Destinazione Sanremo*, che dovrebbe spezzare le reni a Maria De Filippi, rotola al record negativo del 2,9 e viene chiuso. E pensare che, ai tempi di Freccero, veniva soppresso *Crociere* di Boncompagni dopo una sola puntata perché il 10,22 di share era considerato un fallimento.

Il calice della rivincita

«In questi due anni e mezzo» racconta Freccero «non ho mai visto né sentito nessuno. Presidenti, direttori, consiglieri di destra, consiglieri di sinistra. Nessuno. Finché, all'inizio del 2004, Cattaneo mi fa chiamare e mi riceve per cinque minuti. Gentilissimo». Il dialogo sembra finto, tanto è surreale.

CATTANEO Caro Freccero, avrei pensato a lei per uno studio dei format sudamericani.
FRECCERO Non capisco, di che format sta parlando?
CATTANEO Lei dovrebbe andare in giro a cercarli, a esaminarli, per vedere se c'è qualcosa di buono per la nostra Rai.
FRECCERO Può essere più preciso?
CATTANEO Per ora è solo un sondaggio per capire…
FRECCERO Ho capito, allora ne riparliamo. Sono a disposizione, ma fatemi una proposta precisa.

Freccero tenta di spiegare al direttore generale della Rai che cos'è un format, che cos'è la televisione generalista, e soprattutto l'esigenza di stilare prima un piano strategico. Impresa disperata, fiato sprecato. Cattaneo non si farà più vivo, tant'è che Freccero s'è fatto l'idea che quel sondaggio ambiguo e inconcludente mirasse ad altro:

> Serviva mettere in giro il mio nome per fare da contrappeso ad altre nomine e aprire altre caselle, utilizzandomi per qualche *inciucio*, non so se con la Margherita o con i Ds. Io infatti parlai al telefono con l'Annunziata, mai sentita anche lei prima di allora, e le domandai cosa ci fosse sotto. Lei mi confermò che non era nulla di serio né di definito. E la cosa si chiuse lì. Il fatto è che io non ho padrini, né a destra né a sinistra. La mia tv non piaceva né agli uni né agli altri. Solo ora, a sinistra, cominciano a capire il delitto che hanno commesso, regalando tutta la televisione al modello berlusconiano e non difendendo l'esperienza di Rai2, quella di prima, quella che oggi è morta e sepolta. Ecco, l'unica soddisfazione di questi tre anni è stato vedere all'opera chi è venuto dopo. Un brindisi a champagne dopo l'altro. Ho bevuto il calice della rivincita fino all'ultimo sorso.

6

Sabina Guzzanti, censura trasversale

Il riso ha in sé qualcosa di rivoluzionario.
In chiesa e a corte non si ride mai, almeno apertamente.
Solo gli eguali ridono fra loro.
Il riso di Voltaire ha distrutto più dei pianti di Rousseau.

Aleksandr Ivanovič Herzen

«Molti mi domandano come posso permettere che vada in onda questo *RaiOt*. Ma chi l'ha detto che va in onda? Col cavolo che va in onda!». Per esorcizzare le prevedibili censure, Sabina Guzzanti si è portata avanti col lavoro. E, nello spot che annuncia il suo ritorno in tv a due anni e mezzo dall'*Ottavo nano*, fa dire a Berlusconi che mai glielo consentirà. Ne ha parlato a lungo con i suoi collaboratori: «Che facciamo, ci autocensuriamo per passare indenni alla censura, oppure ce ne freghiamo, diciamo quello che pensiamo, quello che diremmo in teatro, in piazza, nella tv di un paese libero?». Tutti si sono ritrovati d'accordo: nessuna autocensura, si dice tutto purché sia verificato al millesimo, poi accada quel che accada. Lo stesso titolo evoca qualcosa di dirompente, mai visto né sentito in tv: «raiot» è la pronuncia della parola inglese *riot* che significa «rivolta»; e *RaiOt* ammicca pure al sogno di un ottavo canale televisivo finalmente libero.

La prima puntata di *RaiOt – Armi di distrazione di massa*, dedicata a informazione e censura, viene registrata negli studi romani della Dear, quartiere Nomentano, sabato 15 novembre 2003 fino a mezzanotte e un quarto, e montata domenica 16 per andare in onda quella sera intorno alle 23,30. Il monologo sulla storia del monopolio televisivo berlusconiano e sulla legge Gasparri, che sta per essere approvata dal Parlamento a tappe forzate, è indispensabile: chi guarda solo la televisione ne sa poco o nulla. Senza quella premessa, pochi capirebbero lo sketch di Neri Marcorè che, nei panni del ministro Gasparri, confessa a un'immaginaria giornalista spagnola di non conoscere la legge che porta il suo nome. Sabina s'inventa un linguaggio e un contesto satirici, si presenta in studio in kimono nero con uno spadone fiammeggiante in mano, come Uma Thurman in

Kill Bill di Quentin Tarantino. Dice che «ormai tocca ai comici dire le cose serie», dopo la cacciata di Biagi e Santoro e l'occupazione dei telegiornali. E racconta la storia della televisione in Italia di pari passo con la resistibile ascesa di Berlusconi, dallo stalliere mafioso alla P2, da Craxi a Forza Italia, accompagnando il labiale con i gesti dei tg per sordomuti. Ricorda il Far West legislativo degli anni Settanta e Ottanta, quando il Cavaliere scorrazza nell'etere senza leggi né limiti. Poi la Mammì, la «legge Polaroid» che, anziché imporre limiti antitrust, fotografa e santifica il trust. La Consulta impone alla Fininvest di scendere da tre a due reti. L'Ulivo, con l'apposito Maccanico, nel 1998 concede una proroga pressoché illimitata. Ma anche questa legge viene bocciata dalla Consulta, che nel 2002 torna a imporre il trasloco su satellite di Rete4 che occupa «abusivamente» l'etere terrestre. A questo punto entra in scena Gasparri, che chiede lumi alla giornalista-Sabina sulla sua legge:

> Io 'sta legge nun l'ho scritta e nun l'ho manco letta. Io c'ho provato a leggerla, ma francamente nun je la faccio. Me metto lì la sera, ma me casca 'a testa, me viene l'abbiocco... Tu me potresti fa' 'na cortesia: me faresti un riassuntino, 'na specie de Bignami de 'sta legge? E, visto che ce stai, me scrivi pure 'na ventina de domande difficili e pure le risposte, eh?

Nei 50 minuti di *RaiOt* ce n'è per tutti. Per Berlusconi, ovviamente a reti unificate, dal suo ufficio modello Bokassa tra lingotti d'oro e zanne di elefante («Messaggio a reti unificate. Italiani, purtroppo viaggiando e confrontandomi con tanti altri grandi del mondo ho appreso che in Italia l'informazione è nelle mani di una sola persona. Ma voglio rassicurarvi: la stiamo cercando e la troveremo»). Per Bruno Vespa (impersonato da Sabina piena di nei e bitorzoli posticci, che mette in fuga persino il mostriciattolo Smeagol di Marco Marzocca) e Barbara Palombelli «giornalista e madre» (ancora Sabina), che improvvisano un *Porta a Porta* e si collegano con il professor Ludovico Cerchiobot (Roberto Herlitzka), straordinariamente somigliante all'ambasciatore Sergio Romano, che teorizza la legittimità della censura perché «agli italiani piace la frusta». Ma ce n'è anche per la sinistra, ritratta in un vertice segreto in cui si parla solo di poltrone e favori da distribuire agli amici degli amici. E per la Annunziata, che compare continuamente con messaggi di stampo maoista, invertendo i congiuntivi e incrociando gli occhi strabici per invocare «baleddi» alla satira e all'informazione. Sabrina Impacciatore fa il verso alle sgallettanti annunciatrici-veline della «nuova» Rai. Francesco Paolantoni interroga, alla maniera di Amadeus e Gerry Scotti, il concorrente di un finto quiz sulla posizione che occupa l'Italia nella classifica di Reporter Sans Frontières sulla libertà d'informazione (la risposta esatta è il 53° posto, su 166 paesi). E poi battute a volontà sul Crocifisso nelle scuole, sui travasi di pubblicità dalla Rai a Mediaset, sull'inesistenza dell'opposizione, sulla guerra, su Israele e i palestinesi (la frase, che riportiamo più avanti, verrà volutamente equivocata e susciterà polemiche a non finire). Sigla finale di David Riondino che, nei panni di Mariano Apicella, canta un'immaginaria canzone scritta con Berlusconi: «O' jurnale che piace a me».

Paolo Ruffini, direttore di Rai3, assiste alla registrazione per tutto il sabato pomeriggio. Sotto i suoi occhi Sabina Guzzanti incide i pezzi che saranno più contestati: quello sui comici costretti a fare informazione; quello sull'Italia al 53° posto per libertà d'informazione; quello su Rete4 «abusiva»; quello sulla storia di Berlusconi e delle sue tv. Poi il direttore visiona alla moviola quasi tutti gli sketch già registrati. Alle 21 lascia la Dear tranquillo e soddisfatto, ringraziando l'attrice e i suoi collaboratori. Nessuna perplessità, nessuna obiezione. «Sembrava contento», racconterà Sabina: «Mi ha salutato chiedendo: "Sono stato abbastanza discreto?". Io scherzando gli ho risposto: "Puoi anche alzare un po' la voce se vuoi, ne hai il diritto"».

Quando il direttore esce, la Guzzanti si consulta col suo staff: «Io temo che ci chiuderanno». «Ma no, ti avrebbero fermata prima. Se ci hanno fatti arrivare fin qui, perché interromperci ora?». «Mi sembra strano che si possano dire le cose che dico in una tv come questa». «Ma è tutto vero quel che dici». «Appunto». Oggi ricorda:

Mi vennero mille pensieri. Forse quella era l'ultima occasione che avevo di parlare in tv, e forse c'erano cose più importanti da dire, magari partendo dalla puntata sulla guerra anziché da quella sull'informazione. Comunque ormai era fatta. Pensai come avrebbero fatto i soliti noti a demolire il programma, che a me pareva bellissimo e inattaccabile. Avrebbero detto quel che dissero a Luttazzi per la puntata con Travaglio: «Questa non è satira, è informazione, non fa ridere» e cazzate del genere. In Inghilterra e negli Stati Uniti un sacco di programmi di satira sono così. Michael Moore fa così. Anche *Striscia* contiene servizi di informazione, di denuncia «seria».

Il mercato dei morti

Alle 16 di domenica è tutto registrato e, per metà, «sonorizzato». Il più è fatto. Anita Lamanna, l'angelo custode di Sabina, entra nella saletta del montaggio: «Vieni di là, Salerno e Valerio ti vogliono parlare». Andrea Salerno è il capostruttura di Rai3 responsabile della satira, dunque di *RaiOt*. Valerio Terenzio è il patron del teatro Ambra Jovinelli e della Studio Uno, la società che produce il programma. Dal sorriso sempre smagliante di Anita è impossibile cogliere qualcosa. Ma Sabina intuisce: «Ci hanno soppresso? Ci hanno tagliato?». Anita sorride ancora e dice che non lo sa. Ma Terenzio conferma: «Ha chiamato Ruffini, ha detto a Salerno che ci ha pensato tutta la notte: questo non è il momento storico adatto per un programma del genere». Ha già pronta una scusa, il direttore messo lì dalla Margherita. Una scusa democristiana, dorotea: «Se volete – ha detto a Salerno – diciamo che è per la strage di Nassiriya [il 12 novembre, in Iraq, un attentato ha ucciso 19 italiani, *N.d.A.*]. E rinviamo *sine die*. In ogni caso *RaiOt* è cancellato perché non è in linea con lo spirito di Rai3. Se proprio devo, preferisco morire per *Ballarò*. Per la Guzzanti no». Usare i morti ammazzati per mascherare una censura? Sabina rifiuta. Oltretutto la strage è stata mercoledì, e giovedì Ruffini ha tenuto regolarmente la conferenza stampa di presentazione di *RaiOt*, annunciando la prima puntata per domenica. E dopo Nassiriya la Rai ha tranquillamente rimesso in onda programmi frivoli come *L'isola dei famosi*, *Affari tuoi* e *Domenica In*. Ha seguitato a trasmettere gli spot della prima di *RaiOt* fino a domenica pomeriggio. È riuscita persino a coprire con uno stacco pubblicitario il minuto di silenzio per i militari caduti prima della partita della Nazionale. E poi: che c'entra Nassiriya con un programma di satira sull'informazione? Come può Ruffini aver cambiato radicalmente idea da un giorno all'altro?

La faccenda è davvero surreale. La Studio Uno ha un contratto con Rai3 per Sabina da diversi mesi. È stato Ruffini a chiamarla. Ha seguito passo passo la preparazione del programma. Sa tutto. Si profonde in continue dichiarazioni contro la censura, ci tiene a presentare Rai3 come una rete libera. «Penso di vivere in un paese libero in cui non c'è la censura», ha detto il 31 ottobre 2002 in pieno caso Biagi-Santoro. «La satira è un diritto previsto dall'articolo 21 della Costituzione», ha proclamato il 4 novembre 2003. Il 13 novembre, all'indomani della strage di Nassiriya, presentando *RaiOt* alla stampa insieme a Lucia Annunziata, a Sabina e a Salerno, Ruffini ha dichiarato: «La satira è un genere che completa la libertà di recitazione e di pensiero e costituisce da sempre una parte dell'identità di Rai3. Il lavoro di Sabina Guzzanti è di grandissima qualità, sa declinare la satira con l'intelligenza e poi si vede che c'è una grande creatività autorale». All'uscita – racconterà Sabina – «la Annunziata mi ha aspettata per salutarmi e farsi fotografare con me. Sembra simpatica, ha detto di rivolgerci a lei se abbiamo dei problemi». Tutto fila liscio fino al sabato sera. Poi, nella notte, accade qualcosa o interviene qualcuno. Non si saprà mai. Certo è che il Ruffini della domenica è un altro uomo, un altro direttore. Parla come se non avesse mai visto né saputo nulla. Dice che *RaiOt* «non è in linea con la sobrietà della rete».

Ordine e contrordine

Alle 17,26 l'Ansa annuncia la soppressione del programma:

> Lo si è appreso da Andrea Salerno: «Mi ha chiamato Ruffini – ha detto Salerno – comunicandomi che per sua decisione intendeva cancellare il programma di Sabina Guzzanti. Non lo riteneva compatibile con il momento storico italiano. Sono rimasto sconcertato dalla notizia e la ritengo fortemente censoria». [...] Prima di comunicare la decisione di quella che è al

momento soltanto una sospensione, Ruffini si è consultato con il direttore generale Cattaneo e con la presidente Lucia Annunziata che si è detta d'accordo. Tutti hanno convenuto che il particolare momento che l'Italia sta vivendo non fosse adatto alla messa in onda di un programma di satira politica. La telefonata tra Cattaneo e Ruffini è avvenuta intorno alle 16.

La Guzzanti convoca subito una conferenza stampa all'Ambra Jovinelli e si precipita in macchina al teatro. Il suo cellulare trilla senza sosta. La chiamano Santoro, Di Pietro, Grillo, tutti solidali. «Sono pazzi» dice lei ai giornalisti «è una mossa gravissima che riguarda le libertà fondamentali che in una democrazia devono essere rispettate non solo quando si parla di satira. Non è una sospensione: hanno soppresso il programma e ce l'han detto alle 17, mentre stavamo consegnando la cassetta da mandare in onda. Ruffini si è assunto tutte le responsabilità, però essendo quello che ha detto oggi in totale contraddizione con quel che ha detto ieri quando è venuto in studio, c'è qualcosa dietro. Da chi parte esattamente l'ordine non lo so, sto cercando di capirlo. È la follia assoluta, è il passaggio a qualcos'altro. Bisogna vedere se si è tutti d'accordo a passare a questo qualcos'altro, perché le leggi italiane così come sono non prevedono questo tipo di eventi». Poi giunge voce, tramite una giornalista di «Repubblica», che la Annunziata ha convinto Ruffini a ripensarci. Alle 18,42 l'Ansa parla di una «mediazione» della presidente per «salvare il programma». Alle 19,02 si apprende che Ruffini «ci sta ripensando» e l'ha comunicato a Cattaneo. Alle 19,19 arriva la conferma: *RaiOt* andrà in onda. Alle 19,30 Ruffini dichiara all'Ansa:

Ritengo che la cosa migliore da fare a questo punto sia mandare in onda il programma per fugare ogni dubbio, lasciare il giudizio ai telespettatori e riflettere magari serenamente sul rapporto tra l'autonomia degli autori e l'identità di rete di cui ogni direttore è garante. Avevo sollevato un problema di opportunità per la messa in onda di *RaiOt*. La mia valutazione partiva dal particolare momento che attraversa il paese dopo l'attentato a Nassiriya, alla vigilia dei funerali e del giorno di lutto nazionale, che impone una grande sobrietà di toni e una riflessione pacata sul ruolo dei media. Sobrietà a cui vorrei si improntasse sempre la rete e che non mi è sembrato di trovare in alcuni momenti del programma. Chi segue Rai3 e chi conosce il mio modo di concepire la professione sa che non accetto imposizioni. La mia era una valutazione autonoma.

È tutto molto strano. «Continuo a pensare – commenta la Guzzanti – che questa decisione di chiudere il programma non sia partita da Ruffini, ma da qualcun altro. C'è qualcosa dietro. Poi ci hanno ripensato perché si sono accorti che era un errore. Dopo magari ci attaccheranno, magari anche da parte di certa sinistra, ma almeno lo potranno fare a ragione veduta». L'ufficio stampa Rai assicura che è tutto normale: «Sono completamente destituite di fondamento le tesi della Guzzanti che non vuole accettare le nette dichiarazioni del direttore di Rai3 perché non le permettono di tenere in piedi una speculazione montata sul nulla. Ruffini ha spiegato con estrema chiarezza il suo ragionamento basato sulla sua grande professionalità e sulla sua onestà intellettuale. Ma la Guzzanti preferisce rifiutare la verità e vaneggiare su fantasiosi retroscena che non esistono».

Sono le 20 passate. «Ormai – racconterà Sabina – è troppo tardi per completare la sonorizzazione della puntata. Ci precipitiamo alla Dear per migliorare quel che si può. Alcuni sketch avranno le risate sotto, altri no. Anche la musica non facciamo in tempo a metterla. Intanto cerchiamo di capire che sta succedendo. Senza volerlo, ci han fatto un sacco di pubblicità». Il Tg3 ha dato la notizia della chiusura e poi della riapertura, in diretta; per gli altri telegiornali, invece, non è successo niente.

RaiOt inizia alle 23,27 e si conclude poco prima di mezzanotte e mezza. L'indomani l'Auditel informa: share medio del 18,37% (1.830.000 spettatori). Quand'è partito il programma, Rai3 era al 7%. Dopo due minuti era già salita all'11% e ha continuato a crescere fino a picchi massimi del 26. Record storico della rete. Record assoluto anche per la serata: ascolti più alti di tutte le altre reti, da Rai1 a Canale 5. Eppure gli unici complimenti che non arrivano a Sabina sono quelli della Rai. Nemmeno una telefonata dall'Annunziata, né da Ruffini. Silenzio di tomba. Intanto i computer dell'Ambra Jovinelli continuano a snocciolare e-mail entusiaste: «Mille, duemila, tutte bellissime. Chi scrive poesie, chi ringraziamenti, chi compli-

menti, chi dice di essersi accorto di essere sempre stato aneste-
tizzato finché non l'abbiamo svegliato noi. Moltissimi chiedono di vederci in prima serata. Non ci vedranno più, invece».

Fuoco amico

Le cronache dei giornali del lunedì sono dedicate allo *stop and
go* della coppia Ruffini-Annunziata. Particolarmente sgradevole quella di Sebastiano Messina, che su «Repubblica» insinua
addirittura una manovra studiata a tavolino dalla Guzzanti per
passare da martire:

> Un concitato gioco delle parti nel quale il fantasma della cen-
> sura berlusconiana – e dunque dell'intolleranza del potere – è
> riuscito a far litigare furiosamente il direttore di Rai3 e la più
> brava imitatrice di Berlusconi e D'Alema. Ha spinto gli autori
> di *RaiOt* a mettere in piedi una rivolta pubblica contro chi
> aveva commissionato il programma e ha posto all'ordine del
> giorno i poteri dell'unico responsabile di rete non filogover-
> nativo. Tutto questo senza che né il presidente del Consiglio
> né il direttore generale della Rai avessero alzato il telefono per
> intervenire. Questa surreale commedia dell'assurdo è comin-
> ciata quando Ruffini [...] ha chiesto agli autori di *RaiOt* di rin-
> viare di una settimana [*sic*] l'esordio del programma. Ruffini
> poneva «un problema di opportunità», alla vigilia dei funerali
> di Stato per i caduti di Nassiriya, per il lancio di una trasmis-
> sione satirica. Ma sollevava anche – senza ipocrisia – la que-
> stione della compatibilità di «alcuni momenti del program-
> ma» con la «sobrietà» di Rai3. L'annuncio che la prima pun-
> tata sarebbe slittata di una settimana ha provocato l'immedia-
> ta sollevazione di tutti i responsabili di *RaiOt*, dal capostrut-
> tura che gli rinfacciava «un atto censorio che chiude la satira
> in Rai» fino alla protagonista, Sabina Guzzanti, che invocava
> addirittura una rivolta popolare contro un simile «atto gravis-
> simo e intollerabile per la democrazia», con immediata confe-
> renza stampa in teatro e infuocati annunci di cause civili. [...]
> Gli autori e la protagonista hanno ceduto precipitosamente
> alla tentazione di dimostrare al mondo (con un intempestivo
> pathos rivoluzionario) che la realtà si adeguava alla satira, e il

Berlusconi in carne e ossa faceva esattamente quello che loro gli facevano dire nella parodia televisiva, censurando proprio la sfida alla censura...

Sabina racconta il suo 17 novembre in un diario pubblicato dall'«Unità»:

Alle 13 ci vediamo per fare il punto nell'ufficio di Valerio. Pare che chiuderanno il programma. Mercoledì si riunirà il Cda per decidere e decideranno di chiudere. Pare che l'Annunziata sia inviperita. Pare che questo attacco venga più dal centrosinistra che dal centrodestra, da una parte del centrosinistra. Nel senso che anche la destra ci avrebbe attaccato, ma non ha fatto in tempo. Uno dei Ds ha detto che non è il momento per dire certe cose, verrà il giorno, ma non è il momento. Questo è l'arco del dibattito possibile: si può o essere di destra o pensare che non è il momento per avere un'opinione diversa.

Quella stessa sera Ruffini annulla una puntata speciale di *Primo Piano*, registrata da tempo, sulla satira in tv: il protagonista era Daniele Luttazzi. L'alibi è ancora il lutto per Nassiriya e il fatto che «il programma è superato dagli eventi». Ma tutti capiscono che non c'è nulla di più attuale.

La stampa del giorno dopo, più che il successo di *RaiOt*, sottolinea le polemiche: Mediaset preannuncia una querela alla Rai per fantomatici «danni in Borsa, morali e materiali» e la comunità ebraica protesta per una presunta frase antisemita della Guzzanti (un falso, come vedremo). Ancora dal diario di quei giorni:

18 Novembre. I giornali ci attaccano dappertutto. Risulto essere il nemico numero uno del popolo ebraico in questo momento. Mi dicono che Feltri ha detto che sono come Hitler. Nel pomeriggio, il clima cambia un po'. Buone notizie, la comunità ebraica di Milano ha inviato un messaggio di pace. Mi hanno invitata a un dibattito pubblico sulla satira e sulla politica di Israele. Meno male, che gioia! Se penso agli ebrei penso a persone colte, intelligenti e piene di senso dell'umorismo, non a dei bacchettoni che fanno il gioco dei censori. Pare che abbiano capito d'essere stati strumentalizzati, meno male. Rispondo che accetto l'invito con grande piacere.

La Rai è in fibrillazione. Cattaneo convoca Ruffini e gli chiede un rapporto scritto, manco fosse il capo della polizia. Ruffini gli conferma a voce i suoi dubbi su *RaiOt*, soprattutto sul «linguaggio» (la solita solfa: non è satira, è informazione). Cattaneo incarica il capo dell'ufficio legale Esposito di scrivere un parere sui rischi economici che il programma comporterebbe per la Rai dopo l'annunciata denuncia di Mediaset. Cioè della concorrenza. Lo scopo è chiaro: trovare un pretesto per bloccare il programma, possibilmente prima della seconda puntata, dedicata alla giustizia. Il direttore generale invia poi una lettera di richiamo a Salerno, reo di aver difeso il programma parlando di «censura» e dunque meritevole di una punizione disciplinare (dieci giorni di sospensione e un mese senza stipendio). Salerno avrebbe consentito alla Guzzanti di pronunciare «frasi di carattere diffamatorio e denigratorio nei confronti di noti personaggi della politica italiana e internazionale, di imprese radiotelevisive, della comunità ebraica, degli organi di informazione in genere, secondo una linea comunicativa tutt'altro che satirica per modalità, tono e linguaggio utilizzati», provocando una «grave lesione dell'immagine dell'impresa esercente servizio pubblico». Cattaneo accenna poi simpaticamente ai «tre giorni di sospensione dal lavoro e dallo stipendio» già inflitti nei mesi precedenti a Salerno «a causa delle affermazioni di carattere diffamatorio pronunciate dalla sig.ra Sabina Guzzanti nei confronti del ministro prof. Giulio Tremonti in occasione del programma *Giuro di dire la varietà*», trasmesso a puntate su Rai2.

Il Cda visiona la cassetta della trasmissione e si aggiorna all'indomani. Ma che aria tiri lo fa capire il consigliere più «moderato» del Polo, professor Giorgio Rumi: «Esiste il diritto di critica, ma esistono anche i paletti. La Guzzanti lo fa dire persino alla finta Annunziata, nel suo programma: i paletti ci sono. La situazione è pesantuccia, s'è aperto un problema grave. Non è facile per noi. Sono coinvolti anche terzi: Mediaset ha annunciato un'azione legale». Veneziani, noto nemico della censura, tira in ballo «la giornata di lutto nazionale per Nassiriya». Il leghista Caparini, membro della Vigilanza, parla di «spettacolo indecoroso della Rai mentre il paese piange i suoi soldati». «Speculazione indegna sui nostri caduti per cancellare una trasmissione sgradita», ribattono Giulietti e Falomi dei Ds, fra i pochissimi politici a difendere la Guzzanti senza se e senza ma. Molti altri esponenti del centrosinistra tacciono oppure infilano, nelle dichiarazioni di solidarietà, mille riserve e distinguo.

I *critici al lavoro*

Anche i critici di professione insistono sul tasto satira-informazione, come se la satira dovesse far ridere dal primo minuto all'ultimo, come se il *Candido*, il *Canard Enchaînée*, il *Letterman Show*, il *Tonight Show* di Jay Leno, *Le Iene* e *Striscia* non fossero mai esistiti. Giordano Bruno Guerri spara sul «Giornale» che «la trasmissione non fa ridere», «dice un sacco di sciocchezze preconcette» e soprattutto si permette di «prendersela con Lucia Annunziata solo perché è presidente della Rai e brava e donna, la famosa solidarietà femminile e di sinistra [...]. I sabiniguzzanti piangono sempre che non c'è libertà di dire e sono sempre lì a dire quello che vogliono ovunque, anche sui muri: naturalmente tra i collaboratori dietro le quinte ci sono Curzio Maltese e Marco Travaglio, ormai Bibì e Bibò [...]. Sabina Guzzanti era, e speriamo sarà, ancora simpatica: ma anche le donne comiche e le vecchie satire invecchiano, specie se rimangono lì immobili come caprette legate e belanti a fare bee-bee, non-siamo-liberi, non-siamo-liberi». Pietrangelo Buttafuoco, il fascistello che scrive sugli *house organ* berlusconiani, s'incarica di manganellare Salerno sul «Foglio», lamentando che non l'abbiano ancora epurato come gli altri («viene tenuto in piedi per ovvie ipocrisie di pluralismo nella esitante Rai della destra»). Seguono, sempre sul «Foglio», altri due articoli: se la ridono della Guzzanti che «grida al regime, ciancia di censura e va in onda» ed esprimono «solidarietà a Ruffini» che voleva chiuderla subito. Solo Alessandra Comazzi, sulla «Stampa», difende *RaiOt*, mentre Sebastiano Messina su «Repubblica» parla di «brutto programma» e spiega che cosa «non funziona»:

Tra uno sketch e l'altro la satira svaniva e la trasmissione cambiava pelle [...] mostrandoci una pedagogica Sabina che ci raccontava alla velocità del Bignami vent'anni di storia d'Italia

[...] senza rendersi conto che così l'affilata leggerezza della satira cedeva il posto all'ingombrante pesantezza di una teoria politica, con un infervorato crescendo che culminava con la didascalicità della spiegazione illustrata della migrazione degli spot (e dell'arricchimento di Mediaset) [...]. Se i comici cambiano mestiere, siamo spacciati. Se anche la satira si ritira, indossando l'armatura del samurai per convertire l'ironia in comizio, le risate in applausi e il paradosso in denuncia, il finto Berlusconi regala il campo al Berlusconi vero. Rubandoci, soprattutto, il piacere di riderne.

Aldo Grasso, sul «Corriere», segue la stessa falsariga: «Spettacolo modesto. Troppo tribunizio, troppo autoconsolatorio, troppo ideologico, privo di leggerezza. C'è persino la tremenda caduta di stile, la battuta sulla "razza ebraica", sintomo di un'inclinazione molto diffusa nella sinistra con la kefiah. Non se ne può più con questa storia che solo i comici fanno informazione: se fosse così, ci sarebbe ben poco da ridere. E se proprio si tira fuori la P2, ancora, non sarebbe il caso di cambiare soggetti?». Insomma, a parte alcuni «momenti divertenti», «*RaiOt* è un comizio di idee fisse ad uso di fissati». Poi, dopo aver regalato ai censori una manciata di alibi perfetti, Grasso fa il generoso: «Vi prego, però, non fate scendere la mannaia della censura».

Invece, come tutti dovrebbero capire fin da subito, è proprio la censura che si prepara. Usando l'alibi dell'antisemitismo, un falso problema che consente di spostare il tiro dal vero problema: la voglia di censura del centrodestra e di una parte del centrosinistra. Vi si prestano purtroppo, senz'aver visto il programma e parlando per sentito dire, alcuni esponenti delle comunità israelitiche.

I razzisti dell'antirazzismo

Martedì 18 novembre tanto «Il Giornale» quanto il «Corriere» (come il Tg5 del 17) dedicano il titolo principale su *RaiOt* proprio alla bufala della «razza ebraica». «Il Giornale»: «Gli ebrei italiani offesi dalla Guzzanti». «Il Corriere»: «Caso Guzzanti, protesta la comunità ebraica». Nemmeno un sommario sul successo di pubblico e sulla censura già annunciata. Amos Luzzatto, il presidente nazionale delle comunità israelitiche, esprime amarezza «per un concetto senza fondamento scientifico e un termine che ormai è da bandire perché gronda le lacrime e il sangue delle persecuzioni nazifasciste». E il portavoce milanese, Yasha Reibman, rincara: «Quell'espressione non veniva usata da 65 anni, dalle leggi razziali. Non c'è da ridere, si torna ai tempi bui». A Maurizio Gasparri, erede di un partito antisemita per cinquant'anni approdato recentemente e problematicamente alla democrazia, non par vero di poter assicurare «massima solidarietà» agli ebrei e accusare la Guzzanti di antisemitismo: «Non esistono differenze fra le razze. Ogni riferimento a discriminazioni non può trovare posto in una società civile». Ruffini addirittura chiede scusa per conto della Guzzanti: «Considero molto grave aver adoperato, anche in un programma di satira, l'espressione "razza ebraica". Sento il dovere di scusarmi». All'operazione collabora attivamente il presidente della Vigilanza Petruccioli, intervistato dal «Corriere»: «*RaiOt* può dar luogo a discussioni. Per i monologhi invocare la satira non basta. Parlo di quei passaggi in cui l'attrice dice la sua con spirito brechtiano, proponendo argomentazioni e giudizi politici. Ecco, quella non è satira. Se fossi in Ruffini affronterei con gli autori questo problema». Poi rincara la dose sull'antisemitismo: «L'espressione "razza ebraica" mi fa venire i brividi. Dalla mia bocca non uscirà mai». Non si accorge che quell'espressione, dalla sua bocca, è appena uscita. Certo, per negarla. Esattamente come ha fatto Sabina Guzzanti, in un contesto non antisemita, ma anti-antisemita. Ecco infatti la frase testuale da lei pronunciata a *RaiOt*:

> Tutte queste polemiche assurde a proposito del sondaggio dell'Unione europea. La domanda era: quali sono i paesi che maggiormente minacciano la pace? La risposta del 60% degli europei è stata: Israele e Stati Uniti. Indignazione e grida sul ritorno all'antisemitismo. Ma che c'entra l'antisemitismo? La risposta era «Israele», mica «la razza ebraica». Fra l'altro, molti di quelli che si sono indignati sono gli stessi che pochi giorni fa cercavano di convincerci che Berlusconi non ha sbagliato quando ha detto che Mussolini non ha ucciso nessuno. Ma

sotto Mussolini c'erano le leggi razziali, gli ebrei venivano deportati nei campi di concentramento...

Il senso è chiarissimo: se dici «razza ebraica» sei razzista, se dici «governo israeliano» no. Specularmente, se uno critica un qualunque governo africano dicendo: «Critico quel governo, non dico "i negri puzzano", perché se lo dicessi sarei un razzista», nessun africano si offenderebbe o parlerebbe di razzismo. Gad Lerner, anche lui ebreo osservante, ma fedele ai fatti, difende Sabina a spada tratta invitando le comunità israelitiche a rettificare e a «non prestarsi a una strumentalizzazione che mira a censurare *RaiOt*». Ma, se cadesse quell'alibi, non resterebbe più nulla per giustificare la censura. Dunque il «caso» dell'inesistente frase antisemita prosegue, come se nulla fosse accaduto. Mercoledì 19, ancora dal diario di Sabina:

> L'associazione dei consumatori ha chiesto che *RaiOt* venga spostato in prima serata e ha dichiarato che chiederà un milione di euro alla Rai se chiude il programma. Il Cda è riunito per decidere su *RaiOt*. Alle 13 esce la delibera. È incomprensibile. Sospendono la messa in onda ma non la produzione, che vuol dire? Dovremmo registrare cinque puntate, poi loro le vedono e decidono. Ma è un programma basato sull'attualità. Sarebbe come dire: voi scrivete il giornale di oggi e noi lo mettiamo in edicola fra due mesi. Mi telefona l'Annunziata, fa la spiritosa, dice che ha messo dei paletti. Rido, ma replico che chiudere il programma è un paletto bello grosso. Dice che si è astenuta e considera la sospensione del programma una grande vittoria. Perché mai?, le chiedo. Perché – risponde – nella delibera non si entra nel merito dei contenuti. Delirano e non se ne accorgono. Arrivano altre 2000 e-mail di incoraggiamento.

Fumo negli occhi

La decisione di chiudere *RaiOt* è virtualmente presa. Ma nessuno ha il coraggio di comunicarla subito. Bisogna preparare il pubblico un po' alla volta, con una campagna di *disinformatija* come si deve, per evitare che si parli di censura. Per ora il programma è «temporaneamente sospeso», come uno scolaro discolo. Che cos'è accaduto, nel Cda? Alberoni, Petroni e Rumi vorrebbero sopprimere *RaiOt* immediatamente senza tanti complimenti («Certe cose non le avrei mai mandate in onda», argomenta il terzo). Veneziani nicchia nel timore di passare per censore: «Non invoco chiusure, ma la Guzzanti ha fatto un uso militante e distorto della satira e del servizio pubblico, ergendosi a Tribunale Supremo della Verità per emettere condanne fuor di satira. Quel programma, scritto da Maltese di "Repubblica" e da Travaglio dell'"Unità", aveva poco a che fare con la satira». Poi spunta la «mediazione» dell'Annunziata: chiudere *RaiOt* significherebbe dimissionare Ruffini, il che imporrebbe pure le dimissioni della presidente che l'aveva convinto a trasmetterne la prima puntata. Con la soluzione pilatesca della «sospensione», invece, salvano tutti la faccia e il cadreghino. E non è vero che la Annunziata si astenga: vota a favore della «sospensione» rivendicandola come un grande successo: «Di fronte alla polemiche, alle proteste e alle azioni legali suscitate dalla prima puntata, la decisione concordemente presa dal Cda conferma la fiducia al direttore Ruffini e assicura alla Rai la collaborazione con un gruppo di autori e di interpreti con cui si lavora da tempo e che viene mantenuto nella sua integrità. Sta alla Guzzanti e ai suoi collaboratori proseguire serenamente con professionalità nella realizzazione del programma». Ecco, continuino pure a lavorare serenamente al programma: solo, tengano presente che, se va bene, andrà in onda dopo qualche mese, quando il Cda avrà valutato se fa ridere o no, se è bello o no, se dà fastidio a Mediaset o no (così poi qualcuno potrà scrivere che il comizio non solo è brutto, ma è anche un po' datato). E soprattutto quando i consiglieri d'amministrazione avranno capito tutte le battute. Già, perché Rumi lamenta anche questo: «Io personalmente non ho capito la battuta sul Crocifisso». Un problema serio. Si potrebbe risolverlo incaricando qualcuno di spiegargliela. Invece no: in attesa che la capisca, si sospende il programma.

«Ora – rassicura la Annunziata – la palla passa a Sabina Guzzanti e ai suoi collaboratori. La sospensione di *RaiOt* è temporanea, non a tempo indeterminato. Cattaneo e Ruffini indichino la data della rimessa in onda». Naturalmente non la indicheranno mai. Ma intanto, per tener buono il pubblico, si racconta che Sabina dovrà registrare tutte le altre cinque puntate e sottoporle al vaglio preventivo del direttore di Rai3, dell'ufficio legale, del direttore generale e del Cda. Dice la delibera, approvata all'unanimità: «Qualora i contenuti violassero la legge o non fossero sufficientemente documentati, la Rai potrà visionare i pezzi del programma preventivamente e fare le eventuali obiezioni». Nasce così la satira «col permesso de li superiori», autorizzata dal Potere, sottoposta all'imprimatur dell'autorità. Condizioni inaccettabili, che infatti Sabina Guzzanti non accetterà. Non s'è mai visto un Cda Rai che interferisce nei contenuti di un programma.

Non bastando l'alibi dell'antisemitismo, torna buona la denuncia di Mediaset, che chiede 20 milioni di euro di danni per le battute sulla legge Gasparri. Da mesi chiunque critichi la Gasparri riceve una lettera risentita dell'ufficio stampa Mediaset. Come se Mediaset fosse il ministero delle Poste e Telecomunicazioni. Problemi di identità. Come quelli della Rai, che sospende un programma di satira perché Mediaset (cioè, teoricamente, la concorrenza) minaccia di denunciarla. Regalando così a Mediaset il diritto di veto sui programmi della televisione pubblica. Sarebbe come se Mediaset sospendesse *Striscia la notizia* ogni volta che la Rai la denuncia. Come se un giornale sospendesse un giornalista o un vignettista alla prima querela. «C'è da sperare – commenterà Sabina Guzzanti – che la legge valga per tutti: se, per far chiudere un programma che non ci piace, basta denunciarlo, diamoci da fare. Denunciamo *Porta a Porta*». Per la verità Vespa di denunce ne ha collezionate a bizzeffe. Una volta, per aver pagato 260 milioni di lire a Scattone e Ferraro, gli assassini di Marta Russo, in cambio di un'intervista, gli fecero causa i genitori della studentessa uccisa e la Rai dovette risarcire il danno con altri 200 milioni, sempre a spese di chi paga il canone. Nessuno si sognò mai di addebitare la cifra a Vespa, né di chiudergli il programma per evitare che facesse altri danni con altri delinquenti.

Ma alla Rai la legge non è uguale per tutti. Alberoni spiega: «Abbiamo semplicemente deciso di far registrare le altre puntate perché ci sono già piovute addosso cause civili e penali. E il Cda vuole sapere prima cosa gli può succedere. Il singolo consigliere risponde penalmente in questi casi. La Guzzanti parla liberamente, ma poi le azioni penali le prendiamo noi». Ma la cosa non sta in piedi, come dimostrano le innumerevoli cause intentate da Berlusconi & C. per *Satyricon*: furono denunciati Luttazzi, Freccero e Travaglio, non i membri del Cda. Anche perché da anni i consiglieri Rai sono profumatamente assicurati dall'azienda contro rischi del genere. Che cosa teme, allora, Alberoni? Forse la concorrenza della sua signora, Rosa Giannetta, che dalla sua poltrona nel Cda del Piccolo Teatro di Milano ha appena chiesto di censurare *L'anomalo bicefalo* di Dario Fo perché «la satira non deve occuparsi di politica». Ma non ce l'ha fatta. Ora il marito, per non essere da meno, è riuscito a far chiudere la Guzzanti.

Fuoco di sbarramento

Piuttosto scarsa nella produzione di programmi, la «nuova» Rai è imbattibile nella produzione di alibi. Così la direzione generale fa trapelare all'Ansa un'altra accusa a *RaiOt*: «Fra i collaboratori del programma figura il giornalista Marco Travaglio, con il quale la Rai ha in piedi un procedimento giudiziario». Ma Travaglio non è in causa con la Rai, non avendola mai denunciata e non essendone stato mai denunciato: «Non sono mai stato in causa con la Rai – precisa all'Ansa –, sono invece in causa con Berlusconi, che mi ha denunciato due volte, più altre otto tramite suoi uomini, per un totale di richieste di 150 miliardi di lire. Forse la Rai s'è sbagliata, per un eccesso di identificazione con Berlusconi». Pochi minuti dopo imprecisate «fonti di viale Mazzini» fanno sapere che, «se è vero che non esiste una causa tra la Rai e il giornalista Marco Travaglio, come ha sottolineato il giornalista, è vero però che la Rai si è riservata di agire contro Travaglio come parte lesa. Non c'è quindi al momento nessuna azione legale ufficialmente aperta da parte della Rai nei confronti del giornalista, ma c'è questa intenzione dichiarata di agire nei suoi confronti per rivalsa». Dopo la censura preventiva, ecco la denuncia virtuale postdatata.

Tutti dal 19 novembre, cioè dal voto unanime del Cda, sanno che *RaiOt* non andrà più in onda. Ma chi non vuol vedere ha un'ottima foglia di fico per nascondere la censura. E infatti tutti parlano di «sospensione temporanea». Che sarà mai. La Casa delle Libertà esulta a una sola voce per la geniale trovata. Ma anche a sinistra si trova qualcuno che prende sul serio la «mediazione» dell'Annunziata: per esempio Fabrizio Morri, responsabile informazione dei Ds, che elogia la presidente con le seguenti, ponderate parole: «No a censure, sì al principio di responsabilità per tutti». Paolo Gentiloni della Margherita sostiene che «ora potrà svolgersi un confronto sui contenuti fra gli autori e il direttore di Rai3, in assoluta serenità, come in un'azienda editoriale normale». «Non si tratta di censura», gli fa eco il forzista Ferdinando Adornato, altro noto nemico della censura: «il programma è stato solo sospeso: decisione assai saggia, c'è un limite, un confine di civiltà che non si può superare. La satira non può essere il camuffamento di un messaggio politico». L'articolo 21 della Costituzione prevederebbe che «tutti hanno diritto di manifestare liberamente il proprio pensiero con la parola, lo scritto e ogni altri mezzo di diffusione». Ma i costituenti si erano dimenticati di aggiungere: «col permesso di Adornato».

Michele Bonatesta di An torna a chiedere la par condicio e il contraddittorio anche nella satira: «La satira deve colpire tutti, a 360 gradi, e non solo uno, sempre lo stesso. Un'altra cosa, ben diversa, è l'informazione o la controinformazione politica: la Guzzanti deve garantire l'imparzialità, l'obiettività, il pluralismo, la completezza e la correttezza dell'informazione, assicurando il contraddittorio. E i primi a rendersene conto sono proprio Ruffini e la parte meno radicale, massimalista e barricadera dell'opposizione, che infatti, prudentemente, tacciono». «Sabina Guzzanti – osserva Maurizio Costanzo, in perfetta sintonia – è bravissima, ma quando è nei panni di se stessa passa dalla satira all'invettiva. Forse è possibile costruire il programma in maniera diversa. Per fare televisione ci vuole la patente». O la tessera P2.

Giuliano Ferrara, sul «Foglio» del 20 novembre, scrive che la Guzzanti «dovrebbe stare zitta», «ha qualcosa di teppistico e di crassamente ignorante, "razza ebraica" compresa, qualcosa di impalatabile anche agli stomaci bene allenati»: la censura se l'è cercata lei, «apposta per gridare al regime», «rompendo ogni regola, come fecero Santoro e Biagi». Ma – bontà sua –

aggiunge che «l'unanimità plumbea del consiglio d'amministrazione Rai colpisce. Si sospende un programma di satira con l'accordo del presidente di garanzia, indicato e sostenuto dalla sinistra, e del direttore di Rai3, indicato e sostenuto dalla sinistra. È sgradevole, spiacevole, ma una ragione ci sarà pure (Berlusconi e Cattaneo non c'entrano un bel niente, dormivano il sonno del giusto, la sinistra se l'è fatta e se l'è cantata da sola, questa storia o varietà della censura *chez régime*) [...]. L'idea di produrre cinque puntate, farle vedere ai signori amministratori editori, e poi e solo poi mandarle in onda, visto sottoscritto e autorizzato, non è bella, tutt'altro». Segue accorato appello per «un bell'accordo fra D'Alema e Berlusconi per rimettere le cose a posto, restituire a ciascuno il suo ruolo e riabilitare la politica». Una nuova Bicamerale contro le voci libere.

Come spesso avviene, «Il Foglio» riesce a farsi scavalcare in intolleranza dal «Riformista», che invece plaude alla censura. Scrive il direttore Antonio Polito:

> Se si esclude l'ipotesi che la Rai sia Hyde Park Corner, bisogna concludere che ieri il Cda della Rai si è comportato come il Cda di un'azienda. [...] Leggiamo vibrate proteste per attentati alla libertà di satira, di attacchi alla democrazia, di dissenso imbavagliato. [...] Non c'è né censura né punizione, né per il direttore di rete, che pure aveva seri dubbi sull'opportunità di mandare in onda *RaiOt*, né per la Guzzanti. In questo ha ragione la Annunziata – che si è adoperata per raggiungere una decisione all'unanimità del consiglio, come un presidente di garanzia deve fare – quando rivendica di essere riuscita a «tutelare l'azienda da ulteriori contenziosi senza intervenire sui contenuti e sulla linea editoriale del programma». E ora? Spetta alla Guzzanti e al prode Salerno. Ci sono ampi margini per far ridere irridendo i potenti senza indulgere all'invettiva e senza offendere mezzo mondo, ebrei compresi. Li sfruttino da bravi professionisti ben pagati, nei limiti della deontologia, cui forse la satira non è tenuta ad attenersi, ma il servizio pubblico radiotelevisivo sì.

Sui siti di Sabina e dei Girotondi le e-mail degli spettatori infuriati e solidali sono ormai 15 mila. Il 20 novembre la Guzzanti convoca una conferenza stampa per dire che «siamo in un regime, mi batterò finché campo contro questa censura». Spiega che è impossibile registrare cinque puntate di satira tutta incentrata sull'attualità, senza sapere se e quando andranno in onda. «Inaccettabile», secondo Valerio Terenzio, anche l'ultima «mediazione» di Ruffini: registrare due puntate e sottoporle al Cda, in programma per il 2 dicembre. Sabina chiede di poter andare in onda, come da contratto, il 23 con la seconda sulla giustizia. In caso contrario, domenica farà sentire ugualmente la sua voce: sta organizzando a tempo di record insieme ai Girotondi una serata di satira e denuncia contro la censura («Varietà di protesta») all'Auditorium di Roma, collegata con varie tv e radio regionali e con i teatri di una ventina di città. Giulietti raccoglie le firme di 150 parlamentari dell'Ulivo sotto un appello al Cda Rai contro la sospensione del programma. Fra i leader, però, solo Di Pietro, Folena, Pecoraro Scanio e Bertinotti solidarizzano.

«Ignorante», «fetecchia»

Bisogna aspettare il prestigioso «Il Sole 24 Ore» per leggere la parola «censura» nel commento di un giornale indipendente. Scrive il critico del quotidiano della Confindustria, che si firma Als Ob, il giorno 23:

> «Ci zono tue šcuole ti penziero», argomenta domenica scorsa la Annunziata Lucia. Intanto con un occhio guarda la telecamera e con l'altro si guarda la punta del naso. Una, prosegue, «tice che mi timeddo supito, l'aldra tice ghe temboreccio e resdo... io appardenco a endrampe le šcuole». A parlare così non è la Lucia Annunziata che presiede la Rai, ma proprio l'Annunziata Lucia di Sabina Guzzanti, nella prima puntata di *RaiOt*. La quale pare sia anche l'ultima, visto che il consiglio della Rai unanime, pur non bloccandone la registrazione, ha deciso di non mandarla in onda. Quanto alle «tue šcuole», quelle ci sono anche per i 50 minuti di satira di Raitre. «C'è a chi piace e c'è a chi non piace... a me per esempio piace», direbbe Totò. Ve lo ricordate, mentre assedia da ogni lato l'onorevole Cosimo Trombetta, in quel famoso vagone letto?

Non si cura della sua prosopopea e ancor meno del suo potere. Si comporta da buffone che si rispetti. Anche in senso riflessivo: che rispetti se stesso. A noi per esempio *RaiOt* piace. Non ci piace qualche passaggio, troppo preoccupato d'esser didascalico e qua e là incerto. Ma troviamo geniali le maschere che Sabina Guzzanti convoca in studio, dal Ludovico Cerchiobot che disquisisce su tutto, rendendo tutto uguale a niente, alla Palombelli Barbara «giornalista e madre» che, per fare più alla svelta, disquisisce direttamente su niente. In ogni caso, immaginiamo che ci possa ben essere anche una «segonta šcuola». E immaginiamo che, per molti, sia anche altrettanto ben fondata della nostra. Non solo: immaginiamo che ce ne possano essere «tue» persino a proposito dell'aspetto meno divertente di *RaiOt*: se lo si possa e lo si debba cancellare, sopprimere, censurare. Per quel che ci riguarda, siamo convinti che fra Totò e l'onorevole Trombetta sia consigliabile stare sempre dalla parte della libertà comica, qualunque sia il vagone letto in cui ci capiti di viaggiare. Siamo anche convinti che si farebbe bene a prendere sul serio quello che Roberto Benigni disse dal palco del Festival, a Sanremo nel 2002: «Bisogna proteggerli, i comici, perché sono come santi, sono un regalo del Cielo... Contrabbandieri senza licenza, hanno il potere di far piangere e ridere... Non li si può imprigionare. Non c'è verso di tenerli boni». Soprattutto se son comici che si rispettano [...]. Quello che ci pare inammissibile non è che ci siano «tue šcuole». Ci pare inammissibile che non si abbia il coraggio di scegliere: o mandare in onda o censurare, e in ogni caso poi assumersene la responsabilità. Invece, lasciando produrre e non mandando in onda, l'Annunziata Lucia & C. hanno scelto «endrampe le šcuole», con un occhio da una parte e l'altro dall'altra. Risultato? Con tutti e «tue» non vedono oltre la punta del loro naso.

È un bellissimo articolo, quello di Als Ob. Sabina sembra quasi anticiparlo la sera prima, sabato 22 novembre, quando si affaccia un po' in ritardo dagli studi romani di La7 per collegarsi con *L'Infedele* di Gad Lerner. Viene subito aggredita da Giuliano Ferrara, inizialmente non previsto fra gli ospiti, ma alla fine imposto dalla direzione di La7 per consentire la messa in onda del programma, che parlerà anche della nuova condanna inflitta quel mattino a Previti e Squillante per corruzione (rispettivamente a 5 e 8 anni) nel processo Sme-Ariosto. «Teppistella ignorante», è il benvenuto di Ferrara a Sabina. Di solito le sue aggressioni sortiscono l'effetto di mettere a tacere l'aggredito, indurlo a miti consigli e talora strappargli addirittura un elogio alla presunta «intelligenza» dell'aggressore. Ma Sabina è come Totò nel wagon lit: per nulla intimidita dalla prosopopea e dal potere di Ferrara, vince la stanchezza di quei due giorni di tensione e cerca un epiteto adeguato al livello della polemica ferraresca: «E lei» ribatte «è un gran ciccione». Ferrara le dà dell'«ignorante e anche un po' razzista». E lei: «Ti ho detto ciccione perché sono simpatica, mentre tu sei un trombone che tutti quanti detestano. Sei arrogante, sei prepotente, le tue trasmissioni fanno venire l'ulcera a tutti quelli che le guardano. È vergognoso che soltanto le persone come te possano parlare in televisione. La gente sta male a vederti». Ferrara continua a interrompere. E Sabina: «Lerner, se non fai tacere questo maleducato del tuo ospite... Non è che uno può farsi dare dell'ignorante da uno che ha preso i soldi dalla Cia e se ne vanta e ha fatto le cose più aberranti nella sua vita, compresa quella di essere stato un comunista sfegatato: aveva i randelli nella macchina, convinceva gli operai a fare delazioni sui loro colleghi. È una persona che ha un passato francamente non dignitosissimo per i miei parametri. Non mi faccio insultare da Ferrara: "Ignorante, ignorante"... Non siamo a scuola, parla con degli argomenti, se ne hai, sennò taci». Ferrara rivendica orgoglioso i dollari della Cia e ripete che «Sabina Guzzanti è molto ignorante». L'attrice chiede di poter parlare senza essere interrotta «da questo teppista squadrista». Ferrara allora passa a sostenere che *RaiOt* è stato chiuso perché Ruffini lo giudicava «così brutto da rovinargli la linea di Rai3». Sabina ricorda gli elogi di Ruffini alla «qualità autorale del programma». Ferrara comincia a irridere a quell'espressione, come se fosse dell'attrice. E lei: «Guarda tu se si può sopportare una simile fetecchia!». Alla Totò. Ferrara, annichilito, balbetta qualche monosillabo e qualche risolino imbarazzato, mentre Lerner ripete «fetecchia», ridacchia con gli ospiti sul campione del «politicamente scorretto» messo al tappeto da un'avversaria più politicamente scorretta di lui. E lancia impietosamente la pubblicità. Nello studio di Roma, tecnici e cameraman di La7, frustrati da anni di Ferrara-dipendenza, esultano come a un gol di Totti e ringraziano Sabina di cuore per averli vendicati.

Fascisti su Roma

Al «Varietà di protesta» dell'Auditorium accorrono almeno 30 mila persone: 4 mila dentro e tutte le altre fuori, un lungo serpentone incollato ai maxischermi. Nessun leader politico è presente: Fassino, Rutelli, Bertinotti e Pecoraro Scanio inviano messaggi di solidarietà. Sul palco, presentati da Serena Dandini, salgono Sabrina Impacciatore, Rosalia Porcaro, Marco Marzocca, Fiorella Mannoia, Nicola Piovani, Neri Marcorè, Davide Riondino e Paolo Rossi. «Una volta – dice quest'ultimo – facevo il comico, credevo di essere bravo, poi è arrivato uno più bravo di me: Berlusconi». Inviano messaggi videoregistrati Luttazzi (che incita al boicottaggio dei prodotti legati al gruppo Fininvest-Mediaset), Dario Fo e Franca Rame. Grillo si collega al telefono da un teatro dov'è impegnato in tournèe. «Vedo Santoro in sala, ma che stiamo facendo, una televisione?», domanda la Dandini. Sabina racconta il caso *RaiOt*, parla a ruota libera della guerra, di Sharon, di Previti, di Ferrara («dichiara guerra alla Francia, alla Germania, all'Iran: bisognerebbe dirgli che è soltanto grasso, ma non fa capoluogo»). E ancora di Lucia Annunziata, che «riesce a essere sia di destra che di sinistra contemporaneamente» e «conosce quattro o cinque lingue, ma non ne parla nemmeno una». Infine si cala nei panni di D'Alema e di Berlusconi. Uno dei pezzi più applauditi è il monologo del fratello Corrado, in orbace e fez mussoliniano, con mascella volitiva e busto del Duce sotto braccio. Un inedito dalla saga *Fascisti su Marte*:

A noi! Sovversivi di terra, di cielo e di mare, uomini, donne e balilla d'Italia, oggi, 23 novembre di romanissimo autunno, siamo qui alla presenza dei conti Motta, Buffo e Molliconi a difendere la satira e questa giovine italiana il cui solo delitto è di esser nervosa perché ancora non ha figliato. Noi ai tempi dell'Eiar mai si usarono le vistose formule liberal-giolittiane della sospesa, della prodotta ma non riprodotta: noi si cacciava! Ma non dalla radio: dall'Italia! Però il coraggio di dirlo, per Dio! Che cos'è quest'ipocrisia? Questo non è un vero regime, nulla hanno imparato dalla Storia. Anche noi, nei primi tempi, con Matteotti dicemmo: registra prima i tuoi interventi, poi noi li vediamo. Non funzionò! Ma io non voglio sentir parlare di regime, il regime è una cosa seria: quando noi facemmo le leggi fascistissime avevamo già fatto il colpo di Stato: prima il colpo e poi le leggi, sennò la gente non capisce. Uno straccio di marcia la vogliamo fare o ci si guasta il fondotinta? Quando da noi si parlò di televisione, il Duce non s'attardò su gasparrismi confusi e digitaloidi. Egli, intriso di patria fino alle volitive ascelle, da subito studiò la nuova riforma: tre canali al regime, quattro al fascismo e gli ultimi due liberi con forti disturbi elettromagnetici... Questo non è regime. Del fascismo essi hanno tutte le idee, ma non hanno il coraggio di sostenerle con littoria virilità. Sono vili! Quello dice le cose e poi le smentisce... Fanno, disfano e aggiustano a piacer loro ma ancora usano la parola par condicio. Cosa c'entra, cosa vuol dire, cos'è par condicio? È una bestemmia venuta male? Il Duce non smentiva mai! Egli, dopo il delitto Cirami o il delitto lodo Schifani, avrebbe sfidato il Parlamento. Dov'è il coraggio? Dov'è l'onore? Come motosi topi, essi si vergognano di ciò che fanno, si muovono nella notte, si passano i malanni attraverso i conti correnti. Vili! È facile nascondersi dietro Ferrara, io ci ho parcheggiato un'Audi! E da noi, fascisti veri e littori della storia d'Italia, che cosa vogliono poi, che cos'è questo cosiddetto revisionismo: il regime benevolo? «Il regime non ha mai fatto male a nessuno». Ma come? Cazzo! Io stesso ho picchiato e smanganellato a destra e a mancina tutti i giorni, dal '22 al '38! Me lo sono sognato? E si sarebbe subìta l'alleanza con l'imbianchino austriaco. Ma come! Scherziamo? Gli si è insegnato noi! Lo si è svezzato con l'amore di una mamma littoria, lo si veniva a prendere al treno come un bimbo al ritorno dalla villeggiatura. Cosa revisionano? Questa è una milizia di avvocatucoli, commercialisti col riporto cerchiobottaio, plutocrati senza ideali, corruttori semplici... senza neanche la crema! Oggi la nobile difesa della razza è un piagnucolio sconnesso da donnette. Ci si accende al riparo dei comizi padani, ma poi in Parlamento ci si nasconde dietro i farfuglii e le trepide quisquilie sul lavoro e la sicurezza. Ma cosa? Ma ditelo, per Dio! Non li vogliamo perché sono diversi, di-ver-si! Oggi sento dire: le leggi razziali furono un errore, quell'altro ha dato la mano a Sharon, chissà se gliel'ha restituita... Satira! E voi, voi non siete dei veri comunisti, voi non chiedete la rivoluzione, la dittatura del proletariato, chiedete solo libertà e giustizia, chiedete banalmente che vengano applicate le leggi già esistenti, che venga rispettata la Costituzione. Ma queste sono solo semplici battaglie civili, dov'è il bolscevismo? Vedo qui dei semplicissimi cittadini. Volete la democrazia, povere anime, ma non capite che il problema è aritmetico: se noi esportiamo tutta la democrazia, a noi quanta ce ne può restare? Comunisti veri qui neanche l'ombra e invece là si va a braccetto con quelli veri e li si difende pure! Che cos'è questa mezza frase: il problema ceceno non esiste? E dillo almeno bene: il problema ceceno non esiste più!... Satira! Italiani, questo non è un regime, ma durerà vent'anni e forse anche più perché voi li lascerete fare. Noi si ebbe contro quel diavolo di Turati, l'odioso Gramsci, i fratelli Rosselli. Voi chi avete? Un Aventino di post-baciapile, sornioni baffettisti, demopoltronari, margheroidi, damerini, marcondirondellisti! E non sperate nel piccolo Vittorio Emanuele Ciampi! Egli firma tutto. Forse pensa siano ancora cambiali! Basta, via... Il pezzo satirico è finito, manca la chiusa. Mi auguro stavolta che ce la mettiate voi. Per quel che ci concerne, noi s'offre ospitalità alla giovine italiana su Marte come fosse una sorella! E lì ce n'è di spazio e di calzerotti da lavare. Ella in fondo è colpevole solo d'aver detto cose dette e risapute, pubblicate e ripubblicate e ripubblicate! Quindi l'unica che può fare veramente causa è la Siae. Grazie.

L'indomani serpeggia nel mondo politico un palpabile fastidio per il risveglio dei girotondi. D'Alema sull'«Espresso» condanna come «rovinoso» l'antiberlusconismo, che «fa il gioco di Berlusconi», insomma è «minoritario, suicida, fa perdere le elezioni». Il commento più comico è quello di Veneziani, intervistato dal «Corriere»: «Le minoranze organizzate sembrano sempre più forti delle maggioranze disorganizzate, che stanno a casa. Piuttosto, questa mi sembra la conferma che quella trasmissione era una prova tecnica di mobilitazione a fine di un puro esercizio politico [...]. Si ha la sensazione che il programma sia stato creato apposta per avviare un'operazione martirio». Il cosiddetto filosofo confonde le cause con gli effetti, come il lupo con l'agnello sulle rive del ruscello. Anche Cattaneo, nel suo piccolo, ritrova la parola sul «Foglio»: «La censura non esiste proprio, il problema è la slealtà professionale, la mancanza di buona educazione e di buona fede». Non, ovviamente, da parte dei censori, ma dei censurati: «Dopo la manifestazione di politica-spettacolo dell'Auditorium di Roma è chiaro a tutti che c'era dell'altro, c'era l'ambizione di trasformare in un caso militante una ordinaria satira. Non è bello anteporre la faziosità e il grido a normali rapporti contrattuali e professionali. Io amo la satira, è un elemento essenziale di cultura e libertà in una grande democrazia moderna come la nostra. Ho detto la satira, non i comizi. Tantomeno i comizi che propalano dati sbagliati e si tirano appresso, a spese dell'azienda di cui sono responsabile, azioni legali di risarcimento che possono risultare pesanti». Quali siano i dati sbagliati, Cattaneo non lo dice. Si fida ciecamente di Mediaset, che ha appena denunciato la sua azienda. Poi, anziché felicitarsi per aver sbaragliato la concorrenza con lo share record di *RaiOt*, parla di «medio successo d'ascolto» e si fa scudo della «valanga di critiche ricevute da giornali di diverso orientamento» e delle «giustificate obiezioni alla parte non satirica ma politica, anzi non politica ma comiziesca». I critici che hanno parlato di «comizio» sono serviti a qualcosa.

Cattaneo completa il quadro inviando una diffida alla Studio Uno per la serata all'Auditorium, definita «un atto contro la Rai», soprattutto per averne consentito le riprese ad altre tv: non contenta di censurare la Guzzanti, la televisione pubblica pretende pure che nessun altro la mandi in onda. Sabina e Studio Uno replicano tramite i loro legali, chiedendo alla Rai l'immediata revoca della delibera del Cda e la messa in onda delle altre cinque puntate del programma, come da contratto. Ma il Cda risponde picche, mentre la Annunziata, come se non ne fosse la presidente, commenta: «È giusto che la Guzzanti sottoponga la cassetta di *RaiOt* al controllo editoriale dell'azienda, mentre è ingiusto che questo sia usato per farla chiudere». L'appello cadrà nel vuoto. Si fa sentire pure Umberto Bossi che, dagli schermi di Telepadania, pontifica: «La Guzzanti fa politica. Si può fare politica con il cabaret, con la satira, con i girotondi». Ma dove stia scritto che un cittadino non può fare politica, non lo spiega.

Peggio del franchismo

Se la stampa italiana ha frettolosamente archiviato il caso, se ne occupa massicciamente quella estera: tv e giornali americani, inglesi, francesi, tedeschi, da «Le Monde» all'«Observer», dal «Guardian» alla Cnn, alla Bbc. Persino il russo «Izvestija», già simbolo del regime sovietico, denuncia le «pressioni di Berlusconi» per chiudere *RaiOt*. A nessuno, oltre confine, viene in mente di negare il diritto a un attore di esprimere il suo pensiero o di raccontare fatti veri in un programma satirico.

Scrive John Hooper, inviato del «Guardian», il 26 novembre: «Vivendo in Italia ci sono momenti in cui, per ricordarsi che ci si trova davvero in un paese avanzato e sviluppato, è necessario farsi un giro e vedere che esistono negozi di computer e autostrade a sei corsie». Hooper parla della condanna di Previti, della prossima approvazione della Gasparri e del «fatto che desta la maggiore preoccupazione»: la censura e le denunce contro la Guzzanti che hanno «portato in piena luce, come mai era accaduto prima, il modo in cui i seguaci e gli impiegati del primo ministro possono ora porre limiti a ciò che viene trasmesso sugli altri grossi canali controllati dallo Stato». Poi domanderà:

Dove potrà esibirsi Sabina la prossima volta? Probabilmente in un club privato. Ecco, c'è un parallelo storico che è possibile fare con un paese non troppo lontano. In Spagna, ai tempi di Franco, incredibilmente, era possibile assistere a clamorose ridicolizzazioni della sua dittatura, nei teatri di Madrid o di Barcellona. I censori non badavano ai teatri e ai cabaret, perché il loro pubblico era per la maggior parte costituito da spagnoli di città, sofisticati, appartenenti al ceto medio, che costituivano ormai una causa persa per il regime. La massa del pubblico guardava la Televisiòn Española, e quella veniva tenuta rigorosamente sotto controllo, perché non vi comparisse nemmeno il sospetto di una critica. L'Italia non è ancora a questo punto. Eppure... C'è sì ancora un dibattito aperto e vigoroso, anche sui canali di Berlusconi. Ma in un'epoca in cui molti paesi in Europa, al centro e all'est, si stanno trasformando in società aperte, come ha già fatto la Spagna, l'Italia sta scivolando nella direzione opposta.

Il 29 novembre la Cnn intervista Sabina nel programma di attualità *International Correspondents*. Il 30, seconda domenica senza *RaiOt*, Fabio Fazio discute su Rai3 di satira e censura con Dario Fo, Franca Rame, Paolo Guzzanti, e dice: «Mi dispiace che *RaiOt* non vada più in onda». Gene Gnocchi, su Rai2, solidarizza con Sabina. A *Quelli che il calcio* Maurizio Crozza travestito da Elton John le dedica una versione ritoccata di *Candle in the wind*, trasformata in *Welcome censura*, in un inglese maccheronico con traduzione sottotitolata:

> So di non piacerti / quando sberleffo i condoni, il conflitto d'interessi / o la depenalizzazione del falso in bilancio / ma mi sembra di rischiare il posto di lavoro / continuando a sfidarti. / Quando una battuta può fare male / arriva il tuo sbianchetto. / Cancella la ragazza di *RaiOt* / quella sporca comunista monella. / Perché hai mandato via Sabina? / Forse Silvio non sopporta i comici con un repertorio migliore del suo. / I love Luttazzi. / Thank you Sabina.

«Drogata», anzi «nazista»

Il sedicente liberale-libertario-radicale Marco Taradash, già parlamentare forzista, organizza a *Linea rossa* (Rete4) un processo in contumacia alla «satira dell'odio e della denigrazione, della propaganda rozza e ideologica», con la collaborazione di alcuni parrucconi dell'Ulivo, tipo Morri, che passano la serata a distinguere sottilmente fra «comizi politici» e «satira», fra «comici che fanno ridere» o meno, avendo cura di non parlare mai di censura. Alla fine Gasparri si supera: «La Guzzanti ha offeso la razza ebraica»...

Un altro presunto liberale, Ernesto Galli della Loggia, su «Sette» del 4 dicembre non trova una sola parola per denunciare la censura, ma ne trova parecchie per sparare sulla «Guzzanti straparlante di razza ebraica in televisione: un'espressione stupefacente» (che però Galli della Loggia si guarda bene dal riportare nella versione testuale). Poi deplora «la mancanza di reattività che sembrano dimostrare le comunità ebraiche su un caso come quello della Guzzanti» e la «analoga mancanza di reattività manifestata dalla grande stampa». Si dà il caso che, proprio qualche giorno prima, «Le Monde» riveli il rapporto sull'antisemitismo nell'Unione europea commissionato all'Università di Berlino dall'Osservatorio sul razzismo e la xenofobia. Bene, in quel dossier viene citato un solo caso di antisemitismo in Italia: una brutta vignetta di Giorgio Forattini, collaboratore di «Panorama» e della «Stampa», che ritrae Gesù Bambino nella mangiatoia mentre guarda un carro armato israeliano con la stella di Davide e commenta: «Non mi uccideranno mica una seconda volta?». Nessuno, men che meno Taradash o Galli della Loggia, dirà una sola parola su Forattini. Anche Mieli, sul «Corriere», deplora lo «scivolone» della Guzzanti, mentre l'«Osservatore romano» parla addirittura di «penosa svista neonazista».

Fra un attacco e l'altro, Sabina e il suo staff continuano a lavorare alla seconda puntata di *RaiOt* sulla giustizia, ormai quasi pronta. Non si sa mai. Ancora dal diario di Sabina:

26 novembre. Ogni tanto gira voce che torniamo in onda e ricominciamo a produrre di buona lena. Certo, lavorare sapendo che è a vuoto è una sensazione che ti mette addosso una malinconia da carcere.

27 novembre. Hanno scritto di tutto in questi giorni, hanno anche insinuato che faccia uso di droghe pesanti [Andrea Marcenaro ha scritto sul «Foglio» che il suo modo di «arricciare il naso» è tipico dei cocainomani, con leggiadre allusioni allo scandalo che ha coinvolto il senatore Emilio Colombo, *N.d.A.*]. Su «Libero» hanno messo tra virgolette frasi che non ho mai detto, che non si sforzano nemmeno d'essere lontanamente plausibili: «"Sto prendendo lezioni da Giucas Casella per ipnotizzare questo popolo di beoti che sono gli italioti", grida Sabina Guzzanti, sbattendo il pugno sul tavolo rococò del suo attico...». Dice Corrado: ne avessero presa una, come la barzelletta di quello che sbaglia numero di telefono. Mai detto una sola parola simile, mai avuto attici né tantomeno tavoli rococò. I giornali sono pieni di commenti assurdi, insistono con la storia della razza ebraica. Se ne strafottono della logica e ne sparano di tutti i colori. Chi fa satira non deve parlare di politica, anche i comici devono avere un contraddittorio...

28 novembre. Il «fetecchia» a Ferrara ha funzionato, mi hanno fatto quasi più complimenti per quello che per il programma: vedi, alle volte uno lavora, lavora, e invece basta così poco... Ho visto a *Otto e mezzo* la Palombelli rispondere per la prima volta polemica a Ferrara. Anche Lerner aveva un colorito migliore. Cominciano a prendersi tutti più spazio...

La satira secondo Previti

Il 28 novembre, in tempo utile per il Cda decisivo, i legali di Mediaset depositano in fretta e furia la denuncia penale alla Procura di Milano e la causa civile al tribunale di Roma: lo stesso tribunale che Previti ha corrotto tre volte, nei casi Sme-Ariosto, Mondadori e Imi-Sir, secondo le sentenze dei giudici di Milano. L'atto di citazione civile, 42 pagine di accuse, è firmato proprio dallo studio Previti, nelle persone del figlio Stefano e dell'avvocato Pieremilio Sammarco, che chiedono i danni a Sabina Guzzanti, a Studio Uno, al direttore di Rai3 Ruffini e a uno solo dei collaboratori: Travaglio, «giornalista non nuovo ad attacchi denigratori nei confronti della società istante [Mediaset, *N.d.A.*], del presidente del Consiglio e dei suoi collaboratori». Mediaset pretende da loro un risarcimento di 40 miliardi di lire per aver leso «l'onore e la reputazione» della società berlusconiana, ma soprattutto per averne provocato l'improvviso crollo in Borsa la mattina del 17 novembre, poche ore dopo la messa in onda di *RaiOt*. Sabina e gli altri sono accusati addirittura di averlo fatto apposta: la citazione parla di aggiotaggio, cioè di manovre dolose per speculare sulle azioni.

Lo studio Previti attacca con una lezione di satira, che a suo avviso sarebbe quell'«arma incruenta» che «assolve la funzione di moderare i potenti, di smitizzare ed umanizzare i personaggi famosi, favorendo la diffusione di un clima di tolleranza che attenuerebbe le tensioni sociali». Un succedaneo della camomilla e del bromuro, insomma. Un po' meno del Bagaglino. E poi – si legge – «la satira non può, per sua natura, perseguire il fine di contribuire alla formazione della pubblica opinione». Ecco: non deve far pensare. Aristofane, Plauto, Molière, Shakespeare, Karl Kraus non avevano capito nulla: ancora ignari delle nuove scoperte della scuola drammaturgica del Circolo Canottieri Lazio, si erano fatti della satira un'idea diversa. Opposta. I loro reati sono comunque prescritti.

Di che cosa è imputata la Guzzanti, associata a delinquere con gli altri «convenuti»? Di aver inflitto ai suoi «malcapitati spettatori» una serie di «invettive, accuse gratuite, infondate, diffamatorie», «veri e propri comizi a sfondo politico intrisi di accuse ingiuste, infondate e gravemente lesive di terzi» e «lezioncine poco fiduciose nella capacità di comprensione degli spettatori». Nessun «intrattenimento», nessun «diritto di satira»: le «sequenze» guzzantiane devono rientrare negli obblighi del «diritto di cronaca», che non può travalicare i criteri della «verità, continenza e interesse pubblico». Sempre secondo lo studio Previti, la Guzzanti ha detto il falso. Non è vero che «la politica governativa italiana sta stringendo i tempi per varare la cosiddetta legge Gasparri per salvare Mediaset e attribuire così una patente di legittimità a Rete4». Non è vero che Mediaset, «sfruttando la forza politica del presidente Berlusconi, attirerebbe, a scapito delle altre emittenti e degli altri organi di stampa, tutti gli investimenti in pubblicità da parte delle imprese». Non è vero che «la politica del governo italiano sia asservita agli interessi della società Mediaset, che fa pressione per evitare che dal gennaio 2002 Rete4 vada in onda solo in modalità satellitare». E «far passare nel pubblico il messaggio che Mediaset abbia evitato una sentenza della Corte costituzionale costituisce un attacco denigratorio di inaudita violenza». Non basta ancora, perché «la Guzzanti, con le sue false dichiarazioni, instilla nel pubblico la convinzione che Mediaset sia sorta e abbia proliferato grazie ad "agganci politici" che l'avrebbero ingiustamente ed illegittimamente favorita a discapito di tutti gli altri concorrenti». E queste, *ictu oculi*, sono «accuse gravissime e intollerabili che coinvolgono in modo ingiustificato anche le istituzioni del paese», di cui evidentemente Mediaset assume gratuitamente le difese. Insomma, *RaiOt* sposa «una parziale e faziosa visione della storia d'Italia, intrisa di odio e disprezzo nei confronti del presidente Berlusconi e del-

le aziende da lui fondate». E «presenta Mediaset come collegata – per il mantenimento dei propri interessi e della sua forza
economica – al potere, in grado di farsi redigere norme di legge a sé favorevoli, in spregio alla concorrenza e ai diritti degli
altri soggetti». Conclusione: svelare ai «malcapitati spettatori»
che Mediaset aveva «aggganci politici» ed era «collegata al potere», «instillare» nel pubblico il sospetto che ad esempio Berlusconi conoscesse Gelli e Craxi o sia poi diventato lui stesso
capo del governo, ha prodotto effetti devastanti in Borsa: perché gli investitori Mediaset, tutti fedelissimi di *RaiOt*, appena
vista la trasmissione si sono precipitati in Piazza Affari per vendere tutte le azioni. Con un danno, per la società, «quantifica-
bile in 280 milioni di euro» in pochi secondi. Mediaset però,
nella sua magnanimità, si accontenta di «una condanna esemplare» a sborsarne 20.

Il caso vuole che proprio ai primi di dicembre il Parlamento venga arruolato da Berlusconi per approvare a tappe forzate la legge Gasparri, nella speranza che il capo dello Stato la fir-
mi entro fine anno: in caso contrario dal 1° gennaio Rete4 verrebbe sparata sul satellite in virtù della sentenza del 2002 della
Corte costituzionale. Il caso vuole pure che il 2 dicembre,
appena il Senato approva definitivamente la Gasparri, il presidente Mediaset Fedele Confalonieri comunichi esultante la
notizia ai discepoli riuniti a Montecarlo: «Abbiamo salvato
un'altra volta Rete4!». Poi, si capisce, aggiunge: «Chi dice che
noi nasciamo da protezioni politiche o da connivenze mafiose,
va in tribunale». Perché la Guzzanti & C. sono «criminali
mediatici, banditi». Colpevoli, secondo Berlusconi, di «odio e
vilipendio delle istituzioni».

Fine delle trasmissioni

Il 3 dicembre il Cda Rai decide di non decidere nulla su *RaiOt*.
La Annunziata ricorda che la precedente delibera parlava solo
di «sospensione, non di chiusura». E chiede di visionare le puntate registrate una per una, mentre gli altri quattro consiglieri e
Cattaneo le vorrebbero vedere tutte e cinque insieme. Petruccioli giudica «giusta la cautela della Rai» e aderisce alla linea

Annunziata. Ma Cattaneo fa sapere che la soluzione è impossibile, perché «la puntata può essere pronta solo la domenica mattina per la sera». Visionare i copioni, pronti il venerdì sera, non gli basta: vuole vivisezionare anche le immagini.

Chiacchiere in libertà: *RaiOt* è morto ammazzato, manca soltanto qualcuno che si assuma la responsabilità di seppellirlo. Lo fa Cattaneo annunciando il 9 dicembre la chiusura definitiva del programma. La Annunziata lo accusa di «gestione non pluralista», parla di «informazione desertificata» e aggiunge: «Non accetto la chiusura del programma». Cattaneo lo chiude lo stesso e la presidente si guarda bene dal dimettersi. Per il direttore generale «l'informazione alla Rai è fin troppa» e, quanto a *RaiOt*, è tutta colpa della Guzzanti, che avrebbe «respinto qualsiasi mediazione: noi ci saremmo accontentati di visionare le cassette una per volta prima di mandarle in onda». Ma Terenzio lo sbugiarda: «La Rai voleva vedere la trasmissione almeno una settimana prima di trasmetterla, impedendo a Sabina di ispirarsi all'attualità. In questo clima, meglio la risoluzione del contratto». Sabina conferma: «Hanno rifiutato anche la nostra disponibilità a mostrargli le puntate due giorni prima: due giorni bastano e avanzano per l'ufficio legale. Non c'è una sola scusa che regga: questa è censura, punto e basta». «Ne usciamo bene, nessuna censura, solo problemi tecnici», dice restando serio Cattaneo al Cda, dopo aver cacciato Salerno dal dipartimento Satira di Rai3. Rumi se la beve: «È stata una separazione consensuale». «Abbiamo solo difeso gl'interessi aziendali, il pluralismo alla Rai è perfettamente rispettato», passa e chiude il consigliere forzista Petroni. Veneziani è in tutt'altre faccende affaccendato: grazie a lui Rai Educational, Rai International e Rainews24 si chiameranno Rai Educazione, Rai Internazionale e Rai Notizie 24. Un po' di sana autarchia, come ai bei tempi.

La notizia della chiusura-censura di *RaiOt*, a lungo negata dalla grande stampa che parlava di «sospensione», viene relegata l'indomani in articoli striminziti, perlopiù nelle pagine degli spettacoli. Fa eccezione il «Corriere», che però arriva a giustificare la decisione del Cda: «La breve e agitata carriera di *RaiOt* – scrive compiaciuta Giovanna Cavalli – finisce qui. La puntata del 16 novembre, costata a viale Mazzini una querela Mediaset da 20 milioni di euro, resterà un pezzo unico [...].

Assodata l'impossibilità di raggiungere un accordo con la produzione del programma per la visione preventiva delle cassette, ci si avvia a una rescissione consensuale del contratto. "Ma il progetto satira continuerà", precisa Cattaneo per escludere ogni sospetto di censura». Tutti felici e contenti, insomma.

Sui giornali si scatena la caccia ai rappresentanti della satira «vera», per contrapporli a quella (ovviamente falsa) della Guzzanti. Giorgio Panariello ritiene che Paolo Rossi e Sabina «hanno difficoltà perché se le vanno a cercare». Rosario Fiorello, famoso per il karaoke e per un bacio sulla bocca a Del Noce, pontifica sul «Giornale» di Berlusconi: «Oggi se non sei censurato sei un comico di serie B. Il comico di serie A deve essere censurato, se la deve prendere con il governo. Le cose le dico anch'io, ma nessuno m'inquieta. Feci una battuta pesante su Berlusconi ("Se gli interessi sono miei, dov'è il conflitto?"), ma solo Michele Serra lo ha notato. Certo, le cose bisogna vedere come le dici: se le dici sorridendo oppure se lo fai da arrabbiato».

Il giochino della satira buona contro quella cattiva non è nuovo. L'aveva già sperimentato il Cavaliere nel 2001: allora il «cattivo» di turno era Luttazzi contro la «buona» Sabina. Ora anche lei entra nel libro nero.

Il 14 dicembre, quarta domenica senza *RaiOt*, i girotondi promuovono una nuova serata di protesta. Stavolta al Palalido di Milano, per dire «Ora Basta!». Sul palco si alternano Sabina e Corrado Guzzanti, la Dandini, Bebo Storti, Santoro, Pardi, Lidia Ravera, Furio Colombo, Massimo Fini, Gino Strada, Giulietto Chiesa, Di Pietro, Travaglio, Gomez, Barbacetto, Mascia, Dalla Chiesa e tanti altri. Solita invasione di pubblico: 4 mila persone dentro il palazzetto, altrettante fuori davanti ai maxischermi.

La sera dopo, il 15 dicembre, Ciampi respinge al mittente la Gasparri in quanto incostituzionale. «Il presidente – commenta la Guzzanti – ha scritto le stesse cose che ho detto io a *RaiOt*, anzi è andato giù più pesante. Ora magari Mediaset denuncia anche lui, magari gli chiede qualche miliardo di danni, o magari la Rai gli impone di registrare i prossimi messaggi alla Nazione per farli leggere al Cda e all'ufficio legale...». Quella sera Sabina manda un sms agli amici: «Ciampi non ha firmato! Abbiamo vinto!». Ma è una vittoria effimera: un decreto salva-

Rete4 (firmato da Berlusconi e controfirmato dal capo dello Stato) neutralizza ancora una volta le sentenze della Consulta. Al resto penserà la Gasparri-2, promulgata senza batter ciglio dal presidente della Repubblica.

In quel clima, il 25 gennaio, si tiene al PalaPartenope di Napoli l'ultima serata «Ora Basta!» promossa dai girotondi: 10 mila persone, dentro e fuori davanti ai maxischermi, sotto la pioggia. Ma la vera vittoria arriva il 30 gennaio, quando il procuratore aggiunto di Milano, Giuliano Turone, famoso per il blitz del 1981 con Gherardo Colombo a Castiglion Fibocchi per sequestrare gli elenchi della P2, chiede al Gip di archiviare la denuncia penale per diffamazione sporta da Fedele Confalonieri (Mediaset) contro Sabina Guzzanti, Paolo Ruffini, Studio Uno e i collaboratori di *RaiOt* Curzio Maltese, Marco Travaglio, Emanuela Imparato, Paolo Santolini.

«Era tutto vero»

In 28 pagine fitte di dati e citazioni, Turone smonta le accuse di Confalonieri con la decisiva motivazione che le cose dette da Sabina erano «obiettivamente vere nei loro elementi essenziali». Dunque, se non c'è alcuna diffamazione, non è soltanto in nome del «diritto di satira». Ma soprattutto di cronaca. Dire che la Gasparri fu «scritta da qualcuno molto vicino a Confalonieri», che «Rete4 è abusiva», che «tutte le volte che si critica la legge Gasparri risponde l'ufficio stampa di Mediaset, anziché quello di Gasparri» è lecito. Ma non perché si tratti di battute di fantasia: perché sono tutte «sostanziali verità». Il procuratore accetta di scendere sul terreno indicato da Confalonieri, che qualificava il monologo della Guzzanti come «cronaca falsa al fine di screditare Mediaset» e Berlusconi. È vero, conteneva elementi di cronaca. Ma veri: «trovano un riscontro nei contenuti delle due sentenze della Corte costituzionale e nella memoria dell'Antitrust», nonché in «fatti, avvenimenti e circostanze socialmente rilevanti». Certo, definire «abusiva» Rete4 è pronunciare «una frase particolarmente forte». Ma «la stessa sentenza della Corte costituzionale n. 466 del 2002» sottolinea che il sistema televisivo «trae origine da situazioni di mera occupazione di fatto delle frequenze al di fuori di ogni logica di incremento del pluralismo» e che «tale occupazione di fatto» è stata poi continuamente «legittimata e sanata *ex post*» per consentire alle emittenti private di seguitare a trasmettere. Così la Consulta «ha finito con il riconoscere l'esistenza di una illegittimità di fondo risalente al 1994, e quindi in sostanza di una situazione fattuale di abuso». Confalonieri, nella querela, ricorda che la Corte stessa ha ritenuto non incostituzionale il regime transitorio e convalidato *ex post* la proroga fino al 31 dicembre 2003. «Punto di vista legittimo», osserva il pm. Il che però «non può certo significare che l'opposto punto di vista espresso (oltre che da Sabina Guzzanti) anche da gran parte dell'opinione pubblica del paese, che a sua volta scaturisce da una legittima interpretazione di una serie di fatti in sé veri, possa essere criminalizzata come diffamazione». Anche perché la convalida *ex post* del termine del 31 dicembre 2003 «è stata una scelta di opportunità assunta dalla Consulta dopo aver preso atto, a 8 anni dalla precedente sentenza, della perdurante illegittimità».

Altro passaggio incriminato: la *gag* in cui «Mediaset viene individuata come una sorta di ufficio stampa del ministero di Gasparri»: secondo Turone, «essa ricorre a una metafora paradossale, rivestendo "satiricamente" lo stesso giudizio fortemente critico sulla legge Gasparri». Ma «vi è di più: tale affermazione trova addirittura una sorta di parziale quanto singolare riscontro specifico nella realtà degli accadimenti, dal momento che più di una volta, sugli organi di stampa, la difesa della legge Gasparri risulta essere stata assunta direttamente non tanto dall'ufficio stampa di Mediaset, quanto addirittura personalmente dal suo legale rappresentante», cioè da Confalonieri, nelle interviste del 3 dicembre 2003 a «Repubblica» (*Una buona legge, scandaloso tirare Ciampi per la giacca*) e del 18 dicembre al «Giornale» (*Oggi il mercato della pubblicità è libero*). Ultimo punto: «arbitraria» – secondo il pm – è la tesi secondo cui «la trasmissione avrebbe nuociuto a Mediaset in Borsa»: i dati mostrano «una fluttuazione del tutto fisiologica: un rialzo da 8,68 a 9,30 euro dall'11 al 13 novembre, un ribasso a 9,21 e poi a 8,98 il 14 e il 17 novembre [il giorno dopo *RaiOt, N.d.A.*], quindi un nuovo rialzo a 9,21 il 18 novembre, infine un assestamento a 9,13 euro il 19 novembre».

Sabina chiede di tornare subito in video, «ora che è caduta anche l'ultima foglia di fico: le cose che ho detto, naturalmente, erano la pura verità». Dalla Rai, nessuna risposta. Dalle decine di esternatori che avevano dato per scontate le ragioni di Mediaset e i torti di *RaiOt*, nemmeno una parola di scuse. Anzi. «Il Giornale», tramite l'apposito Filippo Facci, attacca in prima pagina Turone, rinfacciandogli nientemeno che di essere «amico di Gherardo Colombo» e parla di «sentenza a senso unico» (ignorando fra l'altro che trattasi di richiesta di archiviazione, non di sentenza). Il vigilante di An Bonatesta dà un altro saggio del suo alato pensiero: «Se ciò che ha detto Sabina Guzzanti in *RaiOt* è narrazione di cose vere, come dice il pm di Milano, vuol dire che in quel programma si faceva informazione. Dunque, era giusto chiuderlo». Testuale.

La sentenza delle beffe

Mediaset si oppone all'archiviazione con un ricorso di fuoco. Nell'udienza del 20 aprile 2004 i legali di Confalonieri fanno di tutto per provocare il Gup Giovanna Verga. La quale però mantiene i nervi saldi, non risponde alle provocazioni e il 7 maggio archivia definitivamente la pratica con un'ordinanza inappellabile di 4 pagine. Davvero beffarda, per Confalonieri e per i tanti che da mesi cavillano con mille bizantinismi sui confini della satira. «La satira – scrive il giudice – è una forma d'arte che *castigat ridendo mores* e di cui è caratteristica la critica delle persone e delle cose. Nasce con Lucilio, si sviluppa con Orazio e continua come manifestazione d'arte, attraverso la poesia, la prosa, il teatro, le canzoni, le manifestazioni iconografiche fino ai nostri giorni. Aderisce strettamente alla vita reale, coglie in essa quanto dalla morale alla politica alla cultura può essere criticato, ripreso, deriso. La satira [...] si nutre di aneddoti, metafore caricaturali al fine di schernire i potenti». E il contestatissimo monologo di Sabina sulla legge Gasparri non era soltanto un gran pezzo di satira. Era anche uno sprazzo di autentica informazione nel deserto delle Televisione Unica. «Dal 1994 Rete4 è abusiva», diceva Sabina. Una frase che – secondo il giudice – non solo non diffama Mediaset e Confalonieri; ma, «seppure con i toni beffardi e semplicistici del comico-narratore, si inserisce nella annosa vicenda delle concessioni televisive che da anni impegna organi istituzionali e che ha suscitato vivaci discussioni anche all'interno del dibattito politico italiano. L'aneddoto della Guzzanti trova perciò proprio nella realtà dei fatti la sua provocazione. Oggetto del suo sberleffo sono i continui interventi legislativi a favore di Rete4, che secondo il comico "altrimenti sarebbe abusiva dal 1994". Il beffardo sillogismo della Guzzanti che la porta ad affermare l'illegalità di Rete4 non viola il limite della continenza richiesto per l'esercizio del diritto di satira». Le leggi in favore di Rete4 che hanno neutralizzato la pronuncia della Consulta del 1994 – dalla Maccanico alla Gasparri al decreto salva-Rete4 – sono lì a dimostrare che Sabina diceva la verità. «Irrilevante», di fronte a questi fatti, l'opposizione dei legali di Confalonieri. Anche perché – osserva ironico il giudice – non c'è nulla di offensivo nel dire che Mediaset viene favorita dal governo, anzi: «Affermare che un determinato soggetto è "nelle grazie" del legislatore e di un ministro della Repubblica a tal punto da essere indicato non solo come beneficiario esclusivo di una legge fatta *ad personam*, ma anche come partecipe nella stesura della legge stessa non è sicuramente lesivo della stima che questi gode fra i consociati. Anzi il suo valore sociale dovrebbe risultare accresciuto dalla fiducia ripostagli da persone che rivestono primaria rilevanza e importanza nella vita pubblica dello Stato. Le parole della falsa giornalista spagnola [che intervistava il finto Gasparri, *N.d.A.*] fanno apparire Mediaset come una società così importante nel settore al punto che organi istituzionali gradiscono la consulenza di uomini alla stessa legati per la regolamentazione del sistema radiotelevisivo pubblico e privato». Confalonieri e Mediaset «dovrebbero anzi considerarsi onorati di avere la fiducia di persone che rivestono ruoli istituzionali». Sono «eventualmente il Ministro Gasparri e il Governo e il legislatore ai quali viene contestato di non svolgere in maniera *super partes* il loro compito istituzionale» che dovrebbero offendersi. Ma questi, «sbeffeggiati dai monologhi della Guzzanti», non si sono lamentati, il che «dimostra che hanno ben compreso il tenore satirico del programma e delle parole dell'artista». O forse, più semplicemente, non hanno capito la battuta.

L'avvocato Gianmuflone

L'assassinio di *RaiOt* semina nel paese una gran voglia di satira, che Sabina soddisfa con un nuovo spettacolo teatrale, *RepertoRaiOt*: cinquanta serate nei primi due mesi, sempre tutto esaurito. Le denunce e i processi a *RaiOt* diventano essi stessi satira, quando Sabina s'infila la toga e la parrucca di un improbabile avvocato. E si processa da sola con «l'arringa finale dell'onorevole avvocato presidente della commissione giustizia, deputato europeo, frammassone, maestro venerabile, difensore di illustri imputati come il Cavaliere, Totò Riina, Joe Adonis, Frank Tre Dita, più volte direttore artistico del festival di Sanremo, ministro e sottosegretario, sindaco di 22 città e consigliere regionale Ernesto Gianmuflone»:

La sedicente artista presenta questo programma intitolato *RaiOt* che ha più significati. Il primo, un fantomatico ottavo canale che dovrebbe esser libero, secondo lei non essendo tali gli altri sette. L'altro, la pronuncia inglese di una parola che vuol dire sommossa e incita la popolazione a ribellarsi. E un terzo, ancora più nascosto: anagrammando raiot vien fuori troia, mi scuso con la Corte, con la qual parola ella non intende autoironizzare sui suoi noti facili costumi, ma allude evidentemente al trucco usato dall'omerico Ulisse per entrare nella città assediata, nel nostro caso al cavallo sito nell'atrio di viale Mazzini, essendo *RaiOt* anche l'anagramma della parola atrio [...].

Chi di noi non ama la satira? Il nostro premier stesso fa uso abbondante di facezie d'ogni tipo. Pochi giorni fa nella sede dell'Onu ha intrattenuto i ministri di tutto il mondo con la grandiosa barzelletta di quello che gli scappava quella grossa, ma non aveva il coraggio di chiedere la carta igienica e lì, con la trovata di un grande Arlecchino, ha fatto il gesto di strappare un lembo della camicia di Chirac e di pulirsi il sedere davanti a tutti. Non è umorismo questo, e del più schietto? Come possiamo accusare un uomo del genere d'essere il mandante di una censura? Questa non è censura, signori cari, questa è difesa della libertà, libertà del cittadino di vivere sereno, senza essere preso da atroci quanto ingiustificati sospetti su chi ci governa [...]. Altre persone prima della Guzzanti avevano provato a trattare argomenti simili in tv e sono state tutte cacciate per sempre. Come mai la Guzzanti, pur sapendolo, ha voluto trattarli lo stesso? Per dimostrare a tutti che non c'è libertà d'espressione? Ma allora, se lo sa che non c'è libertà d'espressione, perché non si è stata zitta? Questo credo che l'italiano medio si domandi.

Una cosa è l'umorismo che ci permette di ridere doverosamente dell'ebreo, dell'extracomunitario, del malato di Aids, dell'omosessuale. Altra cosa è l'invettiva. Se fosse vero quello che ha detto la Guzzanti, saremmo un manipolo di codardi complici di nefandezze intollerabili. Se fossero veri i rapporti con la P2, gli episodi di corruzione, le leggi per agevolare uno solo, il fatto che Mediaset avrebbe occupato per anni parte dell'etere abusivamente – tutti fatti peraltro ormai provati e assodati – ma allora noi tutti chi saremmo? E che dovremmo pensare? Che – non so – il nostro Parlamento è pieno di pregiudicati? Che il premier usa la sua posizione per arricchirsi personalmente? Che la politica è complice della mafia? Che ci sono presidenti di squadre di calcio che sono dei farabutti? E anche l'opposizione, avendo permesso queste presunte vergogne, che cosa sarebbe? Se quelli di Biagi, Santoro, Luttazzi, Paolo Rossi, *RaiOt* e così via fossero stati davvero dei casi di censura, i parlamentari dell'opposizione si sarebbero inchiodati ai seggi! E i giornalisti avrebbero denunciato ogni giorno questi attentati alla libertà di espressione, anziché archiviarli in quattro e quattr'otto! E il pubblico avrebbe piantato le tende dinanzi alla Rai e le avrebbe levate solo una volta ottenuta la rimessa in onda dei programmi censurati! Tiepide sono state invece le reazioni. Evidentemente perché di censura non si trattava. In caso contrario, l'intera classe politica dovrebbe essere cacciata immediatamente a pedate! Ma che dico «immediatamente»: ieri! [...]

Quindi – e concludo – la Corte non è chiamata a discutere se le affermazioni della Guzzanti siano vere oppure no. Qui dobbiamo soltanto allontanare da noi il sospetto che tutto ciò sia possibile, condannando questa teppista del video a una pena esemplare. Assolvendola, condanneremmo una larga fetta di persone rispettabilissime. Per questo l'assoluzione è impensabile e sarebbe un giudizio politico se questo tribunale si limitasse a giudicare i fatti. Presidente, ho concluso!... Ma Provenzano le pastarelle ve le ha portate?

7

Paolo Rossi e gli altri: censura preventiva

Terribile ed awful *è la potenza del riso:*
chi ha il coraggio di ridere è padrone degli altri,
come chi ha il coraggio di morire.
Giacomo Leopardi, *Zibaldone*, 1828

Anche Paolo Rossi di censure ne ha viste tante. Le ha pure studiate e catalogate. Ma una censura come questa non l'aveva vista mai. «Troppo ottusa per essere vera». Le cose sono andate così. Ai primi di settembre del 2003 lo chiama Marco Luci, uno degli autori di Bonolis: «Paolo, vieni a *Domenica In?* Bonolis ti vuole, potrai fare ciò che vuoi». «Io vengo, ma siete sicuri?». «Sicuri». «Adesso sono in tournèe altrove, ma fra due mesi càpito a Roma per qualche giorno e la domenica sono da voi». Manca dai teleschermi dal 1997, quando fece *Scatafascio* su Italia1, la sua prima e ultima volta a Mediaset. Ora, da un anno e mezzo, gira i teatri di tutt'Italia con *Il Signor Rossi e la Costituzione*, mietendo esauriti su esauriti. A metà novembre fa tappa a Roma, all'Ambra Jovinelli. Sono i giorni caldi del caso *RaiOt* e Paolo solidarizza subito con Sabina Guzzanti. Alcuni autori di *Domenica In* vanno a vedere il suo spettacolo e l'aria per lui si fa subito pesante. Ancora ignaro, telefona alla Rai per prendere accordi per la puntata del giorno 30: «Siete sempre sicuri?». Rispondono ancora di sì, ma con un piccolo *ma:* «Mandaci il testo del pezzo che vuoi fare. Sai, una formalità...». E lui: «Ma io voglio leggere un discorso di Pericle sulla democrazia ateniese, tratto dalla *Guerra del Peloponneso* di Tucidide. Lo trovate su tutte le antologie scolastiche». «Sì, ma tu mandacelo lo stesso».

È il 25 novembre, di mattina. Paolo infila il testo nel fax. La sera stessa Marco Luci lo richiama: «Paolo, cerca di capire, questo è un momento particolare, quel testo proprio non va. Però se vuoi fare una partecipazione carina, ma professionale, le porte di *Domenica In* sono sempre aperte». Il veto non è su Paolo Rossi. È proprio su Pericle. E viene dall'alto, da misteriosi «funzionari» Rai. L'attore s'interroga divertito sul significato di «partecipazione carina, ma professionale». «Forse – azzarda oggi – pensavano a un giochino, a un quiz, a due battute del cazzo con Bonolis, che ne so. Comunque gli ho riso in faccia e ho rinunciato. Stavo per incazzarmi, poi ho sentito l'imbarazzo e la paura di quel poveretto e ho lasciato stare». Bonolis gli lascia un messaggio affettuoso sulla segreteria telefonica. «Voleva fare davvero qualcosa di diverso, a *Domenica In*. Ha cercato di avere Biagi, Luttazzi, me. Ma non gliel'hanno permesso. La Rai è come un sommergibile sovietico in disarmo. Hanno paura che si dicano cose vere e scomode, paura che la gente sappia e pensi. Paura, essenzialmente, di perdere il posto».

«*Ad Atene facciamo così*»

Ecco dunque il testo incriminato: il discorso tenuto da Pericle (495-429 a.C.) agli ateniesi nel 461 a.C. Se ne sconsiglia la lettura ai minori e a un pubblico impressionabile.

> Qui ad Atene, noi facciamo così. Il nostro governo favorisce i molti invece dei pochi, per questo è detto democrazia. Un cittadino ateniese non trascura i pubblici affari quando attende alle proprie faccende private. Ma in nessun caso si avvale delle pubbliche cariche per risolvere le sue questioni private. Qui ad Atene noi facciamo così. Ci è stato insegnato a rispettare i magistrati e ci è stato insegnato a rispettare le leggi, anche quelle non scritte la cui sanzione risiede soltanto nell'universale sentimento di ciò che è giusto e di buon senso. La nostra città è aperta ed è per questo che noi non cacciamo mai uno straniero. Qui ad Atene noi facciamo così.

Comprensibile che i funzionari Rai, dopo ampio consulto, l'abbiano ritenuto «troppo forte». Con la sua idiosincrasia per i politici ricchi, Pericle era un antiberlusconiano *ante litteram*. Con la sua tolleranza verso gli stranieri, era un feroce antileghista. Con il suo maniacale rispetto delle leggi, ce l'aveva evidentemente con Berlusconi e i suoi coimputati. Giusto e opportuno, dunque, bloccare sul nascere l'insana idea di Paolo Rossi. In caso contrario, l'indomani i soliti «critici» avrebbero detto che il brano non faceva ridere; che non era satira ma un comizio politico (Pericle, in effetti, era un politico e il suo era un comizio, sebbene tenuto 2450 anni fa); che mancava il contraddittorio (Cleone, il nemico di Pericle, è prematuramente scomparso da tempo). Altri vi avrebbero visto un'imperdonabile allusione al dottor Cattaneo e alla signora Annunziata, che avevano appena «sospeso» *RaiOt* mostrandosi intolleranti alla satira, a differenza di Pericle che si lasciava sbeffeggiare da Aristofane senza torcergli un capello. Racconta Paolo Rossi:

> La cosa era talmente grottesca, talmente ottusa, che non avevo parole per commentarla. Così, sulle prime, ho deciso di non dire niente. In fondo, non avevano censurato un mio programma: mi hanno invitato, hanno cambiato idea, affari loro. Poi però ho deciso di parlarne. Non tanto come vittima di una censura, ma come testimone di un malcostume che sta prendendo piede e facendo danni irreparabili. Il problema vero non riguarda noi comici già conosciuti, i Fo, le Guzzanti, i Luttazzi, i Grillo. Noi i riflettori ce li siamo guadagnati, abbiamo il nostro pubblico, tra una censura e l'altra riusciamo a infilarci. Finché non s'accorgono che esistono i teatri, lavoriamo lì, in questi luoghi strani dove le persone vanno ad ascoltare altre persone senza la barriera di un teleschermo. Il problema vero riguarda chi comincia oggi. I giovani comici o si adeguano al modello «facci ridere ma non farci pensare», come gran parte di quelli di *Zelig*, rinunciando alla qualità, alla creatività, alla fantasia, alle idee forti e cattive; oppure non entrano da nessuna parte, non riescono nemmeno a passare nell'anticamera dell'atrio dell'ufficio dell'ultimo burocrate dell'ultimo network televisivo.

C'era una volta la censura democristiana. Paolo Rossi ha fatto in tempo ad assaggiarla:

> Vent'anni fa, agli inizi. Arrivava il funzionario bigotto, ultimo erede del censore fascista o stalinista, ma senza più alcuna spietatezza. Portava la lista delle parole proibite. Ricordo che dovevo fare uno sketch su quello che poi si sarebbe chiamato l'Aids e che ancora non aveva un nome. Io lo chiamavo «l'infiammazione». Il funzionario mi comunicò che infiammazione

non si poteva dire: «Si inventi un'altra parola». «Le va bene peperone?», risposi. E lui: «Sì, peperone va bene». Ma poi, in diretta, dissi infiammazione. E non successe niente. Qualche anno dopo, al *Laureato* con Chiambretti, mi sconsigliarono di cantare *Hammamet*, che prendeva in giro Craxi. Finsi di obbedire, poi la cantai. Non successe niente. Ci provavano, ma spesso con un po' di diplomazia si riusciva a fare le cose lo stesso. Oggi si ritorna al passato, ma molto peggiorato. Molto più ottuso e scientifico. Il funzionario non arriva più, è come in *Matrix*: ci sono entità stratificate, ma invisibili, irraggiungibili. Loro comunque ti raggiungono. E non lavori. Non che siano dei geni del Male, anzi. Sono dei mediocri, poco intelligenti, più realisti del re, ma dotati di un potere immenso che amministrano con brutalità per compiacere il loro egocentrico sovrano. Mi ricordano la corte di Molière.

Con *Scatafascio*, nel 1997, Paolo Rossi entra in quel mondo a parte che è Mediaset:

Lì la censura non te la imponeva nessuno. Ma è nell'aria, nelle cose, è ambiente. Non te ne accorgi e intanto ti cambiano l'anima. Stando a Mediaset ti rendi conto di come ha fatto questa macchina potentissima a spappolare il cervello di due o tre generazioni di telespettatori. Sono più di vent'anni che spappola. Il programma politico di Berlusconi s'è manifestato quindici anni prima del '94, sotto forma di progetto culturale: il Piano di rinascita democratica di un certo Licio Gelli, che non era un palazzinaro qualunque, un venditore di spazzole porta a porta. Ci sapeva fare, a suo modo.

Quell'anno a Italia1 se lo ricorderà finché campa:

Il programma partì in modo perfetto. Ma a ogni puntata mi accorgevo che stava perdendo l'anima. Tutto quel che dicevo, anche le cose più forti, diventava acqua fresca, scompariva dentro un contenitore più forte del contenuto. Un meccanismo che non controllavo, un reticolo di rapporti umani che modificava le persone con cui ero entrato e che non riconoscevo più. Io, diversamente da Sabina, Grillo e Luttazzi, lavoro più sull'immaginazione che sulla controinformazione. Perciò non avevano alcun bisogno di suggerirmi che cosa dire o non dire. Anzi, il peggio è che mi incoraggiavano a osare. Tutto era perfetto, efficiente. Ti montavano e rimontavano i pezzi, ogni tanto ne spariva qualcuno, di solito la frase-chiave, ma lo facevano passare per un errore. E alla fine il programma «funzionava», questo è il dramma. «Funzionava» meglio. Ma non era più quello che avevamo pensato. Ero entrato lì per fare un circo e mi ritrovavo in un trust. Ero arrivato con l'illusione di poter cambiare quel modello di televisione dall'interno, di fare il lavoro della talpa, di insinuarmi nel cuore dell'impero per farlo esplodere, e invece strada facendo capivo che stavo cambiando io, insieme al gruppo che mi ero scelto. Mi credevo indipendente, impermeabile a qualunque condizionamento, invece ero un ingrediente di un grande minestrone preparato da altri. Un meccanismo micidiale, azionato dal motore più antico e universale: il denaro. Quando ne circola molto, tutti i legami che prima erano sacri e inviolabili diventano merce di scambio con la massima naturalezza. Chi lavorava con me, magari da anni, veniva avvicinato separatamente e firmava mega-contratti per tre o quattro anni. Anch'io, con quei soldi in più in tasca, mi sentivo più debole. Intanto i rapporti umani si sfilacciavano impercettibilmente, ma poi la cosa si notava dall'altra parte dello schermo, perché il gruppo non trasmetteva più al pubblico la stessa convinzione, lo stesso coinvolgimento. E non c'era più niente da fare. Fine delle illusioni. Mi dicevo: «Sono in Colombia senza le pistole». Mi sentivo nel quadro dell'*Urlo* di Munch: potevo dire ciò che volevo, ma dalla mia bocca era come se non uscisse nulla. Da impazzire, da ammalarsi. Infatti mi ammalai. Mi presi un virus da stress giapponese che mi portò per tre mesi in ospedale neurologico. Non so se Dio, Buddha o Allah abbia voluto punirmi in quel modo. Sta di fatto che per sei mesi sono rimasto in carrozzella senza più muovere le gambe. Poi, a poco a poco, mi sono rimesso in piedi. Ma quell'esperienza mi ha cambiato. Ora lavoro soltanto in palcoscenico, con più consapevolezza e meno ingenuità. Ecco perché, quando è successa la farsa di *Domenica In*, mi son messo a ridere. La censura è fatta così: modulare, flessibile. Cambia con i tempi, ma ritorna sempre sotto spoglie diverse, ogni volta più ridicole. Ora ti colpisce come una spada, ora ti sussurra dolcemente all'orecchio, ora ti mette i soldi in tasca, ora ti picchia selvaggiamente, ora ti toglie l'audio, ora ti spegne la luce.

Domenica in... censura

Niente audio, niente luce, niente immagini. È quel che accade a *Domenica In*, dalla seconda puntata. Nella prima infatti, quella del 28 settembre 2003, viene lanciato un «tele-sondaggio». Paolo Bonolis chiede agli italiani di scrivere e telefonare in settimana per dire «basta» a ciò che più detestano. Il risultato, annunciato sette giorni dopo in diretta poco prima delle 20 davanti a 8 milioni e 424 mila telespettatori, è un pugno nello stomaco: «Basta a Berlusconi e ai politici che dicono e non fanno». Bonolis è imbarazzato. Dopo una pausa di silenzio, tenta una battuta: «Berlusconi dice che vince sempre. È una condanna, la sua: ha vinto anche questa volta». Ma è chiaro che l'iniziativa si è rivelata un boomerang per l'ossequiosa Rai1 diretta dall'ex parlamentare di Forza Italia Fabrizio Del Noce.

In totale, quel pomeriggio, si sono messi in contatto con la redazione 28 mila telespettatori: 16 mila l'han fatto per bocciare Berlusconi. Gli autori di *Domenica In*, vista la piega che stava prendendo il gioco, hanno anche pensato di censurarlo. Poi ci hanno pensato bene: troppo pericoloso, la notizia avrebbe potuto uscire. Così alla fine hanno deciso di accorpare il «Basta a Berlusconi», che stravince su tutte le altre risposte, con le generiche invettive contro i politici che accomunano molti altri messaggi. Poi hanno trattenuto il fiato. E Bonolis ha aperto la puntata ringraziando la Rai che gli permette di condurre «una domenica un po' insolita». Cinque ore dopo, a fine programma, ecco la *top ten*. Dopo il «basta» a Berlusconi figurano i «basta» alla distruzione del pianeta, alla malasanità e solo al quarto posto, distanziato di migliaia di voti, il «basta» a Bin Laden e Saddam Hussein.

Per il presidente del Consiglio è un ceffone a freddo, tanto più doloroso in quanto inatteso. Proprio Berlusconi aveva più volte elogiato Bonolis come «uno di quei mostri sacri della tv che sono nella pancia della gente». Quella sera Palazzo Chigi fa sapere che «si riserva di valutare» l'accaduto. Il portavoce Paolo Bonaiuti spiega di «attendere la cassetta con la registrazione», mentre l'ex ministro dell'Interno Claudio Scajola adombra la tesi del complotto: «Non mi piace questa roba, c'è qualcosa che non torna». Gli altri invece entrano nel merito. «Questo è un sondaggio non attendibile per definizione», si consola il capogruppo Schifani: «è evidente che in questi casi chiama o scrive solo chi è un militante di sinistra». La presidente Annunziata minimizza: «Un gioco è un gioco, spero che nessuno si faccia prendere da paranoie».

Bonolis stacca il telefono. E per un paio di giorni incassa in silenzio gli attacchi del centrodestra e persino quelli di Piersilvio Berlusconi detto «Dudi»: «Il sondaggio – dice l'erede al trono – è inaccettabile per come è stato posto. Lo dico da semplice cittadino e da addetto ai lavori». Poi, il martedì sera, il presentatore riappare a *Porta a Porta*. E davanti a Bruno Vespa tenta una giustificazione: «Il gioco dei "basta" era nato per offrire un'opportunità al pubblico di potersi esprimere su cose che reputava potessero essere sottolineate da un "basta, non ne possiamo più". Le risposte sono state raccolte, ma non le conoscevo. Alla fine ho letto quello che ho trovato scritto. Se avessi trovato la Vispa Teresa, avrei letto la Vispa Teresa».

L'incidente sembra chiudersi lì. Bonolis è appena stato strappato dalla Rai a Mediaset, piace alle mamme e fa il pieno di ascolti. Merita una seconda chance. Anche perché, secondo un sondaggio – questa volta scientifico – firmato da Renato Mannheimer, gli italiani sono con lui: «Lo abbiamo avviato alle 20 di domenica – spiega Mannheimer – alla conclusione della prima puntata di *Domenica In*. Risultato: il conduttore è piaciuto al 70% degli italiani sopra i 18 anni. In particolare, al 72% delle donne e all'80% dei trentacinquenni. E l'orientamento politico è trasversale».

È un regime, anzi sì

Tutto risolto? No, perché a *Porta a Porta* Bonolis ha promesso una sorpresa per la puntata successiva: «Qualcosa accadrà...». Si attende il colpo di scena. E c'è chi giura che in studio ci sarà un intervento riparatore di Berlusconi. Non è così. Ciò che ha in serbo Bonolis è semplicemente una censura, o meglio un'autocensura. Domenica 12 ottobre infatti dice «basta ai basta». I risultati del sondaggio vanno regolarmente in onda, ma senza i nomi dei politici più detestati. Del Noce, in studio, ascolta soddisfatto il conduttore affermare: «Nessuno è schierato da una parte o dall'altra. La politica è una cosa importante. Fare nomi e cognomi è uno sbaglio, anche perché ci sono sedi istituzionali per farlo». Spiega che la nuova *Domenica In* vuol essere «una trasmissione di gioia, allegra, nella quale aprire una finestra sul disagio delle persone». E fa ascoltare alcune telefonate giunte in settimana. C'è la madre di un ragazzo handicappato che urla il suo dolore («Basta a quelli che si sentono famosi e giocano con la vita delle persone»). E c'è un presunto morto di fame che chiede: «Basta alla *Prova del cuoco* due volte al giorno: qui non abbiamo soldi per mangiare».

Passano le settimane. La tempesta sembra placarsi. Il pubblico ha la memoria corta e la trasmissione continua a battere i record di ascolto. Bonolis diventa il simbolo di una Rai che vuole recuperare il terreno regalato a Mediaset nella gestione Saccà. «L'Espresso» gli dedica quattro pagine di intervista a cura di Denise Pardo. «La Rai – ammette Bonolis – ha sudditanza nei confronti del potere. Il conflitto d'interessi è sotto gli occhi di tutti. Ma il direttore generale sta dimostrando di saper dare un colpo al cerchio e uno alla botte». Poi difende *RaiOt*: «Da sempre ogni potere cerca di proteggersi dalle aggressioni esterne. Ma questo sta esagerando. Forse perché avverte le difficoltà, non si sente un organismo sano e quindi prende delle cautele eccessive». E rivela che non gli hanno permesso d'invitare Biagi: «Nella prima puntata di *Domenica In* avevo chiesto di intervistarlo. L'ha visto lei? Manco io. Nessuno mi ha mai risposto né sì, né no. Il progetto ha fatto puff: si è come evaporato, dissolto». Lo incalza la giornalista: c'è un regime in Italia? Ha questa sensazione? «Sì, io la sento». Per chi vota? «Alle ultime elezioni ho votato Forza Italia. Al prossimo giro non la voto più».

Denise Pardo è soddisfatta. Prima di congedarsi, scambia due battute con Lucio Presta, il manager del presentatore. Presta è rimasto colpito dalle dichiarazioni su Biagi, sul regime e sul non voto per Forza Italia. Chiede che non vengano sparate nel titolo, ma aggiunge: «Lui queste cose le ha dette, tu fai la giornalista, è tuo dovere scriverle».

Alle 14,35 del 27 novembre 2003, appena le agenzie battono l'anticipazione dell'intervista, il solito Bonatesta di An parte all'assalto: «Bonolis, evidentemente, ha capito che ci sono due possibilità per avere e soprattutto mantenere il successo: puntare sul proprio talento e sulla propria professionalità o fare la vittima del fantomatico regime che torna sempre comodo. Non si spiegano altrimenti le sue prese di posizione in stile girotondino, il suo accusare il governo di essere un organismo non sano, il suo cianciare di regime come un qualunque Giulietti, solo perché Enzo Biagi non è andato a *Domenica In*. Un regime talmente sanguinario da permettere a Bonolis di dire le castronerie che dice».

Squilla il cellulare di Denise Pardo. È Presta che protesta: «Ma cos'hai scritto? Qui sta scoppiando l'inferno. C'è Cattaneo su tutte le furie…». «Scusa, Lucio, ma l'intervista era registrata. Eri presente anche tu…». «Ah, va bene…». *Clic*. Da smentire o da precisare non c'è proprio nulla. Eppure Bonolis, dopo tre ore, smentisce: «Le mie parole sono state trasformate in una sorta di comizio politico che non ho fatto. Le mie considerazioni sul ruolo della politica si riferivano a tutti i partiti e a tutti i politici». Poi nega di aver mai usato il termine «regime»: «Ho spiegato che ci sono questioni di linea editoriale che risentono ovviamente del rapporto del servizio pubblico con le forze presenti in Parlamento. E questo succedeva anche in passato con una diversa maggioranza». Quanto al voto per Forza Italia, «non ho detto che avrei cambiato scelta, ma solo che poteva avvenire. Mi spiace che il mio pensiero sia stato ridotto e trasformato per poi essere usato come una sorta di manifesto elettorale a vantaggio di qualcuno».

Se c'era ancora bisogno di una prova dell'aria di regime che si respira in Rai, eccola servita. Sia Bonolis sia il suo manager sanno benissimo che «L'Espresso» ha riportato fedelmente ogni parola, peraltro incisa sul nastro. Ma negano ugualmente. Non possono non negare. Il settimanale decide di mettere sul suo sito web la registrazione. Bonolis però non smentisce la smentita. Fa finta di niente. Bonatesta e la Cdl sono soddisfatti. L'abiura del presentatore suona come una vittoria. Il senatore di An esulta: «Bonolis non si iscrive al club di coloro che sputano nel piatto in cui mangiano. Ma conferma che il suo ruolo è quello di intrattenere e divertire, non avendo l'ambizione di fare concorrenza ai non politici che fanno politica militante più dei politici, e ogni riferimento ai Santoro, ai Biagi, ai Luttazzi e alle Guzzanti (oramai Moretti è stato spodestato) è puramente voluto».

Ma intanto migliaia di persone «scaricano» le parole di Bonolis dal sito dell'«Espresso». Per salvare la faccia, il presentatore chiede di nuovo aiuto all'amico Vespa. E si fa intervistare da lui a *Domenica In*. Si arrampica sugli specchi, spiega di essere scivolato su una buccia di banana. Vespa gli tiene bordone: «Sarà stata una buccia di banana, ma tu ti sei messo sotto il banano». In studio Del Noce, più volte inquadrato, sorride soddisfatto. Milioni di telespettatori, ignari di come sono andate le cose, prendono per buona la versione della trappola.

L'indomani Del Noce e Vespa pranzano al «Bolognese» per festeggiare lo scampato pericolo. Li pedina Valerio Staffelli di *Striscia la notizia*, con un tapiro d'oro da consegnare al direttore di Rai1, cioè della rete definita «di regime» dal suo conduttore più popolare. Del Noce non sta al gioco. Afferra il microfono di Staffelli e glielo sbatte sul naso. Rottura del setto e alcuni giorni di prognosi. *Striscia* denuncia alla stampa l'accaduto. Ma Del Noce nega tutto, o quasi:

Non ho aggredito nessuno, ha solo reagito a gravi e reiterate provocazioni. Sono stato avvicinato dalla troupe di *Striscia*. Volevano consegnarmi un tapiro. Non l'ho accettato, dicendo di darlo a Ricci, visto che li abbiamo battuti. Hanno insistito, affermando che il tapiro si riferiva all'intervista di Bonolis all'«Espresso». Ho replicato che Bonolis aveva smentito tutto. A questo punto la prima menzogna: hanno sostenuto che Bonolis aveva confermato a loro ciò che aveva detto all'«Espresso». Ho cercato comunque di andarmene ma ero sempre inseguito con domande provocatorie. In quel momento è arrivato l'insulto inaccettabile: quello di fare una televisione di regime. Ho reagito dicendo al giornalista che si doveva soltanto vergognare, perché io come inviato ho visto per davvero come si vive nei regimi in troppe parti del mondo. Mi sono diretto nuovamente verso l'interno del ristorante inseguito dalla troupe e dalla voce del giornalista che diceva testualmente: «Ma non vi rendete conto che prendendo Bonolis in Rai vi siete messi in casa un cavallo di Troia?». Mi sono voltato, gli ho strappato di mano il microfono, gettandolo dentro un cestello del ghiaccio. Siccome continuava nelle sue petulanti provocazioni, ho preso il microfono e gliel'ho buttato in faccia. Non permetterò mai a nessuno di accusare Rai1 di essere un'emittente di regime.

La ricostruzione di Del Noce è a dir poco fantasiosa. Basta guardare la tv alle 20,30. Su La7, davanti a Giuliano Ferrara e Barbara Palombelli, Bonolis finalmente smentisce la smentita e ammette quel che non può più negare: «L'Espresso» ha riportato fedelmente le sue parole. In contemporanea, su Canale 5, *Striscia* trasmette il filmato dell'aggressione a Staffelli. A quel punto anche Del Noce è costretto a una (parziale) marcia indietro: «Dopo aver visto le immagini mi scuso con Staffelli per il mio gesto. Chi mi conosce sa bene che, per arrivare a tanto, sono stato veramente provocato. Continuo a ritenere inqualificabile il comportamento provocatorio di *Striscia*, che non riguarda solo ieri, ma va avanti da molti anni. Soprattutto quando parla di regime».

Francesco e Rosalia, napoletani

Intanto il regime ha fatto altre vittime. Con la sua censura sempre più plumbea, ottusa, ridicola. Ancor più di quella descritta da Paolo Rossi. Gli ultimi epurati sono due comici napoletani, Francesco Paolantoni e Rosalia Porcaro. I quali, oltre alla colpa di non essere nati in Lombardia – già di per sé gravissima, nella Rai *lumbardizzata* dai Cattaneo e dai Marano –, scontano pure quella di collaborare con la Dandini e i fratelli Guzzanti, sfornando battute su Berlusconi.

Nella primavera del 2002 Paolantoni progetta una serie tutta nuova di *Furore*, il programma di quiz e canzoni di Rai2. Le ultime edizioni, presentate dall'ex deejay Alessandro Greco, sono andate maluccio. Il curatore Antonio Azzalini chiede all'amico Francesco di metterci mano e poi di presentarlo. Paolantoni sembra l'uomo giusto: sia per la sua verve comica, sia per la sua napoletanità, perfetta per un programma realizzato dalla sede Rai di Napoli. Si mette al lavoro e in poche settimane progetta un nuovo format con lo stesso titolo: un varietà a tutto tondo, con canzoni e giochi, ma anche momenti comici con la partecipazione a ogni puntata di un attore diverso. E prende contatti con gli amici Sabina e Corrado Guzzanti, Enzo Iachetti, Giobbe Covatta e altri. Ultimato il progetto, Paolantoni – presenti Azzalini e Valerio Terenzio – incontra Marano per l'ok definitivo in vista della messa in onda autunnale. È la prima volta che i due si parlano. Il direttore di Rai2 ascolta in silenzio, poi alla fine commenta: «Ottimo lavoro. Peccato che lei sia napoletano». E Paolantoni: «Certo, non lo sapeva?». Marano: «No, mi scusi, non ne ero informato». Paolantoni: «Eh sì, purtroppo ho questa malattia dalla nascita, dalla quale non intendo guarire». Marano: «Peccato. Lei non può condurre *Furore*. Mi dispiace: sa, mi ha messo qui la Lega... La saluto». All'uscita, Paolantoni e Azzalini si guardano senza parole, esterrefatti. «Una scena surreale – ricorda oggi Francesco –, assurda. Ci mettemmo a ridere per non piangere. Siamo rimasti amici, anche se Antonio ha continuato a fare *Furore* alla vecchia maniera, con un altro presentatore. Non credo che Marano temesse per l'eventuale presenza dei Guzzanti, anzi sono certo che non ne sapeva ancora niente. Evidentemente aveva paura delle novità, soprattutto di una: un presentatore napoletano». Il programma andrà malissimo. Ma il nuovo presentatore, Daniele Bossari, oltre a chiamarsi quasi come Bossi, è rigorosamente padano. Almeno la purezza della razza è salva.

Rosalia Porcaro dovrebbe prendere parte ad alcune puntate di *RaiOt*. Non fa in tempo: il programma viene chiuso alla prima. All'inizio di dicembre l'attrice registra, per la nuova trasmissione di Rai1 *Qualcosa è cambiato*, condotta da Alda D'Eusanio, due sketch con i suoi cavalli di battaglia: Veronica, l'operaia precaria napoletana nell'era della flessibilità; e una massaia che vota Forza Italia e stravede per Berlusconi. Dovrebbero essere trasmessi nel gennaio 2004. Non lo saranno mai. A poche ore dalla messa in onda, il vertice Rai pone il veto. Rosalia chiede spiegazioni. L'associazione Articolo 21 parla dell'«ennesimo trionfo dell'intolleranza e dell'ipocrisia» e tira in ballo il direttore generale Cattaneo. Ma subito Del Noce si assume orgogliosamente il merito della censura: «La direzione di rete – informa una nota ufficiale – ha scelto sulla base di alcune valutazioni: la prima è che l'attrice parla in dialetto napoletano, in alcune parti difficilmente comprensibile all'interno di un programma a diffusione nazionale. Ad esempio la battuta sulla "pompiniera", che in napoletano significa bomboniera, si presta a doppi sensi non comprensibili a tutti. La seconda motivazione è che lo sketch non è adatto alla prima serata di Rai1. Non essendoci alcun intento censorio, lo sketch verrà trasmesso all'interno del programma *Unomattina*». Improvvisamente, dopo decenni di film di Totò e di commedie dei De Filippo, per non parlare di Massimo Troisi, di *Un posto al sole* giù giù fino a Mariano Apicella, il dialetto napoletano diventa «incomprensibile» e «inadatto alla prima serata di Rai1». In realtà quel che dice la Porcaro si capisce fin troppo bene. Ed è proprio questo il problema. Perché il taglio non riguarda solo lo sketch dell'operaia Veronica per il possibile equivoco sulla «pompiniera» (tra l'altro facilmente eliminabile). Ma anche, e soprattutto, quello dell'elettrice forzista che, con l'aria di difenderlo, mette in mutande Berlusconi e il suo conflitto d'interessi:

> Si mettono tutti quanti paura che Berlusconi levi l'articolo 18, ma se non vi state zitti quello vi leva pure gli altri diciassette... Con tutte le cose che ha da fare, pover'uomo, non trova neanche il tempo per andare in galera... È talmente impegnato a fare le leggi per Previti e per Dell'Utri che quasi quasi non gli resta il tempo di farsene una per sé...

«Inizialmente – racconta la Porcaro – mi avevano contestato una parolaccia. Ho spiegato che "pompiniera" non lo era. Ma sembrava che il problema fosse tutto lì. Invece era un pretesto per cancellare l'altro sketch, quello politico dell'elettrice azzurra, che di parolacce o presunte tali non ne conteneva proprio. E dire che, per evitare guai, visto il clima di paura che si respira alla Rai, avevo già tolto alcune battute su Previti e sulla guerra. Non è bastato. E, quando ho protestato, la Rai mi ha pure accusata di volermi fare pubblicità».

Noi, in Italia, facciamo così.

8

De Bortoli, censura impunitaria

Pare a noi che il «Corriere» [...] potrebbe,
ripigliando la sua antica tradizione di giudice pacato ed obiettivo,
prestare al fascismo quella serena attesa che ormai gli è offerta
dagli uomini più rappresentativi d'ogni colore politico affine al nostro,
senza infliggergli continui colpi di spillo.

L'editore Mario Crespi al direttore antifascista
Luigi Albertini, giugno 1923

Il primo allarme Ferruccio de Bortoli lo lancia la mattina del 22 febbraio 2002. Quel giorno il direttore del «Corriere della Sera» apre la riunione di redazione scuro in volto e, senza mai accennare al governo, dice ai capiredattori e ai capiservizio: «Le pressioni si fanno sentire. L'impressione è che vogliano un'informazione vassalla. È un problema: parlatene con i colleghi».

Ai giornalisti di via Solferino non servono domande per capire. Dopo due articoli sul conflitto d'interessi firmati dal politologo liberalconservatore Giovanni Sartori, sono piovute le telefonate di protesta di Paolo Bonaiuti da Palazzo Chigi. E soprattutto una raffica di pressioni sempre più insistenti, tutte incentrate sui processi milanesi che vedono imputati il premier e il fido Cesare Previti per corruzione giudiziaria. È dal 1999 che Previti tempesta il «Corriere» con lettere su lettere (regolarmente pubblicate), in un crescendo di attacchi ai giudici e ai giornalisti. La Fininvest non è da meno: proteste e pressioni non solo a proposito dei processi, ma anche in difesa della legge Gasparri, molto apprezzata in casa del Biscione.

Nel 2001 il quotidiano della borghesia milanese, ha guardato con simpatia alla vittoria di Berlusconi. Ma senza modificare la vecchia e sacra regola delle notizie: si danno sempre, si danno tutte. Per questo, nell'autunno 2001, quando la maggioranza approva a tappe forzate la legge sulle rogatorie per rendere inutilizzabile la documentazione bancaria giunta dalla Svizzera che inchioda Previti, la Fininvest e alcuni giudici romani, esplode il primo *casus belli*. Il cronista giudiziario Paolo Biondani pubblica due lunghi articoli che illustrano il contenuto di quelle carte. Insieme alla replica degli avvocati difensori, il «Corriere» mette in pagina anche le fotografie delle contabili bancarie che costituiscono la «prova regina» del processo: il doppio bonifico che il 6 marzo 1991 trasferì 434.404 dollari dal conto estero «Ferrido», gestito dal dirigente della tesoreria Fininvest Giuseppino Scabini, al conto estero «Mercier» di Cesare Previti, al conto estero «Rowena» del giudice Renato Squillante. Quella di Biondani è cronaca pura: spiega ai lettori perché la legge sulle rogatorie è così urgente per il premier imputato. La maggioranza, ovviamente, non la prende bene. Vedere stampate nero su bianco le prove documentali dei passaggi di denaro, cioè della corruzione dei giudici, è un brutto colpo. Difficile parlare ancora di «teoremi politici» o discettare sull'attendibilità di Stefania Ariosto. Carta canta.

La Fininvest protesta, ma non smentisce. Né d'altronde potrebbe farlo, perché i documenti sono autentici, anche se il Parlamento vorrebbe cancellarli per legge. Ma in una nota l'azienda si dichiara «sconcertata di fronte a comportamenti giornalistici di questo tipo e si augura che le loro reali motivazioni nulla abbiano a che fare con inaccettabili speculazioni di carattere politico». «Sconcertati siamo noi», ribatte de Bortoli a chi «insinua un inaccettabile sospetto di speculazione politica» in un articolo di pura cronaca.

Sembra un temporale d'autunno: uno di quegli scontri che costellano i rapporti spesso burrascosi fra stampa e potere. Già nel novembre '97 l'allora segretario del Pds Massimo D'Alema aveva denunciato all'Ordine dei giornalisti de Bortoli e altri due giornalisti del «Corriere», per una serie d'articoli su un presunto piano per «ulivizzare il sindacato», cioè per creare un'unica rappresentanza dei lavoratori e depotenziare la Cgil di Sergio Cofferati. L'Ordine aveva poi stabilito la correttezza del «Corriere» e del suo direttore. Ma D'Alema si era rivolto al tribunale civile, dicendosi diffamato da un editoriale di de Bortoli che definiva il suo esposto «l'ultimo di una serie di atti d'intimidazione nei confronti di un giornale libero da parte di un uomo politico: atti che ricordano il miglior Craxi». E la guerra era proseguita fino al gennaio '99, quando – auspice Indro Montanelli – il segretario e il direttore avevano fatto pace nel ristorante dell'Hotel Diana di Milano, davanti a un piatto di risotto.

Ora però lo scontro con Berlusconi, Previti e i loro pretoriani è qualcosa di molto diverso. Tre anni di pressioni, ogni giorno più pesanti e minacciose. Al punto da indurre persino l'editore Cesare Romiti, uomo prudente e non certo antiberlusconiano, a uscire allo scoperto il 20 aprile 2002 alla presentazione del Premio Montanelli: «Mi sembra di vedere di nuovo una voglia di limitare la libertà». Da tempo ormai l'offensiva berlusconiana è passata agli attacchi *ad personam* contro i singoli giornalisti sgraditi. Non contro i commentatori per le loro opinioni. Ma contro i cronisti per i loro resoconti. Soprattutto quelli giudiziari, ma non solo. Nel mirino della maggioranza, e di Forza Italia in particolare, sono finiti Gian Antonio Stella, Giovanni Bianconi, Luigi Ferrarella e Paolo Biondani (oltre all'editorialista Francesco Merlo, per alcuni apprezzamenti poco graditi da Previti, che lo ha citato in giudizio). A palazzo di giustizia, l'onorevole avvocato Niccolò Ghedini saluta così l'ingresso di un cronista del «Corriere» nell'aula del processo Sme-Ariosto: «Ecco, arriva la *disinformatjia*...».

Dietro le quinte, poi, accade ben di peggio. Il 2 maggio 2002, all'assemblea dell'Hdp (la società che controlla la Rcs), gli azionisti ascoltano sbigottiti le parole di Raffele Fiengo, storico componente del comitato di redazione. Fiengo racconta le telefonate di protesta alla direzione del «Corriere» «anche di personaggi inquisiti» che definiscono il quotidiano «servo della Procura». Per i *pasdaràn* di Forza Italia, ogni notizia sgradita alla maggioranza non rientra nel diritto-dovere di cronaca, ma è frutto di un complotto politico della sinistra. E non solo per questioni giudiziarie. Quando, il 29 giugno 2002, il ministro dell'Interno Claudio Scajola si lascia sfuggire davanti agli inviati del «Sole 24 Ore» e del «Corriere» che Marco Biagi (appena assassinato dalle Br) era un «rompicoglioni» avido di denaro e di consulenze, Bonaiuti chiama fino a tarda notte via Solferino per tentar di bloccare la notizia. Ottiene solo un gentile, ma fermo rifiuto.

Buonanotte, avvocato

Poi scendono in campo gli avvocati-deputati del premier: Gaetano Pecorella, presidente della commissione Giustizia, e Niccolò Ghedini, membro della medesima. È il 18 luglio 2002. In Senato si lavora alacremente per approvare a tempo di record l'ennesima legge su misura: la Cirami, che reintroduce nel codice il principio del «legittimo sospetto» per allontanare i processi dalla loro sede naturale (Berlusconi & C. gradirebbero traslocare da Milano a Brescia). Quel mattino, a casa del premier, si tiene una riunione fra lui, Previti, il responsabile giustizia Giuseppe Gargani, il capogruppo Schifani e il duo Pecorella-Ghedini. Secondo il «Corriere» e altri quotidiani, nel vertice si è parlato anche di come «accelerare l'iter della Cirami». Poi i due difensori volano a Milano per l'ultima udienza del processo Sme prima della pausa estiva, prevista per l'indomani.

Quel che accade in tribunale il 19 luglio lo spiega Luigi Ferrarella, in un breve articolo su due colonne a pagina 16: per l'ennesima volta la difesa Berlusconi ha fatto saltare l'udienza. Come? Pecorella e Ghedini hanno sollevato un «legittimo impedimento»: le votazioni in Parlamento su una legge molto importante. Processo rinviato di due mesi, a dopo le vacanze. Normalmente si sarebbe andati avanti lo stesso, visto che sia Ghedini sia Pecorella hanno dei sostituti processuali (gli avvocati Filippo Dinacci e Piero Longo) in grado di rimpiazzarli egregiamente. Questa volta però hanno avuto cura di revocarli per tempo. Una chiara manovra dilatoria: quello stesso giorno, al processo All Iberian (Berlusconi è imputato anche lì, ma sa di poter vincere grazie alla sua legge che ha depenalizzato il falso in bilancio), l'avvocato Dinacci ha regolarmente difeso il Cavaliere al posto di Pecorella e Ghedini. Che, in quel caso, non l'hanno revocato. Il perché è lampante. «I difensori del premier – spiega Ferrarella – perseguono [...] una strategia. Da quando la loro istanza alla Cassazione per trasferire i processi da Milano a Brescia è appesa alla decisione della Consulta sul "legittimo sospetto", le difese chiedono che i processi per corruzione di giudici non arrivino a sentenza prima del doppio verdetto di Consulta e Cassazione».

Delitto di cronaca

La reazione di Ghedini all'articolo è furibonda. Il 22 luglio l'onorevole avvocato scrive una lettera «personale e riservata» a de Bortoli (che sarà depositata agli atti di una causa civile per diffamazione). Accusa il «Corriere» di faziosità per le sue cronache dei processi Previti-Berlusconi e – fatto senza precedenti – preannuncia un'azione giudiziaria contro il solo Ferrarella, senza coinvolgere il direttore né la società editrice. In pratica chiede la testa del cronista, giocando la carta del *divide et impera*, mascherata dietro improbabili «ragioni affettive».

La lettera, intestata ampollosamente all'«Illustrissimo Signor Direttore», è un capolavoro di ambiguità. Elogia la «grande passione» e la «pari attenzione» con cui de Bortoli dirige il «Corriere». Ma poi lo accusa di aver trascinato il giornale su una «linea precisa e incontrovertibile» contro Berlusconi. Una linea colpevolista che offende le nobili «tradizioni» di via Solferino. Una linea che trapelerebbe dagli articoli di «noti giuristi di una determinata area» (allusione al professor Vittorio Grevi dell'Università di Pavia) e soprattutto dai resoconti dei cronisti, viziati da «una prospettazione degli avvenimenti squisitamente di parte e fortemente critica», insensibile alla tesi della difesa. Ghedini lamenta di non aver visto pubblicato un suo intervento sul falso in bilancio e nemmeno le proteste degli avvocati Fininvest per alcuni presunti «verbali scomparsi» (che in realtà scomparsi non erano). Colpito nel suo antico «affetto» per il «Corriere», osserva che il quotidiano è peggio di «Repubblica», le cui cronache «seppur faziose» sarebbero più corrette. Poi parte all'attacco di Ferrarella, per l'ultimo articolo «assolutamente destituito di ogni fondamento» e «non vero». Ecco: l'onorevole avvocato si vede «costretto» a denunciare il giornalista, ma non il «Corriere», sempre per l'affetto che gli porta. È vero che l'ultima udienza è saltata per gli impedimenti parlamentari suoi e di Pecorella, ma le faccende da trattare erano così «delicate» che i due non potevano proprio farsi sostituire. Nessun intento dilatorio, dunque, per carità: semplicemente i sostituti Dinacci e Longo non sarebbero molto ferrati sul falso in bilancio, e proprio di falso in bilancio si discuteva quel giorno. Ghedini invita de Bortoli a leggersi i verbali delle udienze, per potersi render conto dello «scandalo» che si sta consumando al tribunale di Milano, dove da tre anni e mezzo si tenta di processare Berlusconi. Poi passa al terzo bersaglio, dopo Grevi e Ferrarella: è Giovanni Bianconi, che ha dato conto della riunione a casa Berlusconi infilandoci pure il nome di Ghedini, che invece giura di non esserci andato, ma di aver incontrato

Berlusconi per puro caso e per tutt'altri motivi del tutto innocenti. Segue un lungo e barocco elogio di de Bortoli e del «Corriere» che fu e che, purtroppo, non è più. Infine la precisazione
che la lettera è «riservata».

Il messaggio è fin troppo chiaro: il problema non è (ancora)
il «Corriere». Sono alcune mele marce, eliminate le quali fra
Palazzo Chigi e via Solferino può tornare il sereno. Veda un po'
de Bortoli che cosa vuol fare. Cordiali saluti e auguri di buon
lavoro.

«Cortesi solleciti»

Il 23 luglio, mentre la «riservata personale» di Ghedini è ancora in viaggio, sulla scrivania di de Bortoli arriva un'altra lettera,
spedita via fax e firmata da Cesare Previti. Riecheggia in molti
passi quella dell'avvocato. Ma stavolta è destinata alla pubblicazione. Anche il coimputato e sodale del premier accusa il
«Corriere» di aver sposato «*in toto* la causa della Procura di
Milano nei processi che vedono imputati me e il presidente del
Consiglio». Scrive Previti: «Su quei processi il "Corriere" procede in modo monodirezionale, senza un solo cedimento dalla
linea colpevolista, sia nel merito sia nel modo di conduzione
della difesa processuale». Nel mirino questa volta, oltre a Bianconi, c'è un articolo di Biondani e Flavio Haver (che però non
vengono espressamente citati). Qual è la colpa di Bianconi?
Aver adombrato il legittimo sospetto che alcune leggi varate in
tutta fretta sulla giustizia servano a risolvere i guai giudiziari del
premier e dei suoi coimputati. Scrive ancora Previti:

> Quando viene compiuto un qualsiasi passo legislativo o ammi-
> nistrativo, che con una lettura maliziosa possa apparire come
> un possibile appiglio per i miei difensori, mi imbatto in intere
> pagine del «Corriere della Sera», con cronache, retroscena e
> l'immancabile commento, quasi esclusivamente a firma di
> Giovanni Bianconi, che accusa questa maggioranza di essere
> al servizio dei problemi giudiziari del premier e di Previti
> (magari fossi ancora così influente per il partito o la coalizio-
> ne da determinarne la linea politica, nonostante sei anni d'in-
> credibile persecuzione giudiziaria nei miei confronti).

Poi tocca a Biondani e Haver, «rei» di aver ricostruito in modo sgradito alle difese quanto è accaduto alla Procura di Milano una settimana prima, quando un ufficiale della polizia giudiziaria ha rotto incidentalmente un cd rom posto sotto sequestro dalla Procura di Perugia e contenente la celebre intercettazione ambientale dei giudici Squillante e Misiani al bar Mandara.

> Nessun dubbio balena nella mente [...] circa il fatto che una delle prove della manipolazione, il cd rom con la copia originale delle intercettazioni, sia andato distrutto «nella concitazione» (sono parole del procuratore aggiunto) di consegnare gli atti agli investigatori [...]. Ha mai provato a distruggere un cd rom [...]? Sa quanta forza ci vuole per piegarlo? Ma di questi interrogativi sul suo quotidiano non ne ho letto uno, eppure i giornalisti dovrebbero sempre cercare la verità.

Nella concitazione, Previti dimentica che il dischetto in questione non è affatto un «originale», ma solo uno dei tanti doppioni, e che un'altra copia digitale (uguale a quella distrutta) è da tempo in mano alla difesa di Berlusconi: come scrive subito il «Corriere» e come confermeranno le indagini dei giudici di Perugia, investiti del caso proprio da Previti e Berlusconi.

Ferruccio de Bortoli pubblica la lettera e risponde con un breve corsivo anonimo, ricordando i «diversi interventi dell'onorevole che il "Corriere" ha volentieri ospitato e che avrebbe pubblicato anche senza i cortesi solleciti di Palazzo Chigi». Allusione al bombardamento di telefonate cui è sottoposto dall'insistente Bonaiuti. Poi aggiunge:

> Spiace che, nella comprensibile ansia di difendersi, l'onorevole Previti esprima opinioni sull'informazione giudiziaria del «Corriere» inesatte ed ingenerose. La magistratura di Milano non è esente da critiche. E il «Corriere» non ha mai mancato di formularle. Anche quando il suo procuratore generale ha lasciato con un discorso rimasto celebre. Così come abbiamo stigmatizzato alcuni comportamenti corporativi della magistratura, ultimo caso lo sciopero delle toghe. Ma le notizie sono notizie, comprese quelle che provengono dal Parlamento e possono incidere sui processi in corso. Se sono fondate, si pubblicano senza chiedersi preventivamente se facciano gli

interessi dell'accusa o della difesa. A quest'ultima abbiamo dato sempre grande spazio, come avvenne il 20 gennaio scorso con un'ampia intervista all'onorevole Previti, piena di pesanti rilievi a pm e giudici, firmata proprio da Bianconi.

In conclusione de Bortoli invita Previti a un pubblico dibattito, in via Solferino, su giustizia e informazione. Ovviamente invano.

Il «Corriere» non si adegua. Bianconi, Ferrarella e Biondani continuano a scrivere. E il mellifluo ultimatum di Ghedini sembra scadere. Il 26 e il 31 luglio «Il Giornale» della famiglia Berlusconi attacca alzo zero il «Corriere» per la penna di Giancarlo Lehner, giornalista di scuola craxiana, già autore di libelli diffamatori contro la Procura di Milano e futura colonna del sito Internet *www.cesarepreviti.it*. Lehner prende di mira, citandoli per nome e cognome, Biondani e Haver. E accusa il primo quotidiano d'Italia di «stravolgere in modo insidioso la verità». Il 27 luglio, ecco la risposta (in codice) di via Solferino: una breve notizia di sei righe informa che la Mondadori è stata appena condannata a risarcire il pool di Milano con 120 mila euro per le falsità contenute in un pamphlet di Lehner allegato a «Panorama» dal titolo *Attentato al governo Berlusconi*.

«Giornalismo impossibile»

In questo clima di assedio, il 29 luglio de Bortoli risponde alla «riservata personale» di Ghedini:

> Gentile avvocato, ho letto e riletto con intima sofferenza la lettera che mi ha gentilmente indirizzato. Sofferenza perché da una persona come lei, che stimo professionalmente ed umanamente, non me la sarei mai aspettata. Sofferenza acuita dalla constatazione, amara, che in un momento come quello che stiamo vivendo la professione di giornalista (ma anche quella di avvocato, credo) sia semplicemente impossibile. Il sospetto di parzialità è la regola. La concessione del beneficio della buona fede nemmeno l'eccezione. Una preoccupante deriva morale. Non ci si confronta, ci si sospetta.
>
> Lei sostiene nella sua lettera, e il giudizio è assai ingeneroso, che il giornale da me diretto ha ormai assunto una linea

«precisa e incontrovertibile» sulle questioni giudiziarie, esaltando le notizie in qualche modo favorevoli alla Procura e sminuendo quelle positive per la difesa. Mi spiace che lei non noti come il giornale abbia stigmatizzato più volte il comportamento della Procura, criticando per esempio le famose esternazioni di Borrelli (e persino in prima pagina i troppo frequenti festeggiamenti all'atto del suo addio alla Procura generale); e si sia fermamente schierato contro lo sciopero dei magistrati.

Sul falso in bilancio non ricordo sinceramente di aver respinto un suo scritto, ma se ciò è avvenuto da parte della mia struttura non posso che scusarmi. Le dico di più: con un editoriale di Paolo Franchi spiegammo che, se anche il premier dovesse essere condannato, e personalmente mi auguro di no, non chiederemo mai le sue dimissioni e se ciò avvenisse questa sarebbe la posizione del «Corriere». Non risulta che nell'ambito della Casa delle Libertà, e persino del governo, tutti la pensino allo stesso modo.

E veniamo alle contestazioni di merito contenute nella Sua lettera, per le quali premetto che, nel caso di una sua eventuale azione giudiziaria, mi riterrò chiamato in causa in solido con i miei colleghi. All'udienza del 19 luglio del processo Sme, lei e Pecorella avete fatto valere un legittimo impedimento perché impegnati, come parlamentari, nelle votazioni del decreto «omnibus»; nello stesso tempo avete revocato i sostituti processuali, professor Longo e avvocato Dinacci, «stante la delicatezza delle questioni». Ciò ha determinato il rinvio del processo al 21 settembre perché non si è potuta celebrare l'udienza che avrebbe dovuto tenere conto della nuova legge sul falso in bilancio. Immagino però che lei, avvocato, non abbia dimenticato che nello stesso pomeriggio del 19 luglio l'avvocato Dinacci aveva discusso nel processo All Iberian (dove rappresentava la difesa Berlusconi insieme al professor Mazzacuva) la medesima questione procedurale sul falso in bilancio in calendario nella mattinata al processo Sme. E credo anche che il 20 gennaio 2001 l'avvocato Dinacci abbia parlato di falso in bilancio qualitativo e quantitativo, svolgendo una consulenza tecnico-contabile. E ancora: l'8 maggio del 2001 è stato il professor Longo a consegnare al tribunale una memoria difensiva (in una cartellina verde con sul bordo la scritta «avvocato Pietro Longo, Padova» e sottoscritta da tutti gli avvocati difensori) sulle istanze di nullità del decreto che dispone il giudizio: la memoria, tra i vari punti, esaminava anche la questione della richiesta di «incidente probatorio in riferimento ai falsi in bilancio contestati al capo B». Lei ricorderà, inoltre, avvocato, che il 19 gennaio del 2001, dopo le contestazioni suppletive mosse dal pm, fu il professor Longo a illustrare la questione della competenza territoriale per connessione incentrata proprio sul nesso tra falso in bilancio e la nuova formulazione dell'accusa di corruzione. E che il 16 luglio del 2001 lo stesso professor Longo è intervenuto più volte nell'esame del colonnello Federico D'Andrea, fra i principali testi del pm sui movimenti finanziari esteri Fininvest. In quell'occasione, assenti lei, Pecorella e Dinacci, Longo chiese che il teste tornasse un'altra volta, ma il tribunale respinse la richiesta con la motivazione che c'era stato il tempo sufficiente per decidere chi dovesse assistere all'esame. Può darsi che il 19 luglio lei e l'avvocato Pecorella abbiate pensato a questo precedente quando, rimanendo in Parlamento, avete revocato i vostri sostituti processuali Longo e Dinacci «per evitare equivoci e fraintendimenti». Una scelta legittima, ma mi riesce difficile comprendere perché si dolga del fatto che il «Corriere» ne abbia dato conto.

Inoltre lei, avvocato Ghedini, afferma che la difesa Berlusconi non ha mai addotto impedimenti, ma solo chiesto «in un paio di occasioni, spostamenti per impegni pregressi». Il verbale d'udienza del 20 gennaio 2001, ad esempio, non rinvia alla prevista udienza del 22 gennaio, ma al «5 febbraio, atteso il legittimo impedimento della difesa Berlusconi». E il 20 aprile del 2001 il tribunale, preso atto della volontà degli avvocati Ghedini e Pecorella di abbandonare il processo se i giudici non avessero recepito i loro impegni di candidati nella campagna elettorale, cancellò cinque udienze già in calendario, così motivando in ordinanza: «L'ordinamento non appresta concretamente strumenti atti a contrastare una scelta di abbandono di difesa, che del resto è stata esplicitamente preannunciata».

Chiedo scusa per la lunga citazione processuale, per la quale ho attinto, ovviamente, alle competenze redazionali.

Quanto all'articolo a firma Bianconi (giornalista già fatto oggetto di pubbliche attenzioni da parte dell'onorevole Previti, in una lettera che spero che lei come privato cittadino non condivida nel tono), dell'incontro del 18 luglio a Palazzo Grazioli ha riferito subito l'Ansa (lancio delle 13,39) e, il giorno successivo, ne hanno dato conto oltre al «Corriere», «la Repubblica», «La Stampa», «Il Resto del Carlino», «La Nazione». Non metto in dubbio la sua parola, ma mi domando perché tutte queste cronache non siano state smentite.

Quanto alla nostra presunta parzialità ho chiesto ai miei collaboratori di fare una ricerca in archivio della quale le allego i risultati. Dei titoli del «Corriere» dedicati al processo, 27 danno conto di notizie o tesi favorevoli alle difese, 6 di notizie o tesi ascrivibili all'accusa. Lei afferma inoltre che non abbiamo mai pubblicato, o solo incidentalmente, la vicenda dei verbali scomparsi. Il 19 luglio a pagina 12 ne abbiamo riferito con ampiezza. Il «Corriere», inoltre, non ha mai mancato d'intervistarla, credo correttamente, in più occasioni.

Caro avvocato Ghedini, al termine di questa lunga lettera vorrei rinnovarle tutta la mia disponibilità ad incontrarla come e quando vorrà. Ho troppa stima nella sua serietà professionale e nella sua sensibilità civile per non trovarla concorde sul fatto che, al di là degli esiti del processo che grava troppo sui destini del nostro paese, in Italia di giustizia non si possa più parlare. O si è con voi o si è contro di voi. Ma, mi creda, molti non sono né con voi, né contro di voi. E, come riconosciamo a lei il beneficio assoluto della buona fede (che va di pari passo col principio della presunzione d'innocenza), gradiremmo avere in cambio la stessa moneta che peraltro esce dalla buona zecca della tradizione giuridica italiana, alla quale lei appartiene a buon diritto.

Ps. Mi scusi se le pongo questa domanda. La lettera riservata personale è rimasta limitata alle nostre persone o è stata inviata in copia anche al suo assistito? In quel caso, la pregherei di fargli pervenire anche la mia risposta. Grazie. Ferruccio de Bortoli.

«Onorevoli avvocaticchi»

Il 18 luglio, tra le proteste dell'opposizione e soprattutto dei girotondi, la Cirami va immediatamente in discussione a Palazzo Madama. Marce forzate. Per approvarla al Senato basteranno 14 giorni. Poi, per stringere i tempi alla Camera, Pecorella minaccerà addirittura di far riaprire Montecitorio a ferragosto.

Quel che accade in Parlamento, mentre Ghedini e Previti scrivono al «Corriere» e Palazzo Chigi telefona per sollecitare l'immediata pubblicazione, non è un bello spettacolo. Le Camere precettate nella canicola estiva e trasformate in un gigantesco collegio difensivo di due imputati eccellenti. Gli avvocati del premier che si dividono fra il ruolo di difensori e quello di legislatori. I senatori «pianisti» che, per evitare sorprese, votano scandalosamente anche per i vicini assenti. Le proteste a Roma e in tutt'Italia di migliaia di cittadini sdegnati. Il 31 luglio de Bortoli firma un editoriale dal titolo *Sgradevoli sensazioni*:

> Due o tre cose in margine all'indecoroso spettacolo di scena in questi giorni al Senato. La maggioranza tenta di far approvare, prima della pausa estiva, un provvedimento sul legittimo sospetto, ovvero sul diritto (sacrosanto) di ogni cittadino di essere giudicato da magistrati imparziali. Inutile girarci intorno: nonostante si tratti di un essenziale principio di legalità, è difficile, vista la fretta, dissolvere il sospetto, anche questo legittimo, che siano norme scritte su misura. Un'eventuale legge potrebbe influire [...] sul processo di Milano che vede imputati Previti e Berlusconi. Profonda tristezza e preoccupazione per la legalità e la fiducia nelle istituzioni del paese suscitano in noi, come scriveva bene ieri Stefano Folli, le immagini del confronto, chiamiamolo così, fra gli ineffabili pretoriani della Casa delle Libertà e gli scatenati girotondisti dell'opposizione [...]. Questa legge è veramente un'emergenza per il paese? Sì? Allora avremmo voluto vedere in tante altre occasioni sedute notturne, ferie saltate, lavoro supplementare di deputati e senatori sui tanti temi che toccano da vicino i cittadini, dalla scuola, alla sanità, all'ordine pubblico. Invece è ancora vivo in noi il ricordo del desolante spettacolo, in aule semivuote, della discussione sul messaggio di Ciampi [sul pluralismo nell'informazione, *N.d.A.*], il primo del suo settennato.
>
> Non abbiamo particolare simpatia per la Procura di Milano [...]. I magistrati milanesi non sono esenti da critiche, anzi, e quando qualcuno garbatamente le rivolge loro, reagiscono alla pari dei legali del premier: lo scambiano per un pericoloso e prezzolato nemico [...]. Che la giustizia sia da riformare non c'è alcun dubbio, che la corruzione sia ripresa insieme al decadimento del tasso di legalità è ugualmente vero. E che il

tasso di legalità si abbassi ogni volta che una legge dà l'impressione di essere stata fatta ad uso immediato di qualcuno e non di tutti è, purtroppo, un'altra amara verità.

Siamo convinti che il processo di Milano si stia svolgendo in un clima tutt'altro che sereno e che alcune preoccupazioni della difesa (che farebbe bene a presentarsi alle udienze anziché accampare ogni sorta di giustificazione) abbiano fondamento, così come riteniamo che Silvio Berlusconi, anche se condannato (non ce lo auguriamo), debba continuare a governare legittimamente, attuare il suo programma (che ha diverse cose buone, alcune già fatte), dicendo sinceramente agli italiani quali promesse si possono mantenere e quali no. Proprio per questo ci aspetteremmo che il Cavaliere, come ha fatto già qualche giorno fa per un analogo e scandaloso provvedimento sull'immunità parlamentare [la proposta di legge, dopo un colloquio Casini-Berlusconi, è stata ritirata, *N.d.A.*] faccia sentire la sua voce autorevole. Richiami i suoi pretoriani che poco onore fanno, insieme ai giacobini da strapazzo, alle Camere; ascolti i suggerimenti di Pera e Casini e dei tanti moderati liberali che militano nella Casa delle Libertà; tolga ai cittadini la sgradevole sensazione che il Parlamento venga usato come un maglio contro la magistratura e mandi in ferie, ne hanno bisogno, quegli onorevoli avvocaticchi preoccupati più per i loro onorari che per le sorti del paese.

Berlusconi, si capisce, non ascolterà mai il consiglio del «Corriere». Anzi dirà che «la Cirami è una priorità per il governo». Il mandante e il beneficiario della legge, insieme all'inseparabile Previti, è lui. E l'assalto a via Solferino si fa più stringente. Alle 19 dello stesso giorno le agenzie battono una notizia: Ghedini e Pecorella si sono riconosciuti nella definizione (peraltro anonima) di «onorevoli avvocaticchi», anche se in Parlamento di avvocati ne siedono cinquanta e più. E hanno deciso d'intentare causa a de Bortoli per il suo fondo «gravemente diffamatorio», come spiegano in una nota congiunta:

De Bortoli conosce perfettamente, poiché gli era stato ampiamente dimostrato con i documenti, che la difesa dell'on. Silvio Berlusconi si è sempre presentata alle udienze così come mai la difesa ha definito chicchessia un pericoloso o prezzolato nemico, limitandosi a criticare i singoli provvedimenti processuali o gli accadimenti, e sono molti, extraprocessuali. De Bortoli, poi, non può non aver colto la portata diffamatoria dell'espressione «onorevoli avvocaticchi» che è direttamente collegata alle citate premesse. La polemica politica anche aspra è non solo accettabile bensì auspicabile, ma mai può trasmodare in attacco personale e professionale. Del resto, de Bortoli dovrebbe ben comprendere che, se davvero gli avvocati del presidente del Consiglio, nonché parlamentari, si fossero preoccupati dei loro onorari, dovrebbero auspicare che questi rimanga imputato in molti processi per molti anni. Quali avvocati seri e responsabili, non possiamo invece che auspicare che un giudice imparziale assolva l'on. Berlusconi; quali parlamentari, abbiamo sempre svolto il nostro mandato con assoluta coerenza con le idee già espresse in una lunga carriera professionale pregressa e nella massima trasparenza proprio per il bene del paese che si sostanzia nelle garanzie processuali per tutti i cittadini.

Il comunicato e l'annuncio di querela vengono percepiti in via Solferino come un'intimidazione a tutti i giornalisti del «Corriere». Lo fa notare anche la Federazione della Stampa, che si appella (invano) a Pera e a Casini: «I presidenti delle Camere devono intervenire nei confronti di parlamentari che possono insultare i giornalisti quando e come vogliono, ma si offendono per le critiche e, utilizzando poteri e immunità peraltro recentemente estese, colpiscono la libera informazione».

L'avvocato del diavolo

Il 1° agosto la Cirami passa al Senato. L'indomani Previti, ringalluzzito, sgancia un altro siluro su via Solferino: una nuova lettera al «Corriere» per replicare all'editoriale del direttore. Sostiene di non voler sfuggire ai processi, ma di pretendere soltanto un giudice terzo:

Io chiedo solo questo: un pm attento, un Gup coscienzioso e non asservito ai voleri della pubblica accusa al punto di violare la legge o ignorare abusi e irregolarità, un tribunale che sia e appaia imparziale. Se il ddl Cirami intende garantire tutto questo, assicurando lo spostamento di un processo in caso di legittimo sospetto di condizionamenti, ben venga, anche in fretta. E non mi venga a dire, gentile direttore, che io sia il diavolo ad auspicare tutto questo. Diavolo certo no, ma in questi sette anni di persecuzione giudiziaria, già accertata nel gennaio '98 da un Parlamento ostile alla mia parte politica [il voto contrario al suo arresto nel gennaio '98, motivato però dall'allora maggioranza di centrosinistra col fatto che ormai le prove a suo carico erano tali e tante che Previti non poteva più inquinarle, non certo con un *fumus persecutionis* ai suoi danni, *N.d.A.*], l'inferno lo sto vedendo davvero da vicino.

Il direttore de Bortoli non cambia opinione e replica con sottile ironia:

Gentile onorevole, quello che avevo da dire l'ho scritto. Auguro a lei, come ad ogni imputato, un processo giusto e sereno. La presunzione d'innocenza è una delle più grandi conquiste della nostra civiltà giuridica. Spero solo che, dopo quanto è accaduto in Senato, non si diffonda la sensazione che tutti i cittadini sono uguali di fronte alla legge, ma alcuni sono più uguali degli altri. Quanto al diavolo, devo confidarle che se dovessi andare all'inferno, com'è probabile, spero solo di finire nel suo stesso girone, nella legittima speranza che lei possa indicarmi l'uscita.

A questo punto si rifà vivo Ghedini. In otto pesantissime pagine dattiloscritte (e ancora riservate), datate 5 agosto, si dice offeso non solo dal fondo del direttore, ma anche dalla sua lettera di risposta. Assicura di non aver mai pensato di mostrare a Berlusconi la «riservata personale» del 22 luglio. Lamenta di non essere stato richiamato da de Bortoli, dopo averlo cercato al giornale. Giura che è solo un caso se Previti ha scritto al «Corriere» contemporaneamente a lui, tant'è che il primo a stupirsi della coincidenza è stato proprio lui. Promette di far avere al direttore un cd con tutti gli atti del processo al premier. Ribadisce che mai le difese hanno tentato di rallentare il dibattimento e che a casa di Berlusconi non aveva discusso di come accelerare la Cirami, ma della morte di sua madre. Però conferma che la questione «Corriere» è da tempo nell'agenda del premier: è stato lui stesso,

visti i suoi rapporti di «fraterna amicizia» col Cavaliere, a ester-
nargli tutta la sua «insoddisfazione per la linea del "Corriere".

Poi l'onorevole avvocato viene al dunque: l'editoriale del 31
luglio l'ha «amareggiato», inducendolo a «esperire un'azione
legale», sia pure con «dolore» e «dispiacere». L'espressione
«onorevoli avvocaticchi» – spiega – non poteva che riferirsi a
lui e al collega Pecorella. Ma ciò che più l'offende «è l'accusa
gravissima di svolgere il proprio mandato parlamentare al fine
di poter percepire un onorario per prestazioni professionali»,
nonché «l'accusa infamante di legare la propria parcella a un
risultato e non a una prestazione intellettuale». L'articolo di de
Bortoli, secondo Ghedini, ha contribuito a «creare un clima di
violenza» che lo costringe a vivere sotto scorta. E qui l'avvocato perde definitivamente la calma, cominciando a formulare
una serie di ipotesi inquietanti. Come si sentirebbe de Bortoli se
lui lo chiamasse «giornalista da strapazzo, prezzolato e venduto
all'editore»? Se insinuasse che la linea del «Corriere» sulla giustizia è dettata dalla paura per i molti processi in corso al tribunale di Milano contro la Rcs, il direttore e diversi giornalisti? Se
sostenesse che il (presunto) antiberlusconismo del «Corriere»
mira ad «accrescere il valore delle azioni a favore della proprietà», che poi potrebbe cederle ad altri «per consentire un
cambio di rotta» filogovernativo? Ghedini precisa subito, ci
mancherebbe, che lui non crede a nessuna di queste basse insi-
nuazioni («indecenti maldicenze che stento persino a riferire»).
Lui si è limitato a protestare contro «una linea che non condivido». La lettera si chiude all'insegna del «lei non sa chi sono
io», con un *excursus* storico sul glorioso passato dello studio
Ghedini, «aperto a Venezia e poi a Padova da 400 anni», e sulle gesta dei suoi antenati, membri «del Senato della Serenissima
e poi del Senato del Regno». Infine, al posto dei saluti, ancora
la sua «grande amarezza» e il suo «vivo rincrescimento».

Ferruccio de Bortoli risponde l'8 agosto:

Gentile avvocato, […] mi spiace non essere riuscito a farle
cambiare idea sull'atteggiamento del «Corriere» che non è
assolutamente prevenuto nei confronti della difesa degli onorevoli Previti e Berlusconi. Le formulo innanzitutto le mie più
sincere condoglianze: non sapevo che, il giorno prima dell'in-

contro di Palazzo Grazioli, fosse morta sua madre. La questione non si pone: capisco il suo comportamento e mi rincresce che quelle cronache abbiano turbato oltremodo la riservatezza e la compostezza di un grande dolore privato, al quale sinceramente mi associo. La prego, se può, di accogliere le mie scuse personali.

Nella sua lunga e appassionata lettera, lei riconosce la spiacevole contestualità con la missiva di Previti: la circostanza ha certamente influito sul mio stato d'animo in quei giorni nei vostri confronti. Mi spiace che lei si sia sentito offeso da un articolo che ha raccolto, assieme alle vostre querele, anche gli insulti della sinistra (soprattutto sul passaggio del Berlusconi che, se condannato, dovrebbe a nostro modesto avviso rimanere premier); per non parlare di altre cose spiacevolissime che mi sono arrivate dal governo e dalla maggioranza alla quale lei appartiene. Quanto alla solidarietà della sinistra, è così strumentale che non è nemmeno il caso di parlarne (le sono sfuggiti però gli attacchi che ho ricevuto anche da illustri commentatori vicini all'opposizione, insieme a dileggi vari).

Ho spiegato al telefono all'avvocato Pecorella che non intendevo diffamare né lei né lui, ma usavo solo un'espressione polemica, forse dura, che mi rammarica abbiate considerato così lesiva della vostra onorabilità. Del resto anche lei pubblicamente (lo riportava «L'Espresso» e non ho visto una rettifica) ha avuto parole particolarmente diffamatorie nei nostri confronti. Illustre avvocato, noi non siamo o l'organo della Procura o della *disinformatjia*, come lei ha avuto occasione di dire pubblicamente. Nel nostro piccolo abbiamo la nostra storia, anche se non di 400 anni come il suo studio, ma di soli 127.

La notizia della querela l'ho appresa dalle agenzie; mi sarei aspettato un cortese cenno (lo fece persino D'Alema quando promosse contro di me le famose azioni giudiziarie) da lei o da Pecorella. Non risulta alla mia segreteria alcuna telefonata sua o dal suo studio (le allego il prospetto delle chiamate di quel giorno). Può esserci un nostro errore, ma se avessi saputo di una sua chiamata l'avrei cercata subito come ho fatto con il suo collega e querelante Pecorella (intervistato per altro lo stesso giorno dal «Corriere»). Sono un giornalista, ma fino a prova contraria educato.

Sono lieto (ne ero sicuro) che il nostro scambio sia rimasto riservato. Accolgo tutte le puntualizzazioni contenute nella sua lettera e le assicuro che, anche in pendenza di una vicenda giudiziaria che ci vede in conflitto, continueremo correttamente a riportare i fatti, moltiplicando attenzioni e scrupoli in modo da apparire ancora di più (non certamente ai suoi occhi o a quelli di Previti, non pretendiamo tanto) imparziali e non prevenuti. In questo senso il cd con il resoconto stenografico delle udienze del processo Sme-Ariosto è particolarmente apprezzato e ci sarà utile. [...]

Non credo, gentile avvocato, che, come lei (purtroppo) scrive, il «Corriere» contribuisca a creare quel clima di violenza verbale e fisica che la costringe, e me ne dolgo, a vivere sotto scorta. E mi rammarica che lei vi faccia cenno: ho qualche responsabilità morale in proposito?

Capisco che dalla trincea nella quale vive sia estremamente difficile giudicare i fatti con serenità ed equanimità, ma continuo a ritenere che il suo giudizio nei confronti della professionalità dei miei colleghi sia sbagliato ed ingeneroso. Io, seppur non comprendendo come si possa essere nello stesso tempo deputati in una forza politica (e quindi, secondo la nostra Costituzione, investiti di una rappresentanza di tipo generale) e avvocati del suo leader, sono convinto della sua totale buonafede e della straordinaria qualità professionale della sua attività di avvocato difensore in un importante processo. Una mancata sovrapposizione dei ruoli, tuttavia, li avrebbe resi, davanti a tutta l'opinione pubblica, più nitidi e comprensibili.

La ringrazio inoltre di avermi fatto alcuni esempi di quello che avrebbe potuto affermare sul mio conto e sul «Corriere»: davvero interessanti. Tralascio quello che avrei potuto dire sul conto dei legali del premier, se solo avessi dato retta ad un dossier arrivato sul mio tavolo, a qualche pettegolezzo parlamentare, ma soprattutto a un'interessata «rivelazione» che un ex sottosegretario ed avvocato era pronto a fornirci nel solo squallido intento di preservare la sua poltrona [l'unico avvocato ex sottosegretario del governo Berlusconi è Carlo Taormina, *N.d.A.*]. Molta pattumiera, del tipo di quella che lei efficacemente esemplifica, è rimasta, fortunatamente per la civiltà del diritto e dell'informazione di questo paese, fuori dalle nostre redazioni, dalle nostre pagine e, se mi consente la battuta finale, anche dalle nostre teste. Teste che assieme alle coscienze non sono state vendute a nessuno.

Illustre avvocato, spero, al di là della nostra causa, di incontrarla, così come facemmo piacevolmente a casa del nostro comune amico professor S. Ho un ricordo di lei come di una persona seria, corretta e amabile, innamorata della sua professione e onestamente interessata ai destini del nostro paese. Un'immagine che conservo intatta, nonostante tutto.

La spada di Damocle

Per quattro mesi il «Corriere» e de Bortoli resteranno a bagnomaria. La causa civile di Pecorella e Ghedini verrà notificata solo nel dicembre 2002. Ma nel frattempo penzola su via Solferino e sulla testa del direttore come una spada di Damocle. Il «Corriere» comunque continua a dare tutte le notizie sui processi milanesi. Anche se ormai è un sorvegliato speciale.

Il 22 agosto Biondani racconta, come tutti gli altri giornali, che la Procura di Brescia – dove Berlusconi & C. vorrebbero traslocare i loro processi – indaga su Gaetano Pecorella per favoreggiamento. Il caso ruota intorno al processo per le stragi di piazza Fontana e piazza della Loggia in cui il legale, un tempo difensore di parte civile per alcune vittime dell'eccidio, assiste ora Delfo Zorzi, il neofascista accusato di averlo organizzato. Il pentito che accusava l'imputato, Martino Siciliano, ha ritrattato. I pm, per vederci chiaro, l'hanno intercettato, scoprendo che ha ricevuto soldi da Zorzi. L'accusa ipotizza che Pecorella, assieme ad altri legali, abbia propiziato la ritrattazione prezzolata. Il «Corriere», come sempre, dà la notizia con la replica dell'interessato. Pecorella, intervistato al telefono, parla di «vicenda a orologeria fatta scattare in vista del voto alla Camera sulla legge Cirami».

L'inchiesta di Brescia prosegue. L'11 settembre Biondani pubblica 40 righe per raccontare che il giorno prima si è tenuta un'udienza davanti al Gip, per stabilire se Zorzi debba cambiare difensori, visto che i suoi sono sospettati di aver pagato il pentito. Niente più di quanto scrivono le agenzie di stampa. Quella sera Pecorella chiama Biondani. I due si conoscono da anni: rapporti buoni e cordiali. Ma stavolta, nel tono dell'avvocato, non c'è nulla di amichevole. Il legale è gelido e minaccioso. Al punto che il giornalista, sconvolto, riferisce immediatamente l'accaduto via e-mail a de Bortoli. Pecorella – racconta Biondani – parlava con un rumore di piatti e bicchieri in sottofondo. Probabilmente era a cena. L'ha accusato di aver scritto «un articolo chiaramente in malafede», sia pur redatto «in modo da non darmi la possibilità di querelarti, perché non ci sono gli estremi della diffamazione». Ma l'ha avvertito che «d'ora in poi leggerà con la lente d'ingrandimento ogni riga» dei suoi pezzi, per poterlo querelare alla prima occasione. Poi ha aggiunto: «Ho visto che hai scritto anche su "MicroMega" e non abbiamo fatto niente. Ma adesso basta, non ti perdono più nulla. Hai capito?». Pecorella ha concluso dicendosi convinto che Biondani sia solo l'esecutore materiale di una campagna orchestrata da de Bortoli. Lo proverebbero il fondo sugli «avvocaticchi» e lo spazio dato all'indagine bresciana: «È evidente che vi hanno scatenati contro di me per vendicare il vostro direttore».

Biondani trascorre una notte agitata. L'indomani de Bortoli lo riceve nel suo ufficio. Lo invita a continuare a lavorare tranquillo. E gli mostra il testo della lettera che sta per inviare a Pecorella, in cui difende il suo cronista e protesta vibratamente per la telefonata della sera prima.

Anche Previti continua a scrivere, ai ritmi di un collaboratore coordinato e continuativo. L'11 settembre invia al «Corriere» l'ennesimo intervento per contestare le cronache sullo scontro politico intorno alla Cirami. Il 1° ottobre ne manda un altro per replicare al fondo di Angelo Panebianco (*Previti, i fatti suoi, i fatti nostri*) che il 30 settembre lo invitava a dimettersi dal Parlamento dopo aver candidamente confessato di aver evaso le tasse su decine di miliardi. Un articolo che molti forzisti hanno vissuto come la dichiarazione di guerra finale del «Corriere»:

L'onorevole Cesare Previti, interrogato sabato a Milano in qualità di imputato al processo Imi-Sir, si è difeso, come è suo diritto, dall'accusa di essere un corruttore di giudici ma, difendendosi, ha fatto affermazioni sconcertanti. Qualche lettore ricorderà che chi scrive ha sempre criticato duramente la giustizia politicizzata spesso in azione in questo Paese. [...] Per questo penso di avere le carte in regola per dire che Previti, al quale comunque auguro un esito positivo della sua vicenda giudiziaria, dopo le affermazioni di sabato dovrebbe avere il buon senso di dimettersi immediatamente da ogni carica pubblica, a cominciare da quella di parlamentare. Per difendersi dall'accusa di essere un corruttore, Previti si è autodenunciato come evasore fiscale [...].

Non è l'aspetto penale che qui interessa, ma quello civile e politico. Previti non può seriamente pensare che le sue ammissioni non diventino un caso politico, non può pensare che le cose di cui ha parlato siano solo «fatti suoi» come ha più volte detto in tribunale. Sono fatti nostri, invece, a causa della dimensione pubblica della sua attività: perché se un ex ministro può dichiarare ciò che Previti ha dichiarato, senza che ne consegua automaticamente la sua esclusione dalla vita pubblica, il messaggio che arriva ai cittadini/contribuenti è devastante [...]. Previti, insomma, dovrebbe comprendere da solo che le sue dimissioni da parlamentare sono, a questo punto, un atto dovuto. Se poi, malauguratamente, egli dimostrasse di non avere la sensibilità per capirlo, toccherebbe al partito e alla maggioranza di cui fa parte metterlo gentilmente, ma fermamente, alla porta.

In qualunque altro paese del mondo, un parlamentare che si fosse dichiarato pubblicamente evasore fiscale se ne sarebbe andato senza attendere Panebianco. Se poi non l'avesse fatto, avrebbe quantomeno taciuto di fronte alle critiche. Ma Previti non riesce nemmeno a tacere. Riprende carta e penna e alluviona il «Corriere» con un'altra grandinata di parole rivelando, fra l'altro, doti acrobatiche davvero invidiabili:

Assodato che io non ho corrotto alcun giudice, è il caso di spiegare che io non ho neanche ammesso alcuna evasione fiscale [...], perché se è vero che negli anni passati ho avuto delle disponibilità all'estero, è altrettanto vero che questa situazione l'ho regolarizzata e sanata attraverso un condono tombale, pagando quanto dovuto per legge.

Traduzione: siccome dopo ha fatto il condono, prima non era un evasore. Strepitoso. Panebianco, nella risposta, raccoglie l'*assist* e insacca a porta vuota:

Io credo, semplicemente, che esista in questo caso una questione che è lecito chiamare di deontologia della vita pubblica. Una questione che né l'onorevole Previti, membro di rilievo, nella sua qualità di ex ministro, della maggioranza di governo, né la maggioranza stessa, possono continuare ad ignorare.

Lo faranno, invece.

La guerra (quella vera)

L'ultima battaglia fra il «Corriere» di de Bortoli e il clan Berlusconi si combatte con la guerra preventiva di Bush & C. in Iraq. Quando l'attacco a Saddam Hussein sembra questione di ore, il direttore – come si usa nei grandi quotidiani – illustra ai lettori la posizione del suo giornale. Favorevole ai bombardamenti sulla Serbia di Milosevic e sull'Afghanistan dei Talebani, il «Corriere» è contrario all'invasione dell'Iraq. Perché – spiega de Bortoli nell'editoriale dell'8 febbraio 2003 – lo scenario è cambiato:

> Oggi è diverso. Il 12 settembre del 2001 scrissi un editoriale dal titolo *Siamo tutti americani*. Lo siamo ancora, anche perché la trincea è comune. Ma esserlo non significa rinunciare a critiche e dubbi. L'amicizia è fatta di lealtà, non di passiva fedeltà. [...] L'appiattimento delle opinioni e l'irritazione per i dubbi di coscienza non rendono più efficace la lotta al terrorismo. Tutt'altro. Gli americani sono in guerra (e noi europei spesso ce lo dimentichiamo), si sentono seriamente minacciati dal terrorismo, sono stati attaccati per la prima volta nel loro territorio, hanno avuto tremila caduti. Ma spiace leggere troppi autorevoli e sprezzanti giudizi sull'indecisa Europa. L'antieuropeismo cresce al pari purtroppo di quell'antiamericanismo strisciante che abbiamo sempre condannato [...]. Ma il nostro è anche un no razionale, per quanto possibile. E non perché le prove contro Bagdad non siano ancora convincenti. Forse non servono nemmeno. Qualcuno ha dubbi sulla minaccia costituita da un regime che ha già impiegato armi chimiche e gasato oppositori e curdi? No. La realtà è che la guerra preventiva è il prodotto, pur comprensibile ma pericoloso, del

neounilateralismo americano e soprattutto non è iscritta nel sistema condiviso delle regole internazionali [...]. La guerra preventiva rischia di trasformarsi in una guerra continua [...]. È questo il modo migliore di dialogare con gli arabi moderati? E, soprattutto, con i giovani di quei Paesi, che saranno le classi dirigenti di domani, per convincerli che l'Occidente è libertà, democrazia, che rispetta e si fa rispettare e usa la forza soltanto quando vi è costretto?

L'editoriale, che fra l'altro prevede esattamente quel che accadrà in Medioriente, scatena le ire di Giuliano Ferrara che sul «Foglio» include il «Corriere» nella lista dei «giornali canaglia». Poi, già che c'è, spara su Paolo Franchi, capo della redazione politica, sostenendo che entrò in via Solferino su raccomandazione di Claudio Martelli (in realtà fu proprio Ferrara a entrare alla Rai grazie a una raccomandazione di Martelli).

Ormai il clima è maturo per un intervento diretto di Berlusconi contro il «Corriere». Già da tempo il premier tresca, tramite l'amico Salvatore Ligresti, per aumentare il suo peso politico nella compagine azionaria di via Solferino. Sempre stoppato, però, da Cesare Romiti e dal banchiere di Intesa Giovanni Bazoli. Ora è venuto il momento di un attacco personale al direttore. Stavolta il Cavaliere non parla dalla Bulgaria, ma più modestamente dal Molise. Qui, il 28 marzo 2003, incontrando i terremotati di San Giuliano, stringe la mano a Romiti e gli dice: «Mi saluti il direttore del "manifesto"...». Cioè quel pericoloso estremista di de Bortoli. Il direttore, in redazione, commenta: «Sono oggetto di odiosi attacchi *ad personam*». Ormai non c'è più spazio per le mediazioni. Persino la partecipazione di de Bortoli al matrimonio in Campidoglio di Silvio Sircana, uomo di Prodi, viene letto da Forza Italia come una prova di schieramento a sinistra.

Indovina chi viene a cena

Il 30 marzo 2003 il sito *Dagospia* pubblica le foto di una cena da *Fortunato* al Pantheon fra Previti, l'onorevole forzista Lino Jannuzzi e Carlo Nordio, il pm veneziano che indagava sulle tangenti rosse e ora lavora per il governo alla riscrittura del Codice penale. Del singolare incontro parlano tutti i giornali. Lo fa anche il «Corriere» con Gian Antonio Stella che, dopo aver riportato le giustificazioni di Nordio, domanda:

> Dopo le risse di questi anni e le reciproche accuse da destra e da sinistra sull'uso politico della giustizia, non sarebbe opportuno che l'uomo incaricato di avviare quella che Berlusconi promise come la grande riforma nella scia di Giustiniano si astenesse dalle cene con chi attende di lì a pochi giorni la sentenza in un processo per corruzione di giudici? Certo, almeno fino alla sentenza Previti è innocente e ogni garantista deve augurarsi che, se lo è davvero come lui giura, venga assolto. Certo, dopo dieci anni di indagini spesso controverse, forse è troppo chieder che la moglie di Cesare (o perfino Cesarone) sia esente anche dai sospetti. Ma è questo il modo per rasserenare il clima?

Previti risponde con l'ennesima lettera. Più lunga dell'articolo che l'ha chiamato in causa. Più violenta e volgare delle altre:

> L'articolo pubblicato dal suo giornale, talmente velenoso da meritare un corsivo, non puntava a Cesare Previti, puntava a colpire Carlo Nordio. Perché Cesare Previti non è più l'obiettivo da colpire, è diventato lo strumento per infangare e sputtanare chiunque […]. Quindi confesso tutto. Confesso che ieri ero soddisfatto, perché per la prima volta la Corte d'Appello ha giudicato ammissibile una mia richiesta di ricusazione nei confronti del giudice che mi sta processando a senso unico […]. Ero soddisfatto fino a quando non ho letto la «verità» sul suo giornale. Ma quale parziale vittoria: l'ammissibilità è solo la pala che serve per scavare ancor più profonda la fossa del deputato-imputato (così scrive di me un altro suo giornalista) Previti. Neanche per un istante è balenato nella mente e nella penna di chi scrive le cronache del processo dalle pagine del «Corriere della Sera» – non del «Corriere dei Piccoli», con il più profondo rispetto per il famoso «giornalino» – che la mia questione sulla competenza possa essere più che fondata […]. Confesso: ormai sono consapevole che anche il suo giornale si è unito definitivamente alla schiera di quelli

che implorano «condannate l'imputato Previti» [...]. Finalmente ho vuotato il sacco, ho confessato quanto avevo da confessare: sono perfettamente consapevole di essere la macchia sulla cravatta di quanti incrociano la mia persona sul loro cammino. Questo avevo da confessare. Come? E la corruzione di magistrati? Quei quattrini senza un'apparente – per voi – giustificazione? Questa è un'altra storia. Chiara, facilmente spiegata e dimostrata, con un finale già scritto: assoluzione perché il fatto non sussiste. Un finale che io, fiducioso, sono convinto sarà scritto – non so quando – davanti a un giudice, il mio giudice, il giudice naturale di Perugia.

P.s. A quando una cena insieme io e lei?

A de Bortoli, per rispondere, bastano due paroline: «No grazie».

Via Solferino, addio

Ferruccio de Bortoli, logorato dai continui attacchi e non abbastanza protetto da una proprietà sempre più debole, si dimette il 29 maggio 2003. Ufficialmente per «motivi personali». Alla successione viene scelto Stefano Folli, già alla «Voce Repubblicana» con Spadolini, già commentatore di «IdeAzione» (la rivista del forzista Domenico Mennitti), collaboratore di *Porta a Porta*, ma soprattutto notista politico del «Corriere» da 12 anni. Il Cdr, sollevato per la caduta di altre candidature (i *berluscones* premevano per Carlo Rossella, Giuliano Ferrara o Pierluigi Battista), saluta la nomina come «una scelta di continuità con la linea del vecchio direttore». Ma l'assemblea dei giornalisti vota una giornata di sciopero contro i «metodi» impiegati nel cambio di direzione. E approva un documento che annuncia il «rifiuto dei giornalisti a essere schiacciati in schemi di appartenenza politica, economica o istituzionale». I lettori, sorpresi e dispiaciuti per l'uscita di de Bortoli, sommergono la redazione di lettere e fax. Nonostante il *fair play* mostrato dal direttore uscente, che evita ogni polemica, tutti sanno che in Forza Italia si esulta per le sue dimissioni. Anche se Berlusconi assicura: «Nessuna nostra posizione, nessun nostro intervento, lo garantisco».

Per il discorso di commiato alla redazione la grande sala «Luigi Albertini» è gremita; de Bortoli vola alto. Dice che «è sotto gli occhi di tutti il conflitto d'interessi, che inquina i rapporti tra media e potere». Poi puntualizza: «È vero, c'è un clima da barbarie tra politica, informazione, economia e potere. L'assedio intorno al "Corriere" non ha influito sulla mia decisione. Abbiamo avuto pressioni, ma è successo anche con il precedente governo». Insomma si è continuato a scrivere senza censure né divieti, perché «il "Corriere" è un'istituzione di garanzia». Ferruccio de Bortoli guarda i suoi giornalisti: molti, i più giovani, li ha assunti lui; i più anziani l'hanno visto entrare da redattore ordinario. Per tutti la sua porta era sempre aperta. Lui ringrazia l'editore, «liberale non solo a parole. Altri lo dicono all'esterno, ma all'interno non lo sono». Parla del successore: «Rappresenta la continuità, vi chiedo di sostenerlo: è una garanzia per la libertà d'informazione al "Corriere"». Perciò critica lo sciopero: «Non l'ho capito, lo ritengo sbagliato, lo considero un errore». Infine l'addio: «I media liberi danno sempre più fastidio. Chiedetelo a quelli che lavorano a palazzo di giustizia se abbiamo dato tutte le notizie [...]. Vi lascio dopo sei anni di direzione e trenta al "Corriere". Siete voi che fate il giornale. Siete voi che dovete garantire la sua libertà».

Vendette di regime

Al di là delle spiegazioni ufficiali, per la Casa delle Libertà l'uscita di de Bortoli è oggettivamente una vittoria. Lo fanno notare «Liberazione» e «L'Unità», che titola in prima pagina: *Si sono presi anche il Corriere*. Ma subito Fassino e Bertinotti si dissociano dai due quotidiani «amici», sostenendo che al «Corriere» non è successo niente, o quasi. Normale avvicendamento. Quello che è davvero accaduto in via Solferino lo spiega un grande giornalista come Corrado Stajano, che lascia il «Corriere» per protesta e scrive sull'«Unità» dell'8 giugno 2003:

Caro direttore, la parola d'ordine nelle stanze alte del «Corriere» è sopire, troncare, minimizzare, allontanare il fuoco dalla paglia, fare in fretta, soprattutto, a collocare il nuovo direttore sulla poltrona con l'Enciclopedia Treccani di spalle. Io mi sono dimesso stamattina perché non credo per nulla nella versione ufficiale delle dimissioni di Ferruccio de Bortoli – i motivi personali – […] e non credo neppure nelle assicurazioni date sulla continuità del giornale, più o meno provvisoria. Una conquista, persino, il meno peggio che potesse accadere, secondo alcuni protagonisti di questa vicenda che è un po' il simbolo della vecchia politica delle stanze chiuse, dei patti riservati, degli occhieggiamenti, dei favori, delle poco sublimi mediazioni, delle trattative sottobanco, dell'eterna ambiguità. Mi dimetto per protesta. Contro l'arroganza del governo e dei suoi ministri, contro una proprietà subalterna, contro le interferenze, difficili da negare, piovute dall'alto ai danni di un possibile libero giornalismo. In un momento grave per la Repubblica in cui non è certo il caso di fare gli struzzi, ho consegnato la mia lettera di dimissioni […]. Che cosa significa, mi sono detto, il concetto di continuità predicato ora in un giornale come questo che ha segnato la vita nazionale? Da Bava Beccaris e dalla parte dei suoi cannoni al fascismo dopo le non sempre focose resistenze di Albertini fino a quel famoso direttore del dopoguerra esaltato dai manuali, Missiroli, che era solito dire, negli anni Cinquanta: «Ci vorrebbe un giornale. Oh, se avessi un giornale!». La continuità arriva fino alla P2 – Di Bella, Rizzoli, Tassan Din – o per continuità – speriamo – si vuole intendere soltanto la parte civile della storia, Mario Borsa, Ottone, Cavallari, Stille, Mieli? E Ferruccio de Bortoli. Che ha diretto con dignità un giornale moderato dove a occupare la prima pagina sono stati soprattutto Panebianco, Galli Della Loggia, Merlo, Ostellino e qualcun altro, guardie bianche da cui Berlusconi non ha avuto certo da temere, soltanto benevolenza e consigli filiali.

Io sono stato accolto da Ugo Stille nel 1987. Lo ricordo con affetto […]. Era curioso, gentilmente beffardo. Solo una volta parlò del suo grande amico Giaime Pintor. Nel 1999, poi, de Bortoli mi ha affidato una rubrica di politica e società, «Storie italiane», e in quattro anni non mi ha mai chiesto di togliere una riga o una sola parola garantendo con correttezza esemplare una rubrica dissonante dal resto del giornale. Sono grato anche a lui. «Come mai» dicono adesso gli ingenui cittadini di Milano che si incontrano per la strada e ti fanno domande allarmate «de Bortoli era inviso al governo o ad alcuni governanti e il suo successore non lo è?». «Come mai» dicono altri «si sostiene che non è successo niente?». Berlusconi vuole tutto. Non gli bastano le sue tre reti televisive, la Rai, i giornali parentali e quelli amici, le radio e le case editrici, come non succede in nessun paese del mondo. Il «Corriere», nonostante non fosse nemico, era ed è un inciampo da togliere di mezzo. Perché adesso? Le elezioni non sono state un successo. L'economia ristagna. Non pochi elettori forzisti fanno i conti della spesa, il vecchio carisma del capo è entrato in crisi, il loro cuore è tremulo e intristito. Il semestre europeo può essere un ostacolo micidiale, non un'occasione dorata. E il «Corriere» conta, resta una spina, ha mantenuto intatto il suo prestigio. Può influenzare milioni di persone.

Che cosa dà fastidio al Cavaliere? La quantità di informazioni che de Bortoli ha sempre cercato di dare non gli giova. Alcuni collaboratori di certo non gli piacciono, Giannelli e le sue vignette, qualcun altro, il professor Sartori, liberale autentico, che ha battuto per anni sull'incudine del conflitto di interessi e non si è stancato mai perché questo è l'insoluto problema generatore di tanti disastri reali e d'immagine per l'Italia in tutto il mondo. Il 15 maggio, Sartori ha avuto l'impudenza che non è stata perdonata né a lui né a de Bortoli di scrivere: «Lei ha dichiarato, signor presidente del Consiglio, che "non sarà consentito a chi è stato comunista di andare al potere". Queste cose le diceva Mussolini. Lei non ha nessun motivo di aver paura. Io sì». Figuriamoci il Cavaliere che con i suoi fedeli vassalli non ha mai dimenticato il no alla guerra di de Bortoli. Le pressioni governative sono state assillanti, padronali, offensive. A proposito dell'economia e di inchieste su questioni finanziarie. A proposito della giustizia, tema ossessivo. Il direttore de Bortoli l'ha affrontato nell'unico modo possibile per un giornalismo civile pubblicando gli articoli dei bravi, generosi e minacciati cronisti giudiziari che non ritengono il presidente del Consiglio e l'onorevole Previti al riparo dalle notizie documentate. Questi eminenti imputati dei processi di Milano che debbono rispondere di un reato comune così grave come la corruzione di magistrati e che stanno per ottenere l'impunità dalla maggioranza parlamentare con una legge *ad personam* che certo viola la Costituzione, vogliono essere liberati anche da ogni controllo dell'informazione. Sorretti dai loro avvocati-parlamentari che fanno il diavolo a quattro in difesa dei loro clienti. Le ricusazioni toccano anche alla stampa libera. Gli azionisti, poi. Quella del «Corriere» è una proprietà frantumata, un pentolone che contiene tutti i possibili beni e servizi, le auto, i cavi, le telecomunicazioni, i frigoriferi, la finanza, Mediobanca, le assicurazioni. Appassionati sostenitori del libero mercato, gli azionisti si sono rivelati fedifraghi, bisognosi come sono delle stampelle e dei favori del governo che certo non dà senza nulla ricevere in cambio. Anche loro hanno protestato infuriati ed esterrefatti – un reato di lesa maestà – quando l'informazione economica del giornale ha rivelato, per alcuni, oscure verità su traffici e affari. Il capitalismo democratico è di là da venire. Anche coloro che deprecano a parole i comportamenti di una società che opera solo in nome degli interessi e lamentano la mancanza di idee e l'assenza di ideali, in quest'occasione non hanno rotto un fronte comune che non li rappresenta.

Il grido della foresta è stato più forte. Mentre nella mia passeggiata d'addio dentro il giornale deserto passavo davanti alle stanze dell'Economia, al secondo piano, nel vecchio fabbricone di vetro, mi venivano in mente «gli interessi inconfessabili» denunziati da un grande maestro non certo marxista-leninista, Luigi Einaudi, quando, forse proprio sul «Corriere», si riferiva ai traffici dei cotonieri, dei siderurgici, degli armatori, degli agrari che si servivano dei giornali di cui erano proprietari non certo per difendere idee, ma per calcoli mercantili e usavano i loro poteri e i loro denari per promuovere disegni di legge adatti agli interessi di casa. Quel che è accaduto al «Corriere» è grave. È sbagliato usare anche qui i criteri perdenti della tattica anziché cercare di aprire un po' la mente e capire quali possono essere le conseguenze rovinose di un «Corriere» del tutto addomesticato ai voleri di Berlusconi. E questo vale per la sinistra. Il cambio di un direttore di giornale avvenuto chiaramente per impulso governativo non è, come ha detto qualcuno dall'anima questurina, simile a un banale cambio di prefetti. Soprattutto in via Solferino, dove la forza della tradizione conta, nonostante la retorica, dove, malgrado tutto, anche se con fatica, il giornale ce l'ha quasi sempre fatta a uscire dalle tempeste. La P2 non era un club di gentiluomini: basta ricordare che Giuliano Turone e Gherardo Colombo, allora giudici istruttori, arrivarono alle liste di Gelli indagando sulla mafia, sul finto rapimento di Sindona in Sicilia, sull'assassinio dell'avvocato Giorgio Ambrosoli.

Ma nemmeno la partenza di de Bortoli basta a placare le ire e a soddisfare gli appetiti di Berlusconi & C. Se ne accorge Stefano Folli quando, a fine giugno 2003, riporta in prima pagina le bordate di tutta la stampa internazionale contro il premier italiano, nuovo presidente di turno dell'Unione europea. E viene subito attaccato sulla prima del «Giornale» berlusconiano. Titolo: *È il «Corriere» ma sembra «l'Unità». Il quotidiano di via Solferino sulla scia del giornale postcomunista apre alle accuse della solita stampa estera contro Berlusconi. Il ministro Castelli: «È la prova di un attacco mediatico al premier».* Seguono due editoriali di Paolo Guzzanti (*Il megafono dei faziosi*) e di Renato Brunetta (*Girotondo in redazione*).

Se ne accorge, nel gennaio-febbraio 2004, anche Lucia Annunziata: la presidente «di garanzia» della Rai vorrebbe affidare a de Bortoli la striscia quotidiana di approfondimento su Rai1 che era stata di Enzo Biagi. In alternativa pensa a Giulio Anselmi, già direttore dell'Ansa, del «Messaggero» e dell'«Espresso», ora editorialista di «Repubblica». Apriti cielo. Su entrambi i nomi pongono il veto i consiglieri Rai del centrodestra, che ritengono quella di de Bortoli una scelta «non equilibrata». Il 2 febbraio l'Annunziata tenta di sparigliare il gioco raccontando alla stampa estera quei veti, e non solo quelli: «So per certo che Berlusconi alza il telefono e chiama i consiglieri per suggerire le nomine e influenzare le scelte dei programmi. Queste almeno sono le spiegazioni che mi vengono date in via non ufficiale per giustificare alcune decisioni che vengono prese». Gli interessati, ovviamente, smentiscono. Forza Italia accusa la presidente di fare campagna elettorale per l'Ulivo. Alla fine la scelta per il dopo-Tg1 cadrà su Pierluigi Battista, editorialista della «Stampa» nonché collaboratore fisso di «Panorama» (di cui fu vicedirettore nella gestione militarizzata di Giuliano Ferrara), presunto «terzista» molto vicino alle posizioni berlusconiane. De Bortoli non ha mai parteggiato per nessuno: s'è limitato a dare spazio a tutte le notizie e a tutte le opinioni. Dunque passa per «schierato» e «non equilibrato». Delitto di cronaca.

Per educarli tutti

9
Tg1. Un uomo solo al telecomando

Improntare il giornale a ottimismo, fiducia e sicurezza nell'avvenire.
Eliminare le notizie allarmistiche, pessimistiche,
catastrofiche e deprimenti.
Direttiva dell'Ufficio Stampa del governo Mussolini, 1931

C'era una volta il Tg1 governativo, istituzionale, vicino a tutti i palazzi e gli uomini del potere. A tutte le autorità civili, militari e religiose. Poi arrivò Clemente J. Mimun e il Tg1 divenne la voce di un solo uomo: Silvio Berlusconi. Una specie di «Pravda» televisiva. A costo di censurare il ministro Bossi perché parla male del Papa. Di oscurare il Papa perché parla male della guerra. Di nascondere milioni di bandiere della pace perché «sono vendute dalle Coop». Di diffondere notizie false contro il tribunale di Milano, copiandole pari pari da un tg Mediaset. Di occultare l'incontro ravvicinato tra il governatore forzista Formigoni e il ministro degli Esteri iracheno Tarek Aziz. Ma il «nuovo» Tg1 censura persino l'amato Cavaliere, per proteggerlo da se stesso quando le spara o le combina troppo grosse. Niente audio dell'attacco all'eurodeputato Martin Shulz, paragonato a un kapò nazista. Nessun accenno al premier che definisce «di stampo sovietico» alcuni articoli della Costituzione. Nemmeno un fotogramma di Berlusconi che si deterge il sudore e il cerone colante davanti ai giudici del processo «toghe sporche». E così via.

Quando le notizie scomode proprio non si possono tacere, allora si rinviano a tarda sera o a notte inoltrata, così le sentono in pochi. Per esempio quando Ciampi respinge la legge Gasparri. O quando, il 7 luglio 2004, fonti politiche rivelano l'iscrizione sul registro degli indagati dei figli di Berlusconi, Marina e Piersilvio: l'Ansa batte la notizia alle 20,20, ma il Tg1 delle 20 – in pieno corso – fa finta di niente. Nemmeno un accenno. Neppure una parola nel notiziario di mezza sera, alle 23. Meglio rinviare a quello della notte, intorno all'una, riservato ai sonnambuli. Il giorno dopo, più nulla: è spuntato il sole.

È lungo, lunghissimo, pressoché interminabile l'elenco delle manipolazioni, delle censure, delle bufale lanciate dal Tg1 di

Clemente J. E non solo ai danni dell'opposizione. Ma anche, sempre più spesso, contro i partiti e gli uomini della maggioranza quando non si allineano perfettamente al Capo. Così dallo schermo scompaiono i dissensi del presidente della Camera Casini sulla legge finanziaria e quelli di Follini sulla guerra berlusconian-leghista al mandato d'arresto europeo. Una pratica che spingerà Follini a definire il Tg1 «un monumento al servilismo». E costringerà il Comitato di redazione – la rappresentanza sindacale interna del Tg1 formata da Paolo Giuntella, Elisa Anzaldo e Rossella Alimenti – a lanciare inutilmente l'allarme: «Si stanno perdendo alcune caratteristiche che hanno sostenuto l'autorevolezza del Tg1».

Sopire, troncare

Nelle cronache politiche la vaselina va via come il pane. La scelta delle parole e la modulazione dei toni è fondamentale per minimizzare i disastri del governo e le risse nella maggioranza. Gli scontri continui fra ministri e alleati diventano «costruttivi dibattiti» e «dialettica variegata». La verifica chiesta da Fini e Follini nel maggio 2003 si trascina fino all'autunno 2004, ma per il Tg1 fin dall'inizio «si avvia rapidamente alla conclusione» e viene dichiarata felicemente risolta una ventina di volte. Poi i telespettatori che l'indomani acquistano un giornale qualsiasi scoprono la verità: il governo continua a litigare e a perdere i pezzi. Quando Tremonti se ne va sbattendo la porta, licenziato in tronco da Fini e Follini, l'ineffabile Francesco Pionati – mezzobusto parlamentare e vicedirettore per la politica – rassicura: «Da fonti vicine a Palazzo Chigi si apprende che il clima è sereno e costruttivo».

Se invece, il 27 novembre 2003, Alessandra Mussolini lascia fragorosamente An per insanabili dissensi politici sulla linea del presidente Fini, Pionati esala: «La Mussolini lascia per problemi personali». Malattia? Stanchezza? Depressione? Gravidanza? Chissà. Poi fortunatamente i giornali raccontano come vanno davvero le cose in An, parlando di «strappo nel partito», di «asse Mussolini-Storace», di «rabbia nella base». Ma al Tg1 la fuoruscita avrà diritto di parola soltanto 22 giorni dopo le dimissioni, per presentare brevemente la sua nuova lista. Il servizio sarà comunque chiuso dal sorriso mefistofelico di Ignazio La Russa: «Auguri. Siamo sicuri che Alessandra non ci toglierà nemmeno un voto». E morta lì.

Del nuovo Tg1 fa le spese anche la Lega Nord. Quando la legge Gasparri viene affossata una prima volta dai franchi tiratori e si apre la caccia al traditore, Bossi addita esplicitamente gli alleati di An e Udc: «Quelli non vogliono approvare niente finché non si chiude la verifica. È Roma ladrona che vuole le poltrone». Ma viene censurato pure lui: «Code polemiche fra An, Udc e Lega», minimizza Pionati. Polemiche su che cosa? Mistero. Anche altri ministri, quando remano contro, vengono silenziati. Un giorno scioperano i medici, ben 42 diverse sigle sindacali, contro la riforma sanitaria e Sirchia incredibilmente si associa: «Avete ragione, sono con voi». Ma al Tg1 gli manca la parola. Un'altra volta, dopo l'ennesima domenica del pedone, il ministro Matteoli si ribella: «Questi blocchi del traffico sono inutili». Ma il Tg1 mette la sordina anche a lui.

Eppure, nelle sue numerose interviste e nelle ancor più copiose lettere ai giornali, Mimun assicura sempre di dare voce a tutti. Si trincera dietro una regola introdotta a suo tempo dal presidente Roberto Zaccaria: quando si parla di politica nei telegiornali, fuori dalle campagne elettorali, un terzo del tempo dev'essere dedicato alle istituzioni (governo compreso), un terzo alla maggioranza, un terzo all'opposizione. Zaccaria, in effetti, enunciò quel criterio in una circolare del 1998, sul modello dell'Autorità francese di controllo sull'informazione (Csa). Ma la regola era uno strumento a uso interno: per valutare l'*equal time* nell'informazione politica dei telegiornali sul lungo periodo. Non certo per ingabbiare ogni singolo tg o addirittura ogni singolo servizio di ciascun tg nella prigione dei «tre terzi». Tant'è che, nella Rai dell'Ulivo, andava in onda il cosiddetto «bidone». Sulla giornata politica venivano generalmente confezionati due servizi: uno dedicato alla maggioranza, uno all'opposizione. Se invece la notizia era secca e riguardava (senza necessità di replica) uno solo dei due poli, la si dava e basta. Di tanto in tanto, si tiravano le somme per valutare la distribuzione dei tempi sul parametro dei tre terzi, verificare eventuali favoritismi o penalizzazioni troppo evidenti e riequilibrare la situazione.

Un panino indigesto

Nato alla Rai, poi approdato al Tg5 come vicedirettore, Mimun torna in viale Mazzini nel 1994 per dirigere il Tg2. Dove rimane per otto anni, fino al 2002, inossidabile a tutti i cambi di maggioranza. Ed è proprio al Tg2 che inventa il «panino», conficcando tutta la politica in un unico, incomprensibile, immangiabile servizio-polpettone. Promosso al Tg1, Clemente J. affina la tecnica, affidando il «pastone» politico a Pionati, figlio del sindaco demitiano di Avellino, protagonista di varie piroette politiche a seconda dei vincitori delle elezioni, che oltre a ricevere lo stipendio dalla Rai viene pagato anche dal presidente del Consiglio per la sua rubrica su «Panorama». Un privilegio riservato anche a Bruno Vespa fin da prima che andasse in pensione. Il conflitto d'interessi è evidente, o almeno dovrebbe esserlo. Se ne occupa anche la Commissione paritetica della Rai, organismo composto da rappresentanti del sindacato e dell'azienda, a cui l'Usigrai ha chiesto in base a quali criteri le direzioni di testata autorizzino certi giornalisti alle collaborazioni esterne. È opportuno che Pionati scriva per il settimanale della Mondadori, cioè di Berlusconi, del quale poi deve occuparsi ogni sera nel primo tg del servizio pubblico? Lui ovviamente risponde di sì: esibisce l'autorizzazione ricevuta da un vecchio direttore e soprattutto un parere legale che sancisce la regolarità del suo comportamento. Eppure un conto è lavorare alla Rai e intanto collaborare alla «Stampa» o al «Corriere», un altro è essere pagati da una testata del premier o da un giornale di partito. Ma la differenza pare sfuggire alla Rai che, severissima con i giornalisti sgraditi al Cavaliere che nulla di scorretto hanno fatto, diventa indulgentissima con i Vespa e i Pionati, promossi a sovrani incontrastati della cosiddetta «informazione» politica sulla rete ammiraglia.

Nella felice, ma breve stagione della direzione Lerner, il pastone di Pionati era scomparso dal Tg1. Poi, con Longhi, si era timidamente riaffacciato. Ora, con l'avvento di Mimun, dilaga senza più limiti spazio-temporali. Se, per dare ritmo al tg, tutti gli altri servizi non devono superare il minuto e 15-30 secondi, il polpettone pionatesco può sforare a piacimento, arrivando a imbarcare, stipate come aringhe, anche 16 dichiarazioni di altrettanti leader di partito tutte assieme. Accade, per esempio, l'8 febbraio 2004: in un unico servizio si concentrano lo sciopero dei magistrati, la verifica di governo, l'*election day* e il dibattito sul simbolo della sinistra, con citazioni e frasi degli onorevoli Biondi, Schifani, Fragalà, Mazzoni, Rizzo, Fanfani, Finocchiaro, Calderoli, Casini, Bertinotti, Monaco, Pecoraro Scanio, Mastella, Prodi, Chiti e del partito dei Verdi.

L'intervista, in compenso, è un genere pressoché estinto. Così come la figura del giornalista intervistatore. Ne sa qualcosa il ministro Gianni Alemanno. Un giorno viene avvicinato da un cameraman del Tg1 che gli porge il microfono e, senz'alcun cronista al seguito, lo prega di pronunciare una frase a piacere. «E il giornalista dov'è?», domanda. «Mi han detto che lei sa già tutto», risponde imbarazzato il cineoperatore. «No, non so niente. E non mi piace farmi le interviste da solo», lo fulmina il ministro.

Sono gli effetti collaterali del «panino», dove tutto è compresso, liofilizzato in pillole. Per accontentare tutti e far capire il meno possibile. Qualunque sia il tema, qualunque cosa sia accaduta nella giornata politica, il servizio segue uno schema fisso. Si apre con una fetta di pane ricca d'immagini e dichiarazioni di esponenti del governo. Segue una sottiletta di formaggio riservata all'opposizione: qualche frase, un riassunto in voce, molte citazioni alla rinfusa. Infine ancora pane: uno dopo l'altro sfilano i pezzi grossi della Casa delle Libertà. Replicano tutti all'opposizione e quasi sempre l'ultima parola spetta a Bondi, o Schifani, o Cicchitto. Come ricorda Umberto Eco, dietro una parvenza di pluralismo si nasconde una precisa regola televisiva: «Resta in mente solo chi dice l'ultima parola».

Nemmeno sotto altri governi i tg Rai brillavano per autonomia e indipendenza. Nel 1999, quando a Otranto un gruppo di albanesi fischiò il premier Massimo D'Alema, il sonoro della contestazione fu cancellato dal Tg1 delle 20. Un'altra volta Francesco Rutelli parlò al cinema Adriano dinanzi a una platea semivuota, ma un sapiente montaggio la trasformò in un tripudio di folla. Ma è nel 2002, con l'avvento di Mimun, che la manipolazione diventa sistema. Con un'aggravante: per chi dis-

sente in redazione ci sono il mobbing, i tentativi di trasferimento (spesso riusciti), gli inviti ad andarsene. E per chi, come
il ds Fabrizio Morri, critica un'intervista al ministro Gasparri
sul caso Telekom Serbia («una perla di giornalismo marchettaro»), c'è la denuncia in tribunale con una richiesta di 500 mila
euro di risarcimento. Quando invece l'onorevole avvocato
Enzo Trantino, presidente della commissione Telekom, scarica
il «supertestimone» Igor Marini perché «non ci porta da nessuna parte» (26 novembre 2003), il Tg1 non dedica nemmeno
un servizio allo smascheramento del calunniatore che per quattro mesi era servito ad accostare a reti unificate i nomi di Prodi, Fassino, Dini, Veltroni, Rutelli e altri leader dell'opposizione alla parola «tangenti». Per tutta l'estate i telegiornali di regime avevano dedicato alle fandonie del «conte» Igor anche tre
servizi al giorno. Ora che viene sbugiardato, silenzio di tomba.

Giornalisti e bidelli

Mimun è fatto così. Nella sua lunga carriera s'è costruito la
fama di uomo «che non le manda a dire». Ma solo a chi si mette di traverso. Un giorno decide di assumere cinque giornalisti.
Il Cdr fa notare che solo due collaborano da molto tempo al
Tg1. Clemente J. accusa il Cdr di aver preparato «un documento nazista, che divide il mondo in ariani e no», sorvolando sul
fatto che tra i neoassunti c'è Marilù Lucrezio, collaboratrice
meno «anziana» di altri, balzata agli onori delle cronache perché il suo nome compariva sul celebre bigliettino di raccomandazione consegnato nel 2000 all'allora direttore Gad Lerner dal
presidente della Vigilanza Mario Landolfi (An).

Debole con i forti, forte con i deboli, Mimun affronta a
brutto muso anche i «suoi» giornalisti. Dà della «bidella» a
Maria Luisa Busi. E quando Lilli Gruber osa discutere la scaletta delle notizie, la apostrofa: «O mangi sta' minestra, o...».
Un tocco di classe. Un antipasto della rottura definitiva tra
Mimun e la conduttrice, che si consumerà a fine marzo del
2004: la Gruber lancia un servizio sulla legge Gasparri, respinta tre mesi prima dal capo dello Stato dopo mesi di polemiche

al calor bianco, chiamandola «la discussa legge Gasparri». È il minimo che si possa dire: non è un giudizio (lo sarebbe se avesse detto «discutibile»), ma una constatazione, anche piuttosto blanda. Apriti cielo. Mimun va su tutte le furie. Il vicedirettore Alberto Maccari prende carta e penna per vergare un richiamo non formale contro l'improvvida giornalista. Lilli risponde e il Cdr solidarizza con lei: «Chiediamo il rispetto dell'autonomia e dell'indipendenza dei giornalisti, sancito dalla legge istitutiva dell'Ordine. Chiediamo un corretto rapporto fra conduttori e direzione». Anche perché il conduttore è un giornalista, non un lettore di notizie scritte da altri. O almeno dovrebbe essere così: al Tg1 i testi del notiziario vengono regolarmente «passati» e largamente riscritti da Mimun, che non tollera una parola in più, o in meno.

È il suo stile, già collaudato al Tg2. Anche allora il Cdr, come in un film proiettato mille volte, aveva avvertito: «Con l'arrivo di Mimun l'informazione politica della testata si è trasformata in propaganda tutta a favore dell'ex presidente del Consiglio Berlusconi e dei suoi alleati». Nessuno però ne aveva fatto un caso. Nella logica della spartizione Rai, il Tg2 era in appalto al centrodestra. E al centrosinistra, poco sensibile ai problemi dell'informazione, andava bene così. Anche perché, sulle prime, il Tg2 di Mimun ricalcava il modello Mentana *d'antan*, di cui Clemente J. era stato per due anni il fedele braccio destro: molto spazio alla cronaca, poco alla politica. Poi la brusca inversione di rotta.

Uno dei segni della svolta fu il servizio sulle motivazioni della sentenza che assolveva in primo grado Giulio Andreotti dall'accusa di associazione mafiosa. L'inviato del Tg2 Francesco Vitale volò a Palermo, lesse in tutta fretta le migliaia di pagine depositate il 16 maggio 2000 dal presidente del tribunale Francesco Ingargiola, e tentò di spiegare ai telespettatori che i giudici avevano sì assolto il senatore, ma con la formula che ricalca la vecchia insufficienza di prove. Motivazioni devastanti che ritenevano dimostrate condotte gravissime, almeno dal punto di vista etico-politico: un incontro riservato con il boss Andrea Manciaracina, il viaggio in America per vedere il latitante Michele Sindona, il falso giuramento sui diari di Dalla Chiesa, i rapporti con la P2, l'amicizia – sempre negata – con i cugini Salvo, capimafia di Salemi, e con altri mafiosi come Vito Ciancimino, oltre a una trentina di bugie raccontate in aula. Ma quella sera la voce di Vitale non andò in onda. All'ultimo momento, il sonoro del suo servizio da Palermo venne sostituito con un testo preparato a Roma, che naturalmente beatificava Andreotti, alimentando vieppiù la leggenda del processo basato su teoremi politici.

Nel luglio 2001, in occasione del G8 di Genova, Mimun e i suoi fedelissimi fecero anche di meglio. Un cineoperatore riuscì a riprendere 20 minuti di pestaggi ai manifestanti da parte delle forze di polizia. Una delle scene più sconvolgenti mostrava un gruppo di ragazzine sui vent'anni picchiate selvaggiamente mentre, con le mani alzate, gridavano «Siamo delle Acli, siamo delle Acli!». Ma l'inviato del Tg2 Maurizio Crovato non trasmise il filmato, con il beneplacito dell'allora vicedirettore Bruno Socillo. Crovato fu poi promosso capo della redazione Rai di Venezia al posto di Giuseppe Casagrande, sgradito al governatore forzista Giancarlo Galan (casi analoghi di epurazioni nelle sedi regionali colpiranno Federico Pirro a Bari e Giorgio Tonelli a Bologna). Anche Socillo fu poi premiato con la direzione dei gr Rai. Frammenti di quel filmato andarono in onda qua e là, a spizzichi e bocconi, in maniera decontestualizzata, senza che il telespettatore riuscisse a cogliere la gravità di quanto era accaduto.

Ma l'esplosiva videocassetta fu utilizzata da un inviato del Tg1, Bruno Luverà, per un servizio choc che gli valse il premio Saint Vincent. Appena fu trasmesso in tv (il direttore del primo telegiornale era ancora Albino Longhi), sia Berlusconi sia Ciampi si fecero inviare la registrazione. E il 30 luglio il capo dello Stato chiese «piena luce sui fatti di Genova». Pochi mesi dopo, al Quirinale, consegnò a Luverà il premio Saint Vincent: la migliore consacrazione possibile per il lavoro di un inviato. «Certo – dichiarò il presidente della Repubblica – la libertà di informazione deve essere difesa dalle leggi, in base alla Costituzione, e le leggi devono essere via via aggiornate. Ma la prima garanzia, il requisito insostituibile sono la professionalità, la deontologia e la consapevolezza della responsabilità del proprio compito di chiunque fa informazione». I giornalisti, insomma, devono «tenere la schiena dritta».

Prove tecniche di epurazione

Nell'aprile 2002 Mimun s'insedia al Tg1. E per qualche mese
Luverà continua a lavorare al ritmo di sempre. Poi, improvvisamente, finisce emarginato. Nei primi tre mesi del 2004 gli
affideranno solo tre servizi nell'edizione delle 20. Eppure,
dopo il Saint Vincent, si aspettava un avanzamento in carriera,
un aumento di stipendio. Succede così in tutte le testate del
mondo. Al Tg1 invece quel riconoscimento dalle mani del capo
dello Stato diventa una macchia indelebile. Luverà è costretto
ad avviare una procedura per «dequalificazione professionale»:
una sorta di causa per mobbing tutta interna alla Rai.

La stessa strada viene battuta da un altro inviato politico,
Andrea Montanari, che da anni segue il centrosinistra. Tra le
sue colpe ce n'è una davvero imperdonabile legata a Telekom
Serbia, il cavallo di battaglia del Tg1 contro l'Ulivo morto poco
prima del traguardo. Il 13 maggio 2003, mentre Igor Marini
alluviona la commissione Trantino di fantomatiche rivelazioni, a
Montanari viene chiesto di concludere tassativamente il servizio
con una dichiarazione dell'onorevole avvocato Carlo Taormina,
uno dei *pasdaràn* dell'illustre consesso. Montanari obietta che è
giornalisticamente impossibile: il deputato forzista attacca l'opposizione e questa ha diritto di replicare. Bisogna chiudere con
il senatore ds Guido Calvi, che ha registrato una dichiarazione
per rispondere alle accuse. E così fa il giornalista nel suo pezzo:
prima la cronaca della giornata, poi Taormina, infine Calvi. Ma
il servizio, pronto per andare in onda nell'edizione delle 20, viene sfilato all'ultimo momento. Montanari invece verrà sfilato
direttamente dal video. Non farà più servizi.

Qualcosa di analogo accade a Maria Luisa Busi, la popolare
conduttrice del Tg1 delle 20. Contesta la parzialità dei «lanci»
di certi servizi: cioè le introduzioni di ogni pezzo, scritte o
vistate da Mimun, che il conduttore vede all'ultimo momento
quando gli scorrono sotto gli occhi sul «gobbo» e che tendono
sempre più ad annacquare o falsare la realtà. La Busi pone la
questione nella riunione di redazione, criticando in particolare
la scelta di nascondere a metà del tg un servizio sul buco di
bilancio. Mimun la zittisce davanti a tutti: «Basta, devi finirla
di fare la bidella». Da quel momento il clima fra i due diventa

tesissimo. Mimun cerca di far promuovere la Busi, pur di levarsela di torno. La convoca direttamente il direttore generale Cattaneo per proporle di diventare corrispondente da Parigi. In qualsiasi giornale queste proposte vengono avanzate dal direttore. Alla Rai, di solito, le decidono anzitutto i direttori dei tre tg, perché il corrispondente copre più reti. Ma per la Busi c'è molta fretta. Se ne accorge lei stessa quando chiede a Cattaneo un po' di tempo per riflettere. «Hai ventiquattr'ore», replica secco il dg. La conduttrice è sbigottita, anche perché capisce subito il trucco: a Parigi sarebbe solo la corrispondente in seconda. E non comparirebbe quasi più sul Tg1, ma solo alla radio e al Tg3. Così rifiuta: «Dottor Cattaneo, non sono un pacco postale». L'indomani, nella riunione di redazione dedicata al sommario, Mimun riceve una telefonata. Alza la cornetta e i presenti gli sentono urlare: «Ma quella come si permette? Vedrai se accetta o non accetta!». Il suo ingresso in maternità risolve momentaneamente la questione. La scomoda conduttrice entra in congedo per un anno, in attesa di tempi migliori.

Sindacato giallo

L'aria, al Tg1, è da caserma. All'ennesimo insulto di Mimun, i tre rappresentanti del Cdr scrivono a Cattaneo e all'Annunziata per denunciare il linguaggio del direttore e chiedere all'azienda di essere tutelati e rispettati, come persone e come sindacalisti. Ma, in gran segreto, i vicedirettori Alberto Maccari e Claudio Fico preparano un'altra lettera a Cattaneo e Annunziata per sostenere «di aver sempre intrattenuto con il direttore e con la direzione rapporti di reciproco rispetto sul piano personale e professionale». E raccolgono le firme di 56 giornalisti. Di questi, nove sono collaboratori a tempo determinato (cinque verranno assunti poco dopo). Quattro sono redattori che Mimun ha portato con sé dal Tg2. Quattro sono suoi vicedirettori. Ventuno otterranno una promozione o l'hanno appena ottenuta e si sono subito sdebitati.

Dei Magnifici Cinquantasei fanno parte il fido Francesco Pionati, l'onnipresente Vincenzo Mollica, il caporedattore della politica Cesare Pucci, il caporedattore dell'economia Dino

Sorgonà e quello della cronaca Carlo Pilieci, più la redazione politica quasi al completo: Ida Peritore, Susanna Petruni, Angelo Polimeno, Stefano Ziantoni, Marco Frittella. Seguono Franco Di Mare e Monica Maggioni, rintracciata appositamente in Iraq. E Piero Damosso, che per il Tg1 segue la scuola. Uno dei firmatari, Marco Franzelli, si dissocerà pubblicamente in assemblea dal contenuto della lettera, dicendo di averla sottoscritta per sbaglio. Gli verrà tolta la conduzione di *Unomattina*, affidata a Di Mare.

Il Cdr, di fronte alla raccolta clandestina di firme pro Mimun, chiede udienza al direttore generale. Oltre al fatto in sé, inaudito, c'è pure un altro aspetto: tra i firmatari del documento ci sono giornalisti assunti a tempo determinato, dunque «ricattabili» da chi deve decidere se confermarli o tagliarli. Cattaneo mostra di capire la gravità della questione, tant'è che, dopo qualche balbettìo imbarazzato, commenta: «Facciamo finta che questa raccolta di firme non sia mai stata fatta». La lettera del Cdr contro la maleducazione del direttore un risultato lo ottiene: dopo un incontro con Cattaneo e con il capo del personale, Mimun è costretto a scusarsi per il linguaggio usato con alcuni colleghi.

Quanto ai Magnifici Cinquantasei, buona parte di loro li ritroveremo nella foto-ricordo della festa a base di ostriche organizzata in un circolo sportivo romano per celebrare la promozione dell'ex Tg2 Attilio Romita a conduttore del Tg1, con Flavio Cattaneo e Clemente J. al tavolo d'onore. Nel brindisi spensierato svetta Luigi Monfredi, l'ottimo responsabile del coordinamento dei precari che, scavalcando diversi colleghi più anziani, è appena riuscito a entrare in organico al Tg1. Alla prima occasione ha ringraziato il suo benefattore con una memorabile dichiarazione d'amore in assemblea: «Qualunque cosa scriviate su un documento, io voto contro». Il documento infatti, come tutti quelli approvati dal 2002, era contro il direttore.

Ma Monfredi non si ferma qui. In barba al regolamento aziendale, che vieta qualunque dichiarazione e intervista alla stampa senz'autorizzazione dell'azienda, fa sapere all'Adnkronos che il numero dei presenti all'assemblea anti-Mimun è un vero «giallo». Mette in dubbio la rappresentatività dei dissenzienti. Poi, mentre la riunione è in pieno corso, viene visto entrare e uscire dalla stanza di Clemente J., forse per tenerlo informato. Un fatto mai accaduto.

Piccoli Giorgino crescono

Un'altra strada per entrare nelle grazie di Mimun è quella che passa per Arcore e dintorni. Il festeggiato alle ostriche Attilio Romita, quand'era al Tg2, era diventato un beniamino del Cavaliere seguendolo fedelmente per anni nelle sue trasferte nazionali e internazionali, al punto di ottenere il privilegio di dargli del tu. È lui stesso, prima di passare al Tg1, a raccontare ai colleghi che la promozione al telegiornale-ammiraglia gliel'ha promessa il premier in persona. Verrà felicemente accontentato. Per il Tg1, a tampinare Berlusconi in ogni dove è la bionda Susanna Petruni, che si guadagna eterna riconoscenza da Palazzo Chigi con una serie di manipolazioni da Guinness dei primati. Taglia l'immagine di Berlusconi che fa le corna al vertice di Caceres. Fa incollare una platea piena di folla (che in realtà sta applaudendo Kofi Annan) al discorso del premier che parla all'assemblea dell'Onu desolatamente vuota. Evita di trasmettere l'imbarazzante sonoro del premier che, inaugurando la presidenza italiana dell'Ue, dà del kapò nazista all'europarlamentare Shulz. E così si guadagna una citazione sul prestigioso «Financial Times» che, a proposito del filmato muto del kapò, commenta: «Neanche il telegiornale sovietico di Breznev avrebbe saputo far meglio». La ragazza, insomma, va premiata. E lo sarà molto presto. Promossa conduttrice del Tg1 delle 13,30.

Un altro eroe dei nostri tempi è Francesco Giorgino, volto nuovo del Tg1, legatissimo a Saccà, a Forza Italia, a Mimun, a Vespa e dunque promosso pure lui alla conduzione. Quando, nel gennaio 2003, la Cassazione stabilisce che nessun legittimo sospetto di parzialità grava sul tribunale di Milano e quindi i processi a Previti e Berlusconi non vanno spostati a Brescia, l'efebico mezzobusto pugliese confeziona un capolavoro: un servizio di un minuto e 43 secondi per l'edizione della notte in cui riesce a non nominare una sola volta né Previti né Berlusconi. Una redattrice della cronaca se ne accorge e decide di

inserire i due nomi eccellenti almeno nel «lancio» del pezzo
che verrà letto in studio dal conduttore. Giusto perché il telespettatore capisca di che si sta parlando. Ma Giorgino la investe: «Tu non ti devi permettere. Io sono un vice-caporedatto-
re!». Poi, appena la notizia arriva all'«Espresso», fa marcia
indietro: «Nessuna intenzione censoria. Solo stanchezza. Berlusconi e Previti li ho poi nominati negli altri pezzi. E ho ringraziato la collega che ha aggiunto i nomi nel lancio da studio».
Non risulta invece che Mimun abbia ripreso il suo pupillo per
la clamorosa omissione. Non che lo dovesse fare per forza. Ma
in altri casi l'azienda si è comportata ben diversamente.

Un giorno, al Tg1, Leonardo Sgura dice che Berlusconi è
imputato nel processo Imi-Sir. La notizia è sostanzialmente
vera: nel processo Imi-Sir si giudica anche il caso Mondadori,
per cui Berlusconi è stato a lungo imputato, salvo poi uscirne
non per innocenza, ma per prescrizione, tant'è che nel luglio
2002 deve deporre come imputato di reato connesso (poi si
avvale della facoltà di non rispondere, che è riservata agli imputati, non ai testi). E rimane comunque imputato per corruzione
giudiziaria nel parallelo processo Sme-Ariosto. Per quella mezza inesattezza, per quel peccatuccio veniale, Sgura riceve una
minaccia di sospensione dallo stipendio, poi derubricata in un
richiamo ufficiale.

Rastrellamenti al Tg3

I processi al Cavaliere e ai suoi cari sono terreno minato per
chiunque abbia la sfortuna di incapparvi. Meglio defilarsi, darsi malati, nascondersi sotto la scrivania: chi se ne occupa raccontando i fatti rischia grosso.

Il 5 maggio 2003 Berlusconi esce dall'aula del processo Sme
dopo 50 minuti di dichiarazioni spontanee a ruota libera. Anziché discolparsi dalle accuse di corruzione giudiziaria e falso in
bilancio, ha accusato Prodi di aver tentato di svendere la Sme a
Carlo De Benedetti in cambio di tangenti alla sinistra Dc. Prove
a sostegno della grave denuncia, nessuna. Ma il Cavaliere è convinto di meritare una «medaglia d'oro al valor civile» per aver
«salvato lo Stato da quella svendita vergognosa». Per cinque

volte, durante il monologo, ha estratto il fazzoletto per deter-gersi il sudore misto a cerone. Ma i telespettatori del Tg1 non vedranno mai quelle immagini. La direttiva aziendale è perento-ria: Berlusconi non suda. «Panorama», il settimanale di famiglia affidato all'ex direttore del Tg1 Carlo Rossella, va anche oltre: nella foto di copertina, anticipando di un anno l'intervento del tricologo, copre la vasta calvizie sulla nuca del premier con una prodigiosa ricrescita pietosamente disegnata al computer.

Finita l'udienza, il Cavaliere fende la folla nei corridoi del tribunale. Un giovane, Piero Ricca, gli urla: «Buffone, fatti pro-cessare, se no farai la fine di Ceausescu». Livido in volto, Ber-lusconi ordina ai Carabinieri: «Identificatelo!». Poi sporge denuncia contro Ricca. Alle 19 il Tg3 riferisce puntualmente l'accaduto con un apposito servizio: Carlo Casoli parla dell'u-dienza, Mariella Venditti ricostruisce la lunga giornata del pre-mier, contestazione compresa. Lo stesso fanno il Tg5 e i gior-nali dell'indomani. Il Tg1 invece affoga la notizia della conte-stazione nel maremagno del servizio sull'udienza. E, contro chi l'ha data con il dovuto risalto, si scatena l'inferno. Berlusconi attacca il Tg3: «È un agguato preparato a tavolino. Se uno lan-cia un'ingiuria, non è diritto di cronaca amplificarla attraverso le telecamere del telegiornale: in questo caso giornali e televi-sioni sono corresponsabili dell'ingiuria, perché fungono da megafono». Poi spiega l'orribile complotto ai suoi danni: «Era stata studiata un'accoglienza particolare da parte di avversari politici. L'agguato era preparato da parte di uno di questi signo-ri che – con a fianco le telecamere, una di una tv privata e l'al-tra del Tg3, evidentemente d'accordo – è venuto vicino a me e mi ha dato del buffone».

Bisogna punire il colpevole: cioè chi ha osato riprendere la contestazione e trasmetterla. L'apposito Cattaneo esegue: l'8 maggio sguinzaglia un plotone di ispettori nella redazione del Tg3, con l'avallo della presidente «di garanzia» Lucia Annun-ziata, che firma il provvedimento convinta che l'ispezione sca-gionerà i giornalisti dal sospetto di complotto. I vertici Rai par-lano di «ispezione di carattere amministrativo». In realtà è un rastrellamento di stampo poliziesco. Gli *auditor* Rai vogliono sapere in che modo erano piazzate le telecamere e dove si tro-vavano i giornalisti. Addirittura interrogano telefonicamente, da Roma a Milano, il cronista giudiziario Carlo Casoli per sapere se siano esatte le cifre di cui ha parlato sui passaggi di denaro dai conti esteri della Fininvest a quelli di Previti a quelli di Squillante. Nel pomeriggio i giornalisti del Tg3 lasciano le scrivanie, convocano un'assemblea e decidono di togliere le loro firme dall'edizione delle 19. Mariella Venditti, l'inviata al seguito del premier (che spesso l'ha presa di mira chiamandola «signora del soviet»), è pallida ed emozionata. Ha appena affrontato, da sola, un lungo colloquio inquisitorio con due alti funzionari dell'Auditing. Ora gli ispettori sono nella stanza del direttore Di Bella e lo incalzano con un terzo grado: «Come avete scelto la successione delle notizie? Perché tutto quello spazio al contestatore prima della cronaca sull'udienza?». I giornalisti sono sgomenti: «Vogliono ridurci a una caserma, stanno distruggendo gli ascolti, attaccano l'autonomia professionale, il clima è irrespirabile».

Arriva la solidarietà da altre testate e dai partiti del centrosinistra. Il Cdr del Tg1 scrive che questo «è un avvertimento a tutti i giornalisti del servizio pubblico. Ora più che mai la nostra autonomia è in pericolo». L'Annunziata tace per ore. Poi dichiara: «Se ci sono state violazioni, indagherò». Nel tardo pomeriggio Bianca Berlinguer si prepara a raccontare al Tg3 quanto sta accadendo. Ma non può. L'azienda le proibisce di leggere il comunicato sindacale che parla di «abuso di potere e grave attacco all'autonomia professionale». La notizia delle ispezioni al Tg3 può essere data solo all'interno di un pastone, non nei titoli del sommario. La redazione si appella a Ciampi: «Presidente, ci aiuti a tenere la schiena dritta».

Non è finita. A Di Bella, in serata, tocca leggere sulle agenzie una nota di Cattaneo che racconta di un loro incontro cordiale e gli ribadisce «la sua stima». Secondo l'Ansa, entrambi avrebbero convenuto che non c'è stata alcuna ispezione, ma un semplice accertamento che non lede la libertà di stampa. Falso: Di Bella non ha convenuto un bel niente. Esce dall'ufficio furibondo: «Vado da Cattaneo». Lo incontra alle 20 e l'ennesimo strappo viene ricomposto. Alla fine il direttore del Tg3 dichiara: «Il Tg3 non ha commesso alcuna violazione deontologica sul processo Sme e io non ho dato e non do alcuna valutazione di merito sulle richieste di accertamenti».

L'indomani, nell'infuriare della polemica, l'ispezione viene bloccata. Per tutto il giorno i giornalisti restano riuniti in assemblea a Saxa Rubra. L'incontro è aperto dalla Annunziata, che ora difende gli ex colleghi: «Oggi si parla di un caso che riguarda il Tg3, ma se passasse il principio che si può andare per vie legali e d'autorità dentro la definizione del prodotto giornalistico, domani si discuterà anche del Tg1, del Tg2, degli approfondimenti, di quello che si dice e anche di quello che non si dice. Con un drastico calo della funzione stessa dei giornalisti oltreché del giornalismo. Sono nettamente contraria a ogni via burocratica, "legalistica", per non dire giudiziaria, della regolazione dei problemi editoriali interni di questa azienda». Di Bella si spinge più in là: «Nessuna intimidazione potrà farmi diventare censore per conto terzi di una redazione di cui sono orgoglioso».

Il risultato finale del rastrellamento è paradossale: contrariamente alle accuse del premier, la troupe che ha ripreso Ricca mentre gli urlava «buffone» non è del Tg3, ma di un service esterno alla Rai ingaggiato dal Tg1 di Mimun. Peraltro la scena è stata ripresa anche da altre telecamere: quelle di La7 e del Tg4 di Emilio Fede, il quale non ha mandato in onda le immagini, ma le ha passate al Tg5. Insomma, se complotto c'è stato, è avvenuto tutto in famiglia. Il Tg3, unico telegiornale d'Italia non ancora berlusconizzato, resta comunque nel mirino. In attesa di un altro pretesto per chiedere la testa del suo direttore.

Mai dire tortura

L'11 maggio 2004, mentre sulla stampa di tutto il mondo tiene banco lo scandalo delle torture nelle carceri irachene, il Tg3 intervista Pina Bruno, la vedova di Massimiliano, il maresciallo dei Carabinieri ucciso in novembre nell'attentato di Nassiriya. La donna ricostruisce le telefonate del marito, che dall'Iraq le raccontava quanto accadeva nella prigione di Nassiriya gestita dalla polizia locale: scene disgustose di sevizie e maltrattamenti ai danni dei prigionieri iracheni, rinchiusi in celle sotterranee in condizioni disumane. «Mio marito – afferma la vedova – sapeva di queste torture e diceva: "Spero che smettano al più presto"». Il maresciallo Bruno ne aveva parlato con i superiori: «Le denunce ci sono state, solo che loro fanno finta di non sapere [...]. C'erano dei posti sotterranei dove si nascondevano e nascondevano questi iracheni. Gli italiani andavano lì a prendere i carcerati iracheni e gli dicevano: "Se ti comporti bene, ti facciamo uscire. Ti facciamo lavorare per noi italiani"».

La prima parte dell'intervista va in onda nel Tg3 delle 19, la seconda alle 23 nella rubrica «Primo Piano». Il caso esplode subito. Il Tg5 e SkyNews24 riprendono la notizia. Il Tg1 delle 20 invece preferisce tacere. L'indomani, intervistata da una radio privata, la vedova Bruno spiega di non aver mai detto «che i Carabinieri hanno visto o peggio hanno fatto delle torture». Precisazione ovvia, assolutamente in linea con quanto ha dichiarato al Tg3. Che viene confermato quel giorno al «Corriere della Sera» dal colonnello Carmelo Burgio, comandante dei Carabinieri paracadutisti del Tuscania. Burgio ammette che i prigionieri di Nassiriya vengono torturati dalla polizia irachena: «Noi andavamo spesso a fare controlli e più volte abbiamo riscontrato segni di torture sui detenuti. Ne abbiamo sempre informato l'autorità giudiziaria irachena [...]. Ci siamo trovati più volte davanti a detenuti mezzi morti con segni di ferro da stiro sul corpo e segni di bastonate». Per questo, secondo Burgio, c'era stato anche un conflitto a fuoco fra le truppe italiane e la polizia locale per liberare un paio di prigionieri.

In un paese normale si discuterebbe delle procedure seguite dai militari a Nassiriya, costretti a consegnare le persone arrestate ai torturatori. In Italia, invece, si attacca il Tg3 per aver intervistato, con tanto di telecamere e microfoni, la vedova di un soldato ucciso. E si traveste da smentita la sua seconda intervista, che smentisce poco o nulla. Completa l'opera Bruno Vespa, che invia dalla donna una sua collaboratrice per farle dire che il Tg3 ha manipolato l'intervista. In realtà, si continua a giocare con le parole. Pina Bruno, al Tg3, parlava di torture da parte della polizia irachena nel carcere di Nassiriya; torture perpetrate all'insaputa dei soldati italiani, finché questi ne avevano visto i segni tangibili sulla pelle dei prigionieri, adoperandosi poi per farle cessare e riferendone ai superiori. Ma la giornalista di *Porta a Porta* tempesta la donna di domande che spostano completamente il tiro: ha visto militari italiani o angloamericani torturare gli iracheni? La risposta, ovviamente, è no. La signora lamenta alcuni «tagli» alle sue dichiarazioni, convinta che siano un fatto inusuale, mentre appartengono alle regole elementari del montaggio (su un'ora di «girato», si isolano le risposte più interessanti, visti i pochi minuti a disposizione in un tg). Oltretutto, le frasi non andate in onda sono molto critiche con l'Arma dei Carabinieri che, «dopo il funerale, non s'è più fatta sentire, mentre dovrebbe inginocchiarsi davanti ai miei figli»; e con gli angloamericani, che hanno trascinato l'Italia in questa guerra assurda. Nessuno, a *Porta a Porta*, spiega quel fatto tecnico: così il telespettatore è indotto a pensare che davvero alla signora siano state messe in bocca frasi mai pronunciate con un montaggio truffaldino. L'unica retromarcia della donna è a proposito delle comunicazioni fra i carabinieri di Nassiriya e il comando di Roma: al Tg3 dice che i soldati avvertirono i superiori; a *Porta a Porta*, evidentemente spaventata, afferma che non le risulta. Ma dalla registrazione integrale emerge chiaramente che quelle cose le ha dette. Basterebbe invitare un giornalista del Tg3 nello studio di Vespa per chiarire l'equivoco, anzi la montatura. Ma non ne viene invitato nessuno. Processo in contumacia. Così, da quel momento, tutti discutono del Tg3 e nessuno parla più delle torture a Nassiriya, in un carcere sotto la giurisdizione italiana.

Il ministro Giovanardi, noto garantista, accusa Tg3 e *Primo Piano* di aver trasmesso «un'intervista "taglia e cuci", manipolata, andata in onda senza alcuna verifica di credibilità». Il vicepremier Fini chiede le dimissioni di Di Bella: «Chi ha manipolato l'intervista, se ha una coscienza, ne tragga le conclusioni. Se, come credo, non ce l'ha, perché agisce per ragioni politiche, si risparmi nel futuro le solite filippiche sull'occupazione della Rai e sulla mancanza di pluralismo». Il ministro Gasparri pretende da Cattaneo una nuova ispezione, parla di comportamento «indegno» e suggerisce «l'immediata uscita di scena di chi si è reso colpevole di una condotta così disinvolta in un momento così difficile e delicato a livello internazionale».

Il tiro al Di Bella prosegue con i *pasdaràn* della Vigilanza, da Lainati (FI) a Butti (An) al vicepresidente Caparini (Lega Nord). Tutti chiedono l'audizione del direttore del Tg3. Richiesta subito accolta dal presidente Petruccioli, che lo convoca per l'indomani. L'assemblea dei redattori respinge «con sdegno il tentativo di far passare il nostro lavoro di giornalisti per una manipolazione o addirittura un complotto a fini politici». Di Bella, in un editoriale, difende il lavoro della testata: «Il Tg3 non ha fatto altro che mandare in onda quello che la signora Bruno ha detto. Si può scegliere se mostrare oppure no le immagini di un ostaggio decapitato [...]. Ma quel che non si può fare è nascondere informazioni, fatti, immagini, interviste. Dunque, nessuna manipolazione: chiunque può vedere l'intervista integrale alla vedova Bruno sul sito *www.tg3.rai.it*. Siamo sereni, convinti di aver fatto bene, fino in fondo, il nostro dovere di giornalisti».

La correttezza del direttore e della sua redazione sarà confermata proprio dalla Vigilanza. Ma i politici che hanno accusato falsamente il Tg3 non chiederanno scusa. Quanto alle altre testate Rai, che prima avevano nascosto lo scoop del Tg3 e poi avevano gridato al falso, ora minimizzano l'accaduto. È il caso di *Porta a Porta*, ma anche del gr diretto da Bruno Socillo, già braccio destro di Mimun. In alcune edizioni del suo giornale radio, si afferma che è stato «smentito il Tg3», senza dar conto della replica di Di Bella né spiegare che l'intervista integrale è a disposizione su Internet. Il Cdr del gr insorge, denunciando «la gravità di quanto è accaduto» e ricordando che è «doveroso per il gr del servizio pubblico non fare omissioni. Completezza e rigore sono fondamentali in una vicenda così delicata e di vasto interesse».

La tv scende in campo

Chi minimizza o sottovaluta il ruolo della Televisione Unica nella costruzione del regime mediatico non conosce i dati sul peso del quinto potere nella formazione del consenso politico. Secondo una ricerca condotta nel 2002 da Renato Mannheimer, in Italia sono 2 milioni e 700 mila gli elettori che si recano alle urne influenzati – per loro stessa ammissione – dalle «trasmissioni politiche e giornalistiche» della televisione. Un 6% dell'elettorato, decisivo per far pendere la bilancia da una parte o dall'altra del quadro politico, in un sistema maggioritario diviso in due poli distanziati spesso da pochi decimi di punto. Un 6% fondamentale anche perché un altro 16% ammette che la tv ha «contribuito a rafforzare» le sue decisioni politiche. Senza contare che circa il 60% degli italiani utilizza come unica fonte di informazione la televisione, senza mai prendere in mano un giornale, una rivista, un libro, né consultare Internet o altri media alternativi. Spiega Mannheimer sul «Corriere della Sera»:

> Dal punto di vista socio-economico gli «influenzabili» dalla tv non si distinguono molto dal resto dell'elettorato. Ma dal punto di vista politico sì. Sono più numerosi tra chi si sente di centro o chi si astiene, vale a dire i più portati a scegliere di volta in volta la coalizione da votare. La gran parte dichiara di aver scelto [nel 2001, *N.d.A.*] il centrodestra (prevalentemente Forza Italia, assai meno An) e di essere tuttora orientata in questo senso. Una quota più modesta, ma rilevante rispetto alle dimensioni dei partiti destinatari, afferma di essersi diretta verso forze diverse come la lista Di Pietro o i Verdi. Tutto ciò suggerisce che la tv abbia contribuito, almeno in una certa misura, ad orientare alcuni elettori di centro verso il centrodestra. I dati non dicono se ciò dipende, come ritengono alcuni, dalla impostazione dei programmi o dalla modalità della conduzione. O, come affermano altri, semplicemente dalla maggior abilità comunicativa dei leader della Cdl.

C'è dunque un gruppo di elettori che vota per l'uno o per l'altro schieramento a seconda di che cosa gli viene mostrato in tv. Se le cose stanno così, diventa chiaro come mai, dopo il ballottaggio per le provinciali del 2004, perduto rovinosamente da Forza Italia persino a Milano, la Rai abbia minimizzato l'evento, al punto da rinunciare agli «speciali» in prima serata su tutte le reti. Decisione assunta dal responsabile del palinsesto Alessio Gorla, manager di provenienza Mediaset-Forza Italia.

Nella stessa logica, il 27 ottobre 2003, il Tg1 di Mimun aveva accuratamente evitato di mettere nel sommario la notizia politica del giorno: il tracollo del Polo alle elezioni nel Trentino Alto Adige e a Trieste, relegato nel decimo servizio. In quella memorabile edizione del primo telegiornale si parlava di tutto: le stragi in Iraq, il crocifisso nelle scuole, il maltempo, il

Milan e il maresciallo Rocca. Ma, sulla sconfitta elettorale berlusconiana, nemmeno un titolo. Alle proteste di una parte della redazione, l'inossidabile Clemente J. aveva risposto: «Dov'e-
ra la notizia? Per me Trento e Trieste valgono la Magliana».

Il paese dei balocchi

La regola aurea di Clemente J. è parlar d'altro. Di un paese che
non c'è o che c'è sempre meno. L'Italia che esce dagli schermi
del Tg1 è una Nazione opulenta, spensierata, ridanciana. Tutta
shopping, feste e abboffate. L'italiano medio, secondo Mimun
e la sua band, passa dalla palestra alla barca, fa incetta di tutti
gli ultimi ritrovati della tecnologia, trascorre le serate al cinema, al ristorante, a teatro, in discoteca, al *Billionaire*. Il fatto
che milioni di famiglie non arrivino più alla fine del mese, che
lavoratori dipendenti con reddito fisso o pensionati con la
minima si affaccino alle mense della Caritas, che molti non
possano permettersi neppure un cd e scarichino la musica gratis da Internet, non risulta. Non si vede, dunque non esiste. Le
vacanze sono regolarmente da sogno, in paradisi esotici. L'e-
ventuale solitudine degli anziani d'estate è un problema degli
enti locali cattivi e notoriamente comunisti, non certo del
governo. Che, anzi, ha avuto l'idea geniale di invitare i vec-
chietti nelle caserme dei Vigili del Fuoco, esaltata dal Tg1 con
servizi su servizi. Oltre all'esodo e al controesodo, l'altro chio-
do fisso degli italiani modello Mimun sono i regali di Natale:
fin da ottobre il Tg1 alluviona i telespettatori di servizi sui doni
per chi può spendere di più o di meno. L'ipotesi che qualcuno
non possa spendere nulla non è contemplata. Se d'estate il Tg1
pare la Pro loco, d'inverno diventa un gran bazar: champagne,
salmone, abbacchio, panettoni, cenoni, gioielli, abiti da sera,
pacchi e pacchettini, con imperdibili incursioni nel meraviglio-
so mondo dei regali natalizi per gli animali. In redazione ancora si ricorda un servizio esclusivo sul «personal shopper»:
paghi una squinzia 50 euro all'ora e lei ti insegna a «compera-
re bene». Da non perdere.
    La crisi economica che avvelena le famiglie e incrina i con-
sensi del governo, le proteste delle massaie al mercato, la per-

dita del potere d'acquisto della moneta di pari passo con un'inflazione reale molto più alta di quella ufficiale, l'esiguità dei salari, le tariffe più alte d'Europa, i licenziamenti alla Fiat e alle acciaierie di Terni, l'occupazione che ristagna, i problemi drammatici della scuola e della sanità aggravati dalle riforme Moratti e Sirchia, i tribunali che cadono a pezzi mentre il ministro Castelli annuncia che «visto che la giustizia non funziona, non è il caso di investirci quattrini»: ecco, tutto questo non si vede, dunque non esiste. Dei folli aumenti dei prezzi si parla soltanto per colpevolizzare l'euro, gabellato per una fissazione di Prodi. E, se proprio bisogna occuparsi del costo della frutta e della verdura, si dirotta il servizio nel Tg Economia, in onda alle due del pomeriggio, praticamente clandestino.

Invisibili o incomprensibili le proteste dei magistrati e degli avvocati. Ovattate quelle di medici, infermieri, pazienti, come pure quelle di insegnanti, genitori e studenti, regolarmente cucinate con la ricetta del «panino»: l'ultima parola è sempre quella del ministro competente (si fa per dire) che rassicura: tutto va bene. Mai un'inchiesta su quanto non funziona nella scuola, nell'università, negli ospedali, salvo qualche servizio imposto da questo o quel caso di malasanità. Idem per il lavoro: dove sono i milioni di nuovi posti promessi? Che fine han fatto i disoccupati? Come se la passano gli operai? E i pensionati? E il ceto medio che, secondo tutte le indagini sociologiche, sta scomparendo? E il mercato del lavoro stravolto dalle riforme Treu e Biagi all'insegna della «flessibilità», funziona meglio o peggio? E il risparmio? E gli investimenti? E la finanza pubblica, risanata a colpi di lacrime e sangue nei secondi anni Novanta e ora di nuovo dissestata? Sono i problemi quotidiani della famiglia italiana media. Ma il Tg1 – il tg «cattolico», a parole – se ne infischia. Tutto ciò che esula dal «sogno» di Berlusconi e Mimun è tabù.

Il vaso trabocca

È contro questo andazzo, fra censure intollerabili e panini immangiabili, che il 24 gennaio 2004 Daniela Tagliafico, uno dei due vicedirettori di area ulivista del Tg1, alza la voce per l'ultima volta. Chiedendo, per lettera, di essere sollevata dall'incarico. La goccia che ha fatto traboccare il vaso è la scaletta del giorno prima. Il 23 gennaio l'edizione delle 20 apre con la conferenza stampa di Berlusconi che, reduce dal lifting, torna in trionfo attaccando Prodi e l'euro, origine di tutti i mali. Subito dopo, anche il presidente Ciampi parla dell'euro: ma per difenderlo. Per la prima volta, il Quirinale replica in tempo reale ai deliri antieuropeisti del premier. Anche un giornalista principiante evidenzierebbe la profonda divergenza di vedute tra i due presidenti. Il Tg1 fa esattamente il contrario. Dopo il pezzo sul Cavaliere, annuncia un servizio sulle reazioni dell'opposizione, una sorta di super-panino: parlano Fassino e Pecoraro Scanio, poi si dà conto delle posizioni di Boselli, Diliberto, Prodi (pesantemente attaccato da Berlusconi), Lusetti, Mastella e Rutelli, infine il microfono passa ad Alemanno, Follini, Calderoli, Martusciello e Schifani che chiudono il cerchio. Così le reazioni dell'opposizione scompaiono. E, visto che Prodi ha sostenuto che l'aumento dei prezzi non è dovuto all'euro, ma ai mancati controlli del governo italiano, il conduttore sistema anche lui con una nota da studio: «A Prodi replicano fonti del ministero dell'Economia: la prima gallina che canta ha fatto l'uovo».

E Ciampi? Calma e gesso. Dà ragione a Prodi e torto a Berlusconi, dunque va allontanato dalla notizia, per evitare che qualcuno capisca. Passano diversi minuti. Il Tg1 si dilunga sulla riforma Moratti e sulla verifica di governo. Poi finalmente, dopo lunga anticamera, viene anche il turno del capo dello Stato. Ma la sua difesa appassionata dell'euro è seguita e neutralizzata da un'autorevole risposta: «Ma Calderoli replica a Ciampi...». Anche il presidente della Repubblica finisce nel panino, nel ruolo della sottiletta.

È a quel punto che Daniela Tagliafico prende carta e penna, e scrive a Mimun:

Caro direttore, ci sono parole che non si dimenticano. Quando si svolse l'assemblea per l'approvazione del piano editoriale, il 15 maggio 2002, e tu mi riconfermasti vicedirettore del Tg1, feci un intervento in cui dicevo testualmente: «Abbiamo un imperativo categorico: coniugare la rinascita della testata con la garanzia di una informazione obiettiva, pluralista, non schiacciata su nessun asse di potere. Rimanere in un solco di continuità in cui siamo a guardia della notizia, inchiodati alla tradizione dell'imparzialità, ma al tempo stesso aggressivi sul piano della qualità. Il tutto in una situazione di grande dialettica interna, in cui lo scambio di idee e proposte circoli come una corrente d'aria, senza spifferi velenosi, ma in un confronto aperto, trasparente, continuativo».

Pronunciai quelle parole con la forza e la convinzione di due mandati precedenti da vicedirettore, l'ultimo dei quali, con Albino Longhi, mi aveva insegnato molte cose in fatto di equilibrio nell'informazione. Oggi, dopo oltre un anno e mezzo di percorso comune, ti chiedo di essere esonerata dall'incarico di vicedirettore del Tg1, perché ritengo che non ci siano più le condizioni che mi consentono di svolgere adeguatamente le mie mansioni con le caratteristiche e le garanzie che ho enunciato sopra.

Siamo cresciuti insieme come giornalisti alla redazione Interni del Tg1. Io ho imparato molto da te, quando ti facevo da «spalla» durante i congressi di partito. Apprezzavo il gusto per le immagini, lo stile dei tuoi servizi che rompeva la noiosa liturgia delle cronache politiche, il tuo essere pungente sempre con correttezza e competenza. Oggi, pur esprimendo il massimo rispetto per il tuo ruolo di direttore, devo sottolineare il mio disagio nel vedere la pagina politica del Tg1 trasformata in un «panino» blindato, in cui apparentemente si dà voce a tutti, ma quella dell'opposizione è sistematicamente collocata in testa o in mezzo per poter chiudere con la maggioranza o con il governo. Ti espressi il mio disappunto al tempo del caso Berlusconi-Shulz, per il mancato utilizzo dei sonori. Non riesco a sfuggire all'impressione che quando sono «scomodi» si preferisca eliminarli in nome di un riassunto scritto che magari non esclude nessuno, ma uccide la completezza e le regole televisive. Reitero il mio disappunto oggi per come è stata trattata e impaginata (sia nell'edizione delle 20 di ieri che in quelle successive) la polemica sull'euro che ha visto protagonisti Berlusconi, Ciampi e Prodi. La sequenza cronologica dei servizi che impastava euro, scuola, verifica di governo e poi ancora euro, ha reso – a mio avviso – incomprensibile la materia del contendere che l'Ansa ha titolato: *Euro. Da Ciampi e Berlusconi giudizi divergenti.* E il «Corriere della Sera»: *Berlusconi attacca l'euro, Ciampi lo difende.*

Inoltre non riesco più a capire le regole: a volte si stabilisce che se ci sono reazioni a un certo avvenimento bisogna, per par condicio, dare una voce della maggioranza e una dell'opposizione e, in caso di una sola, aspettarne altre e riferirne per completezza nelle edizioni successive. Altre volte (come ieri sera) si riferisce la sola posizione di Calderoli contro il presidente della Repubblica. Ricordo, per altro, che poco tempo fa in occasione di una polemica Calderoli-governo, si decise di non citarlo perché «non sufficientemente rappresentativo». Come vedi c'è una certa oscillazione.

La sincerità che ha sempre contraddistinto il mio rapporto con te mi spinge anche a fare altre osservazioni che riguardano l'impostazione complessiva del telegiornale: ho l'impressione che parliamo molto dei consumi e del tempo libero dell'Italia e poco dei suoi problemi e che, attraverso i nostri servizi, spalmiamo una patina di gaudenza che non credo corrisponda al paese reale. Che gli ascolti ci premino – e ne sono contenta – non mi sembra una ragione per non dissentire e per non lamentare che professionalità interne che potrebbero dare un contributo di ricchezza qualitativa siano sottoutilizzate, se non emarginate.

Durante quest'anno e mezzo di collaborazione – come avrai notato – non ho mai manifestato pubblicamente queste mie opinioni, né attraverso interviste, né durante le assemblee di redazione, perché ritengo che se si è dirigenti di un giornale ci si fa carico (pur discutendo) delle linee editoriali e soprattutto pubblicamente si rispettano le scelte del direttore. Ho cercato di praticare la strada del confronto con te. Tu mi proponevi l'ultimatum: se non condividi la linea del giornale, ti dimetti. Io rivendicavo la terza via: non condivido, ma se ne discute in un corretto scambio di valutazioni professionali.

Adesso sono troppe le ragioni di non condivisione e troppo pochi gli spazi di discussione. Per quanto riguarda il nostro rapporto fiduciario devo constatare che vengo esclusa dalle scelte editoriali e di organizzazione interna al giornale, apprendo le novità dai comunicati in bacheca e non vengo invitata alle riunioni alle quali vedo partecipare gli altri vicedirettori. Sono condizioni che non si confanno a quello che io credo debba essere il ruolo di un vicedirettore del più importante giornale italiano. Un leale saluto. Daniela Tagliafico.

La lettera finisce affissa in bacheca affiancata da un'altra con la solidarietà di tre colleghi e da un'altra ancora con le firme di 53 giornalisti d'accordo con lei. I tre membri del Cdr – Giuntella, Anzaldo e Alimenti – non firmano per il ruolo che ricoprono, ma condividono lo stesso disagio in un comunicato. Insomma: 59 redattori del Tg1 su circa 110 sostengono la Tagliafico. «Condividiamo pienamente – scrivono – i problemi professionali sollevati nella lettera della Tagliafico. Sia chiaro per tutti che si tratta di un disagio di natura professionale che parte da lontano e non è più tollerabile. Il Tg1 non può essere di parte, ma deve essere un patrimonio comune di tutti gli italiani». Tra i firmatari ci sono Maria Luisa Busi, Lilli Gruber, David Sassoli, Paolo Di Giannantonio, Tiziana Ferrario, Piero Badaloni, Ennio Remondino, Puccio Corona, Bruno Luverà, Andrea Montanari, Fedele La Sorsa e Donatella Scarnati. Ma anche l'ex vicedirettore cacciato da Mimun, Raffaele Genah, il caporedattore degli esteri Alberto Romagnoli e quello della società Angelo Angelastro. Diversamente dall'infornata di promozioni toccata ai firmatari della lettera pro Mimun, fra quelli dell'appello pro Tagliafico verrà promosso uno soltanto. Chi non sta col direttore non fa carriera.

La replica di Clemente J. è sdegnata: «Non condivido assolutamente le critiche rivolte dal vicedirettore e dal documento firmato dai colleghi. Sono orgoglioso del telegiornale che ritengo assolutamente equilibrato e del lavoro che sto facendo. Penso di aver operato in modo assolutamente corretto e lo dimostra il successo di ascolti. In merito alla posizione della vicedirettrice, non ho intenzione di rimuovere la collega dal suo incarico».

L'equazione «ascolti uguale pluralismo» non ha alcun senso. Altrimenti il *Grande Fratello* sarebbe un paradiso di obiettività. Gli ascolti dei tg dipendono essenzialmente dal «traino», cioè dal successo della trasmissione che li precede. Il Tg1 di Longhi andò a picco quando l'allora direttore generale Saccà sospese inopinatamente il quiz di Amadeus, che andava troppo bene. Così il suo pubblico si trasferì in massa sull'analogo programma di Gerry Scotti su Canale 5 e il Tg5 di Mentana fece il record di share. Poi, tornato Amadeus, anche il Tg1 di Mimun riprese quota.

Chi lo attacca è antisemita

Oltre alla redazione in subbuglio, Clemente J. deve fronteggiare le crescenti proteste di Piero Fassino e degli altri leader del centrosinistra. Il 23 gennaio 2004 Berlusconi, parlando in difesa della riforma Moratti, ne ha approfittato per attaccare giornali, tv e avversari politici: «La sinistra dice colossali bugie. Come diceva Goebbels, le bugie a furia di ripeterle diventano verità». Quanto ai mass media, «dedicano alla manifestazione dell'opposizione sulla scuola nove volte lo spazio dedicato alla nostra riforma, la prima vera grande riforma dai tempi di Gentile». L'indomani Fassino replica stizzito: «Credo che il presidente del Consiglio potrebbe farsi spiegare chi è Goebbels parlando con Gasparri e Mimun».

Clemente J. prende cappello. In passato, sui muri della Rai, è stato oggetto di vergognose scritte antisemite. Ora se ne fa scudo per replicare a Fassino: «O il segretario ds si risparmia i messaggi di solidarietà quando sono bersaglio di vigliaccate antisemite, o si risparmia affermazioni che sarebbero spregevoli anche se non fossimo alla vigilia del giorno della memoria». Delle due l'una: o Mimun non capisce, o finge di non capire. Glielo fa notare un altro giornalista di origine ebraica, Gad Lerner:

Poveri noi, quando si adoperano con tale disinvoltura tattica la fede e le tradizioni dei nostri padri. Usare le proprie radici come uno scudo finisce per svilirle. Più d'una volta, quando sedevo nella stanza ora occupata da Mimun, fui oggetto di (veri) insulti antisemiti. Ricordo il comizio di un deputato leghista: "Vedo Lerner e capisco Hitler". La faccenda fu risolta in privato, con una gentile telefonata di Bossi. Perché Mimun non telefona a Berlusconi spiegandogli che è infame dare del Goebbels agli avversari?

Passano due ore e Mimun parte all'attacco personale:

Davo per scontato che ti sarebbe stato più facile per motivi politici sostenere chi ha fatto accostamenti spregevoli, invece di chi queste offese ha subito. Ma che tu arrivassi ad accusare

il sottoscritto di usare le proprie radici come scudo, di sollecitare la solidarietà della comunità ebraica romana, o sentirmi
dire che tu sei stato oggetto di «veri» insulti antisemiti (perché
io me li sono inventati?) va al di là della mia immaginazione.
Quando sono apparse scritte antisemite al Tg1, o mi sono arrivati messaggi e telefonate anonime dal tono minaccioso non
ho detto una parola. Non volevo dare pubblicità a dei vigliac-
chi. Non ho evocato il fantasma di Goebbels, né ci ho ricama-
to. È questione che riguarda due politici. Uno dice che «usare
i bambini di sei-sette anni muniti di cartelli in una manifestazione contro la riforma della scuola ricorda sistemi di propaganda nazista». L'altro risponda quel che crede, coi toni e le
argomentazioni che vuole, ma evitando di tirarmi in ballo.
Dell'uso della religione in termini tattici sono assolutamente
ignorante perché non faccio il direttore ebreo. Sono il direttore di un telegiornale, di nazionalità italiana e di religione ebraica. A me non è capitato mai di rinviare scelte o dichiarazioni
importanti richiamandomi alla festività del Rosh Ashanà,
come invece hai fatto tu per prendere tempo prima di decidere se lasciare o meno la stanza del Tg1 che occupavi.

Dimissioni al Tg1

Lo scontro politico intorno al Tg1 è sempre più aspro. Il 24
gennaio la *convention* per il decennale della discesa in campo
del Cavaliere non viene ripresa da telecamere Rai, ma da un service esterno che lavora per Forza Italia e che poi ha girato i filmati celebrativi ai telegiornali. L'opposizione chiede lumi, mentre il solito forzista Romani la accusa di voler «tornare a mettere le mani sulla Rai per utilizzarla a fini propagandistici». Dei
fatti, ormai, è impossibile parlare. Il Cdr convoca un'altra
assemblea. Partecipano una settantina di giornalisti. Mancano
all'appello i conduttori neopromossi Romita e Petruni. Alla fine
l'assemblea vota un documento all'unanimità:

Il Tg1 è soprattutto dei cittadini, non solo perché pagano il
canone, ma perché hanno il diritto ogni sera di essere informati correttamente. Il nostro dovere è di raccontare fedelmente i fatti che accadono in Italia e nel mondo, rappresentando

tutte le realtà sociali culturali e politiche. Da tempo invece la direzione del Tg1 sembra non voler vedere quello che accade nella vita quotidiana delle famiglie italiane. Piccole o grandi questioni del paese vengono cancellate o rese incomprensibili: dal dibattito politico, alle battaglie sindacali, alle nuove emergenze sociali. Il Tg1 deve tornare a essere uno strumento di garanzia per tutti e deve offrire ai cittadini gli elementi per formarsi liberamente la propria opinione. Il principio del conoscere per deliberare è alla base della democrazia.

In assemblea hanno parlato alcuni tra i volti più noti del Tg1. Paolo Di Giannantonio: «Non siamo un'istituzione militare in cui non c'è il diritto di dissentire. Il pensiero unico è il contrario del prodotto intellettuale». Tiziana Ferrario: «In questi mesi a volte ho provato vergogna e umiliazione per il modo in cui davamo le notizie». Lilli Gruber: «Per noi gli appelli al pluralismo del capo dello Stato sono un faro. E, se Ciampi continua a ripeterli, vuol dire che un'emergenza informazione in questo paese c'è». David Sassoli: «Questa minestra non mi piace, è indigesta». Ma, per la maggioranza, chi protesta è un comunista. I fatti non contano. Contano solo le bandiere.

Il 27 gennaio il portavoce forzista Sandro Bondi abbandona per un istante il culto di Berlusconi per celebrare Mimun. L'ex sindaco comunista di Fivizzano propone addirittura un pellegrinaggio in onore di Clemente J.: «Nei prossimi giorni questa campagna contro Mimun programmata nei minimi particolari dispiegherà tutta la sua carica di violenza intimidatoria. È necessaria perciò una contromobilitazione a sostegno della libertà d'informazione e di tutti i giornalisti che saranno indicati come nemici in dossier come quello pubblicato dall'"Unità" [un servizio sulle censure e i censori del Tg1, *N.d.A.*]».

Il 2 febbraio la Tagliafico scrive un'altra lettera a Mimun, illustrando i «punti chiave» che potrebbero indurla a restare:

Per quanto riguarda la pagina politica, non più il panino, ma la cronaca delle posizioni del governo e dei partiti, scandita da una serie articolata di servizi che non debbano finire obbligatoriamente con la posizione della maggioranza e del governo, ma che si snodino liberamente e senza gabbie a seconda delle priorità giornalistiche e della valenza dei fatti [...]. Ritorno alle interviste [...]. Troppo spesso utilizziamo solo battute, senza la mediazione giornalistica rappresentata dalle domande, connotato irrinunciabile della professione giornalistica [...]. Limitare e dichiarare sempre l'uso delle immagini fornite dai partiti. Dobbiamo pretendere di lavorare sempre con le nostre telecamere qualunque sia il soggetto protagonista dell'evento. Usare «chiavi in mano» i service che lavorano per i partiti crea una condizione di squilibrio rispetto a quei soggetti che non sono in grado di fare altrettanto [...]. Aumentare la nostra capacità di analisi e di racconto della società italiana senza tabù e senza timore di entrare in collisione con interessi o convenienze politiche [...]. Dare voce a chi non ce l'ha. Dal volontariato, all'associazionismo ai fermenti della cultura [...]. Diamo rilievo, giustamente, al Papa che denuncia l'impoverimento delle famiglie, registriamo (parzialmente) i dati Eurispes sull'aumento delle nuove povertà, riportiamo le parole del presidente Ciampi che parla della difficoltà degli italiani ad arrivare a fine mese. Ma noi, che dovremmo essere i sensori di questi fenomeni, non abbiamo mai anticipato le ragioni né approfondito le cause. Pronti invece a dispiegare le nostre sensibilità su consumi, saldi, stili di vita.

Mimun non le risponde neppure. La Tagliafico chiede di «essere assegnata a nuovo incarico dentro la testata, adeguato alla mia professionalità». Ma si lavora per farla fuori. Anna La Rosa, direttrice dei Servizi parlamentari, le offre prontamente un posto di vicedirettore. Il 9 febbraio il Cda Rai si occupa del caso, sebbene l'Annunziata tenti di opporsi. La Tagliafico viene trasferita l'indomani, a tempo di record, proprio mentre Mimun viene ascoltato dalla Vigilanza. «Anche oggi» commenta la presidente Rai «abbiamo assistito all'esercizio brutale della maggioranza in consiglio di amministrazione. Sebbene la Tagliafico avesse chiesto di restare nella testata, è stata sollecitamente rimossa per essere dirottata sui Servizi parlamentari, così da togliere dall'incomodo il suo direttore Mimun [...]. Ho votato contro un trasferimento che oggettivamente assume i contorni della ritorsione politica».

Mimun liquida la rivolta di mezza redazione come una faccenda di gelosie interne, causate dalla promozione di nuovi conduttori come i berlusconianissimi Giorgino, Romita, Petruni. Dice Mimun insinuante all'«Espresso»: «Ho osato toccare i sepolcri imbiancati dei Sassoli e delle Ferrario». L'insulto è talmente sanguinoso da far sobbalzare persino l'«Osservatore romano», che titola: *Le sconcertanti affermazioni di Mimun su alcuni giornalisti riaprono le polemiche.* Clemente J. l'ha di nuovo fatta grossa e se ne rende conto. Così, dinanzi alla Vigilanza, tenta di minimizzare: «Ammetto sinceramente di aver sbagliato a parlare, ma se si conosce l'"Osservatore romano" non si potrà attribuire a una "breve" della pagina italiana il valore epocale che si sta cercando di attribuire. Non è così. Non è una nota della Santa Sede. Io credo che nessuno [in Vaticano, *N.d.A.*] si sia particolarmente piccato su questo tema».

Clemente in Vigilanza

Se la Vigilanza fosse una cosa seria, l'audizione sul caso Tagliafico potrebbe costare caro al direttore del Tg1. Ma non è una cosa seria e Mimun lo sa. Infatti, il 4 febbraio, mette subito le mani avanti: «Non sono l'assassino di Kennedy e questa non è la commissione Warren». Niente paura, non corre questo rischio. Basta leggere la trascrizione delle domande dei commissari: lunghissime, articolate, circonvolute, sempre volte a rispondere a quelle degli altri commissari e mai a contestare le affermazioni dell'«audito». In quel parlarsi addosso è difficile, anzi impossibile formulare contestazioni precise e riceverne risposte puntuali. Mimun, poi, chiede e ottiene di parlare solo dopo aver ascoltato gli interventi di tutti: è un suo diritto, ma il risultato è che si perde il filo del discorso.

Il ds Antonello Falomi cerca di andare al dunque, citando una serie di notizie non date o manipolate dal Tg1, ma Clemente J. risponde per linee generali, in puro politichese, prontamente soccorso dai commissari della maggioranza. Falomi parte dalla cronaca. L'ultimo Tg1 delle 20 ha ignorato i «dubbi di Powell a proposito della guerra in Iraq in relazione al venir meno della prova regina che ha giustificato l'intervento, cioè le armi di distruzione di massa». Il *cahier de doléances* prosegue:

Le videocassette del presidente Berlusconi spacciate per interviste; la decisione di non trasmettere le immagini connesse alle famose affermazioni di Berlusconi in cui dava del kapò; i servizi sul mandato di arresto europeo, definiti dal presidente dell'Udc un «monumento al servilismo»; il servizio relativo al patto di stabilità che ha ignorato le proteste del presidente della Commissione europea; il rilievo dato a un emendamento al disegno di legge finanziaria volto ad assicurare un assegno di 1500 euro alle madri che avessero affidato i neonati a un istituto sanitario, poi ritirato: mentre si è dato ampio spazio alla notizia dell'emendamento, non si è fornita alcuna informazione sul suo successivo ritiro; il silenzio sulla vicenda *RaiOt*, in ordine alla quale è stato reso noto solo il comunicato dell'azienda.

Poi Falomi passa al caso Tagliafico:

Ho letto sui giornali le affermazioni dei suoi difensori, secondo le quali quanto sta accadendo al Tg1 sarebbe una reazione di giornalisti politicamente militanti. Però molti hanno espresso solidarietà alla dottoressa Tagliafico. Vorrei chiedere, quindi, al dottor Mimun se egli ritiene che tutti coloro che hanno firmato siano esponenti del centrosinistra o comunque persone ispirate da una militanza politica.

Per avere un barlume di risposta bisogna attendere una settimana: la Vigilanza si aggiorna al 10 febbraio. Mimun ha promesso che replicherà su tutto. Ma, quando interviene, le poltrone di molti consiglieri di centrosinistra, impegnati nelle votazioni sulla fecondazione assistita, sono desolatamente vuote. Clemente J. gioca in casa, tutto baldanzoso: «Signor presidente, sarò ancor più sintetico di quanto non avessi previsto». Enumera i soliti dati di ascolto, mai messi in discussione da nessuno, per concludere:

Non credo che saremmo premiati da questo tipo di fedeltà se fossimo censori, falsari o mistificatori. Chi mi dipinge come una sorta di «mani di forbice» da mettere all'indice mente. Chi lo fa per ragioni politiche ha scelto la strada della campagna elettorale. Una strada che a mio avviso è molto viscida e che comunque non mi indurrà a una fuga precipitosa, perché non ho proprio la vocazione del *punching-ball* e non intendo diventarlo neanche nel prossimo futuro […]. Penso che le critiche siano sempre legittime, ma che occorra avere rispetto. Mi sono sentito, invece, definire il direttore di un telegiornale bulgaro. Poi si è detto che sono indegno a guidare un telegiornale del servizio pubblico: per inciso l'ho fatto per otto anni al Tg2 con risultati che non sono dimenticati. Tempo fa è stato detto che sono un marchettaro […]. Sono affermazioni che a vostro avviso tendevano al confronto? È un modo per esprimere un dialogo? No, sono stati e sono insulti; sono quotidiane dichiarazioni di guerra dalla ricetta standard, interrogazioni e dichiarazioni a raffica sull'universo modo. L'Usigrai predispone dossier sui presunti crimini ai danni dell'informazione. Si mette nero su bianco che nelle nostre riunioni di redazioni c'è chi propone un servizio o un tema e che nel corso della discussione si sceglie diversamente: pensate un po', una vera stravanganza! Accade per scelta editoriale, talvolta per fragilità della proposta, ma anche per motivi di durata, tutti i giorni, anche più volte al giorno, in tutti i telegiornali del mondo.

E l'interminabile rosario di censure e manipolazioni sgranato da Falomi? Mimun non si abbassa a rispondere. Vola alto, senza che nessun commissario lo inchiodi al merito delle questioni:

Leggo su un paio di giornali specializzati nella caccia al mostro [«la Repubblica» e «l'Unità», *N.d.A.*] che al Tg1 censurano il capo dello Stato e il Santo Padre. Nel 2003 al presidente della Repubblica Ciampi il Tg1 ha doverosamente dedicato 248 minuti; sul 17,1% dedicato alle figure istituzionali, significa più della metà, il 9,1. Sugli interventi e i messaggi del presidente Ciampi abbiamo aperto decine di volte il telegiornale. Mai mi è arrivato un segnale che fosse diverso dall'apprezzamento verso il nostro lavoro. Quanto all'informazione religiosa, non c'è evento, discorso o viaggio che non sia stato seguito con attenzione. Così come per la Conferenza episcopale italiana, che spesso non tralascia neanche di fare critiche severe all'attuale governo e sono state trasmesse, naturalmente, anche le critiche […]. Non mi soffermerò sul dettaglio degli episodi che anche recentemente sono stati addebitati al Tg1. Mi preme, però, confermare ancora una volta la nostra correttezza con cui viene confezionato il telegiornale. Che qualche titolo o alcuni fatti su cui si possono dare interpretazioni diverse abbiano suscitato anche dissensi o critiche severe è, a mio avviso, assolutamente fisiologico; escludo che non ve ne siano state di fondate e su queste non faccio spallucce, ma mi soffermo, rifletto e cerco di correggere.

Tutto qui? Tutto qui. Questo è il massimo di «risposta» che la Vigilanza riesce a strappare. Nessuno, men che meno il presidente Petruccioli, batte ciglio. Così Mimun è libero di attaccare i conduttori che l'hanno criticato, invitando ancora una volta chi non è d'accordo a sloggiare:

> Ho letto di conduttori che provano vergogna o che parlano del Tg1 come di una minestra insopportabile. Chi conduce da vent'anni, ma anche chi è in video da meno tempo evidentemente ha la memoria corta. Ha dimenticato la terribile, orribile gestione del caso Tortora, le dirette da una dozzina di minuti dedicate ai segretari Dc nei loro congressi, scoop che hanno lasciato il segno, come quello sul ruolo della Cia nell'assassinio di Olaf Palme o, più recentemente, mi spiace ripeterlo, il caso pedofilia, con la trasmissione di immagini che hanno colpito profondamente l'opinione pubblica e danneggiato il telegiornale. Certo, ci si è immediatamente scusati, poi si sono fatte solenni dichiarazioni di rinuncia alla conduzione, ma ricordo che a pagare fu solo il direttore dell'epoca.

Qui l'allusione è a Sassoli, che incappò in quell'infortunio e per qualche mese restò lontano dal video. Ergo, chi ha sbagliato una volta non ha diritto di critica. E chi non ha sbagliato, neppure. Anche perché tutti i contestatori, per Mimun, hanno sbagliato. Sono tutte primedonne, preoccupate soltanto della loro popolarità:

> Io penso che è giusto ricordare sempre quel che è accaduto, prima di sentirsi legittimati a impartire lezioni a chicchessia, non solo a chi vi parla. Ciò vale anche per chi tra i conduttori manifesta atteggiamenti elitari. Mi riferisco a chi [la Busi, N.d.A.] ha detto sdegnosamente no all'ufficio di corrispondenza da Parigi [...]. Penso a chi ha rifiutato di far parte della squa-

dra di cronisti per il funerale di Stato delle vittime di Nassiriya perché «o sola o niente» [la Gruber, *N.d.A.*] [...]. Non vi nascondo che c'è chi sospetta che dietro alle fiammate polemiche di alcuni colleghi vi sia anche la rabbia per la mia scelta di aggiungere nuovi conduttori nelle edizioni principali.

Anche questo argomento non sta in piedi. Sia perché a protestare sono decine di giornalisti, non solo qualche volto noto. Sia perché, come dice lo stesso Mimun, «negli ultimi anni è accaduto anche che, per far posto a nuovi conduttori, altri furono rimossi, ma nessuno è insorto». La rivolta della redazione contro il direttore è tutt'altra questione. Ma nessuno dei commissari presenti lo fa notare. Così Clemente J. ha buon gioco a rispondere anche all'ultima accusa: quella di aver trasformato la pagina politica in un immangiabile panino.

Escludo di averne il copyright. Non inizio e non concludo il servizio politico sempre nello stesso modo. In molteplici occasioni abbiamo realizzato servizi *ad hoc* sui singoli schieramenti o su temi diversi. Certo vent'anni fa c'era il pastone, così come c'era negli anni Novanta e agli albori del terzo millennio. Il notista politico del Tg1 è da oltre due lustri Francesco Pionati che mai in passato, e con nove direttori diversi, è stato oggetto di attacchi tanto violenti. Eppure ha raccontato negli anni le posizioni di governi di segno diverso. Penso che si attacchi, con il sottoscritto, Pionati [...] che si esalti la professionalità e l'indipendenza di chi ha fatto o fa campagne elettorali [forse Lerner, *N.d.A.*] [...] e si minimizzi magari su chi gira per le riunioni di redazione con il registratore. Io non lo trovo giusto.

Libro bianco, anzi nero

Per i redattori del Tg1 è impossibile difendersi. L'Usigrai tenta la carta del «libro bianco»: un'analisi ragionata di quanto accade nel primo telegiornale d'Italia giorno per giorno. Il segretario del sindacato dei giornalisti Rai Roberto Natale lancia l'idea al congresso del febbraio 2003. Il risultato è disarmante. Uno spaccato di vita quotidiana nella tv della menzogna. Una sorta di manuale del perfetto censore. Cogliamo fior da fiore.

25.1.2003 Il quadro falso

Il Tg1 delle 20 riprende una presunta notizia di *Studio Aperto* (Italia1, direttore Mario Giordano). Alla vigilia della sentenza della Cassazione sulla richiesta di spostare da Milano a Brescia, per legittimo sospetto, i processi a Berlusconi, il tg Mediaset rivela l'esistenza di due foto degli imputati Previti e Pacifico affisse in una bacheca del tribunale di Milano, sotto un quadro che riporta una frase di Platone contro la tirannide. Le difese esultano: per loro è la prova che l'intero tribunale è prevenuto contro gli imputati. Il Tg1 rilancia la notizia in fotocopia. Ma il pezzo viene realizzato dalla redazione di Roma: il giornalista della sede di Milano che segue il processo e ha curato il servizio alle 13,30 rifiuta di realizzarlo alle 20 senza dar conto delle smentite dei magistrati. Quando poi la Procura generale dimostra che si tratta di una bufala, il Tg1 non trasmette un servizio per rettificare e scusarsi, ma soltanto una fugace notizia da studio. Eppure sarebbe stato interessante spiegare che la frase di Platone, appesa in cancelleria da anni, non riguarda la tirannide. E che nelle due foto non sono ritratti solo Previti e Pacifico, ma anche un'impiegata del tribunale che per questo motivo le ha appese dietro la sua scrivania per ricordo, all'insaputa dei giudici. L'Usigrai indica il presidente Baldassarre e il direttore generale Saccà come «silenziosi complici, se non mandanti, di questo spaccio di informazione avariata». Replica ineffabile Mimun: il caso esiste, tant'è che è in corso un'inchiesta interna del tribunale. Quella che, appunto, smaschererà la bufala.

29.1.2003 La conferenza stampa che non c'è

Il Tg1 delle 20 manda in onda un servizio politico sul videomessaggio del premier contro la Cassazione che ha respinto la richiesta di trasferimento dei processi. La dichiarazione, preregistrata da operatori di fiducia di Berlusconi ed estranei alla Rai, sembra effettuata durante una conferenza stampa: il Tg1 l'ha montata con immagini di repertorio che ritraggono il premier fra giornalisti e telecamere. L'Usigrai protesta, inutilmente.

4.2.2003 Vietata la bandiera della pace

La redazione del Tg1 propone di realizzare servizi sul nascente movimento per la pace, sulle iniziative della Chiesa e sul fenomeno delle bandiere arcobaleno esposte alle finestre di milioni di case contro la guerra in Iraq. I maggiori quotidiani, «Corriere» e «Repubblica», dedicano ampio spazio al dilagare dei drappi alle finestre in tutt'Italia. Ma per giorni la direzione rifiuta di occuparsene. I redattori chiedono invano di dare spazio alle ragioni del movimento della pace e dei circoli culturali favorevoli all'intervento militare. Ma fino al 15 febbraio, giorno delle manifestazioni per la pace in tutto il mondo, le immagini delle bandiere arcobaleno vengono tenute lontane dal video, salvo in due servizi, frutto dell'iniziativa individuale degli inviati. La Tagliafico chiede spiegazioni al direttore. Risposta di Mimun: «Le bandiere della pace le vendono alle Coop...».

6.2.2003 Censurato anche il premier

Berlusconi attacca le opposizioni contrarie alla guerra: «La sinistra ha perso la testa. I pacifisti la testa non l'hanno mai avuta». Nel Tg1 delle 20, nessuna traccia dell'insulto ai pacifisti, ripreso in prima pagina da tutti i quotidiani del giorno dopo.

7.2.2003 Oscurato persino il Papa

Il Papa, incontrando la Comunità di Sant'Egidio, lancia un forte monito contro la guerra in Iraq. Ma il Tg1 non lo giudica abbastanza importante per meritare un servizio. Due righe lette dallo studio, non di più. L'indomani l'appello di Giovanni Paolo II è l'apertura dei principali giornali. Il Tg1 oscura anche le manifestazioni pacifiste a Venezia e a Sigonella.

9.2.2003 Trapattoni pacifista? Raus!

Al Tg1 delle 20 la redazione sportiva mostra alcuni studenti torinesi che regalano al ct della Nazionale Giovanni Trapattoni la bandiera della pace. Il drappo viene steso sul tavolo della conferenza e Trapattoni, parlando di pace e guerra, ricorda il bombardamento di Milano quand'era ragazzo. La direzione del Tg1 esprime irritazione per il servizio.

14.2.2003 Tarek taroccato

Alle 20 va in onda un servizio sull'incontro tra il numero due del regime iracheno Tarek Aziz e il presidente forzista della regione Lombardia Roberto Formigoni. Il pezzo viene riversato a pochissimi minuti dall'inizio del Tg1, ma la direzione ordina di coprire tutte le immagini che ritraggono insieme i due politici, soprattutto quella in cui si stringono calorosamente la mano. Immagini poi trasmesse da tutti i circuiti televisivi internazionali. I due si conoscono da tredici anni. «Siamo amici – dice Formigoni – e ogni europeo deve fare uno sforzo per evitare il conflitto». Ma ai telespettatori del Tg1 è proibito vedere (e ascoltare) la scena.

15.2.2003 Niente Ciampi, niente pace

Alle 13,30 la grande manifestazione per la pace a Roma è soltanto il quarto titolo del Tg1, che parla di «migliaia di bandiere» (meno dei dati della Questura), mentre gli organizzatori parlano di 3 milioni di persone. Nella stessa edizione viene stravolto il significato della lettera di Ciampi a Berlusconi. Il capo dello Stato ammonisce il premier a seguire una politica estera in sintonia con l'Onu e l'Unione europea e a «mantenere salda la coesione tra i Paesi fondatori». Cioè con Francia e Germania, contrarissime alla guerra. Ma per il Tg1 il monito diventa un elogio al premier: nei titoli si dice che Ciampi approva la posizione del governo sulla crisi irachena. L'indomani «Repubblica» rivela l'irritazione del Quirinale contro il Tg1: «Sorpresa sul Colle per un servizio del Tg1: "Non diciamo che Berlusconi è bravo"».

Nell'edizione delle 17 la parola d'ordine della manifestazione per la pace «No alla guerra, senza se e senza ma» viene ridicolizzata in un «No alla guerra, senza sì e senza no». Alle 20 vanno in onda interviste ad alcuni manifestanti realizzate prima che partisse il corteo: così gli intervistati compaiono perlopiù isolati, con lo sfondo vuoto. Cortocircuito: i titoli questa volta parlano di moltissime persone, ma dalle interviste si direbbe che fossero quattro gatti. Poi, nel corteo, appaiono i giornalisti dell'Usigrai imbavagliati, in segno di protesta contro la mancata diretta della manifestazione: nel servizio si dice che denunciano il «silenzio», ma senza spiegare di chi e su che cosa.

17.2.2003 Sparisce l'inviato del Papa

Al Tg1 delle 20 viene oscurato il ritorno a Roma dell'inviato del Papa da Bagdad: il cardinale Roger Etchegaray, partito il 10 febbraio in missione ufficiale con una lettera del Pontefice, ammonisce sugli esiti catastrofici di una guerra. Ma, per il Tg1, le sue dichiarazioni a fine missione non sono una notizia.

Verranno recuperate nell'edizione di mezza sera, con ascolti decisamente inferiori.

23.2.2003 Niente digiuno col Papa
L'edizione delle 13,30 apre con due notizie del giorno prima, già raccontate dai quotidiani del mattino: gli scontri allo stadio di Torino e l'arresto di un sequestratore. La notizia del giorno è l'appello del Papa per solennizzare la giornata per la pace del 5 marzo con un digiuno dei cattolici di tutto il mondo contro i venti di guerra in Iraq. Per il Tg1 la cosa non merita né l'apertura né la «spalla»: se ne parla con calma. Nei giorni successivi il mondo politico e culturale italiano si confronta anche aspramente sul digiuno pacifista. Ma di questo dibattito non c'è traccia significativa nel principale telegiornale italiano.

26.2.2003 Ma cos'è questa crisi?
Dopo mesi di polemiche furibonde sul «Cda smart» della Rai, finalmente in mattinata sono costretti a dimettersi Baldassarre e Albertoni, i due membri rimasti in carica. Ma lo fanno con una lettera che pone varie condizioni. Berlusconi riunisce i leader della Cdl a casa sua, a Palazzo Grazioli, per decidere il nuovo Cda, in barba alla legge che conferisce quel potere ai presidenti delle due Camere. Il Tg1 delle 13,30 annuncia che la crisi è felicemente risolta, salvo poi, alla fine, dare conto delle prime reazioni politiche alle dimissioni «condizionate» dei due irriducibili, da cui si capisce che la soluzione è lontana. Nel pomeriggio, seconda lettera con le dimissioni incondizionate dei due. Caos, polemiche a non finire. Al Tg1 delle 20 le dimissioni condizionate diventano una semplice «indiscrezione» e quelle incondizionate l'unico fatto certo minimizzando lo scontro. Nel servizio, nessuno dei politici che hanno rilasciato interviste vien fatto ascoltare in voce: Rutelli e Fassino hanno attaccato il premier per il vertice casalingo, ma – come sempre avviene quando i politici dell'opposizione rilasciano dichiarazioni politicamente forti contro Berlusconi – si preferisce riassumerle nel pastone, senza farle sentire.

26.2.2003 Licenziata perché incinta, non fa notizia
Il Tg1 delle 20 glissa sulla sentenza della Cassazione che respinge il ricorso dell'insegnante di religione licenziata dalla Curia fiorentina perché rimasta incinta senza essere sposata.

L'indomani i giornali le dedicano servizi e commenti, viste le implicazioni in tema di laicità della scuola e di rapporti Stato-Chiesa. Ma il Tg1 non raccoglie.

28.2.2003 Berlusconi oscura anche Tremonti
Due servizi al Tg1 delle 20 sui conti pubblici: il primo è dedicato alle dichiarazioni del premier, che a sorpresa scende in sala stampa e annuncia i dati, «bruciando» un'intervista prenotata il giorno prima dal ministro Tremonti. L'intervista a Tremonti scivola nel secondo servizio, riservato in teoria alle reazioni dell'opposizione. Così per l'Ulivo non c'è più spazio: nessun leader parla in voce. Parla solo Tremonti, il resto è «pastone». Doppio panino farcito: il premier annuncia in voce, l'opposizione replica muta (dichiarazioni riassunte dal giornalista), il ministro replica in voce.

1.3.2003 Bossi sforbiciato
Bossi ironizza pesantemente sul digiuno pacifista del Papa: dice che è «un'iniziativa positiva», ma poi aggiunge che «non mangiare abbassa la pressione e io, con la vita stressante che faccio, spesso me la ritrovo alta». La seconda frase verrà ripresa da tutti i giornali, ma il Tg1 delle 13,30 la taglia: il telespettatore, così, si fa l'idea che il ministro leghista si sia inchinato deferente all'iniziativa del Santo Padre. Nello stesso servizio da Milano si sente il Senatùr assicurare che Rai2 rimarrà a Milano. Per la verità il ministro Gasparri e il segretario Udc Follini hanno detto tutt'altro, ma il Tg1 non ne dà notizia.

2.3.2003 Lilli tagliata in diretta
Ore 20. Il servizio di Lilli Gruber da Bagdad viene tagliato in onda. Appena l'inviata parla dei pacifisti, tema tabù, le immagini vengono sfumate e si passa al servizio successivo. Una grave violazione contrattuale: il lavoro di un giornalista viene modificato «in corsa», senza il consenso dell'autore. Che, in caso di dissenso, avrebbe avuto il diritto di ritirare la firma.

4.3.2003 Il mistero del nuovo Cda
La notizia politica del giorno è l'incontro tra i presidenti di Senato e Camera, Pera e Casini, per il nuovo Cda Rai. Propongono una formula innovativa: un «presidente di garanzia» riferibile all'opposizione e quattro consiglieri di maggioranza. Ma al

Tg1 delle 20 la nuova formula 4+1 non viene mai spiegata come tale, mentre altri telegiornali la esplicitano senza reticenze.

5.3.2003 San Pietro, bandiera ammainata
La pace rimane il tema più controverso. La sera prima il Tg1 delle 20 tace sul «no» del direttore generale della Rai e del direttore di Rai1 alla richiesta del Social Forum di leggere un appello per la pace. Agnoletto e don Vitaliano Della Sala vengono «ripescati» alle 13,30 del giorno dopo. Ma nella giornata del digiuno indetto dal Papa il Tg1 delle 20 riesce a oscurare il lunghissimo striscione arcobaleno di 150 metri portato in piazza San Pietro dalle Acli. È l'immagine-simbolo della giornata, ma nell'edizione di massimo ascolto sparisce dal video.

6.3.2003 Funerali dimezzati
Il Tg1 delle 13,30 racconta i funerali di Emanuele Petri, il poliziotto ucciso dalle Br sul treno Roma-Arezzo. Cita puntualmente le alte cariche istituzionali e i rappresentanti del governo (da Fini a Pisanu) presenti alla cerimonia, ma «dimentica» gli esponenti dei Ds (D'Alema e Fassino), mentre mostra senza citarli quelli della Margherita (Bordon e Bindi). L'impressione, nel telespettatore, è che la sinistra abbia disertato i funerali dell'ultima vittima del terrorismo rosso.

7.3.2003 Pacifisti? No, «disobbedienti»
A Battipaglia gruppi di pacifisti bloccano alcuni treni che trasportano materiale bellico. Alle 13,30 la notizia viene letta da studio (nemmeno un servizio) e i pacifisti vengono chiamati «i cosiddetti disobbedienti». È la stessa formula utilizzata nei giorni precedenti al Giornale Radio, dove ai giornalisti è stato ordinato espressamente di sostituire la parola «pacifisti» con «disobbedienti», appiattendo il variegato movimento per la pace sulle posizioni della componente più radicale e minoritaria. Nell'edizione delle 20, nessuna immagine dei poliziotti che sollevano di peso i pacifisti dai binari.

9.3.2003 Questo Papa ha stancato
Nell'omelia domenicale in piazza San Pietro, il Papa invoca vigorosamente la pace evocando lo scontro tra il Bene e il Male e paragonando la guerra a Satana. È l'appello più forte contro l'imminente attacco all'Iraq. Il Tg1 delle 20 gli dedica

uno dei titoli del sommario, ma poi – incredibilmente – non propone un servizio: si limita a far ascoltare la voce del Papa per pochi secondi, compressa fra i servizi sulla crisi irachena (da New York, Ankara e Bagdad) e sul ministro della Difesa Martino che annuncia la guerra come inevitabile. Così l'appello viene depotenziato e nessuno può vedere le migliaia di fedeli accorsi ad applaudire il Pontefice sventolando un caleidoscopio di bandiere della pace.

10.3.2003 Niente Forza Italia (se litiga)

Il Tg1 minimizza le dimissioni di Roberto Antonione da coordinatore nazionale di Forza Italia. È l'epilogo della crisi interna scoppiata dopo la designazione della leghista Alessandra Guerra come candidato della Cdl alle elezioni regionali in Friuli. Di ritorno dal vertice italo-tedesco di Brema con Berlusconi, Antonione scopre che Scajola, senza avvertirlo, ha nominato dei commissari politici al posto del coordinatore regionale e di quello di Udine, dimissionari perché ostili alla Guerra. E si dimette. Ma la spaccatura in Forza Italia, al Tg1 delle 13,30, non merita nemmeno un servizio: solo una striminzita notizia da studio. Alle 20 il servizio c'è, ma per annunciare la trionfale presentazione della Guerra a Udine, alla presenza dei leader della Cdl. Nemmeno un accenno alla crisi interna al partito di maggioranza. I telespettatori non devono conoscere la genesi della candidatura e gli effetti politici dirompenti che ha determinato. Cancellata la crisi più grave mai vissuta in dieci anni dal partito di Berlusconi.

12.3.2003 No al «no» di Cofferati

Sergio Cofferati diserta l'assemblea costituente del nuovo Ulivo, fissata il 13 aprile per tessere l'alleanza tra i partiti del centrosinistra e la rete di movimenti che si riconoscono nell'ex leader della Cgil. Quest'ultimo critica le modalità con cui si sono svolte le assemblee preparatorie dei partiti e si dissocia dall'appuntamento. Il coordinatore della segreteria Ds Vannino Chiti lo critica: «Il suo no è sorprendente e negativo». Ma il Tg1 delle 20 oscura la notizia.

13.3.2003 Niente Veronica (se è pacifista)

La notizia è di quelle da prima pagina, infatti il «Corriere della Sera» le dedica la «spalla»: la moglie del premier ha concesso un'intervista alla rivista antiberlusconiana «MicroMega». Veronica Berlusconi si professa pacifista: «Credo che questi movimenti pacifisti servano al risveglio delle coscienze. Chi scende in piazza ha deciso di cercare una risposta al proprio turbamento, condividendolo con gli altri. Non si possono criminalizzare i pacifisti». Poi rivela che anche il figlio Luigi è contro la guerra, in dissenso con il padre. Il Tg1 ignora completamente la notizia, sia alle 13,30 sia alle 20.

14.3.2003 L'Italia non ripudia più la guerra

Il Tg1 delle 20 minimizza, nasconde o cancella una lunga serie di avvenimenti che il giorno dopo, sui quotidiani, verranno riportati con grande evidenza. Dell'incontro al Quirinale tra Ciampi, Berlusconi, Fini e Frattini riferisce solo le dichiarazioni del governo, omettendo il richiamo del presidente della Repubblica al rispetto dell'articolo 11 della Costituzione («L'Italia ripudia la guerra»). Il dibattito sulla Rai viene oscurato, nella giornata in cui An chiede la testa di Agostino Saccà. Neanche un servizio sul nuovo piano statunitense per la nascita uno Stato palestinese. Nemmeno una parola sull'irruzione della Digos al Comune di Milano per sequestrare gli emendamenti al bilancio, dopo la denuncia dell'Ulivo su possibili brogli della Casa delle Libertà.

15.3.2003 Niente marcia pacifista

A Milano, mezzo milione di persone alla manifestazione nazionale per la pace indetta dalla Cgil. Il Tg1 non manda inviati. Il servizio realizzato dalla sede di Milano non contiene testimonianze dei manifestanti e viene tagliato nel finale. Intanto a Roma, alle 12, come preannunciato il giorno prima, un gruppo di parlamentari del centrosinistra «occupa» simbolicamente la Camera, con sacco a pelo, spazzolino e bandiera della pace per contestare il governo che «impedisce all'aula di votare sulla guerra». Della clamorosa iniziativa, cui partecipa anche il vicepresidente del Senato Cesare Salvi, nessuna immagine al Tg1.

18.3.2003 Censurato anche Frattini

Al Tg1 delle 20 sparisce la notizia del giorno. Il ministro degli Esteri Frattini, a *Radio anch'io*, anticipa che l'Italia concederà l'uso delle basi e il sorvolo agli aerei da guerra americani. Poi rettifica, ricordando che la decisione spetta al Parlamento. Ma nel servizio del Tg1 non si parla della frase di Frattini, né della smentita, né della telefonata del capo dello Stato ai presidenti delle Camere per sollecitare subito un dibattito parlamentare.

19.3.2003 Silenziati i Ds contro la guerra

Berlusconi parla di «guerra legittima» in Parlamento. «Se la guerra è legittima, allora perché l'Italia non vi prende parte?», obiettano Fassino e Violante. Ma al Tg1 le due dichiarazioni-chiave vengono oscurate in voce e soltanto citate nei servizi. Alle 20 il «no» alla guerra pronunciato in aula dal segretario Udc Follini viene sfumato: «Dubbi sull'intervento americano». L'estremo appello del Papa davanti a 20 mila fedeli nel giorno di San Giuseppe non merita un servizio.

20.3.2003 Governo preoccupato, ma sereno

Il Tg1 delle 13,30 racconta la prima notte di guerra, quindi passa alle reazioni politiche: «Il governo è preoccupato, ma sereno». I sindacati indicono due ore di sciopero contro la guerra. Si ferma anche il pubblico impiego «per garantire l'ordine costituzionale»: una decisione eccezionale assunta – senza il preavviso di due settimane – da Epifani, Pezzotta e Angeletti. Ma il Tg1 le dedica un servizio soltanto nel Tg1 Economia, alle 14, quando tutti han già cambiato canale. Anche in altre occasioni significative, come la raccolta di 5 milioni di firme della Cgil per estendere i diritti dei lavoratori, il Tg1 dirotterà il servizio alla rubrica «Economia».

22.3.2003 Guerra e bambini, tabù

Dinanzi alle immagini di guerra, è il caso di porsi qualche interrogativo? Per il Tg1, no. La Busi prepara un servizio che solleva una serie di questioni sul rapporto tra informazione e propaganda, sulla selezione dei filmati dal fronte, sulla realtà e completezza dei fatti, sulla difficoltà di raccontare «la faccia della verità, prima vittima di ogni guerra». Ma all'ultimo momento il pezzo, previsto in pagina nell'edizione delle 20, non va in onda. Verrà nascosto nell'ultima edizione, all'una di notte. Il giorno dopo il «Corriere» dedica al nodo dell'informazione in guerra un editoriale di Sergio Romano. Dal Tg1 delle 20 viene pure sfilato il servizio sulla guerra vista dai bambini, con i consigli dello psicologo ai genitori per evitare traumi, mentre ne va in onda uno sulla storia del Settimo Cavalleggeri. Molto marziale.

23.3.2003 Niente vittime civili

Nel Tg1 delle 20 nessuna immagine delle vittime civili dei bombardamenti anglo-americani. Si vedono solo i feriti ricoverati negli ospedali, mentre vengono cancellati i filmati che documentano i morti tra la popolazione di Bassora, trasmessi sul circuito internazionale da Al Jazeera. Il servizio sulle manifestazioni pacifiste viene tagliato nel finale, laddove si denunciano le vittime innocenti. Nella politica italiana, tensioni fra Udc e la Lega sui profughi di guerra. Il Tg1 delle 13,30 annuncia la proposta del ministro Buttiglione (Udc) per accogliere i civili in fuga dal conflitto. Ma nel pomeriggio il leghista Calderoli pone il veto. Il Tg1 delle 20 non ne parla più.

24.3.2003 Salvataggio senza riprese

Toccante filmato da Bagdad su una donna estratta ancora viva dalle macerie della sua casa bombardata per sbaglio dagli Alleati. Il Tg3 lo trasmette alle 19. Il Tg1 invece lo taglia, sostituendolo con anonime immagini di macerie.

25.3.2003 Non si elogiano i pacifisti

Da piazza San Pietro il Papa torna a invocare la pace ed elogia «il vasto movimento per la pace». Ma le sue parole non meritano un servizio: il Tg1 delle 20 si limita a una frase. Poi, per la prima volta dall'inizio del conflitto, non dedica alcun servizio al movimento pacifista.

27.3.2003 Le regole d'ingaggio? Un mistero

Al Tg1 delle 20 va in onda lo sdoppiamento della realtà. Tema: la partenza da Vicenza dei paracadutisti americani lanciati nel Nord dell'Iraq. Nel collegamento dal quartier generale angloamericano di Doha, si riferiscono dettagliatamente i compiti dei parà: «Verranno impiegati in combattimento», dice il portavoce Usa, confermando che l'Italia partecipa indirettamente a una guerra vietata dalla Costituzione. Nel servizio politico da Montecitorio che segue, si accenna alle polemiche sulle «regole di ingaggio» dei militari, ma in una tale confusione che il telespettatore capisce poco o nulla. Sulle manifestazioni pacifiste che affollano le piazze d'Italia (10 mila studenti a Milano, 20 mila a Roma), solo una notizia da studio. Lo stesso giorno il Senato approva la legge che liberalizza la vendita delle armi, duramente contestata dalla sinistra: il Tg1 delle 20 ignora il tutto. Anche la nomina del dg Rai Cattaneo è osteggiata dalle opposizioni, per le clamorose interferenze del governo. Ma l'edizione principale del telegiornale annota soltanto che le opposizioni contestano, senza spiegare perché.

28.3.2003 Non si contesta Berlusconi

Il premier, in visita al comune terremotato di San Giuliano (Molise), viene contestato da un gruppo di pacifisti. Ma nel servizio del Tg1 delle 20 la contestazione non c'è. Il tema politico del giorno sono ancora le divisioni nella Cdl per la legge sui profughi, voluta dall'Udc e avversata dalla Lega. Nessun servizio, solo una notizia da studio.

29.3.2003 Giornalisti fermati e silenziati

Al Tg1 delle 20 le interviste da Bagdad di Lilli Gruber ai giornalisti italiani fermati a Bassora dall'esercito iracheno e appena giunti nella capitale vengono tagliate. Così scompare la frase di Lorenzo Bianchi del «Giorno»: «Siamo entrati da clandestini, ma gli iracheni ci hanno trattati meglio di come noi italiani trattiamo i clandestini». Sparisce anche il servizio (trasmesso alle 13,30) sui pestaggi della polizia contro i giovani dei centri sociali di Milano – documentati da un video amatoriale – fuori dall'ospedale Sacco dopo l'uccisione di un manifestante.

30.3.2003 Cofferati oscurato, poi manipolato

Cofferati accetta la presidenza di Aprile, l'associazione della sinistra Ds, e ufficializza la sua discesa in campo politico. Il Tg1 delle 13,30 non ne dà notizia. Alle 20 propone un servizio, ma con questo lancio: «Fa discutere la posizione di Cofferati che critica chi si augura una rapida conclusione del conflitto». L'ex segretario della Cgil aveva detto tutt'altra cosa: «È cinico augurarsi che la guerra finisca rapidamente. L'obiettivo prioritario deve essere fermare la guerra». Cofferati denuncia la manipolazione del Tg1.

1.4.2003 I civili non muoiono mai

La guerra in Iraq provoca in un giorno 33 vittime civili, uccise dalle bombe americane a Hilla, a nord di Bagdad. La copertina del Tg1 delle 20, intitolata «Pioggia di bombe», attribuisce la notizia dei morti a imprecisate fonti irachene, mentre è stata confermata fin dal pomeriggio dalla Croce Rossa.

3.4.2003 Governo battuto sulla Gasparri: minimizzare

La Camera esamina il disegno di legge Gasparri. Approvato l'emendamento del ds Giulietti che pone il limite di due reti a ogni soggetto privato. La maggioranza «va sotto» e nella Cdl infuria la polemica sui franchi tiratori. La Lega accusa l'Udc e Berlusconi si infuria con gli assenti di Forza Italia. Ma il Tg1 delle 20 minimizza: semplici «strascichi polemici nella maggioranza».

12.4.2003 Berlusconi ancora censurato

Manifestazione nazionale a Roma del comitato «Fermiamo la guerra». Alle 13,30 il servizio è un pastone politico, senza immagini né voci dei manifestanti. Alle 20 il servizio di 2 minuti e 15 secondi sulla manifestazione è seguito da un 1 minuto e 50 di reazioni contrarie: Boselli e Rutelli che non partecipano, Bondi, Schifani e Follini che criticano. Lo stesso giorno Berlusconi definisce alcuni articoli della Costituzione «di stampo sovietico», attacca le Camere che perdono tempo, assolve i «pianisti» che votano per i colleghi assenti («Non ci vedo scandalo, tanto le decisioni sono già prese altrove»). Il centrosinistra replica sdegnato a più voci. Ma delle repliche, così come delle frasi polemiche del premier, nel Tg1 non c'è nemmeno l'ombra.

13.4.2003 Bossi attacca, ma non si dice

Al Tg1 delle 20, tre servizi di politica: il primo sull'incontro nel Mugello tra Fassino e Cofferati, il secondo sulla conferenza nazionale di An, il terzo sulla *devolution*. Il tema del giorno è la polemica nella maggioranza sulla *devolution*, con Bossi che minaccia la crisi («Se si cambia la legge, cade il governo»). Ma dal Tg1 non trapela. Solito quadretto rassicurante, con Fini che garantisce la «massima convergenza» nella Cdl. Della dichiarazione in voce di Follini, che invita Bossi a farla finita con gli ultimatum, nessuna traccia.

15.4.2003 Sfilata di ministri, censurati i radicali

Il Tg1 delle 20 sciorina in voce Berlusconi e tre ministri: intervista a Castelli sull'estradizione di Abu Abbas, servizio su Fini che annuncia a Vienna una nuova legge sulla droga, servizio su Tremonti che parla delle cartelle fiscali «pazze». Una pagina politico-economica a senso unico, con una plateale censura: una delegazione radicale è in missione a Vienna per esporre, sulle droghe, una posizione opposta a quella di Fini. Ma il Tg1 non lo dice.

22.4.2003 Dramma umanitario, meglio di no

Il Tg1 delle 20 preferisce non mandare in onda i servizi del suo inviato a Mosul, che fa il punto sul dramma umanitario in Iraq, e del suo corrispondente dall'America Latina, che racconta la campagna elettorale in Argentina. Al loro posto, una serie di servizi «leggeri» senza notizie: uno sui nomi più «gettonati» per i neonati, un altro sulle strategie dei turisti in vista del lungo «ponte» del 25 aprile.

5.5.2003 Berlusconi non suda

Ordine di scuderia in Rai: l'immagine del premier che, parlando al processo Sme, si asciuga il sudore con un fazzoletto, non dev'essere trasmessa. Il Tg1 esegue.

26.5.2003 Come ti nascondo la vittoria

Elezioni amministrative: vince il centrosinistra. Ma il Tg1 delle 20, per la prima volta, non si collega con il Viminale per avere i dati. Intervista invece l'ex ministro dell'Interno Scajola, che annuncia la vittoria del centrodestra. Commento dell'Usigrai: «Non si danno i risultati seppur parziali di 10 province su 12. Al loro posto si dà voce ai personali vaticini di un esponente di Forza Italia. Se un tg decide di non mettere in onda un fatto per non contraddire un'opinione, mette a rischio la sua credibilità e quella di tutto il servizio pubblico».

7.6.2003 Al tifoso non far sapere...

A Coverciano, conferenza stampa di Francesco Totti: «Non escludo che un giorno Berlusconi possa diventare il mio presidente: non è impossibile il mio divorzio dalla Roma». Panico nella capitale, con migliaia di tifosi romanisti che giurano di non votare più Forza Italia. L'inviato a Coverciano viene fatto precipitosamente rientrare. Il servizio non interessa più. Ma alle 20,01, dopo i titoli del Tg5 che puntualmente riferiscono la notizia, la direzione decide di darla in due righe da studio. L'indomani tutti i quotidiani la riportano in prima pagina.

2.7.2003 Censurato anche il kapò

Berlusconi inaugura al Parlamento europeo il semestre di presidenza italiana. Definisce «kapò» il socialista tedesco Shulz e «turisti della democrazia» tutti gli europarlamentari. Tutti i notiziari del mondo riportano la voce del Cavaliere, il suo sguardo prima beffardo e poi contrariato per la reazione dell'assemblea, e soprattutto i volti sconcertati dei ministri Fini e Buttiglione. Tutti, tranne il Tg1. Alle 20 Susanna Petruni riferisce le parole del premier, ma preferisce far sentire e vedere altre parti del discorso. Mimun, davanti alla Vigilanza, sosterrà che non mandare in onda l'audio «è solo una tecnicalità, perché la frase c'era. Non è grave se il sonoro c'è o non c'è. È grave se la notizia è sottaciuta. Certo si sarebbe potuto fare meglio, ma altri non hanno fatto meglio di noi».

1.8.2003 Berlusconi ha sempre ragione

Il governo va in vacanza. Lancio del servizio al Tg1 delle 20: «Il governo rispetta gli impegni. Prima della pausa estiva, Berlusconi rassicura gli italiani e dice: guardate i fatti».

7.9.2003 Oscurate i tg stranieri

Senza avvisare gli interessati né il Cdr, Mimun chiude *Nonsoloitalia*, la rassegna stampa del Tg1 della notte con ospiti in studio e servizi dai telegiornali stranieri. Il Cdr parla di «un altro duro colpo alla pluralità dell'informazione». Mimun risponde: «Ho scelto di inserire eventualmente alcuni servizi dei tg dal mondo nell'edizione del tg della notte e di sostituire *Nonsoloitalia* con quattro rubriche di cultura, teatro musica e mostre». Non si vedrà nulla del genere.

23.9.2003 Trapianto di pubblico

Berlusconi parla a New York davanti all'assemblea delle Nazioni Unite. Alla fine si lamenta con i giornalisti perché, al momento del suo discorso, essendo l'ora della colazione, la sala si è svuotata. Tutti i giornali raccoglieranno lo sfogo. Ma il Tg1 delle 20 non accenna neppure al lamento del premier e confeziona un servizio che mostra Berlusconi applaudito da una sala gremita di folla. Miracolo. Basta però guardare attentamente le immagini usate a «copertura» del suo discorso per rendersi conto della triste realtà: nei primi piani l'oratore è

Berlusconi, ma le immagini della sala si riferiscono al discorso di Kofi Annan, quello sì seguitissimo. Un falso grossolano.

22.10.2003 Un «monumento al servilismo»

Tg1 delle 20: «Bossi è tornato sul mandato di cattura europeo, definendolo incostituzionale dal punto di vista tecnico e una mostruosità da quello politico. Replica Fanfani della Margherita: "Così Bossi si conferma antieuropeista". L'Udc Follini ripete il suo sì. Dello stesso avviso il vicepresidente del Consiglio Fini. E il ministro della Giustizia Castelli dice: "Lo ritengo sbagliato e incostituzionale, comunque decida il Parlamento, farà bene la Lega ad opporsi"». Le ragioni dell'Udc, che parla di grave dissenso su questioni «serie e attinenti a un punto fondamentale dell'attività di governo», vengono compresse in sette parole. «Il modo in cui il Tg1 ha liquidato l'argomento» denuncia Follini «costituisce un monumento al servilismo». E il segretario della commissione di Vigilanza Rai, Pippo Gianni (Udc): «Il modo in cui il Tg1 ha trattato la questione del mandato di arresto europeo è assolutamente indegno: il direttore venga a dare una spiegazione. Molte volte, forse troppe, abbiamo difeso l'operato del Tg1».

27.10.2003 Il Polo perde, ma non si dice

Nel sommario del Tg1 delle 20 c'è un po' di tutto: le stragi in Iraq, il crocifisso nelle scuole, il maltempo, il Milan e il maresciallo Rocca. Ma non la notizia politica del giorno: il tracollo del Polo in Trentino Alto Adige e a Trieste, proprio il giorno dello sciopero dei quotidiani. «Dov'era la novità» replica il direttore «dov'era la notizia? Per me Trento e Trieste valgono la Magliana».

3.11.2003 Toghe sporche, pressioni anche

Denuncia il Cdr della Rai Lombardia: «Si stanno intensificando da parte delle testate nazionali le pressioni sui colleghi milanesi che si occupano dei processi eccellenti [...]. Non è accettabile che si imponga ai colleghi di inserire nei servizi dichiarazioni raccolte altrove senza la presenza o al di fuori di ogni possibilità di mediazione professionale».

25.11.2003 La crisi Ue non esiste

Crisi nell'Ue, dopo lo strappo sul patto di stabilità da parte di Francia e Germania, avallato dall'Italia con Tremonti. Il Tg1 apre così: «Forti polemiche per il sì dell'Ecofin al documento che sospende le procedure contro Francia e Germania per eccesso di deficit. Dure critiche del commissario europeo Solbes. Per il ministro Tremonti, la decisione rispetta lo spirito del patto di stabilità. L'Ecofin, ultimo sotto la presidenza italiana, ha tra l'altro varato il piano di crescita». Si chiude sempre con una nota positiva. E, nel lancio, nemmeno un accenno alle proteste di Prodi. I giornali, l'indomani, di positivo non segnalano nulla. Anzi. «Repubblica» titola: *Grave crisi nell'Ue. Solbes minaccia il ricorso alla Corte di Giustizia. Strappo sul patto di stabilità. L'Ecofin boccia la Commissione. Protestano Prodi e la Bce*. «La Stampa»: *Frattura fra Commissione e Consiglio sul deficit. Prodi: euro custodito da regole precise. Tremonti: nessuna violazione*. Al Tg1 manca anche la notizia delle polemiche sui tempi contingentati per approvare a tappe forzate la Gasparri. I telespettatori leggeranno anche quella sui giornali.

25.11.2003 Scorie sì, scorie no

Proteste per le scorie radioattive a Scanzano. Titolo del Tg1: «Scontro sul decreto. Il ministro Matteoli, pronti a cambiarlo». I giornali, il giorno dopo, scrivono l'opposto. «La Repubblica»: *Il ministro Matteoli insiste, non ritireremo il decreto*. «La Stampa»: *Il governo non ritira il decreto*. «Corriere»: *Il governo gela Scanzano, non ritiriamo il decreto*. Qual è la verità: il governo è pronto a cambiare il decreto o non ne ha nessuna intenzione?

25.11.2003 Censurata la censura a RaiOt

Il Tg1 non ha mai parlato della cancellazione di *RaiOt* il 18 novembre, né del caso Guzzanti che tiene banco da giorni. Ma il 25 novembre il conduttore deve leggere il comunicato Rai sulla richiesta di danni da parte di Mediaset. Quasi fosse una giustificazione per la censura. Si spaccia per notizia un comunicato di 52 secondi. Si ignora totalmente l'oceanica manifestazione della sera prima all'Auditorium di Roma, nonché la solidarietà delle opposizioni. Il caso diventa politico, ma il Tg1 riporta solo la posizione della Rai.

26.11.2003 Un governo nucleare

Ancora proteste a Scanzano. Per il Tg1 la notizia è questa: «I presidenti delle regioni chiedono al governo di ritirare il decreto [...]. C'è attesa per la soluzione che verrà adottata domani dal governo». Totalmente ignorate le divisioni nella maggioranza: si lascia intendere che il governo si avvia alla «soluzione del problema». I quotidiani il giorno dopo raccontano tutt'altro. «Corriere»: *Maggioranza divisa su Scanzano. Forza Italia vuole rivedere la scelta del deposito nucleare. Matteoli contrario. Oggi scontro in Consiglio dei ministri.*

26.11.2003 Come ti cucino il conte Igor
Il presidente della commissione Telekom Serbia, Enzo Trantino, dichiara: «Chiudiamo con Igor Marini. È un teste che non conduce da nessuna parte». Il Tg1 ignora totalmente la notizia. Dopo aver dedicato per tutta l'estate e l'autunno anche due o tre servizi al giorno al presunto scandalo, ora che persino Trantino scarica il «supertestimone» anti-Prodi, il Tg1 dimentica di informare i telespettatori che era tutto falso.

27.11.2003 Mussolini, chi era costei?
Il Tg1 delle 20 titola: «L'on. Mussolini lascia An: "Ormai sono incompatibile". Perplessità sulla linea da Storace a Tremaglia. Fini: niente reticenze sul fascismo». Perplessità? I giornali l'indomani dicono le cose come stanno. «Repubblica»: *Mussolini lascia An. Storace attacca Fini.* «Corriere»: *Bufera in An, Mussolini se ne va.* «La Stampa»: *Tra i colonnelli torna la paura della scissione. Mussolini lascia An.* Secondo Pionati «la Mussolini si dimette per motivi personali». In realtà i motivi sono squisitamente politici. Il Tg1 censura pure la posizione di Storace. L'indomani la riportano i principali quotidiani, da «Repubblica» al «Corriere»: *Storace al popolo della destra: chi tocca la Fiamma brucia, quella di Fini è un'operazione canagliesca.* Il Tg1 con chi sta? Esalta la svolta di Fini, minimizza la scelta della Mussolini, cancella le posizioni più estreme di Storace e Tremaglia.

27.11.2003 Mandato europeo, meglio sorvolare
Il ministro Castelli, da Bruxelles, annuncia che l'Italia non rispetterà la scadenza del 31 dicembre 2003 fissata per l'entrata in vigore del mandato di arresto europeo. Per Bruti Liberati (Anm) «l'Italia non fa una bella figura». Proteste dai partner europei, che avevano già concesso una proroga al governo ita-

liano. I quotidiani dell'indomani se ne occupano ampiamente, il Tg1 invece no. Dice il lancio del servizio: «Di terrorismo, immigrazione e lotta alla droga parlano a Bruxelles i ministri di Interno e Giustizia dell'Unione europea». Tutto qui.

27.11.2003 Il Capo sta sempre bene

Il Tg1 non s'accorge del malore che ha colpito Berlusconi e lo costringerà ad annullare la prevista visita di Stato in India. L'indomani tutti i giornali ne parlano ampiamente. Influenza o altro?

28.11.2003 Influenza indiana

Con un giorno di ritardo, il Tg1 parla dell'influenza di Berlusconi, per dire che «il capo dello Stato e i presidenti di Camera e Senato l'hanno chiamato per fargli gli auguri di pronta guarigione». Ma sui giornali la notizia è già un'altra. «Corriere»: *Salta la visita del premier. Il dispiacere dell'India. Il ministro degli Esteri mostra estremo disappunto. Qualcuno insinua una malattia diplomatica per evitare un incontro bilaterale che a Palazzo Chigi non è mai stato tanto a cuore. Voci raccontano di un viaggio saltato già settimane fa.* «La Stampa»: *Estremamente delusi che il presidente del Consiglio abbia dovuto rinunciare al viaggio in India.*

28.11.2003 Più soldi per tutti

Al Tg1 delle 20 il conduttore legge la seguente notizia: «Da lunedì prossimo scatta il contributo di mille euro per i neonati, dal secondogenito in poi. Entra in vigore infatti la norma a sostegno della famiglia inserita nel collegato alla finanziaria. Un bonus per evitare gli abbandoni dei neonati e gli aborti è poi l'obiettivo di un emendamento alla finanziaria, presentato oggi da parlamentari della maggioranza e dell'opposizione. Prevede un assegno di 1500 euro alle madri che alla nascita affidino i neonati a un istituto sanitario pubblico». Ma i giornali raccontano tutt'altra storia, quella vera: e cioè le critiche all'emendamento del bonus anti-abbandoni sia dalla maggioranza che dall'opposizione. Livia Turco (Ds): «Intenzioni buone, ma effetto perverso: potrebbe diventare un incentivo per le donne a fare figli con la precisa intenzione di venderli allo Stato». Blasi (FI), relatore della finanziaria: «Proposta eticamente sbagliata, inaccettabile, da condannare». Il Tg1 ignora tutto: pur di poter raccontare che il governo distribuisce soldi alle famiglie, non dà alcun rilievo alla marcia indietro di maggioranza e opposizione.

29.11.2003 Un passo avanti, due indietro
Tg1 delle 20: «Costituzione europea: a Napoli molti passi avanti, dice Frattini. Rinviati a Bruxelles i nodi più intricati». I quotidiani del giorno titolano all'opposto. «Corriere»: *L'Europa non supera le divisioni. Frattini, passi avanti. Fischer, più preoccupato di prima.* «La Stampa»: *Al vertice di Napoli resta una situazione di blocco sul problema dei problemi, il meccanismo di voto. Fischer, sono più preoccupato di prima.* Fischer, al Tg1, non veniva nemmeno citato.

1.12.2003 Come ti abrogo il referendum
La Cassazione verifica la validità delle 500 mila firme raccolte da Antonio Di Pietro per il referendum abrogativo del lodo Maccanico-Schifani. Il Tg1 non ne dà notizia. Ma non aveva neppure parlato della raccolta delle firme. Rinviata in Cassazione la pronuncia sul processo a Bossi e Maroni, condannati a 4 mesi ciascuno per resistenza a pubblico ufficiale: Bossi non potrebbe più ottenere la condizionale e rischia il carcere. Ma il Tg1 ignora.

2.12.2003 Gasparri, Quirinale imbavagliato
Approvata la legge Gasparri. Lancio del Tg1: «Fino all'ultimo, battaglia dell'opposizione che parla di "legge incostituzionale che favorisce il premier" e ora guarda al Quirinale cui spetta la firma. "La legge risponde al messaggio di Ciampi", replica la maggioranza, che ha dato prova di grande compattezza e aggiunge: "questa legge aumenta gli spazi di libertà"». Il solito panino. Ed ecco il servizio: voce di Gasparri; posizioni di Angius, Boco, Bordon per l'opposizione; Schifani, Nania, D'Onofrio, Calderoli per la maggioranza. Doppio panino. Pionati completa l'opera informando che «l'opposizione è costretta dai numeri ad abbandonare la trincea parlamentare», comunque la legge «serve a trasportare la tv nell'era digitale» e «moltiplicherà per cinque i canali a disposizione». Sui giornali dell'indomani, tutt'altra musica. «Corriere»: *L'ipotesi del rinvio al vaglio del Quirinale.* Per il Tg1 invece è tutto a posto. Nessun accenno al Quirinale.

3.12.2003 La fecondazione assistita non fa notizia

Scoppia la polemica per la nuova legge sulla fecondazione assistita. Nell'opposizione qualcuno vota con la maggioranza. Nella maggioranza qualcuno si schiera contro. I cattolici, come spesso accade su temi di coscienza, votano trasversalmente. Al Tg1 nemmeno una riga. Il più grosso «buco» giornalistico dell'anno. Ciò che per la direzione non è una notizia, per tutti i quotidiani sarà l'apertura. «Corriere»: *Fecondazione, lite laici-cattolici.* «Repubblica»: *Fecondazione, battuti i laici.* «La Stampa»: *Fecondazione, è polemica nell'Ulivo.*

11.12. 2003 Casini sforbiciato

Il presidente della Camera Casini interviene sulla legge finanziaria. Chiede al governo di verificarne la copertura finanziaria e il voto di fiducia slitta. Il Tg1 se la cava spiegando i tre maxi-emendamenti della legge e chiudendo così: «E sulla legge finanziaria è intervenuto Casini». Voce di Casini: «Certamente questo slittamento è spiacevole [...], uso un termine diplomatico». Fine del servizio. Slittamento di che cosa? Spiacevole perché? Non si dice che a slittare è il voto di fiducia. Né se ne spiegano le ragioni. La frase di Casini era: «Mi riservo la verifica sull'ammissibilità degli atti del governo [...]. Ho chiesto al governo elementi per verificare le spese e le entrate [...]. Quindi il voto di fiducia slitta a lunedì [...]. Certamente questo slittamento non è piacevole [...], uso un termine diplomatico». I giornali, l'indomani, colmano le voragini del Tg1. «La Stampa»: *Fiducia sulla finanziaria. Casini rinvia il dibattito.* «Corriere»: *Finanziaria, voto di fiducia alla Camera. Casini: ammissibilità da verificare.* «Repubblica»: *Finanziaria, lo stop di Casini: manca la copertura finanziaria.*

11.12.2003 Gasparri, censurata l'Osce

Allarme dell'Osce sulla legge Gasparri. Nemmeno una riga al Tg1. «Repubblica»: *Tv, l'Europa contro la legge Gasparri: un precedente molto pericoloso. Osce: favorisce la holding Berlusconi.* «Corriere»: *Legge tv: allarme dell'Osce. Precedente pericoloso per l'Europa.*

11.12.2003 La Cdl ha il mal di pancia

Passa al Senato la legge sulla fecondazione assistita. Restano le divisioni trasversali fra laici e cattolici. Il Tg1 annuncia: «Per il centrodestra si tratta solo di mal di pancia, come quello del ministro Prestigiacomo. Per il centrosinistra invece il problema è tutto politico». Tra i vari «mal di pancia», si dimentica di segnalare quello di Alessandra Mussolini: «Legge orrenda, da cancellare». Ma, da quando ha mollato Fini, la Mussolini al Tg1 è in forte ribasso. Nessun accenno neppure a un'altra notizia fondamentale: qualcuno nella Cdl vuole riaprire il dibattito sull'aborto. Censurato anche Follini: «No, l'aborto non si tocca».

14.12.2003 Saddam monopolista

La cattura di Saddam Hussein occupa quasi tutto lo spazio del Tg1, che non parla delle nuove iniziative dei paesi fondatori dell'Ue dopo il fallimento della Costituzione europea sotto la presidenza italiana. Nel Tg1 delle 20, oltre a dieci legittimi pezzi sulla cattura del Rais, ce ne sono altri non proprio irrinunciabili: uno sugli incidenti con gli sci, uno sul maltempo in inverno, uno sui regali di Natale, addirittura uno sui doni natalizi per gli animali. Intanto l'Europa politica passa una delle sue giornate peggiori, come riferiscono i giornali dell'indomani. «Corriere»: *I pionieri si preparano a far ripartire l'Europa. Fallito il negoziato sulla Carta, nuova iniziativa del Benelux. Prodi: ci vorrà tempo per assorbire la botta.* «La Stampa»: *Europa a due velocità. L'ipotesi non piace a Berlusconi, Prodi dissente.* «Repubblica»: *L'Europa davanti al fallimento. Prodi, dopo la botta riflettiamo.* Se al Tg1 non c'è spazio per l'Europa, figurarsi per le 5 mila persone che a Milano si stringono intorno a Sabina Guzzanti per difendere *RaiOt*: nemmeno una parola. «Repubblica»: *Milano: tornano i girotondini.* «Corriere»: *Girotondini, in 5 mila a Milano per difendere RaiOt.*

15.12.2003 Gasparri, censurato il Cavaliere

Berlusconi, uscendo dal Quirinale, annuncia: «Se dovesse essere rinviata la Gasparri, non sarebbe un *vulnus* per il governo». Così anticipa di un'ora la notizia del rinvio della Gasparri alle Camere. Al Tg1 delle 20 nemmeno una riga. Non è una notizia.

17.12.2003 Salva-Rai3, non Rete4

La maggioranza è divisa sul decreto salva-Rete4. Il Tg1 lancia il servizio così: «Rimane aperto il dibattito tra maggioranza e opposizione dopo il rinvio della legge Gasparri. Due le tappe. Subito un decreto che salvaguardi Rete4 e Rai3. Poi, col nuovo anno, la revisione della legge secondo i chiarimenti di Ciampi». I giornali, poi, spiegano la verità. «Corriere»: *Sul decreto c'è il rebus della firma. La Lega accusa An di usare la Gasparri per la verifica. Confalonieri: da Ciampi richiamo preistorico.* «La Stampa»: *Presidente Mediaset in polemica con il Quirinale.* «Repubblica»: *Scontro sul decreto salva-Rete4. Maggioranza divisa sulla formulazione del provvedimento. Berlusconi progetta di far saltare la par condicio alle europee.* Ma il Tg1, all'attacco di Confalonieri al presidente della Repubblica, non dedica neanche una parola. E parla sempre di «salva-Rete4 e Rai3», facendo credere che, di fronte alla legge, Rete4 e Rai3 siano nella stessa posizione, mentre nessuno ha mai messo in discussione Rai3. Nella stessa edizione «salta» anche un'altra notizia: Berlusconi progetta di cambiare la legge sulla par condicio.

17.12.2003 Finanziaria, Casini ricensurato

Annuncia il Tg1: «La Camera dice sì al voto di fiducia sulla finanziaria. Lunedì il Senato dovrebbe dare il via definitivo». Per i giornali il titolo sarà tutt'altro. «Repubblica»: *Finanziaria: Casini contro Tremonti. Il presidente della Camera contesta il ricorso alla fiducia nella sessione di bilancio.* «La Stampa»: *Finanziaria al via tra le polemiche. Casini sul ripetuto ricorso alla fiducia, non si può essere soddisfatti.*

17.12.2003 Fiumicino bloccato spontaneamente

«Repubblica» parla di «rivolta a Fiumicino, sciopero improvviso, il governo minaccia di rompere il negoziato». Per «La Stampa» è «caos a Fiumicino». E il «Corriere» titola: *Trasporti, proteste fuori controllo. Dipendenti in corteo, bloccata Fiumicino.* Ma la sera prima il Tg1 teneva il tono basso: «Voli cancellati e disagi per i passeggeri a Fiumicino per una manifestazione spontanea dei dipendenti Alitalia». Lo sciopero diventa «manifestazione spontanea». E le ragioni non vengono spiegate.

19.12.2003 Vertenza chiusa, anzi aperta

Il Tg1 delle 20 apre con un collegamento in diretta dal ministero del Lavoro sulla trattativa per il contratto degli autoferrotranvieri. Il giornalista Luigi Monfredi rassicura: «Toni distesi. Il problema è un'una tantum di 500-600 euro, si va verso la chiusura della trattativa che andrà avanti tutta notte». Ma il problema è un altro: un'offerta di 80 euro con una tantum di 600 euro, contro una richiesta di 106 più una tantum di 1200. Infatti il «Corriere» del giorno dopo titola: *Governo e sindacati: siamo ancora lontani.*

20.12.2003 Berlusconi oscura il Tg1

La conferenza stampa di fine anno del premier, in diretta su Rai1 a partire dalle 12, si protrae ben oltre le 13,30 invadendo il campo del Tg1. Gli anni precedenti la diretta veniva sfumata o passata su un'altra rete. Stavolta no. Alle 13,29 il funzionario di turno comunica: «Ho l'ordine di non togliere la linea fino alla fine della conferenza stampa». Il direttore non fa una piega. Il Tg1 delle 13,30 va in onda alle 14,10. Sparisce, di fatto, un'edizione del tg per far posto a Berlusconi. Il Cdr protesta con l'azienda e con Mimun, parlando di «regalo natalizio al presidente del Consiglio». Nessuna risposta.

20.12.2003 Pionati censura Bossi

Al Tg1 delle 20 Pionati racconta la conferenza-fiume di Berlusconi. Elenco dei successi del governo con ampie parti dell'intervento in voce del premier. Segue panino: Mastella, Boselli, Bobo Craxi, Pecoraro Scanio, Letta, Prodi, per finire con Bondi, Calderoli, Schifani, Follini, Fini. Manca però Bossi. Il giorno dopo si capisce perché: i giornali riportano l'attacco del Senatùr: «Non è vero, come dice Berlusconi, che va tutto bene».

21.12.2003 Un panino in Medioriente

Manifestazione del centrosinistra in sostegno dell'accordo di Ginevra sul Medioriente. Nel servizio del Tg1, citazioni di Rizzo, Franceschini, Mastella, Pecoraro Scanio, Bertinotti e Fassino (in voce). Replicano Scajola, La Russa e Schifani (in voce). È la solita solfa. Le manifestazioni del centrosinistra, della scuola, dei sindacati, dei lavoratori non hanno mai diritto a un servizio autonomo. Vengono sempre chiuse a panino, con le repliche della maggioranza e del governo che ne smontano le ragioni.

21.12.2003 Unomattina, Unocensura

Unomattina, trasmissione in condominio fra Tg1 e Rai1, non si è mai occupata degli scioperi selvaggi a Milano. Eppure sarebbe la collocazione più adatta, visto che inizia alle 6, quando gli autobus escono dai depositi. I milanesi si svegliano, accendono Rai1 e sanno che cosa sta succedendo e come organizzarsi per andare a lavoro. È o non è anche questo servizio pubblico? Niente da fare. Il 21 dicembre gli scioperi si allargano a Roma, Padova e Venezia. Quattro metropoli paralizzate. *Unomattina* riduce il tempo dedicato alla rassegna stampa a 2 minuti, per lasciare spazio a che cosa? Agli scioperi? Macché. Al leghista Mario Borghezio, ospite in studio, che parla di tutt'altro; e al paparazzo Rino Barillari, che presenta il suo libro.

2.1.2004 Ok, il prezzo è giusto

L'anno nuovo si apre con rincari a tutto spiano. Proteste dei consumatori, italiani sempre più poveri. Il Tg1 delle 13,30 se ne occupa, ma a modo suo. Notizia di venti secondi: «Diminuisce di 0,06 centesimi di euro la posta prioritaria, aumenta leggermente la posta ordinaria». Rimediano i giornali dell'indomani, con interi paginoni su inflazione e aumenti dei prezzi. «Repubblica»: *L'Italia che non arriva alla fine del mese. Inchiesta sugli aumenti.* «Corriere»: *Tariffe più care fino al 21%. Sindacati all'attacco: aumenti di poste, sigarette e pedaggi. I consumatori denunciano, la spesa delle famiglie salirà di 1000 euro. La mappa degli aumenti in autostrada.* «La Stampa»: *Nuovi rincari in autostrada. Su prezzi e salari si riaccende la polemica. Aumenti per poste, sigarette, alcolici, aerei, autostrade, nettezza urbana, Rc auto, servizi bancari, alberghi, bar, ristoranti.* In quale Italia viviamo? Quella ridanciana e spensierata del Tg1 o quella impoverita dei quotidiani?

2.1.2004 L'Italia ha i conti in ordine

Tg1 delle 13,30. Notizia di 1 minuto e 7 secondi: «I primi dati dei conti pubblici del 2003 sono positivi e confortanti, afferma il presidente del Consiglio Berlusconi. Il fabbisogno statale è migliore di quasi 7 milioni di euro rispetto agli obiettivi che alcuni commentatori e l'opposizione consideravano fuori dalla realtà. Il rapporto tra debito e Pil, la più grande anomalia che avevamo ereditato dal passato, si riduce di 1,8 punti percentuali». Totalmente ignorate le reazioni dell'opposizione. Pochi mesi dopo, nei conti dello Stato si scoprirà un buco di decine di milioni di euro, frutto di tre anni di governo Berlusconi.

2.1.2004 Tutti contro Prodi
Sui giornali un'intervista di Prodi suscita polemiche. Il Tg1 delle 13,30 le dedica un pezzo che riporta il contenuto dell'intervista, con le reazioni di Anedda, Buttiglione, La Malfa, Bondi, Schifani e Follini. Tutti della maggioranza. Alle 20 si replica. Si racconta l'intervista di Prodi, seguita dagli attacchi di Bondi, Landolfi, Nania, Calderoli, Schifani, Tremonti e Follini. Tiro al bersaglio. E l'opposizione? Niente. E la stampa internazionale che critica Berlusconi per il disastroso semestre europeo? Silenzio.

3.1.2004 Viva il digitale terrestre
Presentazione a Milano del digitale terrestre, l'alibi per salvare un'altra volta Rete4. Un pezzo del Tg1 dà voce al ministro Gasparri e al dg Rai Cattaneo. Si dice che è assente la presidente Annunziata, senza spiegare perché (non c'è in segno di protesta). Una notizia letta dal conduttore, a chiusura del pezzo, completa l'opera: annuncia le reazioni dell'opposizione citando Giulietti, Gentiloni e Lusetti; spiega che la Rai aveva invitato tutti i politici, ma sono venuti solo Bossi e Castelli. Forse gli altri politici erano oberati da gravosi impegni? Il Tg1 non lo spiega. Si chiude con le opinioni di Butti (An), di Romani (FI) e della Lega, che chiede il trasferimento definitivo di una rete a Milano.

13.1.2004 Il padrone ha sempre ragione
Sciopero selvaggio dei ferrotranvieri a Milano. Il Tg1 censura le ragioni dei lavoratori facendoli attaccare da un fuoco concentrico di commenti ostili. Servizio: voci di protesta dei milanesi contro lo sciopero, dichiarazione del prefetto contro lo sciopero, del sindaco contro lo sciopero, del presidente della Commissione Scioperi contro lo sciopero, della Cisl e dell'Aduc contro lo sciopero. E, per chiudere, la voce del sottosegretario Sacconi contro lo sciopero. Par condicio perfetta.

13.1.2004 Il lodo, questo sconosciuto
La Corte Costituzionale dichiara incostituzionale il lodo Maccanico-Schifani che sospendeva i processi alle alte cariche del-

lo Stato, cioè a Berlusconi. Al Tg1 la notizia è concentrata in una sola riga. Il pezzo è tutto sul premier: voce del suo avvocato sulle conseguenze per il processo sulla corruzione dei magistrati, voce dell'avvocato di parte civile Pisapia, voce del ministro Castelli per chiudere. Come titolo della notizia la redazione ha proposto: «Lodo Schifani: è incostituzionale». Ma un diktat della direzione vieta di associare il nome «Schifani» alle parole «bocciatura» e «incostituzionalità». Il titolo diventa: «Bocciata la norma sull'immunità delle più alte cariche dello Stato». Così il telespettatore non capisce.

21.1.2004 Separazione delle carriere? Sorvolare

Approvato dal Senato il nuovo ordinamento giudiziario che introduce tra l'altro una prima forma di separazione delle carriere dei magistrati. Tg1 delle 20: «I magistrati sono sul piede di guerra per l'approvazione del nuovo ordinamento giudiziario». Pezzo: voce di Castelli che difende la riforma; poi l'autore spiega che lo sciopero dei magistrati viene giudicato legittimo, ma inutile. Da chi? Mistero, forse dallo stesso Tg1. O dall'intera Nazione. Chiude di nuovo Castelli, in voce. Fine della notizia. Il Tg1 censura l'Anm, non fa mai parlare i magistrati né illustra le loro ragioni. E, soprattutto, non spiega mai di che si sta parlando. Cos'è la separazione delle carriere? Cosa comporta? Cos'è il nuovo ordinamento giudiziario? Silenzio. Per sapere che cosa ne pensano maggioranza e opposizione bisogna aspettare i tg delle 23,10 e dell'1,40: qui, in un servizio riservato ai politici, si apprende della grande soddisfazione di Castelli e delle proteste di Verdi e Margherita, si ascoltano le voci di Angius (Ds), Bobbio (An) e Schifani (FI). Panino. Ancora imbavagliata l'Anm, ancora nessuna spiegazione sull'oggetto del contendere.

23.1.2004 Prodi e Ciampi, panino doppio

Conferenza stampa di Berlusconi dopo un mese di assenza, causa lifting: il premier spara sull'euro, attacca Prodi e difende la riforma Moratti. Pochi minuti dopo Ciampi smentisce platealmente il premier con una difesa appassionata dell'euro. Il Tg1 dedica un servizio a Berlusconi, poi lancia un pezzo sulle reazioni dell'opposizione: in voce Fassino e Pecoraro Scanio, poi citazioni di Boselli, Diliberto, Prodi, Lusetti, Mastella e Rutelli, infine repliche di Alemanno, Follini, Calderoli, Martusciello e Schifani. Prodi, il presidente della Commissione europea che difende l'euro, è trattato come un *peone* qualunque. E il pezzo riservato alle opposizioni diventa l'ennesimo super-panino. Ma non basta. Per non lasciare a Prodi l'ultima parola sull'euro, a fine servizio il conduttore legge una notizia: «A Prodi replicano fonti del ministero dell'Economia: la prima gallina che canta ha fatto l'uovo». Più avanti, finalmente, il Tg1 si ricorda della dichiarazione del presidente della Repubblica, tenuta a debita distanza dalla conferenza del premier per evitare che suoni per quello che è: una dura risposta del Quirinale al Cavaliere. Non solo. Quando Ciampi finisce di parlare, il conduttore da studio aggiunge: «A Ciampi replica il leghista Calderoli...». Per la prima volta anche il presidente della Repubblica finisce nel panino, smentito dal primo Calderoli che passa. Naturalmente i giornali dell'indomani Calderoli non lo citano nemmeno: titolano tutti sulla dura replica di Ciampi a Berlusconi.

23.1.2004 Cronache dalla scuola

Il decreto di attuazione della riforma Moratti è in ritardo. Devono partire le iscrizioni al nuovo anno scolastico, i giornali parlano di caos. Il Tg1 niente: si accorge della notizia solo quando il governo approva il decreto e Berlusconi difende la Moratti. Con un magnifico esemplare di panino. Pezzo: voce della Moratti che esalta la sua riforma; voce della Cgil Scuola che la contesta; voce dell'opposizione, con Enzo Carra che protesta per la mancanza di copertura finanziaria; voce della Moratti che spiega: «I soldi ci sono, la riforma è coperta»; chiude il giornalista con una considerazione conseguente: «Le polemiche finiranno quando la riforma andrà a regime». E tutti vissero felici e contenti.

24.1.2004 Videocassetta omaggio

Apertura della pagina politica: Forza Italia festeggia il decennale della fondazione. Il Tg1 dedica all'avvenimento tre servizi. Il primo sulla festa. Il secondo sulla storica ricorrenza. Il terzo sulle reazioni: voci di Rutelli e Fassino; citazioni di Mastella, Pecoraro Scanio, Cossutta e Boselli; chiudono Fini (in voce), Buttiglione, Calderoli e Schifani (in voce). Il quarto pezzo è un'intervista a Prodi (50 secondi), seguita dall'immancabile replica di Tremonti (52 secondi). Un panino dietro l'altro. Il Tg1 dimentica i commenti di Bossi e Follini al discorso di Berlusconi. Si possono leggere sui giornali dell'indomani. Bossi: «Buon discorso, ma avrei preferito parlasse di più delle riforme». Follini: «Bene Berlusconi, ma mi aspettavo qualcosa di più sulla verifica di governo». Troppo critici per piacere a Mimun. Le immagini della festa azzurra sono integralmente tratte da una videocassetta «regalata» – così fa sapere il dg Cattaneo – da Forza Italia alla Rai. Gentile omaggio della ditta.

28.1.2004 Alla Corte i conti non tornano, al Tg1 sì

Tg1 delle 13,30: «Per la Corte dei Conti, necessari controlli più moderni e maggiore trasparenza. La Parmalat un disastro annunciato». Tg1 delle 20: «È polemica sulle critiche alla politica economica del governo»; segue lunga spiegazione sul procuratore generale della Corte che avrebbe fatto marcia indietro. Quali fossero le sue critiche, per i telespettatori del Tg1 resta un mistero. Lo spiegano i giornali dell'indomani. «Corriere»: «La Corte dei Conti: troppo potere a Tremonti. Il procuratore Apicella: esempio unico in Occidente, procedure stravolte nella manovra. Poi una precisazione ridimensiona le critiche. I magistrati contabili: serve un ritorno alla cultura dei controlli. Inconsistenti le coperture per le riforme fiscali e del welfare». «Repubblica»: «Tremonti ha troppo potere. L'accusa della Corte dei Conti. La Ue boccia l'Italia. La relazione del pg critica anche le una tantum, le coperture di spesa inconsistenti e il ricorso massiccio alle consulenze esterne».

30.1.2004 Un panino vorace

Dopo le 59 firme di solidarietà al vicedirettore Tagliafico, al Tg1 le cose cambiano. Ma nel senso che il panino diventa ancor più vorace di prima e viene esteso a più pezzi contemporaneamente. Dal nuovo rapporto Eurispes risulta che solo il 33% degli italiani ha fiducia nel governo, mentre il 52,4 si fida della magistratura, ed è crisi nera per i ceti medi. Tg2 e Tg3 danno la notizia. Il Tg1 sorvola, con un servizio generico. Secondo pezzo: gli «stati generali dell'informazione», con le posizioni di Fassino, Rutelli, Pecoraro Scanio, Rizzo e Bertinotti. Terzo pezzo sulla politica: Forza Italia, Pagliarini e Fini commentano l'Eurispes, Schifani commenta gli stati generali dell'informazione e La Russa chiude commentando la verifica di governo. Super-mega-panino, caos assoluto.

3.2.2004 Gasparri, prove tecniche di censura

La legge Gasparri torna in commissione. E spuntano i franchi tiratori. Pezzo di Pionati: «Dopo una serie di votazioni sul filo del rasoio favorevoli al governo per pochissimi voti [...], il segnale non poteva essere più chiaro. La maggioranza deve uscire presto e bene, altrimenti la navigazione è a rischio [...]. Code polemiche tra An, Udc e Lega». Poi, dai giornali, si scopre come sono andate le cose. «La Stampa»: *Lo sfogo di Berlusconi: «Qualcuno ha tradito. Allora congelo tutto. Inutile chiarirsi con chi ti spara alla spalle».* Guardando il Tg1, lo sfogo non si trova. E Bossi viene di nuovo censurato: ha osato attaccare gli alleati («An e Udc non vogliono approvare niente finché non si chiude la verifica»). Peggio per lui.

8.2.2004 Oscurate quei ministri

Domenica a piedi, il ministro dell'Ambiente Matteoli attacca: «I blocchi del traffico sono inutili». Ma la sua voce, al Tg1, non arriva. Stessa sorte per il ministro della Sanità Sirchia. Va in onda un servizio sullo sciopero dei medici, ma nessun telespettatore deve sapere che Sirchia ha detto: «Sono con voi, avete ragione». Quando non fan comodo al padrone, i ministri parlano al vento.

23.2.2004 Premier a due punte

Tg1 delle 13,30: si parla dell'irruzione telefonica di Berlusconi, la sera prima, alla *Domenica Sportiva*. Un lunghissimo monologo che ha suscitato le ire del presidente Annunziata e le proteste delle opposizioni. La redazione politica del Tg1 lancia così il servizio: «Oggi la polemica politica è incentrata tutta sulla *Domenica Sportiva*. Ieri sera Berlusconi ha risposto sul Milan a due punte. Un intervento criticato dal presidente Rai Annunziata. Da qui numerose polemiche». Panico fra i telespettatori: la Annunziata vuole un Milan a una punta sola?

2.3.2004 La Gasparri non si discute

Severo richiamo del vicedirettore Alberto Maccari a Lilli Gruber per aver detto, al Tg1 delle 20, «la discussa legge Gasparri». Il Cdr giudica «gravissimo il richiamo alla Gruber». Alle

20,28 Mimun risponde con un comunicato all'Ansa: «Al Tg1 il rispetto dell'autonomia e dell'indipendenza dei colleghi sono pienamente garantiti, così come il pluralismo e l'equilibrio dell'informazione politica. L'uso dei superlativi nei comunicati sindacali e le campagne orchestrate contro il primo telegiornale italiano non modificheranno questa linea di comportamento». Decide tutto lui. Anche i superlativi. E, soprattutto, i diminutivi.

7.7.2004 Retrocessi, che fortuna
Mentre Berlusconi, dopo le dimissioni di Tremonti, assume l'interim dell'Economia, l'agenzia americana Standard & Poor declassa il *rating* dell'Italia per i suoi pessimi conti pubblici. Ma il Tg1 delle 20 annega la notizia in una giungla di annunci ottimistici: la ripresa che sta per arrivare, le tasse che stanno per essere tagliate… Poi, quasi fra parentesi, una frase: «Intanto Standard & Poor ha deciso di abbassare la valutazione sull'affidabilità del debito italiano […], ma i mercati finanziari non hanno mostrato alcun segnale di preoccupazione». Quisquilie. La retrocessione dell'Italia, ovviamente, occupa le prime pagine di tutti i giornali dell'indomani.

3.8.2004 Eventi soprannaturali
Per celebrare degnamente il saluto del premier alla Nazionale di calcio in partenza per le Olimpiadi di Atene, al Tg1 si scomoda Clemente J. Mimun in persona. Testuale: «Scende dall'alto, cioè dal presidente del Consiglio Silvio Berlusconi, la benedizione per la squadra di calcio olimpica». Amen.

10

I premi Pulitzer: Vespa e La Rosa

C'è chi pagherebbe per vendersi.
Victor Hugo

Per descrivere il regime in tutto il suo fulgore non basta parlare dei giornalisti epurati. Bisogna soffermarsi un poco anche su quelli rimasti. Soprattutto sui due che, nella Rai delle Libertà, sono assurti a esclusivisti, monopolisti dell'informazione (si fa per dire) politica: Bruno Vespa e Anna La Rosa. Il primo imperversa per quattro serate su sette di Rai1 con *Porta a Porta*, senza contare le edizioni straordinarie sui fatti più eclatanti della cronaca che spesso invadono il campo del Tg1. La seconda, oltre a curare e condurre *Telecamere* ogni domenica mattina e sera su Rai3, dirige addirittura i Servizi parlamentari (tribune politiche ed elettorali comprese) di tutto il servizio pubblico. Entrambi sono depositari di un potere enorme e incontrastato, pur cumulando una sfilza di conflitti d'interessi, o forse proprio per questo. Sono i capifila di un giornalismo che si finge equidistante, ma in realtà – come ha scritto Gian Antonio Stella – è «equivicino». Cioè organico al potere, di destra o di sinistra che sia. La quintessenza del regime.

1. Vespa, tre regimi e un maggiordomo

In viale Mazzini, Bruno Vespa è un po' quel che Gromyko era al Cremlino: un sopravvissuto a tutte le ere e le purghe. Inossidabile, immarcescibile, indiscutibile, il mezzobusto abruzzese, già corrispondente del «Tempo» dall'Aquila, si segnalò fin dal dicembre 1969, quando con squisito spirito garantista annunciò alla Nazione, senza condizionali, che «il colpevole della strage di piazza Fontana è Pietro Valpreda», poi totalmente scagionato. Proseguì da par suo il 2 agosto 1980 dalla stazione di Bologna, devastata da un rovinoso ordigno alle 10,25 del

mattino: per tutto il giorno sostenne che potevano essere esplo-
se le cucine di un ristorante vicino, e solo dopo le 20 ventilò,
«con estrema cautela», l'ipotesi della bomba.

È con simili medaglie al petto che Vespa riuscì a far carriera sotto tutti i governi e i regimi: sia ai tempi del pentapartito
(quando, direttore del Tg1, confessava bellamente di considerare suo «editore di riferimento» la Dc e non i telespettatori
del servizio pubblico), sia sotto l'Ulivo (quando passò da una
serata settimanale a quattro), sia nell'èra Berlusconi (quando
divenne padrone assoluto del campo). Le sue marchette per il
potente di turno, non importa di quale colore, sono leggenda-
rie: l'intervista sottobraccio a Forlani, appena indagato per la
maxitangente Enimont, nel giardino della di lui villa; e quella al
capezzale del ministro De Lorenzo, imputato per le più svaria-
te mazzette e moribondo a intermittenza (qualche settimana
dopo un paparazzo lo sorprese mentre, prodigiosamente guari-
to, banchettava a quattro palmenti nel ristorante romano I due
ladroni); la saga dedicata ad Andreotti, spacciato per «assolto»
anche quando si salvava per prescrizione avendo «commesso»
il reato di associazione per delinquere con Cosa Nostra «fino
alla primavera del 1980» (sentenza della Corte d'appello di
Palermo); le imboscate a Di Pietro e ad altri magistrati, «pro-
cessati» a *Porta a Porta* da un ampio stuolo di imputati e impu-
niti; l'operazione simpatia per D'Alema, ritratto col grembiule
ai fornelli mentre cucinava un imperdibile risotto; e quella per
Giuliano Amato, dotato in studio di racchetta per palleggiare
fra le poltrone bianche con Adriano Panatta. E poi il lungo,
interminabile *serial* di servizietti filo-berlusconiani: il Cavaliere
che, due sere dopo il risotto dalemiano, pareggia il conto risve-
gliando (o quasi) dal coma con la sua voce un giovane tifoso
del Milan; il Cavaliere che l'8 maggio 2001, a cinque giorni dalle elezioni, firma a bordo di un'apposita scrivania di ciliegio
l'indimenticabile «contratto con gli italiani», mentre Vespa,
chino su di lui, si autonomina notaio e minaccia di «tallonare»
il premier negli anni a venire per verificare il rispetto delle
promesse (ovviamente tutte disattese, nel silenzio assoluto del
mezzobusto); il Cavaliere che duetta in studio col menestrello
personale Apicella, oppure monologa per due ore, da solo o in
compagnia dei ministri Moratti e Lunardi, interrotto soltanto

da qualche stacco pubblicitario, per magnificare i successi inesistenti del suo governo; Vespa e il ministro Frattini che annunciano in diretta l'uccisione in Iraq di Fabrizio Quattrocchi, con
un paio d'ore di ritardo, ma prima che venga avvertita la famiglia, alla presenza dei parenti degli altri tre ostaggi.

Dal 2002 Vespa è un pensionato, ovviamente di lusso.
Lascia la Rai con i gradi di direttore e ne diventa un supercon-
sulente esterno. Ma continua a contare più del direttore generale. Tant'è che, oltre a continuare a occupare quattro serate a
settimana, riesce pure a impedire che sulle altre due reti qualcuno gli dia ombra. Ne sanno qualcosa Michele Santoro e Piero Chiambretti, che nel 2000 avrebbero dovuto dar vita a una
striscia quotidiana satirico-informativa su Rai2 (*I gemelli*),
inventata da Freccero per rafforzare la fascia monopolizzata da
Costanzo e Vespa, ma bloccata dalla Divisione Uno (Leone) e
dalla Direzione generale (Celli), per la gioia di Vespa e Costanzo. Ne sa qualcosa il responsabile di Rai Educational Giovanni
Minoli, monumento della Rai, già craxiano di ferro, ora ben
protetto sia a destra sia a sinistra: nel settembre 2003 dovrebbe
partire con dodici puntate di *La storia siamo noi* in seconda
serata su Rai2. Ma Vespa si ribella: non vuole concorrenti. A
nulla vale un sondaggio di Sat 2000 (la tv satellitare dei vesco-
vi) fra gli studenti di comunicazione, in cui *Mixer* batte *Porta a
Porta* 22 a zero. Minoli resta relegato all'una di notte e alle 8
del mattino. Per amatori.

Il resto lo fanno le epurazioni di Biagi e Santoro, rimpiazza-
ti col nulla, cioè con Antonio Socci. A tener testa a Vespa
rimangono, su Rai3, i 20 minuti al giorno di *Primo Piano* e le
due ore settimanali del castigatissimo *Ballarò*. Due pesi piuma
contro la corazzata *Porta a Porta*.

Par inciucio

Vespa si presenta come il nonplusultra dell'obiettività. Ma il
trucco c'è e, almeno per un occhio allenato, si vede. Nel 1996
Mediamonitor studia *Porta a Porta* mettendo a confronto due
puntate elettorali in cui si fronteggiano esponenti di destra e di
sinistra. Il risultato dell'analisi è illuminante. Quando parlano

quelli dell'Ulivo, Vespa li interrompe con una tecnica definita «dirompente»; quando parla il Polo, invece, dà una mano. Spiega Mediamonitor:

> Nelle comunicazioni dei candidati del Polo, in cui prevalgono uno stile affermativo e moduli discorsivi brevi, le interruzioni di Vespa sono in qualche modo funzionali e servono essenzialmente a orientare il discorso. Sui candidati dell'Ulivo, dove prevale un'attitudine al ragionamento con moduli discorsivi ben più lunghi rispetto alle esigenze dei formati televisivi, le rotture imposte da Vespa hanno effetti dirompenti. L'impressione che rimane al telespettatore è quella dell'incapacità di portare a termine il ragionamento e dunque la sua sostanziale insensatezza.

Anche il montaggio della trasmissione è sapientemente dosato: quando parla il centrosinistra, «la regia compie numerosi stacchi sul pubblico (magari cogliendo un viso annoiato) o su politici concorrenti mentre sorridono ironici o scuotono la testa».

Poi ci sono i trucchi a disposizione di tutti i potenti. I quali, per esempio, possono scegliersi gli intervistatori, o almeno escludere quelli sgraditi. Per anni Berlusconi ha rifiutato interviste sia a Biagi sia a Santoro perché non volevano concordare con lui le domande e gli altri ospiti. Vespa concorda tutto, almeno con quelli che contano. E, avendo instaurato questo malvezzo, cominciano a pretenderlo anche altri leader: a *Ballarò* Curzio Maltese fu prima invitato e poi lasciato a casa nella puntata con Cofferati e D'Alema perché il presidente ds non lo gradiva; e nella campagna elettorale del 2004, per il medesimo motivo, la Lista Di Pietro dovette sostituire sia Achille Occhetto sia Giulietto Chiesa, invisi allo stesso D'Alema, che si dichiarò soddisfatto soltanto quando fu invitata Tana de Zulueta (la quale non poté parlare per più di un minuto).

Ma la vera specialità vespiana è l'arte del parlar d'altro, dell'escogitare «armi di distrazione di massa» per dirottare l'attenzione generale lontano dai fatti più scomodi. Il 22 novembre 2003 Previti viene condannato per la seconda volta, nel processo Sme-Ariosto: nella prima sera utile di *Porta a Porta*, Vespa si occupa di terrorismo, poi – pur di non parlare di Previti – rispolvera una puntata preregistrata sul Viagra e sull'impotenza maschile, tema di bruciante attualità. Il 27 aprile 2004 Dell'Utri viene condannato per tentata estorsione insieme al boss mafioso Vincenzo Virga: Vespa, quella sera, si occupa del delitto di Cogne e del pigiama della signora Franzoni, altro *evergreen* pronto-uso. L'11 maggio 2004 Calogero Mannino viene condannato in appello per mafia dopo l'assoluzione in primo grado: anziché dedicargli una puntata, magari per riparare a tutte quelle allestite per demonizzare la Procura di Palermo e demolirne i presunti «teoremi», Vespa organizza uno speciale sul calcio-scommesse, con Aldo Biscardi e Maurizio Mosca.

Innamorato del potere e dei potenti, Vespa li vorrebbe tutti abbracciati, d'amore e d'accordo. Infatti è con i governissimi, le bicamerali, i tavoli del «dialogo» e gli altri *inciuci* che dà il meglio di sé. Se tutti gli *anchor men* campano sulla polemica e sulla provocazione, lui è un pompiere e un sensale da Guinness dei primati. Indimenticabile il suo no a Bossi, che nel novembre 2003 chiedeva un faccia a faccia con Fini nel pieno della guerra fra Lega e An sul voto agli immigrati: quella sera, a *Porta a Porta*, parlò solo Fini e, alle proteste della «Padania», Vespa rispose serafico che mai avrebbe messo l'uno contro l'altro due ministri (che peraltro si sparavano addosso da una settimana su tutti i giornali): per non pregiudicare «la stabilità del governo».

Uno e trino, anzi quattrino

Cantore sperticato del pool Mani Pulite e soprattutto di Antonio Di Pietro finché i magistrati avevano il vento in poppa, Vespa ne divenne un accanito censore non appena il Palazzo riprese il sopravvento. Da anni lo studio di *Porta a Porta* è sempre aperto per condannati da riabilitare, miracolati da spacciare per martiri della malagiustizia, prescritti da gabellare per assolti, ma soprattutto imputati eccellenti da sostenere nelle loro campagne diffamatorie e intimidatorie contro i magistrati che li stanno giudicando. È il caso di Cesare Previti, più volte ospitato nelle vesti di giudice dei suoi giudici nel pieno dei processi per corruzione giudiziaria. Eppure una montagna di motivi dovrebbe sconsigliare Vespa dall'occuparsi di lui e dei suoi coimputati. Motivi che hanno un nome preciso: conflitto d'interessi. Direttamente o indirettamente, la famiglia Vespa riceve dal Cavaliere un mucchio di soldi. Berlusconi, tramite la Mondadori, è il suo editore: gli pubblica un libro all'anno (insieme alla Eri, l'editrice della Rai), sempre in vetta alle classifiche anche grazie alle massicce campagne pubblicitarie a pagamento sulle reti Rai e Mediaset e sui principali quotidiani e settimanali; alle ospitate autopromozionali che la Rai (ma anche Mediaset) regala a Vespa nei programmi più disparati, dai tg a *Quelli che il calcio*, da *Elisir* a *Linea verde*, e che gli esperti valutano in un miliardo e mezzo di lire a libro; e alle presentazioni-evento che contemplano regolarmente la presenza del Cavaliere e spesso anche dell'amico D'Alema (altro apprezzato autore Mondadori). Poi c'è «Panorama», il settimanale berlusconiano, altra manna per la famiglia: Bruno vi tiene una rubrica fissa (ma arrotonda pure lo stipendio Rai scrivendo commenti ed editoriali, spesso pubblicati in fotocopia, sul «Secolo XIX», sul «Giornale di Sicilia», sul «Gazzettino», sul trio «Giorno»-«Nazione»-«Carlino», su «Class» e su «Grazia»), mentre il fratello Stefano vi lavora come caposervizio.

Poi c'è la moglie, la giudice Augusta Iannini. Il 21 gennaio '96, quand'era Gip al tribunale di Roma, era seduta al bar Tombini insieme al suo capo e amico Renato Squillante quando questi trovò in un posacenere la famosa microspia e scoprì di essere sotto inchiesta. Con loro c'erano pure l'avvocato Vittorio Virga, legale di Gianni Letta e Paolo Berlusconi, e il giudice Roberto Napolitano. Più tardi li raggiunse un altro magistrato, Orazio Savia. Squillante, Napolitano e Savia saranno poi condannati o patteggeranno per corruzione. Nonostante queste frequentazioni, la signora Iannini in Vespa viene promossa nel 2001 dal governo Berlusconi: l'ingegner Guardasigilli Roberto Castelli la chiama a sé come direttore degli Affari penali del ministero della Giustizia (il posto che fu di Giovanni Falcone). Poi, nel 2004, mette a punto una controriforma dell'ordinamento giudiziario che prevede fra l'altro un «premio fedeltà» per i magistrati in servizio al ministero: una volta tornati ai loro uffici, faranno carriera più in fretta degli altri.

Anche Previti è un amico di famiglia. Intervistandolo nei suoi libri, Vespa gli dà affettuosamente del tu. Solo in trasmissione passa al «lei». Del resto, ha un'antica familiarità con tutto l'*entourage* berlusconiano. Il suo caporedattore al «Tempo», quand'era corrispondente all'Aquila, era Gianni Letta, poi vicepresidente Fininvest e infine sottosegretario alla presidenza del Consiglio. Anche per questo la Iannini, nel '93, quando la Procura di Roma le chiese di arrestare Gianni Letta, Adriano Galliani e Carlo De Benedetti, mandò in prigione soltanto l'Ingegnere. Sugli altri due si astenne, spiegando: «Sono amici di famiglia».

Il marito invece non si astiene mai, anzi si occupa voluttuosamente dei processi a Berlusconi e ai suoi cari, sempre dalla parte degl'imputati. Il 24 gennaio 2002 Previti è ospite d'onore di una puntata sui dibattimenti «toghe sporche», dal titolo eloquente: *Il caso Previti tra giustizia e politica*, quasi che si trattasse di un processo politico. Anziché incalzarlo con le domande che chiunque al suo posto farebbe, sulle leggi *ad personam* in cantiere e sulle prove schiaccianti a suo carico, Vespa non trova di meglio che polemizzare col vicepresidente dell'Anm Giovanni Salvi. Questi osa osservare che, nei dibattiti sui processi in corso, non esiste una vera controparte, perché nessun magistrato può entrare nel merito delle accuse per replicare all'imputato. E, rivolto a Previti, aggiunge: «I cittadini comuni non hanno, come lei, la possibilità di far cambiare le leggi e partecipare a programmi come questo per influenzare i procedimenti in corso». Ma Vespa lo zittisce: «Non le consento di affermare che *Porta a Porta* influenza i processi».

Il 29 aprile 2003 si replica. Previti viene condannato a 11 anni per corruzione giudiziaria nel caso Imi-Sir/Mondadori. L'indomani è già nello studio di *Porta a Porta* per un nuovo processo ai suoi giudici. Invano l'Annunziata e Petruccioli ricordano a Vespa la delibera del Cda che vieta di invitare imputati nei talk show. Risposta del conduttore, spalleggiato da Cattaneo e Castelli: essendo già stato condannato, Previti può benissimo intervenire. A peggiorare le cose provvede Willer Bordon (Margherita) che, anziché restarsene a casa per togliere a Vespa l'alibi della finta par condicio, non resiste alla tentazione e accetta l'invito, senza saper nulla del processo. E regala a Previti l'ennesimo trionfo mediatico annunciato.

Forte coi deboli e debole coi forti, appena in studio si affaccia qualcuno che non conta niente Vespa si trasforma in Torquemada. Una sera si parla degli scandali delle acque minerali. Ospite d'onore: il presidente dell'associazione dei produttori. Ma sotto torchio finisce una povera casalinga di Verona, colpevole di avere un figlio rimasto – dice lei – avvelenato dopo aver bevuto una minerale. Il ragazzo è in ospedale. Ma Vespa pretende dalla madre una piena ritrattazione.

Guai poi a essere musulmani. Nell'aprile 2004 Vespa invita Mohamed Nour Dachan, presidente dell'Unione delle comunità islamiche italiane, contrapposto al capogruppo leghista Alessandro Cè. E, anziché arbitrare il faccia a faccia, s'improvvisa paladino dell'Occidente e spalleggia Cè nel linciaggio a Dachan. «Lei» lo incalza «riconosce che a vostra insaputa in alcuni centri è stato fatto proselitismo per il terrorismo? Sì o no?». Dachan: «No». Cè: «Ma come no, è un dato oggettivo. Lei è in cattiva fede». Dachan, offeso, risponde con la tecnica degli avvocati berlusconiani: «Io voglio un solo giudice che condanni qualcuno per atti di terrorismo in Italia, allora riconosco. Solamente affermazioni documentate». Ma stavolta lo stile Previti non va bene. Vespa è scatenato: «Quindi lei sta dicendo che quello che ha fatto il ministro dell'Interno [espellendo alcuni imam, *N.d.A.*] è arbitrario…». Dachan: «Assolutamente no». Vespa: «Mettiamoci d'accordo: è arbitrario o non è arbitrario?». Dopo aver organizzato o tollerato decine di attacchi alla magistratura, ora Vespa non riesce a sopportare che qualcuno metta in dubbio un'espulsione disposta dal Viminale senz'alcuna prova di reato.

Un'altra volta la ramanzina tocca al capogruppo ds al Senato Gavino Angius, che si permette di dubitare della bontà della legge Gasparri, appena bocciata dal Quirinale. È il dicembre 2003. Rete4 «rischia» di finire sul satellite, come ha stabilito la Corte costituzionale fin dal 1994 («pericolo» poi scongiurato con apposito decreto). Vespa spara domande a raffica. Ma non a Gasparri, autore della legge incostituzionale, bensì ad Angius che si permette di contestarla. Il tema della puntata, infatti, non è la legge *ad personam* bocciata dal Quirinale, ma le sorti dei dipendenti di Rete4, che rischierebbero di perdere il lavoro. «Dica, Angius, adesso cosa farete? Approverete il decreto del governo? E i mille dipendenti che rischiano la disoccupazione? Come pensate di porre rimedio a tutto ciò?».

Quando poi Giuliano Ferrara, a *Porta a Porta*, definisce «l'Unità» «giornale tecnicamente omicida», Vespa non fa una piega. Se invece un grande scrittore come Antonio Tabucchi protesta con Ciampi per aver firmato troppe leggi *ad personam* del premier, il conduttore si domanda pensoso: «Che razza di Nazione è quella dove uno scrittore può insolentire il capo dello Stato su "l'Unità" e su "Le Monde"?». Ecco: di che s'impicciano, questi intellettuali? Il loro dovere è applaudire sempre e non criticare mai. Come fa lui.

Lei non sa chi sono io

Nel dicembre 2002 il presidente Zaccaria denuncia al Cda lo strapotere di Vespa: «È autore, giornalista ed editore della sua trasmissione, dà l'idea di disporre di un potere assoluto al di fuori delle competenze del Cda Rai, di essere un'azienda a parte». Un cronista dell'«Espresso», Stefano Livadiotti, indaga su quell'azienda a parte e scopre, fra l'altro, che Vespa e famiglia possiedono un paio di società (Bruno Vespa Sas e Edizioni Fotogramma Srl). Poi chiama l'interessato. Vespa, anziché rispondere al collega, insorge per la lesa maestà: «No, guarda io non parlo con i giornalisti...». Dopo un'estenuante trattativa, promette magnanimo di rispondere a domande scritte. Ma minaccia di chiamare prima il direttore del settimanale, Daniela Hamaui (che però è occupatissima e non ha tempo per lui). Il 9 dicembre Livadiotti gli invia le domande, precisando che, per ovvie ragioni di spazio, le risposte non potranno essere pubblicate integralmente. Vespa non la prende bene. L'indomani scrive una lettera alla direzione, allegando le risposte a qualche domanda e una breve missiva del suo avvocato che intima di «controllare che nell'articolo si tenga puntualmente e compiutamente presente il contenuto delle risposte fornite dal dottor Vespa». Il quale, dal canto suo, invita il giornalista a occuparsi delle società di Maurizio Costanzo e prosegue col tono del «lei non sa chi sono io». Livadiotti tira diritto e rivela che il reddito vespiano, negli ultimi anni, s'è notevolmente incrementato:

Nel 1997 Vespa ha incassato dalla Rai un assegno di 609 milioni 619 mila lire. Nel 2000 l'ingaggio del Capostazione, come lo chiamano per la maniacale puntualità, è salito a un miliardo 192 milioni 377 lire. A quel punto ha proposto all'azienda di rinunciare allo status di direttore a vita (è stato al timone del Tg1), per diventare un semplice consulente, mantenendo ovviamente *Porta a Porta*. Vespa è partito da una richiesta di 2 miliardi e mezzo di lire l'anno (per due anni: totale 5 miliardi, cifra al di sopra della quale il contratto deve passare dal Cda). L'azienda, che per lui già sosteneva un costo del lavoro vicino ai 2 miliardi e che con la nuova formula avrebbe risparmiato su alcune voci di bilancio, ha accettato di trattare a partire da quella somma. Alla fine si sono incontrati più o meno a metà strada.

Poi ci sono i libri, con gli spottoni gratuiti nei programmi Rai:

L'argomento è stato oggetto di discussione informale nella seduta del Cda Rai dell'11 gennaio 2001. Qualcuno s'è ricordato come il precedente anno fosse stata votata all'unanimità una norma per contenere le presentazioni in trasmissioni Rai di libri firmati da dipendenti. E qualcun altro ha tirato fuori un foglietto dove era annotato che, tra il 5 novembre e il 17 dicembre del 2000, l'ultimo tomo di Vespa aveva fatto capolino 15 volte dagli schermi della tv pubblica. Secondo i calcoli del consigliere Stefano Balassone il valore degli spot pro-Vespa oscillava tra 1,5 e 1,8 miliardi di lire.

Infine il terzo ramo d'azienda della Vespa Holding: convegni e tavole rotonde:

Dalla Confindustria ai commercialisti, tutti lo chiamano. Lui va. E incassa. La metà, ha dichiarato lui stesso, va in beneficenza. La metà. La Bruno Vespa Sas (società in accomandita semplice, senza l'obbligo di presentare i bilanci) nasce il 1° marzo 2001: oggetto sociale, organizzazione di seminari e offerta di servizi giornalistici. La Edizioni Fotogramma Srl ha almeno vent'anni e dovrebbe occuparsi di produzione editoriale, ma anche di raccolta e distribuzione di pubblicità: il bilancio depositato il 19 giugno 2002 parla di ricavi per 1 milione 485 mila 140 euro. Non una parola sulla loro provenienza.

5 miliardi meno 30 lire

Nel 2004 il pensionato d'oro rinnova il suo contratto per altri due anni, con opzione per il terzo. Per lui la Rai sborserà la bellezza di 5 miliardi meno 30 lire: una cifra tarata col bilancino dall'amico Cattaneo, che i contratti superiori ai 5 miliardi deve sottoporli al voto del Cda. Al di sotto di quel tetto, tutto si svolge *in camera caritatis*. Quando la notizia finisce sui giornali e la presidente Annunziata, scavalcata per l'ennesima volta, protesta, Vespa si infuria. E non trova di meglio che prendersela con Santoro, Lerner e Biagi (che però, guarda caso, non lavorano più in Rai). Poi, il 21 aprile, scrive minaccioso all'Annunziata:

> Ti sarei grato se svolgessi una severa indagine interna per sapere chi ha trasmesso all'esterno le notizie sul mio contratto e sulle tue osservazioni che ad esso si riferiscono [...]. Trovo inaccettabile essere messo alla gogna per le famose trenta lire che a quanto leggo tanto ti hanno colpito, quando non si parla dei miliardi versati per comprare il silenzio di un illustre professionista che in campagna elettorale ha fatto quel che ha fatto [volgare allusione a Biagi, che come abbiamo visto non ha affatto barattato il suo silenzio, *N.d.A.*]. Se mi comportassi come lui, avrei la tua solidarietà? Se la «garanzia» della tua presidenza vale anche per me, sfoglia per favore la collezione più recente di «Europa» e dell'«Unità». In privato ricevo la solidarietà dei massimi dirigenti dei partiti di riferimento di quei due giornali, oltre che una certa protezione della Polizia per le minacce che questa campagna comporta. Ma visto che tu ami molto i media, perché non dici pubblicamente se questa campagna diffamatoria e intimidatoria, che passa anche attraverso la pubblicità al mio contratto, ti trova in dissenso? [...]. La mia pazienza è arrivata al limite [...]. Io continuerò a lavorare serenamente e a difendermi in ogni campo e con ogni mezzo. La vita mi ha insegnato che chiunque mi abbia fatto del male, alla fine non ne ha tratto benefici. So di avere dalla mia parte la correttezza del direttore generale. Mi piacerebbe ascoltare diversamente anche la tua voce.

L'Annunziata risponde per le rime:

> La «storia» delle 30 lire è importante non perché sia stata diffusa, ma perché è accaduta. Ed è un'offesa al Cda, non a te. La

discussione infatti non è sull'entità del compenso, mai contestata, ma sul metodo che sminuisce i diritti-doveri del Cda. Per il resto, so bene che in questa azienda Vespa rimane e i presidenti e i direttori generali passano come ombre. Ma finché sono qui farò il mio lavoro come penso di doverlo fare. Quanto agli altri punti, severe indagini interne, silenzio comprato all'illustre professionista, ecc., mi affido al direttore generale […]. Infine devo ribadirti, anche se non siamo d'accordo, che tu hai un grande potere in questa azienda: la Rai ne ricava molto ma ne subisce anche dei limiti. Un solo esempio della tua forza: tu scrivi «la mia pazienza è arrivata al limite» e «la vita mi ha insegnato che chiunque mi abbia fatto del male, alla fine non ne ha tratto benefici». In poche aziende sarebbe possibile rivolgersi al presidente in questo modo.

Sentendosi minacciata, l'Annunziata chiede a Cattaneo di tutelarla dal mezzobusto d'oro:

Caro direttore, ti accludo la seconda parte della corrispondenza tra me e Vespa. Inutile sottolineare la gravità di alcune affermazioni sia per il contenuto che per la mancanza di rispetto dei ruoli aziendali. Del mio ruolo, quanto del tuo, in verità. Vespa fa affermazioni insinuanti e minacciose. Tutto questo meriterebbe, come immagini, più la risposta di un avvocato che di un presidente. Tuttavia non credo che la Rai meriti una rissa di un tale livello e dunque passo tutto nelle tue mani in quanto gestore dell'azienda.

Mentre infuria la polemica, Vespa si fa intervistare a *Otto e mezzo* dal duo Ferrara-Palombelli e risponde che il minacciato è lui, a opera dei quotidiani «Europa» e «l'Unità». Dunque necessita di «protezione dalla polizia». Poi conferma la minaccia all'Annunziata: «Nella lettera mi riferivo a uno che poi è morto». Attenzione: chi tocca i fili muore.

Il 4 maggio, a riprova che chi non obbedisce a Vespa finisce male, l'Annunziata si dimette dopo l'ennesima polemica con Cattaneo. Ormai Vespa può fare, indisturbato, il bello e il brutto tempo. Il bello, soprattutto per il governo. Se in marzo, quando aveva respinto la richiesta di Fassino di dibattere con Berlusconi a *Porta a Porta*, era stato rimbrottato dalla presidente, quando due mesi dopo la scena si ripete, dall'azienda non arrivano che applausi. In vista delle elezioni europee Vespa organizza una serata con Rutelli e Fassino e un'altra, l'indomani, con Berlusconi. I due leader dell'Ulivo propongono una serata unica con un faccia a faccia fra loro, il Cavaliere e un altro esponente del governo a sua scelta. Si attende la risposta del premier o del portavoce Bonaiuti: spetta a loro raccogliere o meno il guanto di sfida. Invece risponde Vespa, portavoce facente funzioni: «Il grado di tensione raggiunto dalla polemica politica in questo momento non consente un confronto diretto», spiega ineffabile, giustificando l'ennesima fuga del premier dal contraddittorio. Niente faccia a faccia.

2. La Rosa: come ti privatizzo la Rai

Anna La Rosa è un'aspirante Vespa in gonnella. Anche lei riverente e ossequiente verso qualunque potente passi nel suo salotto domenicale su Rai3, denominato *Telecamere*, anche lei tutt'altro che equidistante ma piuttosto «equivicina», reginetta e tenutaria di feste dove riesce ad allineare anche dodici ministri berlusconiani in un colpo solo a braccetto con vari leader dell'opposizione, non ha mai avuto dubbi sul suo editore di riferimento: non però (come nel caso di Vespa) la Dc, ma il Psi. Nata a Gerace, in provincia di Reggio Calabria, cresciuta al Tg2 di marca craxiana, la fulva mezzabusta «falsa-grassa» (come la chiama Roberto D'Agostino) nella Prima Repubblica era vicinissima a Gianni De Michelis tanto quanto, nella Seconda, lo è all'intera Casa delle Libertà. Anche lei ha i suoi bravi conflitti d'interessi, a cominciare dalla lauta consulenza da 6 milioni netti al mese che, nel 2000, l'assessorato al turismo della giunta polista della Calabria le assegnò (quando la notizia finì sulla stampa, la giornalista dovette rinunciare). Ma soprattutto è indagata in due procure, quella di Roma e quella di Perugia. Le quali cose non le hanno impedito di far carriera in Rai, e non solo in Rai: basti pensare che è docente di «giornalismo politico» all'università romana di Tor Vergata.

I suoi guai giudiziari nascono dalla mega-inchiesta del pm di Potenza Henry John Woodcock, che nel 2003 mette le mani su una superlobby di politici e faccendieri, giornalisti e affaristi dediti alla compravendita di favori. Un'inchiesta confluita in oltre 7 mila pagine di intercettazioni telefoniche consegnate al Gip il quale, dichiarandosi incompetente per territorio, le ha smistate in parte alla Procura di Roma, in parte a quella di Perugia. Per Anna La Rosa, come per svariati altri personaggi, Woodcock aveva addirittura chiesto l'arresto (sia pure domiciliare) per associazione a delinquere e corruzione, ma il Gip ha preferito girare ad altri la patata bollente. Il che non significa che le conversazioni intercettate non contengano elementi inquietanti e, in molti casi, precise notizie di reato. Il filone La Rosa è ora nelle mani del pm perugino Sergio Sottani e del suo collega romano Adelchi d'Ippolito. Il primo indaga sul presunto tentativo della giornalista di corrompere il giudice fallimentare Tommaso Marvasi che si occupa del crac Federconsorzi. Un caso di ipotetica corruzione «televisiva», visto che Anna è indagata per aver invitato a *Telecamere Salute* un andrologo parente di Marvasi per convincere (invano) il giudice a dare il via libera alla vendita di un credito che avrebbe portato un guadagno di milioni di euro nelle tasche di alcuni amici della conduttrice. In cambio, avrebbe chiesto e ottenuto un servizio gratuito di catering per i suoi party con la Roma «che conta»: un regaluccio da 12 mila euro che, secondo il pm, «non ha nulla a che vedere con uno spontaneo e grazioso atto di liberalità».

Non ti pago

Ad Anna piace la bella vita. Ogni anno festeggia il compleanno con due o trecento amici convocati in Sardegna o in grandi ville sull'Appia Antica, alle porte di Roma. Roba da Onassis, anzi da regime, visto che tra gli invitati, com'è accaduto nel luglio 2003, ci sono decine di politici di tutti i colori. Qualche nome: Pecoraro Scanio, Castagnetti, Bordon, Lusetti, Franceschini, Mastella per il centrosinistra. Il consiglio dei ministri quasi al completo per il centrodestra: Gasparri, Sirchia, La Loggia, Martino, Marzano, Stanca, Tremaglia, Alemanno, Prestigiacomo, Castelli. Tutti a mangiare e bere a sbafo. Paga Anna. Anzi, non sempre: il party del 2003, come abbiamo visto, è gentilmente offerto – secondo gli investigatori del Gico – da un pool di faccendieri e imprenditori. I quali – secondo l'ipotesi di accusa – spesso firmano assegni a tre zeri con l'obiettivo di ricevere in cambio una mano dalla giornalista per i loro affari con la pubblica amministrazione. È il caso di Giovanni Lombardi, interessato a un suo intervento sul giudice Marvasi: il faccendiere paga metà del catering (12 mila euro, appunto), mentre il resto lo sborsano *obtorto collo* altri tre personaggi poi finiti nel mirino della magistratura. Uno di loro, Tommaso Olivieri, riceve pure una telefonata per sollecitare il pagamento da una collaboratrice della giornalista.

DONNA Parlo con Tommaso Olivieri?
OLIVIERI Sì.
DONNA Senta, mi ha dato il suo numero Anna La Rosa.
OLIVIERI Sì.
DONNA Ecco, senta. Io ho parlato con la signora Sonia Raule per quanto riguarda il regalo per Anna e mi ha detto che sia lei che il signor Giovanni Lombardi, insieme a Pio Bastoni... volevate contribuire per la spesa della festa. Allora volevo sapere qual era l'importo. Così, insomma, lo scrivo, lo dico ad Anna e...
OLIVIERI Sì, beh, veramente non avevamo, non, non c'eravamo approfonditi in questo senso, comunque... perché pensavamo anche con Pio di intervenire su qualcosa... ci indichi lei [la somma, *N.d.A.*], ci aiuti.

La collaboratrice di Anna La Rosa spiega che si va dai mille euro in su. Olivieri chiede tempo per accordarsi con gli altri. In realtà questa banda di allegri buontemponi non vorrebbe pagare. Gli investigatori lo scoprono intercettando i telefoni di Olivieri mentre chiama l'altro contribuente, Bastoni.

OLIVIERI Mi chiama una signora che si presenta e mi dice... sono un'amica... Va bene, mi dica lei che [cosa devo dare, *N.d.A.*]...
BASTONI Ma perché gli hai detto sì? Gli dovevi dire: ma che cazzo dici?, come gli ho detto io. Io gli ho detto: ma che state dicendo?... Che Tommaso Olivieri non sa un cazzo... Non gli dovevi dire voglio contribuire [...].
OLIVIERI [La signora] non mi ha voluto dire il nome, dice: sono un'amica, però vorrei rimanere fuori.

BASTONI Ma che vergogna...

OLIVIERI Dico, ma...

BASTONI Ma tu sai come è andata [con me, *N.d.A.*]. Mi chiama Sonia [Raule, *N.d.A.*] e mi fa: «Pio, senti, siccome il catering prima di uscire deve fare la fattura, se puoi telefonare gli dai l'intestazione»... Chiamo quella del catering e dico: «Senta, questi sono i miei estremi, mandi la mia quota parte». E questa dice: «La sua quota parte, l'importo sono 27 mila euro». «Ah, davvero – dico io – mi fa piacere, io sapevo 24 mila euro, ma io ne devo dare sono una piccola parte, tipo 5 mila euro, il resto credo che lo debbano dare gli altri...». Richiamo Sonia e dico: «Guardi, credo che ci sia un disguido» [...]. Chiedo: «Ma chi sono gli altri?». E lei: «Sono i tuoi amici». I chi? «I tuoi amici Lombardi, Pulcini, Amadio e Olivieri». E allora ho fatto: «Credo che ci sia un equivoco [...]. La cosa più assurda è che i miei amici non ne sanno nulla, ho saputo solo da Amadio che ha voluto i fuochi d'artificio, da Pulcini che è andata ieri a chiedergli un contributo».

Bastoni assicura che «Amadio è schifato per come è andata la cosa». E quando sorge il problema dei Vigili del Fuoco, che per legge debbono presenziare ai botti con i fuochi artificiali, commenta l'accaduto con parole durissime:

BASTONI Ma oggi sai che mi ha telefonato [la collaboratrice di Anna La Rosa, *N.d.A.*] e mi fa, dice: «Pio, ma quelli [i pompieri, *N.d.A.*] non escono, ma allora come si fa?». Dico: «Come si fa è semplice: digli ad Anna, te lo giuro eh, di prendere il suo blocchetto di assegni...».

OLIVIERI Eh.

BASTONI «...attingere alle sue cospicue risorse, perché... *inc...* Pio non le ha». «Le ha, le ha». Gli faccio, dico: «E se non le ha peggio per lei, la gente non può fare le cose più grandi di lei e poi c'ha tutti quegli amici miliardari...». «Vabbé, adesso tu non fare però il bambino che ti metti...». «Io non faccio il bambino, tu sai benissimo, tu mi hai chiesto un contributo e te l'ho dato, e io non vengo neanche, ma adesso mi sembra che stiamo esagerando». Dice: «No, ma tu hai ragione, se tu non hai detto ad Anna». «Io ho detto ad Anna?... Ma Anna a me manco l'invito mi ha mannato, capito? Dai, su, è una vergogna».

Alla fine, comunque, pagano tutti. Non si può rifiutare un regalo alla potente giornalista. Lei si fa in quattro per gli amici, ma pretende che gli amici si facciano in quattro per lei.

Per questo è finita sotto inchiesta anche per un altro poco edificante episodio, di cui si stanno occupando il pm romano D'Ippolito e la magistratura sarda: l'intervento della signora presso i vertici di Forza Italia in Sardegna (la regione governata dal suo amico Mauro Pili) per aiutare Flavio Briatore a ottenere una concessione su un terreno demaniale in Costa Smeralda. Ma ecco il capolavoro della tentacolare *anchor woman*: nell'estate del 2004 invita prontamente il pm D'Ippolito come ospite d'onore in una puntata di *Telecamere* sulla criminalità. Il magistrato, sorprendentemente, accetta l'invito. Come sia finita la sua indagine, non si sa. Ma si sa che la sua Procura si occupa di un altro caso di presunto uso privato della tv pubblica: un orologio tempestato di brillanti, omaggio del re delle cliniche Giampaolo Angelucci, editore di «Libero» e socio del «Riformista», al quale Anna La Rosa garantisce visibilità nel suo *Telecamere Salute*.

Il Gico della Guardia di Finanza scopre l'episodio il 7 ottobre 2003, quando sente Anna chiedere ad Angelucci: «Come stai?». L'imprenditore la investe: «Bene, levato che mandi i servizi del Santa Lucia di Faroni e il mio non lo mandi». Angelucci non ha gradito un servizio sulla clinica di un concorrente (Faroni). La giornalista del cosiddetto servizio pubblico lo rassicura che domenica tocca a lui e alla sua clinica: «La tua va domenica perché, come saprai, tu che sei un ragazzo molto più intelligente perfino di me, ovviamente più andiamo in là con il palinsesto autunnale e più aumenta l'ascolto. Per cui la tua va domenica questa». E ancora, tutta scodinzolante: «L'altra sera ero a cena con molti banchieri e imprenditori. A un certo punto mi sono messa, come faccio sempre, a fare il comizio delle tue lodi». Una passione ricambiata, peraltro, come Anna dei Miracoli confida all'amico Olivieri: «Lo sai cosa m'aveva regalato lui per il 23 luglio? Un orologio d'oro rosa con i brillanti». Stiamo parlando della stessa giornalista che, soltanto nel 2001, intervistata da Claudio Sabelli Fioretti, dava lezioni di deontologia professionale ai colleghi: «Ci sono persone dalle quali non mi faccio offrire neanche un caffè. Sono una che manda indietro i regali quando sono troppo importanti».

Per il pm Woodcock ce n'è abbastanza per concludere che la signora «utilizza il programma in onda sulla tv di Stato e l'enorme potere mediatico dallo stesso derivato per il patrocinio e la cura degli interessi particolari e di regola illeciti di imprenditori e uomini d'affari senza scrupoli impegnati in traffici illeciti di ogni genere che alla stessa si rivolgono con assoluta sistematicità per ottenere i favori più disparati, ovviamente lautamente ricompensati al punto da conferire alla La Rosa a tutti gli effetti la dignità e il ruolo di intraneo dell'associazione a delinquere».

Anna dei Miracoli

In quelle telefonate c'è un po' di tutto. Le pacchiane ostentazioni da *parvenue* arricchita (Anna confida di aver acquistato 75 posate Rubens per 3.900 euro). Ma anche e soprattutto una frenetica attività di *brasseur d'affaires*, poco compatibile con la deontologia del giornalista, tantopiù del servizio pubblico. Un giorno – scrive il pm – la signora si dà da fare «per ottenere preziose informazioni in merito a un'importante gara pubblica» dell'Inail. Un altro traffica per «favorire la nomina di Giovanni Bruno a commissario straordinario del gruppo Eldo». Poi si infila in una transazione fra Linee telefoniche siciliane e Telecom. E discute con Lombardi di un immobile di 1.300 metri quadrati nei pressi del Colosseo che la Regione Lazio dovrebbe dismettere:

> LA ROSA Sei interessato all'acquisto?
> LOMBARDI Lo voglio... Non voglio neppure sape' la destinazione d'uso che c'ha...
> LA ROSA Quindi è di competenza dell'assessore al Bilancio e al Patrimonio.
> LOMBARDI Quella persona che...
> LA ROSA Sì, sì ho capito, va benissimo.

Un'attività di mediazione che, secondo l'accusa, è «sistematica» e condotta «in cambio di denaro e altri favori». Nella primavera del 2003 Briatore la definisce «la mia consulente politica». I contatti fra i due, per quella faccenda della concessione demaniale, li tiene un certo Paolo Azzara, emissario del patron del *Billionaire*. Ecco una telefonata del 12 aprile 2003:

> LA ROSA Mi chiamo Anna. Alla Regione sa che c'erano dei problemi?
> AZZARA Sì.
> LA ROSA Ecco... faticosamente la Commissione ha dato il nullaosta!
> AZZARA Il Comune di Arzachena fa storie.
> LA ROSA Ma la Commissione tecnica ha approvato la delibera.

Il 13 Azzara parla al telefono con Briatore:

> BRIATORE La signora che parlavi ieri è Anna La Rosa. Lei verrà giù, ti chiamerà [...]. Poi lei ha parlato con Berlusconi. Berlusconi sapeva già del mio problema [...].
> AZZARA I tecnici regionali mi hanno detto di stare tranquilli, significa che gli è arrivata qualche telefonata, forse di Berlusconi!
> BRIATORE No! Berlusconi ha chiamato Pirri [probabilmente Mauro Pili, presidente forzista della Regione, amico di Anna e pupillo del Cavaliere, *N.d.A.*]. La Rosa ha fatto il numero di Pirri e gli ha passato il telefono a Berlusconi e lui ha detto: 'sta roba in Sardegna di Briatore... mettiti a disposizione, deve avere tutto quello che gli serve. E Pirri gli ha risposto: senz'altro!

Al di là dell'aspetto penale, su cui si pronunceranno i giudici, emerge dagli atti un comportamento talmente spregiudicato da giustificare quantomeno l'allontanamento dal video della disinvolta protagonista, che parrebbe piuttosto incompatibile con la delicata funzione di responsabile dell'informazione parlamentare e con la conduzione di un talk show politico. Invece Anna dei Miracoli presenterà il nuovo talk show di Rai2, in tandem con Gigi Moncalvo. Nella Rai delle Libertà i provvedimenti disciplinari colpiscono i personaggi scomodi come Santoro, Ruotolo e Salerno. Per gli equivicini, solo applausi, encomi e promozioni. Anche se vendono pezzi di Rai al miglior offerente, come Totò con la Fontana di Trevi. Un sistema di privatizzazione decisamente *sui generis*.

11

Gr. RadioSilvio

«La guerra è pace», «La libertà è schiavitù», «L'ignoranza è forza».
Slogan del Ministero della Verità, in *1984* di George Orwell

Difficile immaginare qualcosa di peggio della gestione della tv pubblica nell'èra Berlusconi. Difficile, ma non impossibile. Basta pensare alla gestione della radio pubblica nell'èra Berlusconi. Ascolti in picchiata, pubblico in fuga. Nel 2003 Radio Rai ha perso, rispetto al 2002, il 10% degli ascoltatori, passati da una media giornaliera di 12 milioni e mezzo a una di 11 milioni. Rispetto al 2001, l'ultimo anno dell'Ulivo, il crollo è spaventoso: meno 24%. Chi sta peggio è Radiouno, la rete con vocazione *all news*. Ma va male anche Radiodue. Solo Radiotre sembra reggere. Impressionanti le cifre del gr mattutino delle 7, una delle edizioni tradizionalmente più seguite: meno 25% dal 2002 al 2003: da 2 milioni e 100 mila a 1 milione e 600 mila ascoltatori.

Quanto l'emorragia dipenda dal «nuovo» modo di fare informazione (si fa per dire), impossibile saperlo. Ma un fatto è certo. La radio, a differenza della televisione, naviga in un regime di vero mercato, in cui l'ascoltatore può scegliere fra un ampio ventaglio di offerte, pubbliche e private.

Radio neanch'io

Per capire quel che sta accadendo conviene partire da *Radio anch'io*, la più importante trasmissione di approfondimento della radio pubblica, ideata da Gianni Bisiach e condotta negli anni da altre firme storiche del giornalismo come Empedocle Maffia, Stefano Gigotti e Giancarlo Santalmassi. Nel 2002 Bruno Socillo abbandona la vicedirezione del Tg2 (èra Mimun) per diventare direttore, in quota An, di Radiouno e di tutti i gr. In quel momento a condurre *Radio anch'io* è Andrea Vianello.

Il programma va a gonfie vele. La formula vincente del microfono aperto continua a funzionare. Si veleggia oltre il 10 per cento di share, con picchi di 930 mila ascoltatori e una media che non scende mai sotto gli 800 mila. Certo, far parlare direttamente il pubblico con gli ospiti in studio, sia pure con un filtro redazionale, presenta qualche rischio. L'imprevisto è sempre in agguato. Ne sanno qualcosa i politici che più volte, in vent'anni di trasmissioni hanno dovuto fronteggiare proteste o domande scomode. Ma è il bello della diretta.

Poi, un bel giorno, in una delle prime puntate dell'èra Socillo, Vianello ospita il ministro della Giustizia Roberto Castelli. Prima della messa in onda, l'ingegner Guardasigilli telefona al direttore. Gli spiega che in passato gli ascoltatori non sono stati particolarmente gentili con lui: troppe domande ostili in diretta. Stavolta chiede garanzie. Come fare? Socillo ha un'idea. Anziché far presente all'arrogante ministro leghista che la formula del programma è quella, prendere o lasciare, decide di piazzarsi in cabina di regia insieme al suo vicedirettore per controllare le telefonate degli ascoltatori ed evitare grane. Fatto mai accaduto nella storia di *Radio anch'io*. Vista l'aria che tira, allettato da un'offerta di Rai3, Vianello se ne va poco dopo. E dire che in passato persino Berlusconi si era complimentato per l'obbiettività della trasmissione.

Al posto di Vianello arriva Margherita Di Mauro, giornalista vicina al centrosinistra che, fino a quel momento, ha seguito i gr del mattino. Ma fin da subito la sua è una conduzione commissariata. A sovranità limitata. Ogni sera deve comunicare via fax a Socillo i nomi degli ospiti del giorno dopo. E, quando è il turno di Berlusconi, si ripete la scena del direttore-guardiano che dalla regia filtra personalmente le telefonate. Dura poco anche la Di Mauro. Anche perché l'effetto diretta, così ovattato, svanisce. Il pubblico se ne accorge e comincia a cambiare canale. Gli ascolti calano. Socillo pensa di risolvere il problema togliendo di mezzo la conduttrice, che viene promossa (*promoveatur ut amoveatur*) caporedattore centrale: finisce a lavorare (si fa per dire) su una scrivania dove, per molte settimane, non c'è neppure un computer.

Il successore si chiama Stefano Mensurati, un quarantacinquenne di qualche talento, fedelissimo del direttore, assunto in quota An e molto vicino al ministro delle Telecomunicazioni Maurizio Gasparri. È con lui che *Radio anch'io* fa registrare il crollo definitivo. Fra gennaio e marzo del 2003 Mensurati totalizza una media di 732 mila ascoltatori (share dell'8,1%). Un anno dopo, nello stesso periodo, lo share è sceso al 7,1 e gli ascoltatori a 653 mila. Ma almeno un problema è risolto: gli ospiti di riguardo non hanno più nulla da temere. E Socillo non deve più scendere in regia per vegliare sulle telefonate scomode. Mensurati fa tutto da solo. E, quando gli scappa qualcosa, è pronto a profondersi in diretta nelle più sentite scuse.

Il 9 marzo 2004 arriva in trasmissione il presidente del Consiglio in persona. La campagna elettorale per le europee e le amministrative è già partita. Ma, a telefono aperto, accade l'imprevisto. Ecco la trascrizione della memorabile puntata.

MENSURATI Ecco Salvatore da Palermo.
SALVATORE Buongiorno al presidente del Consiglio e a tutti gli ascoltatori. Signor presidente, io sono uno di quei numeri di partita Iva che nei prossimi mesi dovrà chiudere per forza di cose la sua attività: l'economia nella nostra isola non è al collasso, ma in coma profondo. Purtroppo ci troviamo, come dice lei, a pagare qualcosa in meno le tasse centrali. Io sono un imbonitore di piazza, mi scusi l'accostamento, forse siamo fra colleghi... Per quanto riguarda tutti i comuni dove io vado a espletare la mia attività, le tasse comunali della Cosap sono aumentate di qualcosa come il 300% dei costi. Quindi questa diminuzione di tasse io non l'ho riscontrata: c'è dove pago di meno e dove pago molto, molto di più. Allora questo mi sembra il cane che si morde la coda, a meno che...
MENSURATI Grazie Salvatore, la domanda è chiara. [...]
BERLUSCONI Alla prima domanda non rispondo perché non siamo affatto colleghi: il signore farà un mestiere che fa parte della nostra economia, io faccio un altro mestiere, io governo il paese e sono qui per garantire al mio paese il mantenimento della libertà e l'ampliamento della libertà, per garantire al mio paese un cambiamento nel senso della modernizzazione, per garantire agli italiani una riforma etica del modo di fare politica, e per cambiare anche il modo di fare politica con i fatti e non con le chiacchiere. Quindi lui faccia il suo mestiere, il mio è molto diverso dal suo.

MENSURATI Io mi scuso con lei, naturalmente, per l'intervento del nostro ascoltatore. Normalmente i nostri ascoltatori non mancano mai di rispetto agli ospiti, e questo vale per tutti, e non solo per il presidente del Consiglio [...]. Ci fermiamo per un breve spot pubblicitario, restate all'ascolto.

Raccomandato e se ne vanta

Imbonitore o no, il tema delle tasse e dei rincari è da settimane all'ordine del giorno su tutta la stampa. Ma non sulle reti Rai. Lì è tabù. Profittando della provvidenziale pausa pubblicitaria, Mensurati lo fa sparire anche da *Radio anch'io* con abile mossa. Sembra di essere a *Porta a Porta*. In effetti il discepolo di Gasparri, residente a Zagarolo, pare il clone radiofonico di Bruno Vespa. E se ne vanta. Eccolo mentre rivendica orgoglioso il suo curriculum di lottizzato di ferro e il suo ruolo di intervistatore sdraiato in una memorabile intervista ad Antonello Caporale sul «Venerdì di Repubblica»:

«Chiaro, sono di destra e perciò mi trovo a *Radio anch'io*, il programma di punta di RadioRai».
In azienda si fa così?
«Si fa così ed è inutile nascondercelo. La mia provenienza politica mi ha aiutato in questo frangente. Spero anche che sia stata apprezzata una qualche professionalità, l'impegno, la dedizione».
Mensurati, lei è sulla bocca di tutti.
«Mamma mia! Da qualche giorno è tutto un andirivieni di telecamere, tutti a parlare di *Radio anch'io*, a intervistarmi».
È la forza degli scoop che firma.
«Berlusconi, D'Alema, e prima Fassino, Fini. Passano da qui e spiegano, dicono. Io faccio parlare, ho un modo di pormi che accoglie le richieste dell'ospite».
Li fa sentire come a casa propria.
«Ma che diritto ho di contestare quel che il politico dice?».
Basta trasmettere il verbo.
«Berlusconi è venuto e ha snocciolato cifre».
E lei ha preso nota.
«E mi metto a contestargli le cifre? E cosa ne so? E come posso?».

Giusto.

«Ma anche D'Alema si è trovato a suo agio».

Tutti qui si trovano a proprio agio.

«E mi ringraziano moltissimo».

Il suo senso di civiltà, il rispetto.

«Interrompo quando è proprio necessario. E non bado alle polemiche che può suscitare una mia presa di posizione. Esempio: un ascoltatore, con Berlusconi in diretta, lo accusa di essere un imbonitore. Io lo fermo e prima che il premier risponda chiedo scusa a nome di tutti per quel linguaggio francamente eccessivo. Io non devo indispettire l'ospite, né devo indispettire i radioascoltatori».

Però una parolina, una domanda un po' inquieta.

«E certo che la faccio, e ci mancherebbe».

Adesso è il suo momento.

«Me ne sto accorgendo. Le ho già detto delle telecamere».

Nulla invece dell'invidia dei colleghi.

«Sapesse quanta, io li vedo e dicono le solite cose: che sono fascista e perciò conduco *Radio anch'io*. Che il direttore per far posto a me...».

...ha silurato la conduttrice precedente.

«È stata promossa caporedattore centrale».

Promossa-rimossa.

«Non posso negare che questo sia il posto di maggiore visibilità».

Crepi l'invidia.

«Non partecipo alle assemblee di redazione, non mi frega niente del sindacato. Io bado a me e della Rai sanno quel che penso: qui almeno un terzo non lavora, è un ministero di funzionari superpagati. Ho scritto una lettera e l'ho affissa in bacheca: se almeno uno di voi facesse uno scoop all'anno, la radio ogni due giorni farebbe parlare di sé. Uno scoop all'anno, ho chiesto».

Le hanno risposto?

«Autostima ipertrofica. E vabbè».

Dà lezioni, ma lei un po' raccomandato lo è.

«Ma di sicuro che lo sono! Il fatto è che qui siamo tutti raccomandati. Io sono stato assunto dopo anni di precariato solo in virtù del mio colore politico».

Viene da dove?

«"Secolo d'Italia": Fini, Urso, Gasparri, tutti amici miei. Una

stagione al Roma con Domenico Mennitti e poi free lance:
sempre in giro a far servizi».

Fronte della gioventù, botte con i rossi.

«Ho militato da giovane e anche in piazza sono stato: ma più
che darle le ho prese».

Però, vede, oggi c'è il giusto ristoro.

«Ruffini mi ha assunto. Mi disse il giorno della sua firma: sei
di destra e sei pure bravo».

Sincero.

«E che non lo so? Gliel'ho detto io per primo che qui le cose
vanno così. E non c'è ragione per pensare che muti la situazione, non si vede come le regole possano cambiare».

Se vince l'Ulivo?

«Mi segano di sicuro. Il giorno dopo. Sapesse cos'ha scatenato l'Usigrai quando sono stato promosso a questa trasmissione. Sa, io dovevo fare solo una sostituzione ferie della titolare.
Poi dalle ferie...».

E l'Usigrai ha sobillato.

«Urla, richieste di ogni tipo, mercanteggiamenti vari. La mia
promozione ha provocato compensazioni da quell'altra parte:
hanno preteso altrettanti aggiustamenti. E ci siamo capiti».

Però Mensurati fa gli scoop mentre gli altri dormono.

«Berlusconi qui alla radio, e chi l'avrebbe mai detto!».

È stato difficile acchiapparlo?

«Lo seguivamo da mesi, e da mesi avevamo inoltrato la nostra
richiesta. Poi, qualche giorno fa...».

Aspetti, continuo io: Bonaiuti la chiama.

«Esatto: ci dice che il presidente del Consiglio è disponibile in
un giorno della settimana da fissare».

Ed ecco lo scoop.

«Le agenzie hanno battuto una pila di flash».

Finalmente anche la radio ha le sue soddisfazioni.

«Come posso negare?».

Adesso per lei la strada è in discesa.

«I miei predecessori hanno tutti trovato un'ottima collocazione in tv: Floris, Vianello».

Vedrà che verrà il suo turno.

«Mi basta raccogliere il frutto del mio lavoro qui alla radio. La
televisione è un obiettivo lontano, ancora non percepito del
tutto come una necessità».

Ci sono però le elezioni in vista.

«Ma sono le europee, non contano!».
Vero, se pure vince l'Ulivo questo è un giro dove non succede nulla per la classifica generale.
«Il governo certo non cade».
Se fossero politiche...
«Allora sarei segato».
Lei deve puntare ad essere il nuovo Vespa.
«Non propriamente».
Mensurati, non esageri.
«È un grande professionista e io mi accorgo di sbagliare ancora».
Le succede quando si trova il politico importante ospite della trasmissione.
«E ti scappa l'attimo. A volte mi dico: cavolo, questa domanda sarebbe stata veramente necessaria. E però non l'ho fatta».
Capita a tutti di essere sbadati.
«Eppure mi preparo accuratamente, ma tento sempre di conservare un certo stile».

Barba e capelli

L'intervista-confessione di Mensurati non passa inosservata. I giornalisti non raccomandati (ne esistono persino alla Rai), quelli che per fare uno scoop consumano le suole delle scarpe senz'attendere in studio la telefonata del portavoce o la sparata del ministro, si ribellano. Nella bacheca della redazione del gr si moltiplicano i messaggi di protesta, poi riportati sul sito del «Barbiere della Sera».

VALENTINO MORANTE (redazione sportiva) Sono stato assunto in Rai nel 1978, 26 anni fa, dopo lunghi anni di precariato in altre testate, come 4 anni di lavoro di notte gratis e senza contributi a «Momento Sera». In 26 anni ho avuto due promozioni [oggi è vicecaporedattore allo sport, *N.d.A.*], altra cosa da una carriera fulminante come la tua. In attesa delle tue scuse ti tolgo il saluto: un onore che tu meriti.
FEDERICO PIETRANERA Caro Mensurati, lo sappiamo tutti che a certi livelli dirigenziali o di spicco professionale al gr come altrove raramente ci si arriva per puro e semplice merito. Pen-

sa che, tanti anni fa, le cose stavano in modo tale che Platone concluse che nella maggior parte dei casi gli uomini potenti sono malvagi. Quello che tu, giunto in alto, dimentichi è che esistono molte persone che lavorano seriamente e professionalmente al gr traendo soddisfazione dal far bene il loro dovere.

LAURA PEPE (cronaca) Sono entrata in Rai per concorso come molti altri colleghi che lavorano al gr o in altre testate. La maggior parte dei nuovi assunti proviene dalle scuole di giornalismo com'è giusto che sia, per non parlare dei tanti colleghi precari ed ex precari non ancora assunti. Andrea Vianello e Giovanni Floris provengono rispettivamente da un concorso e dalla scuola di Perugia. L'invito a Mensurati è: parla per te e rispetta le storie professionali di altri colleghi.

MARZIA LEONI E DORIANA LARAIA Vogliamo sottolineare due cose. È davvero squallido sparare nel mucchio parlando di colleghi raccomandati. La Rai è piena di storie professionali per nulla frutto di raccomandazioni, al contrario della tua. Il secondo punto è questo, lo scoop giornalistico è ben altra cosa da quello che tu descrivi. Il presidente del Consiglio che dopo alcuni mesi si accorge che anche la Rai può essere una utile cassa di risonanza, chiama la redazione e si dice disponibile a partecipare a *Radio anch'io*. Ti sembra questo uno scoop?

COMITATO DI REDAZIONE Il giornalista che non incalza il politico di turno e non obietta con dati e osservazioni non svolge bene il suo lavoro, ne stravolge anzi il senso e lo scopo. Il Cdr considera [le dichiarazioni contenute nell'intervista, *N.d.A.*] gravi e lesive della professionalità di quanti lavorano con impegno e passione al gr e, visto che lo stesso Mensurati ritiene che l'intervistatore ha male interpretato e forzato alcune dichiarazioni, invita il collega a chiarire meglio il suo pensiero.

Mensurati precisa. Prima con una lettera al «Venerdì». Poi con una e-mail al «Barbiere della sera». Dice di non aver voluto sostenere che in Rai sono tutti raccomandati, respinge l'accusa di aver cloroformizzato *Radio anch'io*. Ma Socillo è comunque in difficoltà e scrive anche lui una lettera di smentita: «Vorrei precisare che qualunque scelta su contenuti, impostazioni e conduttori viene da me effettuata in totale autonomia e secondo criteri di professionalità. Non risponde quindi al vero che alcune scelte siano state dettate da provenienze o pressioni politiche come lascerebbe intendere l'articolo, non so se a causa delle affermazioni dell'intervistato o di quelle dell'intervistatore».

Il sindacato dei giornalisti Rai è furibondo:

> Stefano Mensurati chiama in causa l'Usigrai perché ha protestato contro la sua promozione. Le urla e i mercanteggiamenti se li inventa lui. Il sindacato ha solo fatto notare queste date: il collega è stato assunto dalla Rai come redattore ordinario a luglio 2001; dopo appena 15 mesi è stato promosso caposervizio; dopo altri 12 mesi ha avuto il trattamento economico da vicecaporedattore. Una velocità di carriera straordinaria. Forse la ragione è qualche «aiutino» esterno. Che non vale per tutti, come invece a Mensurati fa comodo credere. Quanto poi ai giudizi che Mensurati dà sulla redazione del gr, guardi alla trave nel proprio occhio. Un giornalista che teorizza l'incapacità di replicare al politico che intervista («E mi metto a contestargli le cifre? E cosa ne so?») non fa una gran figura.

Ma quelli che, professionalmente, sono gravi demeriti, politicamente diventano medaglie al valore. Le sole che contano, in questa Rai. Salvo rare eccezioni, ai politici di ogni colore piace accomodarsi in uno studio radiofonico (o televisivo) senza rischiare nulla. Infatti, nonostante il crollo di ascolti e l'incredibile intervista-autogol, Mensurati rimane al suo posto.

Marchette a colori

Contraddire per capire, dubitare delle fonti ufficiali, informarsi, documentarsi, scavare: sono le regole universali del buon giornalismo, «cane da guardia del potere». Dunque, non del giornalismo Rai. Qui, per fare carriera, il primo precetto è non disturbare nessuno che conta. Chi «rompe» paga, anche se «in quota» a un partito di governo. È il caso, per esempio, di Oliviero Beha. Con l'avvento del centrodestra, tutti lo davano in sicura ascesa. Considerato vicino alla Lega e sostenuto da Forza Italia in una violenta polemica con Paolo Serventi Longhi, Beha viene nominato nel 2002 vicedirettore di Raisport ed è a lungo «papabile» per la direzione dei giornali radio. Da dodici anni conduce programmi radiofonici di grande successo, prima *Radio Zorro,* poi *Radio a colori*, la più seguita trasmissione di tutta Radiouno, sempre al servizio dei consumatori: inquinamento, abusi edilizi, maltrattamenti, malasanità, truffe, scandali, soprusi. Ma, appena tenta di far luce sulle malversazioni e le pubblicità occulte nei programmi sportivi della Rai, viene silurato. Annientato dall'oggi al domani. Destituito da vicedirettore di Raisport e sospeso per quattro giorni dallo stipendio, mentre la sua rubrica radiofonica viene bloccata.

A Raisport Beha approda per volontà del presidente Baldassarre, che gli promette prima il vicariato e poi la direzione dell'intera testata. I suoi (rari) programmi televisivi in prima serata toccano subito il 13% di share. Poi viene a poco a poco emarginato. Gli rimane la radio, ma anche lì dura poco. L'inizio della fine ha una data precisa: 11 novembre 2003. Quel giorno, in Vigilanza, viene ascoltato l'ex direttore di Raisport Paolo Francia. Non è un rivoluzionario: è un uomo di An. Ma parla chiaro: di sprechi e di scandali. Spiega di aver «difeso una linea di rigore morale che molto spesso era stata disattesa in passato», limitando al minimo le agenzie dei diritti tv che fanno lievitare i costi. Racconta le «cattive abitudini» che ha provato inutilmente a denunciare al Cda. E, per essere più chiaro, fa un esempio che «servirà a futura memoria» sulle riprese dell'atletica leggera: «Fino a poco tempo fa le maratone in tv avevano una durata di 2 ore e 30 minuti. Io le ho ridotte a un'ora e 15 minuti, perché sono una delle cose più noiose che esista. Ma anche per i costi: per seguire una maratona intera servono due elicotteri che costano all'azienda 25-30 mila euro l'uno. Se in futuro, guardando una maratona, vedrete che è tornata a durare 2 ore e mezza, avrete la risposta a quanto volevo dire». Insomma: a volte lavorano gli amici degli amici e il rischio-mazzetta è altissimo.

Beha chiede un colloquio a Cattaneo, che lo riceve un mese dopo, il 17 dicembre. «Ho chiesto di vederla perché ho letto la denuncia di Francia», esordisce Beha. «Beh, mica parlava di lei», lo interrompe Cattaneo. Beha: «Certo, ma qui c'è solo un'alternativa: o si denuncia Francia per calunnia o si apre un'inchiesta per vedere come stanno le cose». Cattaneo: «Ma non si preoccupi. Le inchieste interne non hanno mai portato a niente. Queste cose in azienda nascono e muoiono, se n'è sempre parlato ed è sempre finità lì». Il direttore generale minimizza, ma garantisce che riconvocherà Beha subito dopo le feste. Passano i giorni, ma non accade nulla. Il giornalista sollecita decine di volte un nuovo appuntamento. Inutilmente. Ancora non lo sa, ma ormai è entrato nel «cono d'ombra». Già prima di Natale, il nuovo direttore di Raisport Fabrizio Maffei gli ha chiesto di lasciare la vicedirezione di *Line*, offrendogli in cambio la responsabilità di *Dribbling*, programma settimanale di poco di più di venti minuti. Beha rifiuta. Maffei lo diffida per iscritto dall'andare in video come opinionista. Poi lo invita ad abbandonare *Radio a colori* e gli assegna una delega dimezzata ai notiziari sportivi: Beha li supervisionerà una settimana sì e una no, alternandosi con un altro vicedirettore.

L'aria è sempre più pesante. Beha e Maffei si parlano quasi solo per iscritto. La situazione precipita dopo il 22 febbraio 2004. Quella sera Berlusconi telefona alla *Domenica Sportiva* e monologa per venti minuti sugli schemi di attacco del Milan. Un'eternità. Protesta in diretta l'Annunziata, le opposizioni parlano di spot elettorale, i giornali denunciano l'invasione di campo. Passa qualche giorno e il premier torna a pontificare sul Milan inaugurando un ospedale. Beha, nel notiziario sportivo, monta un servizio di copertina sulle molte, troppe presidenze in mano a Berlusconi, dal titolo problematico: *Presidente, ma quale?*. Maffei s'infuria. Beha cerca di convincerlo che, dopo le polemiche, il servizio pubblico ha il dovere di affrontare la questione, così Raisport e il suo direttore ne trarranno vantaggio, dimostrandosi davvero indipendenti. Tutto inutile.

Il carteggio Maffei-Beha riprende fittissimo. In una lettera, inviata per conoscenza anche a Cattaneo e all'Annunziata, Beha ricorda che alla *Domenica Sportiva,* la sera dell'auto-spot berlusconiano, era presente in studio Pasquale Casillo, proprietario dell'Avellino, che ha «scontato un anno e mezzo di carcere per collusioni con la camorra» e vanta un curriculum giudiziario talmente imbarazzante che persino la Federcalcio lo giudica incompatibile con la presidenza della sua squadra. È questo lo standard di moralità del servizio pubblico? In altre missive il vicedirettore racconta stupefatto che si pensava ancora di trasmettere eventi sportivi di scarsissimo interesse (almeno per il pubblico), come le gare di cavalli sulla neve di Cortina.

Non l'avesse mai fatto. Maffei passa dallo scritto al vocale. Tant'è che Beha è addirittura costretto a chiedere all'azienda (Cattaneo e Annunziata) di tutelarlo da quelle che definisce «le aggressioni verbali» del direttore. Ma la Rai tace. Tutto è pronto per la sua cacciata. Si attende solo il *casus belli*. Che arriva quando esplode lo scandalo delle pubblicità occulte, smascherato da *Striscia la notizia*: in vari programmi mattutini e pomeridiani della Rai (anche nelle riprese di eventi sportivi), c'è chi paga profumatamente e occultamente gli inviati per organizzare collegamenti dal proprio ristorante o dalla propria azienda, con tanto di marchio in bella mostra.

Cattaneo vince il tapiro d'oro. Beha, raggiunto dall'inviato di *Striscia* Jimmy Ghione, racconta il suo faccia a faccia con il direttore generale e soprattutto l'esito finale: «Io una settimana fa sono stato deposto da vicedirettore, traete voi le conclusioni». Le conclusioni invece le trae la Rai. Con notevole ritardo sull'esplodere dello scandalo, l'azienda sporge denuncia contro ignoti alla Procura di Roma. Cattaneo ringrazia *Striscia* per aver segnalato il problema. Ma dal palinsesto estivo (e, probabilmente, da quello invernale) scompare *Radio a colori*, rimpiazzata da un intervallo musicale. Il direttore dei gr Socillo minimizza: «Radiouno continua a fare servizio pubblico anche d'estate: i cinque minuti di Beha non erano un appuntamento fondamentale». I radioascoltatori possono consolarsi con una rubrica quotidiana di 11 minuti sull'anniversario della conquista italiana del K2, che sarà celebrata sull'Himalaya dal ministro Alemanno in persona.

Il 30 giugno per Beha scatta anche la sospensione di quattro giorni dallo stipendio. Le sue dichiarazioni a *Striscia* e a vari giornali non sono piaciute. Beha è colpevole di aver parlato di fatti interni all'azienda sebbene le circolari della direzione generale lo vietino. I panni sporchi si lavano in famiglia. Anzi, non si lavano proprio. «Mi è arrivata una lettera» spiega il giornalista «che dice che sono stato sospeso perché ho rilasciato delle dichiarazioni. Quando sono stato ascoltato, in quello che è stato un processo sommario, ho chiesto chi sarebbe stato il mio giudice. Chi insomma deciderà se avevo ragione o torto in merito al colloquio con Cattaneo e alle mie dichiarazioni. Mi è stato risposto che deciderà il direttore generale». Cioè lo stesso Cattaneo. Questa semplice considerazione gli costerà un secondo procedimento disciplinare.

Sfumature di regime

Quel che accade alla radio è una sorta di slalom parallelo di quel che accade in tv. Uno slalom fra le notizie: consentito sfiorarle, vietato centrarle. Socillo, del resto, è cresciuto alla scuola di Mimun. La risposta fissa ai radiogiornalisti che propongono inchieste scomode è: «vola più basso». Proprio come al Tg1 del maestro Clemente J. Il Tg1 elimina le rassegne stampa? Il giornale radio, per non essere da meno, fa altrettanto. L'ha chiesto pubblicamente Berlusconi, il 5 dicembre 2001, presentando per l'ennesima volta l'ennesimo libro di Vespa: «Alla tv di Stato finanziata dai soldi dei cittadini e in piccola parte dalla pubblicità, con tre canali televisivi e altrettanti radiofonici dai quali, tutte le mattine, si possono ascoltare rassegne stampa colorate di rosso». L'ha richiesto il 5 dicembre 2002 il forzista Lainati dopo che al Tg1 della notte Stefano Tomassini si è permesso di invitare Paolo Flores d'Arcais, direttore di «MicroMega», che ha osato parlar male di D'Alema e Berlusconi. Telefonate di fuoco da Palazzo Chigi. E subito Mimun corre ai ripari.

Lo spazio quotidiano dedicato dal Tg1 della notte alla lettura dei giornali dell'indomani e al commento con un ospite in studio viene drasticamente contratto, riducendo così al minimo il rischio di imbattersi in qualche titolo o in qualche commentatore sgradito al governo. L'edicola viene ribattezzata *Nonsoloitalia*, con l'ordine di commentare un'unica prima pagina (quella del giornale dell'ospite) e di limitare le domande alle notizie dall'estero. Poi, nel 2003, viene direttamente abolita. Tomassini viene destinato ad altro incarico. Chiede e ottiene di passare a *Ballarò*.

Stessa sorte, nello stesso momento, tocca all'appuntamento fisso riservato dal Gr3 delle 8,45 alle interviste ai direttori dei giornali. Ogni mattina, a turno, i responsabili dei sette maggiori quotidiani italiani venivano interpellati sulle notizie del giorno dal caporedattore centrale Licia Conte. Poi, di punto in bianco, Socillo dice basta. Prima convoca la Conte e le chiede di allargare da sette a quattordici la rosa dei direttori. Ma neanche così funziona. Allora pretende che le interviste non vadano in diretta, ma in registrata. I direttori però rifiutano. Allora Socillo scopre all'improvviso che le interviste sono troppo lunghe: bisogna circoscrivere il tema delle domande. Ma anche così, inevitabilmente, si finisce per parlare del governo e dei suoi continui disastri. Alla fine la rubrica viene soppressa, e non se ne parla più. Il tutto avviene nella più assoluta indifferenza del direttore di RadioRai Marcello Del Bosco, diessino di area dalemiana.

Tutto va ben, madama la marchesa

Resta il problema numero uno, lo stesso che affliggeva il Tg1 prima della cura Mimun: le notizie scomode. Ma anche la terapia Socillo garantisce risultati prodigiosi. Qualche esempio.

Il 5 settembre 2003 Berlusconi dichiara allo «Spectator» che per fare i magistrati bisogna essere «matti, mentalmente disturbati, antropologicamente diversi dal resto della razza umana». Il Gr1 delle 8 sintetizza il delirio e le polemiche furibonde che ne seguono con queste illuminanti parole: «Berlusconi caustico con i giudici». Poi dà conto delle frasi principali dell'intervista, ma nell'introduzione ai servizi parla di semplici «critiche ai magistrati». Roberto Natale dell'Usigrai riflette: «Qui si sta giocando con le regole della professione giornalistica, con la lingua italiana e con il diritto degli ascoltatori a un'informazione non addomesticata. Non spetta al servizio pubblico mettere la sordina a delle dichiarazioni esplosive». Replica Socillo: «In un canale *all news* in onda 24 ore, qualsiasi notizia viene data in tempo reale e approfondita nel corso delle diverse edizioni». È la replica standard. Ogni qual volta viene denunciata una censura o una manipolazione, la risposta è: ne abbiamo parlato in un'altra edizione. Il fatto è che le edizioni che contano sono poche: il Gr1 delle 7, il Gr1 delle 8 e il Gr2 delle 7,30. Quelle in cui, di solito, si verificano i tagli più scandalosi.

Un giorno, preparando un servizio su Igor Marini e le sue «rivelazioni», un redattore scrive «vicenda Telekom Serbia». Ma la mano premurosa di un vicedirettore corregge a penna: «Tangenti Telekom Serbia», quasi che le mazzette a Prodi, Fassino, Dini & C. fossero ormai assodate. Analogamente, la «soddisfazione di Prodi» per la creazione di una struttura sanitaria europea contro l'epidemia di Sars diventa: «L'Unione europea ha deciso la creazione...». Notizie geneticamente modificate. A senso unico.

Quando il governatore di Sicilia Totò Cuffaro finisce indagato per concorso esterno in associazione mafiosa, la frase «mafia e politica» si trasforma in un neutro «avviso di garanzia per Cuffaro». Ferruccio De Bortoli si dimette dalla direzione del «Corriere» dopo un lungo assedio berlusconiano? Alle 7,30 e alle 8,30 la notizia non viene neppure data. Se ne accorgono solo al gr delle 8, ma con questo titolo alla vaselina: «De Bortoli se ne va, nonostante gli inviti a rimanere, e arriva Stefano Folli. Cambio della guardia alla direzione del "Corsera". Soddisfazione del comitato di redazione per il rispetto delle procedure». I giornalisti di via Solferino sono talmente soddisfatti che entrano in sciopero quel giorno stesso. Ma agli ascoltatori del gr è meglio non farlo sapere.

Crisi irachena: ennesimo appello del Papa contro l'intervento armato. Il vaticanista del gr si appresta a renderne conto quando un vicedirettore gli chiede di tagliare la voce di Giovanni Paolo II perché «parla troppo della pace».

Qualcosa di simile accade a una giornalista che prepara un pezzo sugli aiuti umanitari: viene caldamente invitata a non dire che l'Iraq è «un paese provato da 12 anni d'embargo», perché il concetto è «troppo antiamericano». La giornalista prova a obiettare: «No, non sono d'accordo. L'embargo è un dato di cronaca, non un giudizio politico». Risposta del superiore di turno: «Tu non devi essere d'accordo, tu devi eseguire».

Il 30 gennaio 2003 arriva la notizia del ritrovamento dell'archivio del capo dei capi di Cosa Nostra, Bernardo Provenzano, grazie alle rivelazioni del pentito Antonino Giuffrè. Il Gr1 la liquida con una «breve» letta da studio, malgrado la sede regionale di Palermo avesse proposto un servizio. Nelle sue lettere Provenzano dava indicazioni sugli appalti e sui rapporti con una serie di politici per allentare il regime del carcere duro. Meglio non approfondire troppo.

L'8 febbraio crescono le preoccupazioni per un attentato islamico in Italia, al punto che nella base americana di Sigonella viene innalzato il livello di allerta. Ma il gr delle 13 non trasmette il servizio.

Il 13 febbraio il direttore generale Saccà nega la diretta della manifestazione per la pace «per non turbare il dibattito parlamentare sull'Iraq». I presidenti delle Camere protestano contro la grottesca giustificazione, il mondo politico è in subbuglio. Ma il Gr1 delle 19 dedica a Pera e Casini solo una notiziola da studio.

Il 7 marzo il Gr1 delle 8 affida il commento sulla separazione delle carriere dei magistrati, che il consiglio dei ministri si appresta a varare in giornata, a un solo osservatore, davvero *super partes*: il presidente delle Camere penali, avvocato Ettore Randazzo, ovviamente entusiasta. Nemmeno un cenno alle polemiche politiche, né tantomeno alle proteste dell'Associazione nazionale magistrati. Tre giorni dopo la scena si ripete: il Gr1 delle 8 intervista l'ex ministro della Giustizia Giovanni Conso, ma la prima domanda con relativa risposta sulla separazione delle carriere viene tagliata. E la registrazione viene lanciata così: «Il provvedimento rischia di aprire un nuovo fronte di scontro tra maggioranza e opposizione. Ieri il ministro Castelli ha negato di voler separare le carriere e punire i giudici. Ma deve finire – ha detto – il clima degli anni della contestazione, per cui tutto meritava il sei politico. Ascoltiamo adesso l'intervista...». Ecco: chi contesta la controriforma del governo sono i giudici somari che pretendono di far carriera senza studiare.

Il 13 marzo il Gr1 delle 13 riesce a smentire una notizia senza nemmeno averla data. Terzo titolo del notiziario: «Smentita del ministero della Difesa: non è vero che gli Stati Uniti hanno chiesto l'impiego di uomini e mezzi italiani in un eventuale conflitto». Di Bush che ha chiesto aiuto militare all'Italia parlano in lungo e in largo i quotidiani del mattino, ma gli ascoltatori del Gr non ne hanno mai saputo nulla.

Anno nuovo, prassi vecchie. Il 13 gennaio 2004 la Consulta boccia il lodo Maccanico-Schifani: incostituzionale. Al Gr3 del mattino parlano tre della maggioranza (Frattini, Bruno e Baldassarre) e uno della minoranza, Boselli, che sul lodo dell'impunità la pensa come Forza Italia.

Il 14 febbraio il governatore della Banca d'Italia Antonio Fazio lancia l'allarme sulla crescita zero dell'Italia. Ma il Gr24, con un gioco di prestigio, lo trasforma in un annuncio entusiastico: «Fazio, la ripresa è cominciata».

Il 19 febbraio Berlusconi sostiene che «i politici rubano». La notizia è nei titoli del Gr1 delle 7. Passa un'ora e, nell'edizione più importante, quella delle 8, è già sparita. Cancellata anche quella dell'arresto per tangenti dell'assessore regionale della Lombardia Guido Bombarda (An). Il fatto che Bombarda e Socillo siano entrambi di An è una pura coincidenza.

Il 4 marzo, a commentare il rinvio a giudizio dei poliziotti accusati dei pestaggi al G8 di Genova, il Gr1 delle 8 chiama soltanto l'ex ministro dell'Interno Scajola: chissà mai come la pensa.

Il 10 marzo, al Gr24, altro capolavoro sull'ultima ricerca dell'Osservatorio di Pavia sulle presenze politiche in tv. Titolo del notiziario: «Rispettato il pluralismo in Rai». Peccato che la ricerca dica l'esatto contrario: tant'è che la presidente Annunziata ha convocato i giornalisti per denunciare, in base agli stessi dati, lo strabordare di Berlusconi su tutte le reti Rai.

Radiopanino

L'elenco completo delle radiocensure sarebbe lungo e anche noioso. Quando vi si è cimentato qualche giornale, Socillo ha replicato: «Anch'io potrei mettermi a fare le pulci a "Repubblica"». Ma il punto non sono le scelte editoriali. Ciascuno ha la sua visione del mondo. E nemmeno gli errori: chi lavora può sempre sbagliare. Il punto è la cronaca, il rispeto del nucleo fondamentale delle notizie così come vengono date da tutti i giornali. Per questo, e non per le simpatie politiche e i gusti editoriali di questo o di quello, nella redazione del gr la tensione si taglia col coltello. Per questo, nelle assemblee dei giornalisti, le denunce di condizionamenti si susseguono senza sosta. E così le proteste per le promozioni «politiche» (l'ultima a far discutere è quella di Antonio Preziosi, inviato al seguito di Berlusconi, promosso da Socillo caporedattore *ad personam* nell'agosto 2004 all'insaputa del Cdr, che parla di «violazione del contratto»).

Il 3 febbraio 2004 la redattrice del desk politico Natalia Augias rivela ai colleghi che un vicedirettore le ha imposto di chiudere sempre i suoi «pastoni» con una voce della maggioranza: «Il finale – le ha detto – così non va bene. Devi rivederlo, altrimenti il pezzo è squilibrato. È prassi in tutta la Rai che i pezzi si concludano con un esponente della Casa delle Libertà. L'ordine delle dichiarazioni deve essere questo: governo, opposizione, maggioranza». Anche in radio vige la legge del panino. Ma la Augias non si rassegna e scrive all'Usigrai e a Socillo: «Se la direttiva esiste, mettetela nero su bianco». Il direttore non risponde, però rassicura a voce la giornalista e il Cdr. Comunque, da quel giorno, parte un altro ordine: i pezzi della Augias preparati a Montecitorio devono essere inviati via fax al vicedirettore per un controllo preventivo. Niente di illegale, per carità. Ma che accadrebbe se tutti i giornalisti di tutte le 52 edizioni del gr dovessero comportarsi così? E che ci sta a fare un caporedattore della politica distaccato a Montecitorio proprio per coordinare sul posto il lavoro dei colleghi? Quando la cosa finisce sui giornali, Socillo smentisce: «Non è vero nulla. È una provocazione. Periodicamente il direttore di turno viene fatto oggetto di proteste per presunti "panini". Quanto affermato dalla collega Augias non solo non risponde al vero, ma rischia di assumere il lesivo profilo della diffamazione». Anche il vicedirettore in questione nega sdegnato. Resta il fatto che, per molti mesi, i fax da Montecitorio sono partiti davvero. Evidentemente si sono azionati da soli.

12

Le occasioni mancate. Mieli e La7

> *Quando uno stupido fa qualcosa di cui si vergogna,*
> *dice sempre che è suo dovere.*
> George Bernard Shaw

1. Mieli, cronaca di un'epurazione Annunziata

La riunione a casa Berlusconi comincia poco dopo le 14 di mercoledì 26 febbraio 2003. Uno dopo l'altro entrano a Palazzo Grazioli il vicepresidente del Consiglio Gianfranco Fini, il leader dell'Udc Marco Follini e, con un'ora di ritardo, quello della Lega Umberto Bossi. Mentre sono ancora riuniti, il capogruppo di An Ignazio La Russa annuncia: «Alle 18 avremo i nomi del nuovo consiglio di amministrazione della Rai». Infatti ad annunciarli è Maurizio Costanzo, mentre registra il suo show quotidiano al teatro Parioli con un ospite d'eccezione: il ministro delle Telecomunicazioni Maurizio Gasparri. Ecco: il presidente del Consiglio, proprietario delle tv private, riunisce gli alleati in casa propria per nominare i vertici delle tv pubbliche e poi li fa annunciare da un suo dipendente, assistito dal suo ministro preposto al settore. Sono le 17,04. Costanzo riceve un foglietto manoscritto da dietro le quinte. Lo esamina bofonchiando, poi ne sciorina il contenuto agli spettatori: «Albino Longhi, Massimo Magliaro, Marcello Del Bosco, Vincenzo Porcacchia, Ettore Adalberto Albertoni...».

In teoria, la legge affiderebbe la nomina della magnifica cinquina ai presidenti delle due Camere, ma nessuno s'è ricordato di avvertirli. La notizia è transitata direttamente da via del Plebiscito ai Parioli, senza passare da quell'istituzione ormai obsoleta che è il Parlamento. Alla Camera arriva più tardi e soltanto grazie a un lancio di agenzia. Alle 17,51 un deputato di Rifondazione comunista, Franco Giordano, legge al presidente Pierferdinando Casini la lista di Costanzo, chiedendo se ne sappia nulla. Casini cade dalle nuvole: «Se risponde al vero, lo dovete chiedere al dottor Confalonieri, presidente di Mediaset, e non al presidente della Camera. Io non accetto fotocopie né dagli uni né dagli altri». Marcello Pera, buon ultimo, si affretta a confermare tutto trafelato che il diktat verrà respinto: «Se qualcuno vuole fare pressioni, troverà i telefoni occupati perché li staccheremo».

Ma Bossi, uscendo da casa Berlusconi, conferma serafico: la Casa delle Libertà ha raggiunto l'accordo sui nomi del nuovo Cda e sullo spostamento di Rai2 da Roma a Milano. Poi si apprende che uno dei nomi di Costanzo è già superato: alla fine della riunione casalinga, Berlusconi ha deciso che il nuovo presidente Rai sarà il suo vecchio amico Mario Resca, il numero uno di McDonald's Italia.

Ritirata strategica

Il giorno dopo il Cavaliere si ritrova solo. La sua prova d'arroganza raccoglie critiche da tutte le parti. Se Michele Saponara, onorevole avvocato difensore di Previti, ipotizza che Costanzo abbia letto la cinquina in tv per una vendetta personale («Lo sanno tutti che ha dei problemi con Piersilvio Berlusconi»), persino Ferrara sul «Foglio» paragona l'accaduto a «un ballo in un manicomio»: Berlusconi – scrive – «è proprietario dell'azienda televisiva concorrente della Rai e oggi fa di mestiere il presidente del Consiglio che lo pone in potenziale e permanente conflitto di interessi fra i due ruoli»; il governo e la maggioranza avrebbero dovuto «per lo meno rispettare con scrupolo maniacale le regole istituzionali che riguardano l'azienda pubblica radiotelevisiva. E che cosa hanno fatto invece? Sono usciti tutti pazzi e quelle regole le hanno non soltanto calpestate, ma le hanno calpestate in pubblico, per di più con il timbro del grottesco». A questo punto «i presidenti delle Camere bellamente sputtanati si sono rivoltati e hanno dichiarato nullo l'accordo». Financo il prudentissimo Enrico Mentana è critico: «Berlusconi per decenza avrebbe fatto bene a tenersi fuori da tutta la vicenda del nuovo Cda Rai. Sarebbe stato più giusto per lui non partecipare, perché fin quando non ci sarà una legge sul conflitto di interessi il premier resta il fondatore e il maggior azionista del principale concorrente della Rai».

Il Cavaliere è costretto sulla difensiva. Ammette che sulla Rai dovrebbero decidere Pera e Casini, che ora hanno «ragione ad arrabbiarsi». Ma poi torna in sé e osserva che i due «non vengono da Marte: sono stati nominati da questa maggioranza», dunque dovrebbero obbedir tacendo. A casa sua – assicura – nessuna trattativa sulla Rai: se n'è soltanto «parlato un po'», quasi di sfuggita, mentre all'ordine del giorno c'erano soprattutto le elezioni in Friuli e le riforme. E poi – giura – Palazzo Grazioli non è casa sua, come tutti dicono: è la sede della Presidenza di Forza Italia, «io lì ho solo una stanzetta 2 metri per 3, che uso per comodità perché lavoro dalle sette e mezza a mezzanotte e trovo più comodo attraversare il corridoio piuttosto che mezza città». Segue l'immancabile attacco all'opposizione, vera colpevole di tutto: «Ma quale conflitto d'interessi? Non scherziamo. Queste cose le vadano a dire in un nuovo e resuscitato *Drive in...*».

Berlusconi l'ha fatta grossa. Ora, pubblicamente screditati e scavalcati, Casini e Pera devono salvare la faccia e la maggioranza deve coprire con l'ennesima foglia di fico un conflitto d'interessi mai così evidente. Ne escono tutti insieme con una formula politicamente geniale: quella della «presidenza di garanzia». Quattro consiglieri andranno alla maggioranza. Il quinto, il presidente, verrà indicato dall'opposizione, ma sarà una personalità di prestigio indiscusso e indiscutibile, fuori dai giochi partitici. Così il cerino passa nelle mani del centrosinistra, costretto a sporcarsi pubblicamente le mani nell'ennesima lottizzazione della Rai. Il correntone Ds, Sergio Cofferati e i movimenti spingono perché l'Ulivo si astenga dal mercato delle vacche, lasciando che vi grufoli solitaria la maggioranza. E per un paio di giorni i leader dell'opposizione fanno fuoco e fiamme.

Il 6 marzo, intervistato da «Repubblica», Piero Fassino pare irremovibile. Titolo: *L'opposizione non tratta sui nomi, la politica resti fuori dal consiglio*. Svolgimento: «Abbiamo criticato Berlusconi quando ha convocato il vertice di maggioranza sulla Rai a casa sua. Adesso non possiamo considerare una buona idea se il consiglio di amministrazione lo nominiamo a casa mia o di Rutelli». Poi però prevale il richiamo della foresta. Già nel pomeriggio, dopo un lungo vertice del centrosinistra, Fassino e Rutelli consegnano ai presidenti delle Camere una terna di nomi: Fabiano Fabiani, Paolo Mieli e Umberto Eco. In ordine di preferenza.

Il vero cavallo dell'Ulivo è Fabiani, vecchio manager di Stato della sinistra Dc, già numero uno di Finmeccanica, poi piazzato da Rutelli alla municipalizzata Acea: un boiardo navigato, abituato fin da giovane a fare i conti con i politici e la politica. Come «presidente di garanzia» sembra un po' deboluccio, ma Rutelli e Fassino, quando telefonano a Mieli per informarlo che il suo nome è tra i papabili, non usano giri di parole: «Il nostro candidato è Fabiani. Però, per senso di responsabilità, abbiamo aggiunto il tuo nome e quello di Eco. Se cade Fabiani, la scelta potrebbe quindi cadere su di te, anche Eco lo sa».

Le condizioni del presidente

Berlusconi, di Fabiani, non vuole neppure sentir parlare. Bulimico come sempre, vorrebbe scegliere anche l'unico consigliere riservato all'Ulivo e ha già pronto un nome, per lui ideale: il socialista Ottaviano Del Turco (Sdi). Quand'era presidente della commissione Antimafia, Del Turco si è distinto per continui attacchi ai magistrati di Palermo e Milano e anche ai pentiti di mafia che accusano il Cavaliere e Dell'Utri. È quasi un forzista *ad honorem*. Il Cavaliere chiama Casini e l'avverte: «Se mettete Fabiani, un uomo di Prodi che lavorerebbe solo contro di me, faccio saltare tutto». Il presidente della Camera – come rivelerà Francesco Verderami sul «Corriere» – lo interrompe: «Silvio, visto che la formula 4+1 l'avete scelta voi, o nominiamo uno dei tre proposti da Fassino e Rutelli, o sono io a far saltare tutto e si ricomincia. Eco sembra eccessivo anche a me. Quanto a Fabiani...». «Fabiani mai e poi mai», taglia corto Berlusconi. «Va bene, allora non vedo ragioni per non nominare Mieli». «Voglio pensarci». *Clic.* Poco dopo, smaltita l'irritazione, il premier dice sì a Mieli. «D'altronde» spiega Fini «tra quei tre nomi Mieli è la soluzione migliore».

Le carte sono state (momentaneamente) sparigliate. L'ex direttore della «Stampa» e del «Corriere», ora direttore editoriale del gruppo Rizzoli-Corriere della Sera, sembra avercela fatta. Una bella svolta, per la Rai: politicamente Mieli è un «terzista» doc, ma è anche un giornalista abituato a non censurare le notizie e un'alta personalità del mondo della cultura. Con un peso specifico autonomo che gli permetterebbe di decidere in piena indipendenza e di riportare la televisione pubblica ai fasti di un tempo. Accanto a lui siederanno due professori vicini a Forza Italia, Francesco Alberoni e Angelo Maria Petroni, lo storico Giorgio Rumi per l'Udc e Marcello Veneziani per An. Nessun leghista col certificato.

Tra Mieli e Pera c'è un rapporto personale di vecchia data, dai tempi in cui il futuro presidente del Senato collaborava con «La Stampa»; con Casini i legami si sono rinsaldati di recente. Il presidente Rai *in pectore* spiega subito ai due presidenti che intende fare in viale Mazzini. A partire dal ritorno di Biagi e Santoro: «Li riporterò in video, e non per amicizia, ma perché fanno audience. In una Rai che voglia darsi un credibile programma di riscossa, non ha senso tenere in panchina due campioni. Non è possibile che un giornale che ha nei suoi ranghi delle grandi firme non le faccia scrivere».

Mieli dunque accetta, ma con riserva. E, a scanso di equivoci, lo fa sapere all'Ansa: «Devo esaminare sotto ogni profilo le condizioni in cui potrà operare il nuovo Cda Rai». E quando, nel pomeriggio di venerdì 7 marzo, le cinque nomine vengono ufficializzate, espone il suo progetto anche a Berlusconi che gli ha telefonato per congratularsi e sondare le sue intenzioni. Il premier tenta di insistere sulla «faziosità» di Biagi e Santoro, difendendo l'editto bulgaro. Ma Mieli tiene botta e al Cavaliere non resta che incassare: «Faccia lei, Mieli, non è mio compito dirigere la Rai».

Sembra fatta. Le prime reazioni alla nomina sono quasi tutte positive. Solo Cofferati e Pancho Pardi sono critici, ma sul metodo. Ferrara, che di Mieli è amico, scrive che il nuovo Cda «può imporre un modello di gestione dell'azienda di informazione, cultura e intrattenimento più importante del paese che faccia i conti con la politica e con il potenziale conflitto di interessi del premier, senza subire le imposizioni della politica». Il ministro Alemanno (An) condivide: «Mi sembra un Cda di altissimo profilo. Non lo definirei di garanzia, bensì di qualità». Ma la bonaccia dura poco. Poi, appena diventano chiare le condizioni poste dal neopresidente, si scatena la bagarre.

Nel pomeriggio dell'8 marzo, sui nomi di Biagi e Santoro cominciano i distinguo. La Russa ricorda che i presidenti delle Camere non possono prendere impegni sulla gestione della Rai, e comunque non devono: «Va bene se Mieli con la richiesta del ritorno di Biagi e Santoro ha inteso offrire una sorta di manifesto di autonomia, più che indicare un obiettivo in sé. Ma non deve irrigidirsi in attesa di una risposta che, nel merito, lecitamente non può venire». Il gioco è chiaro: Mieli accetti di fare la foglia di fico senza porre condizioni, poi penseranno gli altri quattro del Cda, tutti di stretta obbedienza polista, a metterlo in minoranza. Anche Paolo Romani, responsabile dell'informazione per Forza Italia, definisce «improprie» le condizioni. Intanto Cossiga candida come direttore generale Maurizio Costanzo, che rivela di aver parlato di Rai in un lungo colloquio con Prodi. E sulla prima pagina del «Giornale» della famiglia Berlusconi un pupillo del Cavaliere come Socci, vicedirettore di Rai2, spara alzo zero su Mieli, domandandosi «con quali ragioni il centrodestra può consegnare la Rai a chi ha perso le elezioni». Per maggiore chiarezza, il quotidiano pubblica un'intera paginata di lettere furibonde contro Mieli, sotto il gigantesco titolo: *Inaccettabile rivedere Biagi e Santoro in Rai.* Senza virgolette.

Prove tecniche di antisemitismo

Anche la «Padania» bombarda a palle incatenate. L'8 marzo, sotto il titolo *Paolino, un uomo per tutte le stagioni*, il direttore Gigi Moncalvo accusa Mieli di aver sempre trattato il Carroccio con «rozzezza e falsità» («ci definì dei nazisti, e noi non dimentichiamo») e butta giù una mini-biografia al curaro del «camaleontico giornalista», insistendo molto sulle sue origini ebraiche:

> Il papà del prossimo presidente Rai (salvo imprevisti, lo ripetiamo) era il direttore dell'«Unità», governava da Milano quello che una volta era un grande giornale, era un comunista doc. Ma era anche un ebreo. La sua colpa fu quella di scrivere un grande libro, intitolato *Togliatti 1937*. Scrisse la verità, docu-

mentò le colpe criminali di cui si era macchiato il capo dei comunisti italiani. E soprattutto documentò, grazie alle prove che gli erano state passate dalla Comunità ebraica, le responsabilità di Togliatti nella morte, nel genocidio di molti ebrei polacchi [...]. Combattuto tra la verità, la sua religione e il suo credo politico, preferì ubbidire alla sua coscienza e far emergere e prevalere la sua fede ebraica. Pubblicò quei documenti, in un libro clamoroso. Era la prima volta che qualcuno osava scrivere e poteva provare che Togliatti era un criminale. Lo cacciarono dall'«Unità», gli fecero il vuoto intorno, nessuno gli diede da lavorare, trovò tutte le porte chiuse. Dopo anni di disoccupazione ci fu un uomo che lo aiutò: Bettino Craxi. Erano diventati amici e il leader socialista propose addirittura a Gianni Agnelli di assumerlo quando si liberò la direzione della «Stampa». Paolino naturalmente lo seppe, e corse a Torino dall'Avvocato. Non si sa che cosa disse, se suo padre lo aveva mandato o no. L'unica cosa certa è che tornò da Torino a Roma con un contratto da direttore della «Stampa». Non per suo padre, ma per se stesso.

Meno di 24 ore dopo, all'alba del 9 marzo, sui muri vicino alla sede milanese della Rai in corso Sempione compaiono varie scritte antisemite contro Mieli. Nella notte qualcuno, con vernice spray color oro, ha vergato frasi del tipo: «Rai per gli italiani, no agli ebrei», «Abbasso Mieli, *raus*». La firma è una croce celtica con la sigla dei Nar. La solidarietà del mondo politico a Mieli è unanime. Ma Bossi accusa imprecisati «nazisti rossi», poi domanda insinuante: «*Cui prodest?*». Gli risponde il vicepresidente del Senato, il leghista Roberto Calderoli: «Più che di minacce, quelle scritte hanno il sapore di un attacco destinato a fungere da trampolino per rendere più semplice la nomina di Mieli». Pare quasi che il candidato presidente Rai se le sia scritte da solo.

A Mieli viene data la scorta, ma nemmeno questo placa la polemica sulla sua nomina. Il capogruppo leghista Cè attacca ancora: «Quello di Mieli non è un bell'esordio. La nostra opinione su Biagi e Santoro resta la stessa, perché si basa su dati oggettivi. Biagi e Santoro non hanno rispetto per la deontologia del giornalista che, anche se ha le sue opinioni, deve cercare di essere il più neutrale possibile».

La situazione precipita. Tutta la Casa delle Libertà chiede a Mieli di «non porre condizioni». An è scatenata. Storace e Alemanno mettono il veto su Biagi e Santoro. Landolfi spiega che il problema è solo Santoro: per dividerlo da Biagi, si prende a pretesto un'intervista in cui Michele si sarebbe paragonato a Matteotti. Santoro però non l'ha mai detto e subito smentisce. Ma fa lo stesso. «Ha dato un'intervista» tuona Landolfi «con spirito di militanza politica, non da giornalista del servizio pubblico e sia chiaro che non ha diritto di tornare in video solo perché avversario di Berlusconi. Deve fare autocritica sui suoi programmi in campagna elettorale quando ha usato politicamente la Rai contro la Cdl che era all'opposizione. Biagi invece è stato molto misurato, tra i due personaggi c'è un abisso». Il coordinatore di Forza Italia Sandro Bondi parla di «dileggio e linciaggio degli avversari politici» e si domanda «se questo stile si addica a una informazione pubblica, libera e rispettosa di tutte le opinioni».

Così si parla di Matteotti e non più del veto su Mieli, che ha chiesto semplicemente di riportare in Rai due giornalisti che facevano il pieno di ascolti. Mieli, è vero, ha chiesto pure di poter scegliere il nuovo direttore generale, ma non s'è mai vista un'azienda in cui il responsabile operativo sia scelto contro il suo presidente. E poi nessuno sembra più disposto a morire per Saccà, sconfitto proprio dalla prima regola del mercato televisivo: l'audience. Insomma, chiarita la non-intervista di Santoro, bisogna inventare un'altra scusa. Se ne incarica Alessio Butti, responsabile dell'informazione di An, che scaglia contro Mieli l'argomento del denaro: un classico della polemica antisemita. «Mi risulta» dichiara «che Mieli abbia avanzato una richiesta di 700 mila euro e rotti, fate voi i conti. Mi sembra che il presidente della Rai guadagni meno di un terzo, oggi, rispetto alla cifra richiesta da Mieli. Francamente mi domando, con tutta la serenità possibile, se lui abbia voglia di fare il presidente della Rai o meno, perché finora ha posto solo condizioni e richieste, senza dare però alcun consiglio utile. Mi auguro che abbia qualche idea per rilanciare l'azienda».

Nella maggioranza, solo l'Udc sottolinea che un «vertice adeguato merita uno stipendio adeguato». Luca Volonté dice: «In una Rai dove sono stati strapagati per anni comici di dubbio gusto e vallette di dubbia avvenenza, sarebbe veramente bizzarro dedicare tutto il rigore solo agli emolumenti del presidente e dei nuovi consiglieri». Per questo Volonté e il presidente diessino della Vigilanza Petruccioli chiedono al ministro dell'Economia Tremonti di risolvere la questione. In fondo persino Alda D'Eusanio, la reginetta della tv-trash, guadagna 800 mila euro all'anno. E Gianni Morandi – secondo indiscrezioni – sfiora i 5 milioni e mezzo. Scrive Claudio Rinaldi su «Repubblica»:

> Alla Rai come in ogni grande azienda, gli stipendi variano nel tempo: variano secondo le circostanze del momento, secondo le disponibilità di bilancio, e soprattutto secondo le caratteristiche personali dei manager. Mieli, già direttore del «Corriere della Sera», non è un sottoccupato né un funzionario di partito a caccia di sinecure; è direttore editoriale di un colosso come la Rcs. Figura insomma fra i massimi protagonisti dell'industria culturale. Che nel nuovo incarico speri di conservare i vecchi emolumenti è logico. Oltretutto, a differenza del suo predecessore Antonio Baldassarre, non percepisce una sontuosa pensione da giudice costituzionale con cui arrotondare gli introiti da lavoro. Che a sollevare il polverone siano i giornali della destra, poi, è un paradosso. In tutto il mondo i conservatori sono *by definition* ostili all'egualitarismo e si impancano ad alfieri della meritocrazia. Soltanto da noi la destra presenta come una faccenda losca una paga alta per un dirigente che la vale [...]. Se il moralismo fasullo è in sé sgradevole, praticarlo a proposito di Mieli è due volte assurdo. Anzitutto egli non è un avversario politico della Casa delle Libertà, bensì un professionista del quale tutti – destra compresa – hanno riconosciuto il valore e l'indipendenza. In secondo luogo sono passate appena 48 ore dacché il presidente designato della Rai è stato bersaglio di minacce antisemite, per fortuna generalmente esecrate. Ebbene, accostare il nome di un ebreo a un'accusa di avidità è imperdonabile sempre; ma in questi giorni lo è ancora di più.

Mieli s'incontra con Tremonti che rappresenta il Tesoro, cioè l'azionista sostanziale della Rai. E gli bastano pochi minuti per rendersi conto che in viale Mazzini non c'è posto per lui. Tenta di spiegare al ministro che bisogna «confrontarsi con il mercato»: le sue richieste sono tutt'altro che esorbitanti, corrispondono ai compensi medi di un qualunque manager del suo livello in una qualunque azienda privata. Tremonti, presunto liberista, lo sa benissimo. Ma fa finta di nulla: «Capisco, ma cedere su una cifra così alta significherebbe creare un precedente ingombrante che potrebbero utilizzare i prossimi nominati ai vertici di altri enti». Come se, in Italia, esistessero altre Rai. E poi dipende dal destinatario dello stipendio: il nuovo dg Cattaneo, poche settimane dopo, firmerà con la Rai un contratto da 750 mila euro all'anno: 50 mila in più di quanto chiedeva Mieli.

Alle 18,30 del 12 marzo, dopo sei giorni di balletti tragicomici e umilianti, Mieli comunica la sua rinuncia. Nella lettera ai presidenti delle Camere, la spiega con le non meglio precisate «difficoltà tecnico-politiche» incontrate. Per l'ennesima volta, grazie ai partiti, la Rai perde una grande occasione. Forse l'ultima. «Il blocco politico che ha fermato Mieli» commenta Ezio Mauro su «Repubblica» «ha la firma di Berlusconi, la voce di Bossi, le impronte digitali di Tremonti». Ma l'immaginifico neo-consigliere Veneziani ha pronta una spiegazione alternativa. Per lui, che pure chiede formalmente a Mieli di ripensarci, per superare il veto berlusconian-leghista «sarebbe bastato non irrigidirsi sulla questione economica».

Favole, naturalmente. Come siano andate davvero le cose lo spiega lo stesso Mieli, sia pure nel suo linguaggio felpato e vagamente cifrato, in tre interviste comparse il 13 marzo su «Repubblica», sul «Corriere» e sulla «Stampa»: «Nessuno dei miei paletti è andato a posto. Nessuna delle mie richieste fondamentali è stata garantita. C'è stato un blocco politico: c'era qualcuno che poteva pronunciare un sì o un no che sarebbe stato decisivo. Se avesse detto sì, tutto sarebbe andato liscio, già sabato scorso avrei sciolto la riserva e il balletto sarebbe durato un giorno». Chi avrebbe dovuto pronunciare quel sì? Ovviamente Berlusconi. Ma Mieli non lo dice esplicitamente: «Io non lo so. Con me Berlusconi è stato corretto. Ma io so che quel sì non è mai stato pronunciato e siamo andati avanti e indietro per sei giorni. Volevano che mercanteggiassi su tutto. In 35 anni di lavoro ho visto situazioni ben più intricate sciogliersi in un minuto, grazie a una risposta convinta e decisa. Ho aspettato. Quel sì non è arrivato e allora è toccato a me dire "no grazie"…». Il «mielese» è così: nessun nome, nessun'accusa precisa, nessuna polemica. Mai chiudersi una porta alle spalle. Chi ha orecchi per intendere, intende. Ma chi vuol fingere di non capire sa che non verrà smentito. E in Italia s'è finto di non capire quel che era accaduto con Montanelli, Biagi, Santoro, Luttazzi che pure non avevano lesinato nomi e cognomi. Figurarsi con Mieli.

L'alibi è donna

In un paese normale il no di Mieli susciterebbe settimane di dibattiti su quel che resta della libertà d'informazione nella tv pubblica. E forse lo susciterebbe per qualche giorno persino in Italia se, mentre Mieli sta ancora spiegando ai giornali le ragioni del suo no, già non si trovasse qualcuno pronto a prendere il suo posto. A tempo di record. E, soprattutto, senza condizioni. L'uomo, anzi la donna del miracolo si chiama Lucia Annunziata. Ex giornalista del «manifesto», poi di «Repubblica», poi del «Corriere», già direttore del Tg3 in quota An (quando se ne andò sbattendo la porta, nel '98, definì il Tg3 «l'ultima isola di socialismo reale»), poi collaboratrice del «Foglio», poi direttrice dell'agenzia di stampa ApBiscom ed editorialista nonché «garante» del «Riformista», l'Annunziata è una sorta di anfibio del giornalismo politico. Come dice Sabina Guzzanti, «riesce a essere di destra e di sinistra contemporaneamente». Satira a parte, è amica di D'Alema, di Fini (che aiutò nel 1995 a organizzare il suo primo viaggio negli Usa), di Romiti, di Claudio Velardi e dunque di Agostino Saccà. Lo era anche di Santoro, per via delle comuni origini salernitane, ma ora le conviene dimenticarle. Quando Michele la invitò nell'ultima puntata del *Raggio verde* prima delle elezioni del 2001 per intervistare Rutelli, lei attaccò il candidato dell'Ulivo con inusitata violenza: tutti sapevano, ormai, che avrebbe vinto Berlusconi. Insomma l'etichetta ufficiale è «di sinistra», ma di quella sinistra che non dispiace al centrodestra. La soluzione ideale per uscire dal vicolo cieco della Rai dopo il caso Mieli e per mascherare un altro po' il macigno del conflitto d'interessi, mettendo contemporaneamente nei guai il centrosinistra.

Il merito della geniale operazione è, ancora una volta, del Cavaliere. Con l'aiuto, si capisce, dell'opposizione più inetta che si ricordi a memoria d'uomo. La sera di mercoledì 12 marzo, appena Mieli rinuncia, il premier telefona ai presidenti delle Camere i nuovi ordini di scuderia: «Lo schema 4+1 va mantenuto. E l'importante è chiudere subito». Dopo una notte di riflessioni non troppo tormentate, Casini si convince che è il caso di obbedire, e alla svelta. Anche perché, dopo le figuracce del vertice in casa Berlusconi e delle porte in faccia a Mieli, anche il Quirinale ha discretamente suggerito tempi brevi. «Ho capito», conviene Casini al telefono con Silvio, «l'unica soluzione è quella del reintegro. In questo momento non ci possiamo permettere una lunga polemica sulla Rai, rischiamo di delegittimare la figura dei presidenti delle Camere. E la guerra in Iraq si avvicina...».

Il problema resta il nome. Serve qualcuno di sinistra che piaccia a destra. I nomi non mancano, nel grande harem del «riformismo» all'italiana. Ma, almeno ufficialmente, Fassino e Rutelli si chiamano fuori. Dopo una telefonata con Rutelli e un lungo incontro con Fassino, Casini tenta di ripescare il nome di Fabiani, ex Dc come lui. Ma Berlusconi e Pera non lo vogliono. Casini chiede al centrosinistra una nuova rosa di candidati, ma invano. Allora pensa di fare da sé, nominando Paolo Gambescia, direttore del «Messaggero» (il quotidiano di suo suocero Francesco Caltagirone) o Antonio Polito, direttore del «Riformista». Ne parla con Fassino in un incontro di 40 minuti. E lì, secondo i bene informati, Fassino fa il nome di Lucia Annunziata. Casini accetta e informa i suoi collaboratori: «Ha il curriculum adatto, è gradita al popolo di centrosinistra e ha appena scritto un libro contro la guerra apprezzato anche dai cattolici». Poi scrive quel nome in una lettera che fa recapitare via pony a Pera. Infine telefona al sottosegretario Letta perché informi Berlusconi.

Alle 18,30 Casini incontra Pera a Palazzo Madama: pieno accordo. Resta un dubbio: accetterà l'Annunziata, senza condizioni, una poltrona appena rifiutata da Mieli perché gli avevano bocciato tutte le condizioni? Beata ingenuità. In quelle ore,

Lucia sta facendo le valigie per l'Iraq. Appena la chiamano, disfa subito i bagagli e accetta seduta stante. Senza porre condizione alcuna. Senza neppure nominare Biagi e Santoro. Senza se e senza ma. Guadagnerà 400 mila euro all'anno: più del doppio del suo predecessore Baldassarre (180.759 euro).

Tutte le reazioni politiche sono positive: l'Annunziata è amica di tutti. Entusiastici soprattutto i commenti di An e Forza Italia: da Berlusconi a Schifani, da Nania a Bonatesta a Ombretta Colli. Ma c'è tensione fra Ds e Margherita. Rutelli sospetta che il nuovo presidente Rai non sia farina del sacco di Casini. A nessuno è sfuggito che il presidente della Camera ha proposto l'Annunziata, l'unica giornalista definita «amica» da D'Alema, tre ore dopo un vertice di 40 minuti con Fassino. «I presidenti delle Camere – commenta acido Rutelli – non pensino che una scelta fatta nel campo del centrosinistra possa essere una scelta che rappresenta il centrosinistra». Il segretario ds fa il distaccato: «È stata scelta una personalità di rilievo del mondo giornalistico, che tuttavia non era nelle proposte originarie dell'Ulivo. Valuteremo presidente e Cda dagli atti che compiranno». Lo Sdi fa sapere che «per noi il problema Biagi-Santoro non è affatto una priorità».

Se Mieli, con la sua autorevolezza e il suo peso specifico, aveva subito voluto saggiare i margini di manovra e di autonomia del «presidente di garanzia», la Annunziata si rivela fin dal primo giorno quel che sarà per un anno: un presidente travicello, uno «spaventapasseri» come la definisce fin da subito su «Repubblica» Curzio Maltese. Infatti occuperà la poltrona più alta di viale Mazzini per un anno o poco più, parlando molto e contando nulla. Più che un presidente di garanzia, sarà un isolatissimo consigliere di minoranza relegato in un cantuccio dai quattro del centrodestra e dal direttore generale Flavio Cattaneo, scelto da An e dalla famiglia Berlusconi fra i rampanti della nuova Milano da bere. Presterà il suo nome a una delle stagioni più buie e imbarazzanti della storia della Rai, fra lottizzazioni e censure: da quelle seriali di Biagi e Santoro a quelle nuove di Sabina Guzzanti, Massimo Fini e Paolo Rossi. Il sogno di una Rai modello Bbc, sottratta al giogo e al gioco dei partiti, era appunto un sogno. Anzi, una truffa.

2. La7, morte di una tv mai nata

«Se non ci ammazzano nella culla, non ci ferma più nessuno». È il 25 giugno 2001. Gad Lerner, neodirettore delle news di La7, è euforico. La serata inaugurale della nuova televisione nata dalle ceneri di Telemontecarlo, che ha scelto come simbolo uno dei sette nani, ha raggiunto il 13,7% di share: 2 milioni 379 mila persone hanno seguito Fabio Fazio, Giuliano Ferrara, Serena Dandini, Neri Marcorè, Sabina Guzzanti, Fabio Volo, Luciana Littizzetto e Lerner mentre, in diretta dall'*Alcatraz* di Milano, spegnevano il logo della vecchia Tmc e davano i natali al tanto agognato «terzo polo» televisivo.

Certo, a far lievitare gli ascolti ha contribuito il collegamento col Circo Massimo dove Sabrina Ferilli si è spogliata (o quasi) per festeggiare il terzo scudetto della Roma. Ma, se il buon giorno si vede dal mattino, l'obiettivo del 5% di share e di 600 miliardi di lire di pubblicità all'anno sembra a portata di mano.

I nomi ci sono. I soldi pure. La proprietà – il numero uno di Telecom Roberto Colaninno e il presidente di Seat-Pagine Gialle Lorenzo Pellicioli – ha garantito un investimento di 300 miliardi all'anno. E, tanto per cominciare, ne ha messi sul piatto 20 solo per la campagna pubblicitaria. Così migliaia di nanetti sono spuntati in ristoranti, supermercati, caffè, stadi, piazze e palazzi del potere. Dal 17 giugno, poi, il nano di La7 ha cominciato a fare capolino dalle pagine dei quotidiani e dai mega-manifesti affissi in tutte le città italiane, con uno slogan di sfida: «La7, difficile spegnerla».

Pellicioli, rilevando Tmc da Vittorio Cecchi Gori, s'è ritrovato in mano un baraccone che perde dai 70 ai 100 miliardi di lire all'anno per fare ascolti dall'1 al 3%. Così ha chiamato a sé un pool di esperti veri di televisione, perlopiù di scuola Fininvest: Mario Brugola capo della concessionaria pubblicitaria, Roberto Giovalli direttore di rete, Ernesto Mauri amministratore delegato. E poi Lerner alla direzione delle news. E Fabio Fazio a condurre un programma in seconda serata, il *Fab Show*, che dovrebbe intaccare il monopolio dei mostri sacri Costanzo e Vespa: una sorta di *Letterman Show* in diretta da un teatro di Milano, con politici, comici, intellettuali e artisti. La Littizzetto è pronta a cimentarsi nelle previsioni del tempo. Fabio Volo, già volto emergente di Italia1, avrà carta bianca.

A Mediaset cominciano a preoccuparsi. Confalonieri lo fa capire chiaramente il 6 giugno, vigilia del lancio: «In questo mercato particolarmente duro, qualsiasi concorrente in più può creare problemi. E loro sembrano molto agguerriti. Comunque noi siamo pronti». Giovalli, manager cresciuto a Italia1, esclude subito di voler fare una tv d'opposizione, ma parla chiaro: «Siamo liberi. Questo non significa anti-berlusconiani. Ma, come diceva Gaber, libertà è partecipazione. E in questo riconosco il mio progetto di tv. In tre anni vogliamo arrivare a coprire il 6% della torta televisiva e pubblicitaria».

Liberi pure da Telecom? Alla domanda risponde Lerner con una battuta nella serata inaugurale: «Siamo una pagina gialla aperta davanti a voi. Se parliamo bene dei telefonini, sapete perché». Poi, più serio, dice a Indro Montanelli, vecchio collaboratore di Tmc, collegato al telefono: «Questa non è una televisione contro Berlusconi, ma l'unica non sua». Montanelli risponde: «È la condizione alla quale lavoro. Non voglio fare niente contro nessuno, ma non voglio essere obbligato a fare qualcosa a favore di qualcuno».

Così all'*Alcatraz* si dà spazio anche al Cavaliere. In doppio petto blu, in collegamento via satellite, Berlusconi svela l'arcano del suo successo: «Sono qui per spiegarvi il segreto, essendo io arrivato tanto in alto, eletto anche presidente. Ho dimostrato che si può vendere un marchio piuttosto che un prodotto e farsi anche votare. E io sono l'esempio per i filibustieri di tutto il mondo. Se pensate che io, ineleggibile, sono presidente del Consiglio...». Risate in sala. Berlusconi è Sabina Guzzanti. Che però, sempre nei panni del Cavaliere, ne ha pure per i leader dell'opposizione: «Quelli vengono nelle mie ville e, appena vedono l'argenteria, gli tremano le gambe...». Sorride anche Ferrara, che subito dopo si mette alla scrivania con Lerner per siglare un nuovo contratto con gli italiani: l'impegno a raggiungere almeno un milione di telespettatori.

Per la pubblicità, Brugola contatta 250 grandi clienti, li porta tutti a Sharm El Sheik e raccoglie in poche settimane spot per 230 miliardi di lire, in gran parte sottratti a Publitalia, cioè a Mediaset. Il solo *Fab Show* frutterà quasi 4 miliardi a puntata. La7 però non parte subito. La programmazione «vera» è rimandata a settembre. Per tutta l'estate vanno in onda format sperimentali e giochini telefonici. Ma anche così l'ascolto medio è del 2,65%: ennesima prova della grande attesa sul mercato e della fattibilità dell'obiettivo del 5-6%. E il 23 luglio, lo *Speciale Montanelli* presentato da Lerner sulla morte del grande giornalista con Mieli, Ferrara, Elkann e Travaglio sfiora proprio il 6% di share.

Nelle pagine degli spettacoli, i giornali non parlano d'altro. Prima tiene banco la manfrina di Enrico Mentana, che pare in procinto di lasciare il Tg5 per La7: alla fine resterà al suo posto, trattenuto da Mediaset con un robusto aumento di stipendio. Poi si discute di calcio: la rete Telecom ha in mano un'opzione per trasmettere gli incontri di Coppa Italia.

Pare che tutto stia rapidamente cambiando, nel mondo un po' ammuffito della televisione italiana, ingessato nell'eterno duopolio Rai-Mediaset. E non solo per il prevedibile rimescolamento di carte nel mercato pubblicitario. La vera novità introdotta dalla concorrenza la si respira nelle redazioni. Tutti, sia in Rai sia in Mediaset, scoprono all'improvviso di avere un'alternativa vera. E chi, in quei giorni, ha la fortuna di ridiscutere il suo contratto con il Biscione porta a casa un bel gruzzolo di aumento per rimanere. C'è un barlume di alternativa persino alla lottizzazione e alla censura: chi non ci sta può cambiare editore. E spesso la sola minaccia di andarsene allarga gli spazi di autonomia e di libertà. Un programma di grandi ascolti come *Le Iene*, su Italia1, diventa incontrollabile e incontenibile. Se Confalonieri tentasse di bloccare qualche inchiesta scomoda, autori e conduttori impiegherebbero un secondo a firmare per La7. Non per nulla – rivela Lerner – decine di giornalisti hanno bussato alla sua porta chiedendo di essere assunti.

Fine della ricreazione

I sogni – scriveva Montanelli – muoiono all'alba. Ma quello di La7 defunge qualche ora prima. Nel bel mezzo della pausa estiva, a sorpresa, la tv dei nani cambia padrone. Più per volontà del bresciano Emilio Gnutti che del suo alleato mantovano Roberto Colaninno, La7 viene ceduta, insieme a tutto il gruppo Telecom, al *ras* della Pirelli Marco Tronchetti Provera. La scelta di non andare in onda subito con il nuovo palinsesto, ma di aspettare settembre, si rivela disastrosa. Il 28 luglio 2001, un mese dopo l'insediamento del secondo governo Berlusconi, i «capitani coraggiosi» – come li aveva definiti due anni prima l'allora premier D'Alema, benedicendo la più grande Opa della storia finanziaria italiana – gettano la spugna e monetizzano le loro quote in Telecom. Tronchetti parla di «continuità» per tutto il gruppo, anche per La7. E sulle prime, almeno ufficialmente, tutto procede secondo i piani prestabiliti.

L'8 agosto viene presentato il palinsesto: i programmi di Fazio, Volo e Rosita Celentano; il tg di Lerner, che si cimenterà anche in un talk show di approfondimento in tandem con Ferrara, *Stanlio e Ollio*; e poi le *sit com* che spopolano in Inghilterra, come la serie *Queer as Folk* che racconta la vita quotidiana di tre gay. Il ministro Gasparri mette subito becco: «Sono fortemente preoccupato dalla qualità, il programma di La7 tratterà di droga e omosessualità, proponendo anche immagini di consumo di stupefacenti che rischiano di annullare le campagne pubbliche di educazione contro la droga». In realtà è ben altro ad allarmare il ministro e il suo padrone: la nascita di una tv libera, o almeno fuori dal controllo del governo. Una bestemmia in chiesa. Ma niente paura. Ciò che per la maggioranza è un incubo e per il pubblico un sogno non si avvererà mai.

Mentre Fazio e gli altri inguaribili ingenui provano e riprovano i loro programmi, il vento gira. Confalonieri, eccellente barometro, diventa improvvisamente fiducioso. Il 31 agosto, a dodici giorni dal varo del *Fab Show* che terrorizza Costanzo e Vespa, il presidente di Mediaset dichiara: «La7 è sempre esistita. Prima era Tmc e non ci ha mai dato fastidio. Anzi, per la verità è nata prima di noi». Strano ottimismo, il suo, visto che fino a pochi giorni prima Piersilvio Berlusconi intimava a tutti i volti Mediaset di non accettare inviti ai programmi di La7 e raccomandava a Medusa Cinema di andarci piano con la promozione di *Ravanello pallido*, il film della Littizzetto appena passata alla tv dei nani. Ora, all'improvviso, la concorrenza non fa più paura. E il promo del *Fab Show*, in cui un finto Berlusconi dice «Fazio non posso cancellarlo, La7 non è ancora mia», si rivelerà un'involontaria profezia. Infatti il programma non andrà in onda né il 13 settembre né mai. Quarantott'ore prima della puntata inaugurale, che avrebbe dovuto avere tra gli ospiti il diessino Giovanni Berlinguer, si riunisce il nuovo Cda di La7. È l'11 settembre 2001: a New York crollano le Torri Gemelle, a Milano il terzo polo televisivo.

Una tv coi baffi

Il nuovo vertice di Telecom decide che La7 diventerà tutt'altra cosa: non una rete alternativa a Rai e Mediaset, ma un canale *all news*, sul modello della Cnn. Non sarà vero neppure questo, ma intanto è un'ottima scusa per liquidare Fazio come un lusso inutile e costoso: il nuovo amministratore delegato di Telecom Enrico Bondi sostiene che La7 com'è stata concepita dai predecessori rischia di costare 1000 miliardi di lire in due anni. Troppi.

Giovalli scopre la svolta dai giornali dell'indomani: «Se fosse vero quel che leggo – commenta – mi sembrerebbe molto strano, visti i risultati che stavamo facendo sia in termini di ascolto, sia in termini di gestione dei costi del palinsesto: avevamo risparmiato moltissimo, circa il 33%. La verità è che non ci si vuole far partire, come dimostra la vicenda della Coppa Italia, fermata dalla proprietà. Le motivazioni di cui si parla sono stravaganti: 1000 miliardi in due anni non erano le cifre che conoscevo». Pellicioli è ancora più duro: «Saranno contenti a Mediaset...».

Ma Bondi, gran tagliatore di teste, non si fa scrupoli a recidere le radici della piccola emittente emergente. Pellicioli se ne va. Il *Fab Show* viene sospeso e poi cancellato. Anche la Littizzetto è azzerata. Gli altri progetti ridimensionati. Gad Lerner non ha alcuna intenzione di partecipare come dirigente a un'impresa che non punta più agli utili, ma alle perdite. E lascia il tg con una frase colorita: «Non voglio fare lo straccione che vive di elemosina» (rientrerà in pista, ma solo come collaboratore, per condurre *Otto e mezzo*, il talk show quotidiano con Ferrara). Se ne vanno anche Fabio Volo e Platinette. La rete rinuncia ufficialmente alle partite di Coppa Italia che, esercitando la sua opzione, stava acquistando per 30 miliardi. Per levarsi lo sfizio di vedere come sarebbe andata, e forse anche per dimostrare che cosa accadrebbe in Italia con una vera concorrenza in televisione, Fazio chiede di andare in onda almeno con la prima puntata: è disposto persino a coprire tutte le spese di tasca sua. Ma glielo vietano severamente e, anzi, i nuovi tagliatori di teste sono ben felici di liquidargli una penale di 27 miliardi di lire (lordi) perché non faccia il suo programma, che si teme di successo. Anche Gad Lerner, per l'analogo danno professionale e contrattuale che gli procura l'improvvisa inversione di rotta, viene congedato con 8 miliardi lordi.

Il centrodestra, di pari passo con Mediaset, esulta. Soprattutto An, cui il Cavaliere ha subappaltato il ruolo di guardiano delle televisioni. «Più che il sogno di un terzo polo si spegne la speranza della sinistra di avere una tv tutta sua», si sbraccia Alessio Butti, col suo pizzetto alla Italo Balbo: «Fantasiose dietrologie a parte, io credo che La7 abbia compiuto la scelta migliore, accantonando un palinsesto dai costi faraonici».

Al capezzale del nanetto soffocato nella culla, si accalca una processione di nuovi «esperti» che, per una singolare coincidenza, lavorano contemporaneamente anche per Mediaset: la Booz Allen & Hamilton, società che collabora con le reti di Segrate su incarico di Bruno Ermolli, eminenza grigia del Biscione e tutore aziendale di Marina Berlusconi; e soprattutto Maurizio Costanzo, l'uomo che più avrebbe patito un eventuale successo del *Fab Show* e che in quel momento dirige addirittura Canale 5. A chi gli fa notare un certo conflitto d'interessi fra la casacca di direttore dell'ammiraglia Mediaset e quella di consulente della pseudoconcorrente La7, Costanzo risponde serafico: «Ma Confalonieri lo sa. E poi ero consulente di Telecom anche con Colaninno…».

Nemmeno lo sfiora l'idea che, a trovar da ridire sul suo doppio ruolo, più che il presidente di Mediaset possano essere gli uomini di La7. Anche perché ormai sono tutti del suo giro. Nuovo direttore dei programmi è il trentenne Andrea Del Canuto, esperto in allineamento dei palinsesti, che si dice riceva ordini via e-mail direttamente da Roberto Pace, alter ego di Costanzo e numero due della società berlusconiana Mediatrade. Vicedirettore è Tamara Gregoretti: sua sorella Sabina è la produttrice di Maria De Filippi e della Fascino, la società di produzione di Costanzo. Difficile che chi deve tutto a Costanzo protesti per il suo doppio incarico. Ora è lui a decidere, direttamente o indirettamente, chi assumere, che cosa mandare in onda e quando. Il conflitto d'interessi è talmente sfacciato ed esplicito che il 16 luglio 2004 gli spettatori di La7, al termine di uno speciale su Gabriella Ferri, sentono la conduttrice Laura Freddi ringraziare Costanzo «per aver permesso questa magnifica serata». Qualcuno, quella sera, avrà pensato per un attimo di aver sbagliato rete e di trovarsi su Canale 5.

Per completare l'opera, negli ultimi mesi del 2002 la raccolta pubblicitaria di La7 viene affidata a Urbano Cairo, negli anni Ottanta segretario personale di Berlusconi (dopo Dell'Utri), ora in proprio. Il «terzo polo» televisivo somiglia maledettamente agli altri due. Pare quasi una succursale di Mediaset. Missione compiuta.

Nano paga, Biscione incassa

Tutti gli ex di La7 «modello base» non hanno dubbi: se il killer è Tronchetti Provera, il mandante è Berlusconi. Anche perché, subito dopo l'omicidio, il ras della Pirelli-Telecom ha reso altri preziosi servigi al Cavaliere. Regalandogli palate di miliardi in almeno tre occasioni. Primo: nell'agosto 2001, mentre rileva Telecom, la Pirelli acquista a prezzo spropositato (425 miliardi di lire) l'Edilnord, la decotta e pluriindagata impresa edile di Paolo Berlusconi. Secondo: nel 2003 rileva dalla Fininvest quell'altro buco nero che sono le Pagine Utili (inventate da Dell'Utri per spezzare il monopolio delle Pagine Gialle, col risultato di accumulare 565 miliardi di perdite in cinque anni), per 138 milioni di euro: cioè 2,4 volte l'ultimo fatturato. Ma quando l'Antitrust comincia a fare le pulci all'affare (Telecom già controlla Pagine Gialle), Tronchetti rinuncia all'acquisto, versando senza batter ciglio alla Fininvest una «penale» di 55 milioni di euro, che permette al Biscione di chiudere il bilancio 2003 con un utile record di 145 milioni. Terzo: nell'estate 2003 Tronchetti devolve al gruppo Berlusconi altri 24 milioni di euro all'anno per tre anni con una strana «sponsorizzazione» delle Pagine Gialle al Milan: l'ennesimo «balzello» pagato al premier, che fa sorridere tutta Milano, essendo Tronchetti il vicepresidente dell'Inter.

Berlusconi, dal canto suo, si dimostra altrettanto generoso con Tronchetti. E non solo con la benevola «neutralità» del suo governo nell'Opa della Pirelli su Telecom. Come ha rivelato Massimo Mucchetti sull'«Espresso» in un articolo intitolato *Lo scambio*, il Cavaliere ha pure salvato un affare da 2,3 miliardi di euro che il nuovo padrone di Telecom doveva concludere con Tim in Turchia, e che rischiava di saltare. Si tratta di questo: nel 2000 la IS-TIM Telekomunikasyon Hizmetleri A.S., posseduta per il 49% dagli italiani e per il resto dalla IS-Bank, ha acquistato per 2,5 miliardi di dollari la terza licenza per l'esercizio della telefonia mobile in Turchia. Poi ha versato una tassa sul valore aggiunto di 429 milioni di dollari. Infine ha speso un miliardo di dollari per le prime strutture della rete. Il servizio, denominato Aria, ha sfondato ad Ankara, Istanbul e Smirne: un milione di abbonati. Prosegue Mucchetti:

Ma i primi due operatori, la Turkcell e la Telsim, non si decidono mai a concedere il *roaming* che consentirebbe ai nuovi arrivati di coprire l'intero territorio. Senza il *roaming*, vengono a mancare le basi tecniche del servizio. Le proteste presso la locale Autorità Antitrust non danno esiti, nonostante venga riconosciuto l'abuso di posizione dominante da parte di Turkcell e Telsim. [...] Insomma, nel gennaio 2003 Tim è ormai convinta di essere finita in un ginepraio mediorientale. Sta seriamente pensando di chiudere bottega e lasciare la Turchia. [...] Per uscirne, il top management richiede con parole accorate un forte intervento politico. Tre gli obiettivi: garantire la possibilità di usare il roaming nazionale nel più breve tempo possibile facendo cambiare rotta all'Antitrust così amico del duopolio Turkcell-Telsim; ottenere il rimborso dei 429 milioni di dollari di tassa sul valore aggiunto; alleggerire la pressione fiscale [...]. L'intervento politico arriva quattro mesi dopo, e porta la firma di Silvio Berlusconi. Il presidente del Consiglio italiano tratta la questione con il collega turco Recep Tayyip Erdogan, e poi risolve tutto nel corso della visita lampo ad Ankara il 12 maggio 2003. L'amico Recep, che era venuto in visita ufficiale in Italia sei mesi prima e che avrà poi l'amico Silvio quale testimone di nozze del figlio, si mostra conciliante. IS-TIM può fondersi con Aycell [il quarto operatore, controllato interamente dalla statale Turk Telekom, *N.d.A.*]. Tim avrà il 40% e la gestione della nuova società, Turk Telekom un altro 40% con l'impegno a mettere quattrini ove servissero, e a IS-Bank viene riservato il rimanente 20. Il *roaming* è assicurato. Turkcell si prende finalmente una multa di 15 milioni di dollari dall'Antitrust, che spazzola anche, con un'altra ammenda di 6 milioni, la Telsim. Conclude Marco Tronchetti Provera: «È stato molto utile l'intervento di Berlusconi, che ha permesso all'azienda di rimanere su quel mercato, perché, se non ci fosse stata questa soluzione, avrebbe dovuto lasciarlo». [...] Grazie all'intervento di Berlusconi su Erdogan, il gruppo Telecom Italia potrà recuperare con il tempo i valori, pari a 2,3 miliardi di euro, sacrificati fin qui sull'altare di IS-TIM.

Negli stessi giorni Tronchetti Provera chiude la partita di Pagine Utili versando a Berlusconi la «penale» di 55 milioni di euro. E tutti vissero felici e contenti. «Tronchetti – commenta «L'Espresso» – si è sbagliato con le Pagine Utili. Forse. Ma l'ha indovinata con la Turchia. Il tribunale di piazza degli Affari, alla luce della *realpolitik*, lo assolverebbe a pieni voti. Berlusconi premier ha fatto il dover suo in Turchia, aiutando un'impresa nazionale vittima di gravi ingiustizie. Ma l'Italia può permettersi il lusso del sospetto che quell'accordo con l'amico Recep non sia stato gratuito?».

Anche la morte di La7 potrebbe rientrare in una partita più grande. Non per nulla Tronchetti, pur visibilmente disinteressato alla televisione, non ha mai voluto darle il colpo di grazia. Né tantomeno privarsene, sebbene fin dal 2001 fosse pronto a rilevarla il gruppo De Agostini. Curiosamente, di quell'acquirente così solido e solvibile, Tronchetti non vuole sentir parlare. In compenso porta avanti dei *pour parler* con altri pretendenti, tutti ottimi amici di Berlusconi: e.Biscom di Francesco Micheli, Class Editori di Paolo Panerai, Esselunga di Bernardo Caprotti. Ma poi non se ne fa niente. La tv dei sogni deve restare a bagnomaria. Deve esistere per gettare fumo negli occhi a chi lamenta la mancanza di un vero concorrente al «duopolio collusivo» Rai-Mediaset. Deve tenere occupate concessione e frequenze, che altrimenti rischierebbero di cadere in mano a qualche editore davvero autonomo e interessato al business. E poi non si sa mai quel che può riservare il futuro. Oggi la Telecom, come concessionaria pubblica e per via delle tariffe telefoniche decise dal governo, ha bisogno di Berlusconi. Ma non rinuncia definitivamente all'idea di potergli fare, un giorno, concorrenza quando non fosse più presidente del Consiglio. Quando (e soprattutto se) l'Italia diventasse un paese normale, dove i politici fanno i politici e gli editori fanno gli editori. Nel frattempo, come dicono in Sicilia, *calati juncu c'a passa la china*. Piégati, giunco, ché passa la piena.

Posso, ma non voglio

A dispetto delle potenzialità, ben superiori, l'obiettivo dichiarato da La7 non è più il 6% di share, ma un misero 3. E soltanto entro il 2006, l'anno delle prossime elezioni politiche. Come chiedere a una Ferrari Testarossa di raggiungere i 100 chilometri orari in quattro anni. Il nuovo amministratore delegato Giuseppe Parrello, uno dei più stretti collaboratori di Bondi, si premura subito di dichiarare che non ha alcuna intenzione di far concorrenza a Rai e Mediaset: «Non vogliamo togliere pubblico a nessuno, ci basterebbe riconquistare i telespettatori che la televisione non la guardano più». Poi gli subentra Fabrizio Grassi, già direttore del personale al gruppo Espresso e in seguito direttore generale di Seat-Pagine Gialle. Direttore di rete viene promosso Antonio Campo Dall'Orto, che s'è fatto le ossa a Canale 5 come assistente di Giorgio Gori e poi ha seguito Mtv. Il responsabile dei tg, dopo l'abbandono di Lerner, è l'ex direttore del Tg3 Nino Rizzo Nervo. Ma dura poco: pare che non piaccia al ministro Gasparri. Dunque viene prontamente cacciato (andrà a dirigere «Europa», il giornale della Margherita) e rimpiazzato con un direttore di lungo corso come Giulio Giustiniani, promosso direttore editoriale dell'intera emittente. Cresciuto al «Corriere della Sera», Giustiniani ha poi diretto il «Gazzettino», ma non ha mai messo piede in una tv. Fra un voto di sfiducia della redazione e l'altro, taglia selvaggiamente i costi a partire dalle corrispondenze e dalle missioni esterne. È di casa nello studio romano di Costanzo, in piazza della Libertà, dove si tengono le riunioni «strategiche» sul futuro della tv. A fine marzo del 2004, la redazione proclama due giorni di sciopero audio-video contro la politica della lesina: direzione e proprietà li neutralizzano con due giorni di serrata, ragion per cui La7 verrà condannata per comportamento antisindacale su denuncia della Federazione della stampa.

Ma a poco a poco, pur col motore in folle e l'auto chiusa in garage, La7 si guadagna un'immagine diversa dalle altre emittenti, sempre più uguali e omologate al pensiero unico dominante. Merito di una redazione agguerrita che fa miracoli, a dispetto dell'inerzia dei vertici. Merito di alcune iniziative «normali» che già bastano, in questo panorama plumbeo, a segnalare il settimo canale come una microscopica oasi di libertà. Per esempio le telecronache dirette di alcuni eventi oscurati da Rai e Mediaset: dal mega-girotondo del 14 settembre 2002 contro la legge Cirami alle manifestazioni della Cgil, dalle marce per la pace a quelle contro il nuovo articolo 18 (con punte di share vicine al 10%). Anche i modesti ma oculati investimenti per seguire adeguatamente la guerra infinita in Medioriente, prima in Afghanistan, poi in Iraq, danno frutti insperati e forse non del tutto cercati. Anche perché i palinsesti flessibili aiutano La7 ad adattarsi alle continue emergenze.

Nel panorama desertificato dell'informazione televisiva all'italiana, svetta persino l'*Otto e mezzo* di Giuliano Ferrara, che ogni sera ha almeno il merito di prendere di petto la notizia del giorno, nonostante gli ascolti modesti e le improbabili «spalle» che affiancano il conduttore per dare il contentino al centrosinistra (Luca Sofri, Barbara Palombelli e, dall'autunno 2004, la bertinottiana Ritanna Armeni).

Piace anche *L'Infedele* di Gad Lerner, soprattutto a un pubblico «colto». Ma strategicamente (si fa per dire) viene «tenuto basso», per i motivi di cui sopra, e relegato al sabato sera, quando sulle altre reti impazzano i grandi show da milioni di telespettatori. Anche in quella nicchia, comunque, Lerner riesce ad attirarsi le ire del Cavaliere quando, alla fine del 2002, ospita una diagnosi dello psichiatra Mauro Mancia sulle sue sempre più evidenti turbe narcisistiche. I telefoni di Tronchetti e

Giustiniani sono roventi. In redazione corre voce di un Parrello terrorizzato di fronte all'ennesima telefonata di Palazzo Chigi e alla richiesta della cassetta con la puntata incriminata.

Infine c'è *Omnibus*, la striscia quotidiana del mattino, diretta dalla Gregoretti (che col tempo ha allentato i legami con Costanzo) e condotta da Antonello Piroso. Dibattiti garbati ma pungenti sui temi del giorno, con tutte le domande al punto giusto. Peccato che vadano in onda alle 8, fuori tempo massimo per chi studia o lavora.

Le potenzialità, insomma, ci sarebbero. Ma, mentre gli spettatori fuggono in massa dalla Televisione Unica «Raiset» e, anziché cambiare canale, spengono l'apparecchio, La7 è un cavallo di razza che scalpita nelle scuderie, senza che nessuno lo lanci mai in pista per timore che scatti e vinca. Gli investimenti sono sempre più scarsi. Il contratto integrativo dei giornalisti è scaduto nel '96. E i palinsesti sembrano fatti apposta non per attirare ascolti, ma per tirare a campare. Come dire: posso, ma non voglio. Almeno finché, a Palazzo Chigi, c'è Berlusconi.

Come t'imbavaglio la iena

Il caso La7 è l'emblema del mono-duopolio italiano. Ma guai a raccontarlo per quello che è: si finirebbe per smascherare il trucco. Ne sanno qualcosa i ragazzacci delle *Iene*: ma sì, gli stessi che su Italia1, dopo la nascita della tv dei nani, si permettevano qualunque impertinenza, con la tacita minaccia di saltare il fosso. Il 26 settembre 2001, esattamente 15 giorni dopo il Cda Telecom che ha azzerato il sogno del terzo polo, l'inviato delle *Iene* Andrea Pellizzari indossa il completo nero e gli occhiali scuri d'ordinanza e, per tutto il giorno, fa la posta a Tronchetti Provera sotto la sede della Pirelli, in via Negri a Milano. L'idea è un bel servizio pepato sulla morte di una tv mai nata. Finalmente Tronchetti scende in strada e balza in macchina. Pellizzari lo affronta deciso: «Perché avete affossato La7?». Risposta dal finestrino dell'auto: «Non ero ancora in Telecom quando è stata acquistata la televisione, io mi occupo di economia». Domanda: «Ma come: Berlusconi è diventato presidente del Consiglio e voi vendete subito questa televisione

[si parlava ancora di trattative per la cessione, *N.d.A.*]?».
Risposta: «Non entro nella questione politica. In economia,
però, si agisce sempre per il bene dell'azienda». Domanda:
«Perché allora avete bloccato lo show di Fazio che ancora non
era partito?». Risposta: «I dettagli non li ho seguiti... So però
che si erano investiti diversi miliardi...».

Un botta e risposta mai visto in tv né sui grandi quotidiani.
Quando il Cdr di La7 apprende dai giornali dell'«agguato» al
nuovo editore, uno dei componenti chiama un produttore delle *Iene* e lo ringrazia. «Ringraziarci di che?», si sente rispondere, «quel che sta accadendo da voi è scandaloso. Noi vi seguia-
mo e vogliamo farne un caso. Comunque guarda il servizio. Va
in onda giovedì prossimo».

Invece non andrà in onda né giovedì né mai. I telespettatori non devono sapere cos'è accaduto a La7, anche se Alessia
Marcuzzi, ingenua, annuncia ben due puntate sul caso della tv
dei sogni. Mediaset proibisce di trasmettere il reportage di Pellizzari. Pare che in redazione telefoni Confalonieri in persona:
«Calma, *giuinott*, calma». La scena si ripeterà nel gennaio 2004,
quando una telefonata dai piani alti bloccherà una missione
delle *Iene* in Sicilia, sulle tracce della presunta villa abusiva del
capogruppo di An Domenico Nania.

A scanso di equivoci, ai vertici di Mediaset s'insedia quello
che nei corridoi tutti chiamano «il comitato di controllo». Ne
fanno parte Piersilvio Berlusconi, l'ex segretario del Cavaliere
Niccolò Querci e Alessandro Salem, responsabile dei contenuti. Spetta a loro visionare in anteprima le cassette dei programmi più delicati. E anche rinnovare i contratti. In queste condizioni, la censura diventa superflua. Autori e produttori fanno
tutto da soli. Ne va del loro posto di lavoro. E protestare sarebbe inutile. O si accetta il gioco, o si imbocca il viale della disoccupazione. La concorrenza nel mondo della tv è morta ancor
prima di nascere. È il regime, bellezza.

13
Tre anni vissuti vergognosamente

Bisogna cloroformizzare le opposizioni e anche il popolo italiano.
Lo stato d'animo del popolo italiano è questo:
fate tutto, ma fatecelo sapere dopo.
Non pensateci tutti i giorni dicendo che volete fare
i plotoni di esecuzione. Questo ci scoccia.
Una mattina, quando ci svegliamo, diteci di aver fatto questo
e saremo contenti, ma non uno stillicidio continuo.
Benito Mussolini dopo il delitto Matteotti, agosto 1924

2001

8 febbraio. Il direttore generale della Rai Pierluigi Celli si dimette all'improvviso. Al suo posto il vice Claudio Cappon.
14 marzo. Daniele Luttazzi intervista Marco Travaglio a *Satyricon*. Polemiche a non finire.
16 marzo. Duro scontro fra Berlusconi e Santoro al telefono, durante *Il raggio verde* dedicato al caso *Satyricon*. Il programma di Luttazzi viene sospeso per una settimana per concedere il diritto di replica a Berlusconi e Dell'Utri. Questi però rifiutano. Il centrodestra diserta per un paio di giorni tutti i programmi Rai. Fini annuncia che, vinte le elezioni, la Casa delle Libertà farà «piazza pulita alla Rai».
17 marzo. Indro Montanelli, a Tmc, parla di «destra del manganello».
25 marzo. Montanelli minacciato di morte. Enzo Biagi va a intervistarlo. L'intervista viene censurata in vari punti dal direttore di Rai1 Maurizio Beretta.
27 aprile. L'«Economist» esce con una copertina dal titolo: *Perché Berlusconi è inadatto a governare l'Italia*.
29 aprile. Appello di Bobbio, Galante Garrone, Sylos Labini e Flores d'Arcais contro i rischi per la democrazia da una vittoria di Berlusconi.
13 maggio. Berlusconi vince le elezioni e torna presidente del Consiglio.
18 giugno. Nel discorso al Senato, Berlusconi annuncia un disegno di legge sul conflitto d'interessi «entro i primi cento giorni del governo». La legge-burletta passerà dopo 1153 giorni, più di tre anni dopo.
11 luglio. Il ministro dell'Economia Tremonti, al Tg1, annuncia che i governi dell'Ulivo hanno lasciato nei conti dello Sta-

to un buco di 45-62 mila miliardi. Si scoprirà che non è vero.

20-22 luglio. Scontri di piazza, a Genova, durante le manifestazioni contro il vertice del G8. Un carabiniere uccide un giovane manifestante, Carlo Giuliani, che armeggia con un estintore. Seguono pestaggi selvaggi e retate indiscriminate nella caserma di Bolzaneto e nella scuola Diaz. Il governo elogia le forze dell'ordine, «professionali e serie». La Rai occulta gli episodi più duri della repressione.

28 luglio. Grazie alla benevola «neutralità» del governo, il gruppo Pirelli di Marco Tronchetti Provera rileva il 22% dell'Olivetti di Roberto Colaninno, assumendo il controllo della Telecom e dell'annessa tv La7. Che viene così «normalizzata». Pochi giorni dopo, Tronchetti acquista a prezzo platealmente alto la traballante Edilnord di Paolo Berlusconi.

27 settembre. Il governo presenta il disegno di legge Frattini. Nessun conflitto d'interessi nel caso di «mera proprietà», cioè nel caso di Berlusconi.

26 ottobre. Il ministro delle Comunicazioni Gasparri annulla la cessione del 49% della consociata Raiway (che controlla gli impianti di trasmissione Rai) all'americana Crown Castle. La Rai perde un incasso netto di 800 miliardi. Il presidente Zaccaria annuncia ricorso al Tar, l'Ulivo parla di «boicottaggio» del servizio pubblico a favore di Mediaset.

14 dicembre. Sul «Giornale» e su «Panorama» il giornalista e senatore forzista Lino Jannuzzi «rivela» che Ilda Boccassini s'è incontrata in Svizzera con i colleghi Carla Del Ponte e Carlos Castresana e con l'ex giudice, ora eurodeputata ds, Elena Paciotti per «incastrare Berlusconi e trovare il modo per arrestarlo». È tutto falso. Anziché smentire e chiedere scusa, «Panorama» rilancia: «Il problema esiste comunque».

23 dicembre. Gasparri telefona in diretta a *Quelli che il calcio* per protestare contro una battuta di Gene Gnocchi e attaccare Zaccaria, ospite in studio, annunciando di volerlo trascinare in tribunale. Simona Ventura risponde difendendo la satira.

2002

12 gennaio. Borrelli inaugura l'anno giudiziario con l'invito a «resistere, resistere, resistere».

24 gennaio. Diecimila fiorentini in piazza contro il governo al seguito dei professori Ginsborg e Pardi.

26 gennaio. Primo girotondo al tribunale di Milano con 4 mila persone.

30 gennaio. Berlusconi a «Le Figaro»: «La tv pubblica è interamente nelle mani della sinistra», ma anche la tv privata «si sbilancia a sinistra». Poi parla di Mani Pulite: «Nel '92 magistrati infiltrati dal Pci spazzarono via una classe politica e ora provano a eliminare me».

8 febbraio. Il presidente Ciampi in visita al «Secolo XIX»: «Non c'è una democrazia sana se non c'è pluralismo nell'informazione, sia nella carta stampata, sia nel sistema radiotelevisivo». Berlusconi ribatte dal vertice di Caceres (Spagna): «La Rai, alle ultime elezioni, ha compiuto un attentato alla democrazia. Un continuo killeraggio. Nel marzo 2001 Datamedia mi dava un indice di fiducia del 64%, poi cominciò l'offensiva della Rai di Zaccaria con i suoi Travaglio, i suoi Santoro, i suoi Biagi [...] che ha demolito la mia immagine: una discesa di 17 punti, dal 64 fino al 47% alla vigilia delle elezioni». Al momento della foto di gruppo con gli altri ministri degli Esteri europei, fa le corna sul capo dello spagnolo Josep Piquè. Infine, davanti ai giornalisti di tutto il mondo, si leva le scarpe per mostrare di non avere tacchi né rialzi.

9 febbraio. Gianni Baget Bozzo (FI) definisce Norberto Bobbio «pensatore sciagurato, fascista e reazionario che non può essere maestro di libertà» e autore di libri «comici».

13 febbraio. Fini e Casini bloccano le nomine Rai decise da Pera e Berlusconi. Nella «rosa» del nuovo Cda non c'erano uomini di An: presidente Carlo Rossella (FI), consiglieri Piervincenzo Porcacchia (Udc), Ettore Albertoni e Albino Bertoletti (entrambi della Lega), Franco Iseppi (Margherita) e Carmine Donzelli (Ds). Tutto da rifare.

16 febbraio. Zaccaria, poco prima della scadenza del suo mandato, si dimette da presidente della Rai.

22 febbraio. Nominato il nuovo Cda Rai: Antonio Baldassarre (FI-An), Ettore Albertoni (Lega), Marco Staderini (Udc), Luigi Zanda (Margherita) e Carmine Donzelli (Ds). Nuovo direttore generale l'ex direttore di Rai1 Agostino Saccà, che ha appena dichiarato di votare Forza Italia «con tutta la mia famiglia». Il neopresidente Baldassarre, intimo di Previti, promette: «È una svolta storica, terremo i partiti fuori dalla Rai».

23 febbraio. Al Palavobis di Milano 40 mila persone partecipano alla manifestazione di «MicroMega» per il decennale di Mani Pulite e per una «giustizia uguale per tutti».

28 febbraio. Nelle dichiarazioni di voto sul conflitto d'interessi alla Camera, il capogruppo ds Luciano Violante replica a Gianfranco Anedda di An con una sorprendente confessione: «La invito a consultare Berlusconi, perché lui sa per certo che gli è stata data la garanzia piena – non adesso, ma nel 1994, quando c'è stato il cambio di governo – che non gli sarebbero state toccate le televisioni. Lo sa lui e lo sa l'onorevole Gianni Letta». Imbarazzo nel centrosinistra.

5 marzo. In vista del Festival di Sanremo, Giuliano Ferrara annuncia sul «Foglio» un agguato con lancio di uova e ortaggi contro Roberto Benigni, ospite di Pippo Baudo.

6 marzo. L'Ulivo chiede a Berlusconi di riferire in Parlamento sulla politica estera. Risposta: «È inutile. Se vogliono sapere che succede all'estero, leggano i giornali. Magari "l'Unità"…».

10 marzo. Girotondi in tutta Italia intorno alle sedi Rai. Moretti invita i consiglieri ulivisti a dimettersi con «un gesto forte».

22 marzo. Il sottosegretario alla Cultura Vittorio Sgarbi, inviato al Salone del Libro di Parigi, duramente contestato da giovani italiani e francesi e snobbato dal ministro della Cultura, Catherine Tasca, reagisce con i soliti insulti. Il governo italiano ritira la sua delegazione dal Salone.

18 aprile. Berlusconi esterna da Sofia: «In questi giorni la Rai ha cambiato i responsabili dei tg e delle reti. Tornerà finalmente a essere una tv pubblica, cioè di tutti, cioè oggettiva, cioè non partitica, cioè non faziosa come è stata con l'occupazione *manu militari* da parte della sinistra. L'uso che i Biagi, i Santoro e i… come si chiama quello là… ah sì, Luttazzi, hanno fatto della televisione pubblica, pagata con i soldi di tutti, è stato criminoso. Preciso dovere della nuova dirigenza Rai è di non permettere più che questo avvenga». Un giornalista chiede se sia il preavviso di sfratto ai personaggi citati. Il premier lascia aperto uno spiraglio: «Ove cambiassero, nulla *ad personam*. Ma siccome non cambieranno…». Intanto la Cdl occupa pure gran parte delle direzioni di reti e tg: Del Noce (FI) a Rai1,

Mimun (FI) al Tg1, Marano (Lega) a Rai2, Mazza (An) al Tg2, Sergio Valzania (An) a Radio Due e Tre, Ruffini (Margherita) va a Rai3 e l'ulivista Di Bella rimane al Tg3, ma senza più i tg regionali, affidati ad Angela Buttiglione (Udc). A RadioRai resta Marcello Del Bosco (Ds).

20 aprile. Fabio Fazio, invitato a *Stasera pago io* su Rai1 come ospite di Fiorello, rivela che gli autori all'ultimo momento gli hanno revocato l'invito per ordini superiori dall'azienda: «Escludo che il motivo siano i contenuti perché avevamo appena sommariamente concordato cosa fare. Probabilmente non sono una presenza gradita in questo momento. Avrei espresso la mia solidarietà a Biagi, Luttazzi e Santoro. Il clima di questi giorni mi pare disgustoso, c'è un imbarbarimento inaccettabile».

23 aprile. Baldassarre tranquillizza: «Biagi e Santoro sono un patrimonio professionale del servizio pubblico. L'azienda farà di tutto per non privarsi del loro apporto come giornalisti».

22 maggio. Lite fra Zanda e Baldassarre, che insulta il consigliere ulivista. Poi si scusa. Polemiche nel Cda su Biagi e Santoro, ma anche sugli eventuali programmi di Lerner e Fazio.

22 giugno. La Rai, a Cannes, presenta i palinsesti per la nuova stagione 2002-2003: spariti *Il fatto* di Biagi e *Sciuscià* di Santoro. Nessuna notizia del meteo satirico di Fabio Fazio, che avrebbe dovuto sfidare *Striscia la notizia* su Rai1.

28 giugno. Baldassarre cambia idea: «Trasmissioni faziose come quelle di Santoro ci sono solo in Venezuela».

9 luglio. La maggioranza del Cda Rai blocca il documentario *Bella ciao* di Freccero, Giusti e Torelli sui fatti di Genova.

24 luglio. Messaggio di Ciampi alle Camere per una legge che assicuri il pluralismo nell'informazione. Berlusconi: «È quel che dico io». Bossi: «Poteva parlare quando governava l'Ulivo». Gasparri: «Ce l'ha con la sinistra».

30 agosto. Il Cda Rai, a maggioranza, chiude *Sciuscià*.

6 settembre. Tremonti rimuove il direttore del dipartimento Entrate del ministero delle Finanze, Massimo Romano. Si era occupato dei presunti abusi commessi da Mediaset per accedere ai benefici fiscali della legge Tremonti.

14 settembre. Girotondi e movimenti portano a Roma in piazza San Giovanni un milione di persone contro la Cirami.

25 settembre. Rupert Murdoch, amico ed ex socio di Berlusconi, acquista Telepiù dal gruppo Vivendi.

29 settembre. La Rai precipita negli ascolti del *prime time* e consuma la rottura con Biagi. Gasparri dichiara a «Repubblica»: «C'è ancora troppo Ulivo alla Rai, e An resta discriminata».

10 ottobre. Saccà censura uno *Speciale Blob* su Berlusconi. Il quale fa sapere al «Foglio»: «Non sono stato io. Anzi, non vedo l'ora di vedere *Blob*, in onda o in cassetta». Quel *Blob*, comunque, non andrà mai più in onda, se non spezzettato qua e là.

12 ottobre. Dopo cinque anni di primato, Rai1 viene sorpassata da Canale 5 anche nello show del sabato sera: Maria De Filippi batte Gianni Morandi. Ma il crollo degli ascolti è generale: fanalino di coda è Rai2, scavalcata financo da Italia1.

29 ottobre. La Nielsen calcola che, da quando Berlusconi è al governo, gli spot della presidenza del Consiglio sulle reti Mediaset sono aumentati di sei volte.

12 novembre. Il ministro della Giustizia Roberto Castelli querela Franca Rame per avergli dato del «pirla».

20 novembre. Zanda e Donzelli si dimettono dal Cda Rai. Staderini si «congela». Nuova sentenza della Corte costituzionale sulle tv: boccia la legge Maccanico del 1998 e ribadisce: è illegale il monopolio Mediaset su tre reti private, almeno una deve andare su satellite. Ma Gasparri promette che la sua legge sulle telecomunicazioni salverà un'altra volta Rete4.

21 novembre. I due superstiti del Cda Rai sfornano una raffica di 14 nomine, fra cui i nuovi vertici della Sipra: presidente Raffaele Ranucci, amministratore Mario Bianchi.

27 novembre. Lascia anche Staderini. Ma Baldassarre e Albertoni (che non s'è mai dimesso da assessore leghista in Lombardia) restano, in quello che viene ribattezzato «Cda Smart».

10 dicembre. La commissione Cultura della Camera, presieduta da Ferdinando Adornato (FI), propone di riscrivere i libri di scuola troppo «di sinistra».

13 dicembre. Biagi lascia la Rai dopo 41 anni. Polemiche per l'invito – con lauto cachet – a Monica Lewinsky per partecipare a *Domenica In* e *Porta a Porta*. Un decreto del presidente del Consiglio istituisce il Comitato per il Libro, presieduto dallo stesso presidente del Consiglio, che fra l'altro possiede alcune case editrici (Mondadori, Einaudi, Piemme...).

14 dicembre. «Repubblica» rivela che Berlusconi, amareggiato per un reportage del canale franco-tedesco «Arte» dal titolo *L'irresistibile ascesa di S. Berlusconi*, ha telefonato al collega Jean-Pierre Raffarin per protestare e chiedere di non replicarlo più. Risposta incredula di Raffarin: in Francia il governo non si occupa di palinsesti televisivi. Non si usa.

22 dicembre. Berlusconi, che grazie ad Aznar ha appena alzato la sua quota in Telecinco dal 40 al 52%, elimina dal palinsesto il programma di satira *Caiga quien caiga* (Costi quel che costi) che prendeva in giro lui e Aznar.

31 dicembre. Interminabile conferenza stampa di Berlusconi, in diretta su Rai1. Il premier glissa sui sondaggi che lo danno in calo e sull'impennata dell'inflazione, poi annuncia una riforma costituzionale per rafforzare i poteri del premier. Immediata disponibilità al dialogo di Ds e Margherita.

2003

9 gennaio. La Federcalcio nomina Publitalia advisor e concessionaria pubblicitaria per la Nazionale, mentre la Maurizio Costanzo Communication curerà l'immagine degli arbitri.

15 gennaio. Dopo tante depenalizzazioni, il governo inasprisce le pene almeno per un reato: l'installazione abusiva di decoder con smart card «taroccate» per le pay tv: fino a 3 anni di carcere e 30 milioni di multa. Più che per il falso in bilancio.

16 gennaio. Mediaset e Mondadori si aggiudicano la nuova campagna di spot e comunicazione delle Forze Armate.

18 gennaio. Per il «Financial Times», la tv italiana è «un inferno».

21 gennaio. «Diario» rivela che la legge obiettivo «grandi opere» di Lunardi contiene un codicillo, all'articolo 28 («edificabilità nelle zone limitrofe ad aree cimiteriali»), che annulla il divieto napoleonico di seppellire i morti fuori dai cimiteri. La norma consentirà a Berlusconi di dare degna sepoltura ad amici, parenti e a se stesso nel mausoleo del Cascella, eretto sul modello della tomba di Tutankamen nel giardino della sua villa di Arcore, ora promosso a cappella gentilizia autorizzata.

22 gennaio. Il Tg2 delle 13 comunica: «Berlusconi è fra i finanziatori dell'"Unità". Chissà se Furio Colombo ne informerà i suoi lettori». Peccato che la notizia sia falsa.

26 gennaio. Berlusconi fischiato a Torino, mentre entra ai funerali di Gianni Agnelli. Solo il Tg3 dà la notizia. *Studio Aperto*, subito imitato dal «Giornale» e dal Tg1, lancia la falsa notizia delle foto di Previti e Pacifico al tribunale di Milano sormontate da una frase di Platone contro i tiranni. Il tribunale di Milano chiede l'intervento dell'Ordine dei giornalisti contro i fabbricanti di falsi a tavolino.

27 gennaio. Il ministro Marzano attacca il «Financial Times»: «Denigra l'Italia e danneggia il nostro turismo. C'è un filo che unisce la stampa estera contro l'Italia. Dobbiamo reagire a livello diplomatico».

29 gennaio. In un monologo preregistrato su videocassetta e recapitato alle tv, Berlusconi attacca a testa bassa le sezioni unite della Cassazione (che hanno negato il trasferimento dei suoi processi) e la magistratura tutta («si giudica da sé e si autoassolve in ogni sede»), chiede di essere giudicato solo dai suoi «pari», annuncia il ripristino dell'immunità parlamentare.

30 gennaio. Il giornalista francese di Capa Tv Stéphane Bentura, che sta preparando un reportage sulla vita di Silvio Berlusconi, chiede a Raitrade di acquistare immagini del processo per mafia a carico del senatore Marcello Dell'Utri. Risposta della dirigente Marilena Avola: «Non possiamo autorizzarvi a utilizzare l'archivio Rai senza il permesso scritto del sig. Silvio Berlusconi o del sig. Marcello Dell'Utri». Lo stesso rifiuto si vede opporre la televisione tedesca che, per un documentario sulla mafia, chiedeva di acquistare alcuni filmati del processo Andreotti: eppure il tribunale di Palermo aveva incaricato la sola Rai di riprendere le udienze del dibattimento per metterle poi a disposizione di tutte le altre televisioni. Il Consiglio d'Europa approva (103 sì, 14 no) una risoluzione della liberale finlandese Tytti Asunman sul conflitto d'interessi di Berlusconi che «interferisce con la nozione abituale della legittimità democratica», «minaccia il pluralismo dei media e dà un cattivo esempio alle giovani democrazie».

10 febbraio. Il governo vara un decreto per sanare i debiti delle società di calcio (fra le quali il Milan di Berlusconi). A nulla valgono le critiche dell'Unione europea.

15 febbraio. Da 2 a 3 milioni di persone alla marcia della pace di Roma. La Rai oscura l'evento perché – spiega Saccà –

«potrebbe influenzare il voto del Parlamento sulla guerra». Inutili le prese di distanze di Pera e Casini. Nelle stesse ore il direttore di Rai2 Marano e il consigliere Albertoni presenziano alla premiazione di Miss Padania.

20 febbraio. Il «Cda Smart» decide il trasloco di Rai2 a Milano. Proteste anche da An. Ciampi torna a chiedere una legge che garantisca il pluralismo.

24 febbraio. An e Udc sfiduciano il Cda Rai.

26 febbraio. Berlusconi riunisce i leader della Cdl nella sua casa in via del Plebiscito per decidere il nuovo Cda. Pera e Casini non ne sanno nulla. La cinquina viene letta da Costanzo, su Canale 5, sotto gli occhi del ministro Gasparri. Ma Casini la boccia: «Non faremo fotocopie».

27 febbraio. Nella classifica di «Forbes», Berlusconi è l'uomo politico più ricco del mondo, con 5,9 miliardi di dollari.

7 marzo. Casini e Pera cestinano la lista di casa Berlusconi e propongono un nuovo Cda Rai: Paolo Mieli, indicato dal centrosinistra (presidente «di garanzia» *in pectore*), e quattro uomini del Polo: Francesco Alberoni (FI), Angelo Maria Petroni (FI), Marcello Veneziani (An) e Giorgio Rumi (Udc). Esclusa la Lega. Mieli accetta con riserva: «Solo se potrò riportare subito in prima serata Biagi e Santoro». Una frase che scatena reazioni furibonde nella Cdl, mentre vicino alla sede Rai di Milano compaiono scritte antisemite sulle origini ebraiche di Mieli.

13 marzo. Mieli rinuncia. Lo sostituisce Lucia Annunziata, indicata dai Ds.

14 marzo. Berlusconi si felicita per la nomina della Annunziata: «È una scelta positiva per la Rai, e non sembra essere un pericolo per il centrodestra». Santoro osserva che, tramontato Mieli, «la strada per il nostro ritorno in video è in salita».

16 marzo. Lunga intervista di Gasparri a *Domenica In*, per parlare di bambini e tv. Le opposizioni chiedono sanzioni a Del Noce per la violazione delle regole. Non accadrà nulla.

27 marzo. Il nuovo direttore generale Rai è il milanese Flavio Cattaneo, 39 anni, laurea in architettura, amministratore delegato della Fiera di Milano, vicino a La Russa, alla Lega e alla famiglia Berlusconi: «Ora mi toccherà guardare la tv». La Annunziata finisce subito in minoranza: si astiene con Rumi, gli altri tre approvano. Saccà viene spostato nel lucrosissimo comparto della Fiction.

2 aprile. Annunziata e Rumi ci ripensano, revocano l'astensione e votano anche loro a favore di Cattaneo.

6 aprile. Kermesse della Lega Nord in piazza Duomo a Milano per festeggiare il trasloco di Rai2. Nel cast Limiti, Panicucci, Bongiorno, Cochi e Renato, Febo Conti, Nanni Svampa, Davide van der Sfroos. In platea Bossi, Albertini e la Colli.

22 aprile. Scontro Annunziata-Cattaneo sui poteri del presidente di garanzia. Tremonti ammonisce il Cda a non dar fastidio al dg. L'Annunziata si appella a Pera e Casini.

30 aprile. All'indomani della sua prima condanna a 11 anni per corruzione giudiziaria, Previti è ospite di *Porta a Porta*, dove può insultare per due ore i suoi giudici, i pm e i testimoni d'accusa. L'Annunziata contesta l'invito, ma Cattaneo dà il via libera.

5 maggio. Berlusconi in tribunale accusa Prodi di «svendita della Sme» e De Benedetti di tangenti. Poi, nervosissimo, chiede ai Carabinieri di identificare un cittadino che gli ha detto: «Buffone, fatti processare». E annuncia che chiunque lo contesterà sarà denunciato da Palazzo Chigi per vilipendio delle istituzioni.

7 maggio. Ispezione al Tg3 contro il cameraman che ha osato riprendere la contestazione al premier in tribunale. Interrogati i giornalisti della sede milanese per scovare il reprobo. La Annunziata prima avalla il provvedimento, poi lo contesta.

8 maggio. La commissione Telekom Serbia estrae dal cilindro Igor Marini che accusa Prodi, Fassino e Dini di tangenti. Parte anche una delegazione per Lugano: subito fermata dalla polizia svizzera appena passa la frontiera.

15 maggio. Berlusconi compare in copertina su «Panorama» con una prodigiosa ricrescita dei capelli disegnata al computer. L'Ordine dei giornalisti della Lombardia apre un procedimento per il grottesco comportamento del direttore Carlo Rossella.

24 maggio. Duro attacco della «Padania» e di Radio Padania ai comici di *Zelig* Ficarra e Picone, colpevoli di aver preso in giro un immaginario elettore leghista. L'onorevole padano Cesare Rizzi minaccia azioni legali.

29 maggio. Dopo mesi di attacchi, minacce e denunce, Ferruccio de Bortoli lascia la direzione del «Corriere della Sera». Al suo posto, Stefano Folli.

1 giugno. Sciopero dei giornalisti del «Corriere» in difesa dell'indipendenza del quotidiano.

5 giugno. Il «Corriere» pubblica i dati del disastro della «nuova» Rai e del conseguente trionfo di Mediaset. Se nel 1999 lo share medio di prima serata della Rai era al 50,6% e quello di Mediaset al 40,8, nel 2003 la Rai ha perso 6,5 punti precipitando al 43,1, mentre Mediaset ne ha guadagnati 6, sorpassandola abbondantemente e attestandosi al 46,8. Canale 5 diventa la rete più vista nel *prime time* con il 24,9 e Rai1 scende al secondo posto (23,2); segue Italia1 (13,1) che sorpassa Rai2 (10,8), Rai3 (9,9) e Rete4 (8,1).

8 giugno. Il centrosinistra vince le elezioni amministrative, conquistando fra l'altro la regione Friuli e le province di Brescia e Roma. Ma la Rai dedica all'avvenimento solo poche «finestre» su Rai3. Il Tg1 oscura la notizia. Emilio Fede apre il Tg4 sulla grave piaga dell'umidità.

28 giugno. Il «Financial Times» critica *Porta a Porta* per l'ennesimo monologo propagandistico di Berlusconi: «Uno spot elettorale di 90 minuti sulla tv di Stato».

30 giugno. Durissimo attacco a tutta prima pagina del «Giornale» al nuovo «Corriere della Sera», reo di aver dato conto dei commenti critici di gran parte della stampa mondiale all'ascesa di Berlusconi alla presidenza di turno dell'Unione europea.

2 luglio. Inaugurando il semestre europeo a presidenza italiana a Bruxelles, Berlusconi insulta il socialdemocratico tedesco Martin Shulz che aveva osato porgli due domande: «La proporrò per il ruolo di kapò in una fiction sui nazisti». Poi attacca l'intero Europarlamento: «Siete dei turisti della democrazia». Proteste corali di tutte le cancellerie e dell'intera stampa continentale. Altre proteste per un'uscita del sottosegretario leghista al Turismo Stefano Stefani, sui tedeschi «famosi per la birra e le gare di rutti». Stefani si dimette. Berlusconi è costretto a scusarsi con Schroeder.

15 luglio. Rai2 cancella l'attore Dario Vergassola dalla conduzione di *Bulldozer*, il programma comico che fa concorrenza a *Zelig* con ascolti molto lusinghieri (share medio del 12-13%), molto superiori agli standard della rete. Le ragioni le spiega David Riondino, anche lui cancellato dal programma, in un articolo su «Europa»: «L'unica cosa certa è che questo non accade perché Vergassola non voglia più fare il programma», ma per le «censure e autocensure» imposte in Rai da entità «invisibili». A Vergassola si rimprovererebbero battute su Berlusconi e Bossi, ma soprattutto una sul «morbo di Arcore da cui sono affette due sole persone al mondo: io e un altro». Scrive Riondino: «Il pezzo scomparve dopo due puntate, pare in seguito a una misteriosa telefonata (forse del secondo malato)». E poi la guerra in Iraq: alcuni artisti vorrebbero esporre in studio la bandiera della pace, «ma non si trova la stoffa, pare che manchi la sarta, infine viene detto che la provocatoria proposta potrebbe urtare la rete». Bonatesta di An si felicita per l'allontanamento: «Ci si risparmi almeno il Vergassola martire della libertà di satira nell'era del duce di Arcore. Se il servizio pubblico pagato dagli italiani decide di allontanare chi, come lui, è l'alfiere della comicità volgare, la decisione è da salutare positivamente, augurandosi che al posto di Vergassola non ci vada uno peggio di lui». Il direttore Marano rassicura: «Con Vergassola si sta già lavorando a un nuovo programma per gennaio fatto solo da lui». Che, naturalmente, non andrà mai in onda.

31 luglio. Dossier dell'«Economist» con le domande a cui il premier italiano non risponde: Palazzo Chigi parla di «spazzatura» e annuncia querela al settimanale britannico.

5 agosto. Il tribunale di Milano deposita la sentenza Imi-Sir/Mondadori e parla del «più grave caso di corruzione della storia d'Italia e forse non solo». La commissione Telekom si riconvoca d'urgenza per ridare la parola a Igor Marini, che accusa anche Rutelli, Veltroni, Mastella e Bordon.

23 agosto. Il consigliere Rai Petroni partecipa, in una baita di Lorenzago del Cadore, al vertice dei «saggi» della Cdl per la riforma della Costituzione.

4 settembre. Intervista di Berlusconi a due giornalisti dello «Spectator»: «I giudici sono matti, mentalmente disturbati, antropologicamente diversi dal resto della razza umana»; «Montanelli e Biagi mi hanno criticato perché sono invidiosi di me»; «Mussolini non ha mai ucciso nessuno: gli oppositori li mandava in vacanza al confino». Ciampi esprime «piena fiducia nella magistratura», ricorda gli orrori del fascismo e rammenta che la Repubblica è nata dalla Resistenza.

21 settembre. L'annunciatrice Alessandra Canale piange in diretta, salutando il pubblico durante la sua ultima presentazione, prima di essere sostituita come tutte le sue colleghe dalle «nuove» annunciatrici. La Rai annuncia punizioni per «uso privato del servizio pubblico». L'Annunziata denuncia il crescente *gap* pubblicitario fra Rai e Mediaset e il «voto di scambio fra nomine e legge Gasparri» per convincere l'Udc ad approvarla in cambio di nuovi posti in Rai.

29 settembre. Berlusconi compare in tv a reti unificate per un messaggio a favore della sua riforma delle pensioni.

30 settembre. Rai2 chiude *Cyrano* alla vigilia della prima puntata per un veto politico su Massino Fini.

3 ottobre. Pialuisa Bianco, ex direttore dell'«Indipendente» e collaboratrice del «Foglio», diventa direttore dell'Istituto italiano di cultura a Bruxelles (al posto di Sira Miori, che aveva osato ospitare un dibattito sulla mafia con i pm Caselli e Ingroia). A Parigi, al posto di Guido Davico Bonino, arriva Giorgio Ferrara, fratello di Giuliano.

5 ottobre. Da un telesondaggio di *Domenica In*, risulta che la maggioranza dei telespettatori dice «Basta a Berlusconi e ai politici che dicono e poi non fanno». La risposta viene letta in diretta una sola volta, poi esplode un putiferio di polemiche e, dalla domenica successiva, la Rai cambia la domanda e proibisce tutte le risposte «politiche». Infine abolisce il sondaggio.

8 ottobre. Piero Chiambretti, che dovrebbe condurre un programma culturale su Rai2, viene estromesso da viale Mazzini. «Non rientra nella linea editoriale», sentenzia Cattaneo. «Ho deciso io», si vanta Marano. Dopo una fugace trattativa con Mediaset, il comico approderà a La7.

9 ottobre. L'amministratore dell'«Unità» Giorgio Poidomani denuncia il boicottaggio dei pubblicitari contro il quotidiano, sgradito al governo.

10 ottobre. La Annunziata protesta per la fiction Rai *Soraya*: troppo «antiamericana».

15 ottobre. Paolo Guzzanti, a proposito di alcune anticipazioni sul nuovo spettacolo di Dario Fo e Franca Rame, *L'anomalo bicefalo*, scrive sul «Giornale» che Fo è un «giullare dell'odio», che i suoi spettacoli fanno «schifo» e che c'è una «torbida coincidenza» fra la sua *pièce* e «la condanna a morte del presidente del Consiglio emessa dalla Brigate rosse».

17 ottobre. Il direttore del Piccolo Teatro di Milano, Sergio Escobar, denuncia pressioni per cancellare dal cartellone *L'anomalo bicefalo*, previsto per gennaio. Rosa Giannetta Alberoni, consigliere del Piccolo nominata dalla Provincia, tuona: «Questa non è satira, è politica. La satira non deve occuparsi di politica. Io mi batterò perché questi spettacoli non passino. È giunta l'ora di dire basta». Altri consiglieri, prima di dare il via libera, chiedono di visionare preventivamente il copione, anzi «la trama» come dice Pierluigi Crola, leghista, rappresentante della Regione. Senz'aver letto né visto nulla, il presidente del Cda Roberto Ruozi, nominato dal Comune, sentenzia: «Con l'andare degli anni Dario Fo ha perso smalto».

22 ottobre. Grande manifestazione dei sindacati a Roma contro la riforma delle pensioni. La Rai nega la diretta.

25 ottobre. Daniela Tagliafico, uno dei sei vicedirettori del Tg1, si dimette in polemica con la gestione Mimun. La sua lettera viene sostenuta da 59 redattori su 110. Il ministro Giovanardi interviene in difesa di Mimun: «Nel pastone politico l'ultima parola dev'essere sempre della maggioranza: è una regola della democrazia».

30 ottobre. Giuliano Ferrara a *Porta a Porta* definisce «omicida» «l'Unità» e accusa Furio Colombo e Antonio Tabucchi di essere i «mandanti linguistici del mio prossimo assassinio».

5 novembre. I membri laici della Cdl nel Csm e il capo dello Stato censurano una relazione del costituzionalista Alessandro Pizzorusso all'Accademia dei Lincei, distribuita a un corso per uditori giudiziari, perché parla delle minacce all'indipendenza della magistratura contenute nella riforma della giustizia.

7 novembre. Dura condanna della Commissione europea contro il presidente dell'Ue Berlusconi, che ha negato il genocidio russo in Cecenia. Il Tg1 nasconde la notizia.

16 novembre. Prima e unica puntata di *RaiOt* con Sabina Guzzanti. La Rai «sospende» subito dopo il programma con la scusa che Mediaset ha preannunciato una denuncia.

19 novembre. La Procura di Brescia chiede l'archiviazione dell'inchiesta sui pm Colombo e Boccassini per il fascicolo segreto 9520/95 sulla corruzione giudiziaria. I tg Rai occultano o minimizzano.

21 novembre. Anche il Parlamento europeo approva quasi all'unanimità una dura mozione contro le dichiarazioni di Berlusconi sulla Cecenia. Il Tg1 nasconde la notizia.

22 novembre. Previti condannato ad altri 5 anni di carcere (totale: 16 anni, in primo grado) per corruzione dei giudici nel processo Sme-Ariosto. Ma in tv ne discute solo Lerner all'*Infedele*. Vespa, a *Porta a Porta*, si occupa prima di terrorismo, poi del Viagra.

25 novembre. Un lancio Ansa e, l'indomani, alcuni giornali additano Daniele Luttazzi come protagonista di una *pièce* in cui Andreotti sodomizza il cadavere di Moro. Ma è tutto falso.

26 novembre. *Domenica In* invita Paolo Rossi e poi ci ripensa: l'attore minaccia di recitare un testo di Pericle sulla democrazia ateniese.

27 novembre. Intervistato dall'«Espresso», Bonolis parla di «regime»; rivela di aver chiesto di intervistare Biagi a *Domenica In* senza ricevere risposte dalla Rai; annuncia che non voterà più per Forza Italia. Poi smentisce tutto. Ma l'«Espresso» conferma e pubblica su Internet la registrazione dell'intervista.

7 dicembre. Attacchi dalla Cdl a Bonolis per aver parlato a *Domenica In* contro la legge sulla procreazione assistita.

9 dicembre. La Rai cancella definitivamente *RaiOt*. La Annunziata parla di «informazione sterilizzata». Ma non si dimette.

10 dicembre. Berlusconi se la prende con la carta stampata: «È obsoleta, superata da Internet, e pende per l'85% a sinistra: il vero regime è quello».

11 dicembre. Socci, parlando di embrione a *Excalibur*, perde la calma, si mette a urlare «Perché?» «Perché?» «Perché?» una trentina di volte, impedendole di rispondere a Giovanna Melandri (Ds), che lascia lo studio. Poche settimane dopo altra puntata movimentata di *Excalibur*: tenuto per un'ora senza parlare e poi continuamente interrotto da Socci, Antonio Di Pietro si alza e lascia lo studio per protesta.

15 dicembre. Bocciata da Ciampi la legge Gasparri, per manifesta incostituzionalità. Il governo salva Rete4 dal satellite con un decreto *ad hoc*.

16 dicembre. Nuovo mandato di cattura per Igor Marini, incriminato a Torino per calunnia ai danni di Prodi, Fassino & C. Il Tg1 nasconde la notizia.

19 dicembre. Odeon tv non rinnova il contratto a Gianfranco Funari, pirotecnico conduttore del programma *Funari Forever*, che raggiungeva anche 200 mila telespettatori e avrebbe dovuto proseguire fino alla primavera 2004, cioè fino alle elezioni europee e amministrative. Fra le motivazioni ufficiali: Funari fuma in studio e dice parolacce. «Ma lo faccio da sempre», replica il conduttore: «la verità è che qualcuno non ha gradito le mie denunce contro il governo e contro la guerra, e la presenza in studio di personaggi proibiti come Di Pietro, Massimo Fini, Travaglio e Francesco Di Stefano, il proprietario di Europa 7 che da anni ha ottenuto le concessioni per trasmettere, ma non può farlo perché le frequenze sono occupate da una delle reti Mediaset che dovrebbe andare su satellite. E poi avevano paura di me in vista della campagna elettorale».

20 dicembre. Nella conferenza stampa di fine anno, il premier esterna ancora: «Il conflitto d'interessi è una leggenda metropolitana. Ciampi non ha firmato la Gasparri per le pressioni dalla lobby degli editori. Gli aumenti dei prezzi sono colpa dell'euro. Chi lavora all'"Unità" dovrebbe vergognarsi...». E minaccia: «Governerò per altri 10-15 anni».

21 dicembre. Francesco Giorgino, al Tg1 delle 13,30, intervista Boldi e De Sica per presentare il film *Natale in India*, che definisce «uno spaccato dell'Italia di oggi». Poi rivela di aver recitato una parte in quel film. Boldi e De Sica lo ringraziano in diretta per aver «contribuito a un successo straordinario».

2004

5 gennaio. Polemiche e voci di chiusura per *L'elmo di Scipio* su Rai3: Enrico Deaglio ha intervistato il direttore dell'«Economist» Bill Emmott, che ha criticato Berlusconi. Cattaneo condanna duramente il fattaccio e chiede di visionare preventivamente le altre puntate del programma. Replica Deaglio: «Se è vietato criticare il premier, lo si stabilisca per legge».

6 gennaio. Reporters sans frontières presenta il rapporto annuale sulla libertà d'informazione: «soddisfacente nei paesi dell'Unione europea con la notevole eccezione dell'Italia, dove il conflitto d'interessi di Berlusconi, al tempo stesso capo dell'esecutivo e proprietario di un impero mediatico, continua a rappresentare una minaccia per il pluralismo informativo».

18 gennaio. Nuove furibonde polemiche sull'*Elmo di Scipio*: stavolta Deaglio ha osato intervistare Furio Colombo.

23 gennaio. Sul canale satellitare Planet dovrebbe andare in onda *L'anomalo bicefalo* di Fo e Rame, come annunciato dalle pubblicità sui giornali. Ma all'ultimo momento Dell'Utri invia una diffida legale alla tv, minacciando una richiesta di risarcimento di un milione di euro: a suo avviso lo spettacolo contiene «uno specifico gratuito attacco» alla sua persona e, quel che è più grave, c'è «la precisa volontà di attaccare e denigrare la persona del presidente Silvio Berlusconi». Planet trasmette lo spettacolo muto, con una scritta in sovrimpressione: «A seguito di un'azione legale da parte del senatore Dell'Utri, Planet ha deciso di trasmettere *L'anomalo bicefalo* senza audio. Ce ne scusiamo con gli abbonati». In seguito la *pièce* andrà in onda anche con l'audio, raccogliendo ascolti record.

24 gennaio. An e Udc disertano la kermesse al PalaEur per i 10 anni di Forza Italia e denunciano: «Berlusconi ci oscura in televisione». «Il Domenicale», rivista «culturale» promossa da Dell'Utri, commemora Norberto Bobbio appena scomparso: «Maestro di che? Maestro di politica e di storia? Ma che cosa aveva capito? Maestro di pensiero? Qual è questa sua concezione della democrazia? Maestro, certo, ma è possibile guardarlo in faccia?».

25 gennaio. Il Cda del Tg5 è in agitazione: la rubrica del sabato sera, «Terra», è stata annullata per far posto a uno speciale sul decennale di Forza Italia, a cura di Piero Vigorelli, con il discorso-fiume di Berlusconi al PalaEur.

27 gennaio. La Annunziata rivela di aver proposto al Cda due professionisti autorevoli per la striscia quotidiana di approfondimento dopo il Tg1: Ferruccio de Bortoli e Giulio Anselmi. Ma il Cda li ha bocciati perché troppo «estremisti». Si parla di una telefonata fra un consigliere e Berlusconi, che ha posto il veto. Cattaneo propone Ostellino, Minoli e Graldi. Annunziata definisce la Rai «il mattatoio delle professionalità». Ma non si dimette. Intanto le Ferrovie dello Stato licenziano due ferrovieri che avevano collaborato a un'inchiesta di *Report* sugli scandali delle Fs.

28 gennaio. Infuocata assemblea al Tg1. Alla fine 66 giornalisti firmano un documento che si appella a Ciampi perché difenda il pluralismo. Corre voce che Berlusconi voglia Barbara Palombelli alla presidenza Rai.

30 gennaio. In un vertice internazionale a Brdo (Slovenia), il premier apostrofa l'inviata del Tg3 Mariella Venditti: «Ho appena parlato di moda e lei si presenta così? Mi scusi, ma quando viene all'estero si vesta un po' meglio». Poi spiega ai giornalisti e ai premier stranieri, attoniti per la sfuriata: «La signora lavora in quelle tv che sono dei veri *soviet*, anche se vengono attribuite a me».

31 gennaio. I comici Aldo, Giovanni e Giacomo tornano a Mediaset con la Gialappa's: erano in attesa di proposte dalla Rai, ma non ne hanno ricevute.

2 febbraio. La Annunziata rivela alla stampa estera: «So per certo che Berlusconi alza il telefono e chiama i consiglieri d'amministrazione per suggerire nomine e programmi».

3 febbraio. I consiglieri Alberoni, Veneziani e Petroni chiedono le dimissioni della Annunziata perché «il rapporto di fiducia si è incrinato». La Cdl si associa. Alla Camera si vota la pregiudiziale di costituzionalità della Gasparri, fondamentale per il prosieguo della legge. Ma 40 franchi tiratori della maggioranza la impallinano. Nel centrosinistra però sono assenti 30 deputati, fra cui quattro segretari (Bertinotti, Boselli, Diliberto e Mastella), più Pecoraro Scanio (in missione), 7 dei Ds, 6 della Margherita e la quasi totalità dell'Udeur. Così il governo si salva per due voti: senza quella assenze dell'opposizione, sarebbe probabilmente caduto. E comunque della Gasparri non si sarebbe parlato più.

6 febbraio. Mimun risponde sull'«Espresso» alle critiche dei suoi conduttori David Sassoli e Tiziana Ferrario: «Sono sepolcri imbiancati».

8 febbraio. Claudio Abbado denuncia «il monopolio dell'informazione televisiva in Italia».

10 febbraio. Daniela Tagliafico trasferita dal Tg1 ai Servizi parlamentari con Anna La Rosa. La Annunziata vota contro e accusa il Cda di «ritorsione politica». Ma non si dimette.

22 febbraio. Berlusconi chiama la *Domenica Sportiva* per parlare del suo Milan, occupando la tv pubblica per 20 minuti. Subito dopo telefona in diretta l'Annunziata, per stigmatizzare l'ennesima invasione di campo. Ma Cattaneo assolve tutti: «Il premier ha parlato da sportivo».

2-6 marzo. Flop da record su Rai1 per il Festival di Sanremo del nuovo direttore artistico berlusconiano Tony Renis, al centro delle polemiche per essersi vantato di essere amico di noti boss mafiosi. In alternativa, a Mantova, Nando Dalla Chiesa organizza un contro-festival della canzone, che su un circuito di tv private collegate a Odeon totalizza il 2% di share.

9 marzo. Berlusconi monologa a *Radio anch'io*.

10 marzo. Berlusconi monologa sulla scuola a *Porta a Porta* con il ministro Moratti. Fassino chiede a Cattaneo di poter intervenire in rappresentanza dell'opposizione. Ma Vespa fa sapere che ciò «è impossibile» e invita l'ex ministro Tullio De Mauro, che però rifiuta.

15 marzo. Silurate le candidature di de Bortoli e Anselmi, la Rai affida *Batti e ribatti*, la striscia quotidiana che sostituisce *Il fatto* di Biagi, a Pierluigi Battista, giornalista della «Stampa» e collaboratore di «Panorama».

29 marzo. Il documentario *Citizen Berlusconi* della giornalista americana Susan Gray e del regista italiano Andrea Cairola, su tre anni di regime berlusconiano (interviste a Biagi, Colombo, Freccero, Sartori, De Zulueta, Ginsborg, Travaglio), viene selezionato all'European Documentary Festival di Oslo. Ma l'ambasciatore italiano in Norvegia interviene per bloccarne la proiezione. Giornali e tv norvegesi denunciano la censura e il pubblico impone la proiezione nella seconda serata: la folla è talmente enorme da richiedere tre repliche. *Citizen Berlusconi* è stato trasmesso dalle tv di tutto il mondo: dagli Usa al Canada, dalla Francia alla Germania, dalla Norvegia all'Australia. In Italia mai. «Anzi» rivela la Gray «Raitrade ci ha negato qualunque immagine filmata di Berlusconi».

6 aprile. Franco Zeffirelli annuncia che l'ha chiamato Berlusconi: sarà presidente di Rai Cinema e condurrà un programma. Imbarazzo alla Rai per l'improvvida gaffe.

13 aprile. Gustavo Selva (An) attacca Lilli Gruber per aver chiamato «resistenza irachena» la resistenza irachena all'occupazione angloamericana: «Le inviate Rai con la kefiah chiamano partigiani i terroristi e aggressori i nostri soldati, cioè i liberatori». Il ministro degli Esteri Frattini, a *Porta a Porta*, redarguisce in diretta la Gruber per quell'espressione. Sandro Bondi chiede l'arresto di Travaglio per la rubrica «Bananas» sull'«Unità»: «È inevitabile domandarsi come sia possibile che un quotidiano possa insultare impunemente il presidente del Consiglio senza che alcuna autorità istituzionale intervenga e nessuna autorità giudiziaria ravvisi il reato di oltraggio a un organo rappresentativo e di governo dello Stato italiano».

14 aprile. La Rai richiama in Italia gli inviati in Iraq Giovanna Botteri, Lilli Gruber e Bruno Pellegrini, contro la loro volontà. «Motivi di sicurezza», assicura la Annunziata. Proteste dei Cdr e della Fnsi.

15 aprile. Cattaneo presenta al Cda un piano di riorganizzazione aziendale che conferisce poteri straordinari al direttore generale, cioè a lui. La Annunziata chiede di rinviare il voto a dopo le elezioni, consultando l'azionista, cioè il Parlamento. Proposta respinta. La presidente esce dalla stanza mentre il Cda approva il piano Cattaneo, ma non si dimette.

20 aprile. La Annunziata esprime «apprezzamento a Cattaneo» per il presunto «recupero di competitività degli ascolti Rai».

22 aprile. Il Parlamento europeo approva un rapporto sulla libertà d'informazione proposto dalla liberale olandese Johanna Boogerd-Quaak, che censura aspramente «i rischi di violazione grave e persistente del diritto alla libertà di informazione e di espressione» in Italia a causa del conflitto d'interessi di Berlusconi. Lo votano le sinistre, ma anche una parte del partito popolare europeo, i liberali e l'Udf francese.

25 aprile. A *Domenica In* Bonolis intervista per un'ora Donato Bilancia, il serial killer condannato a 13 ergastoli per 17 omicidi. Proteste dei telespettatori e dei familiari delle vittime. I vertici Rai giocano allo scaricabarile: «Ci hanno avvertiti tardi», dice Cattaneo. La Annunziata parla di «spettacolo terrificante». Intanto la Rai, col pretesto della campagna elettorale, proibisce a *Blob* di trasmettere immagini di politici (verranno coperti con una benda rossa) e cancella la replica del *Blu notte* di Carlo Lucarelli dedicato all'assassinio del giudice Falcone: non assicurava la par condicio. Spiega Ruffini: «Il programma non è stato riconosciuto dall'azienda come trasmissione informativa riconducibile alla responsabilità di una testata giornalistica, come previsto dalla legge sulla par condicio e dalle disposizioni della Vigilanza». Al posto, Rai3 trasmette il film *Impiccalo più in alto*. Intanto Mediaset censura la satira politica di *Mai dire domenica*, vietando ogni riferimento alla politica fino alle elezioni europee. «Mai visto nulla del genere in tanti anni», protesta la Gialappa's. Strepitoso il comunicato dell'azienda del Biscione: «Decisione obbligata per non influenzare, anche in modo surrettizio e allusivo, le scelte degli elettori».

26 aprile. Telefonata di fuoco sul caso Bilancia fra Cattaneo e Annunziata. Cattaneo le dice: «Tu non mi hai ancora visto incazzato», «ti faccio vedere i sorci verdi», «ti caccio a calci nel culo». Poi, l'indomani, le invia un mazzo di rose. Il Cda, anziché censurare Cattaneo, deplora la presidente per «l'esibizione pubblica della lite». La Annunziata rivela anche due lettere di Vespa con frasi minacciose.

27 aprile. Oscurato dal Tg3 dell'Emilia Romagna, Sergio Cofferati dà vita a un tg alternativo sul suo sito Internet e scrive ai vertici Rai per denunciare la sordina imposta sulla sua candidatura a Bologna: dal 15 marzo all'11 aprile la Rai Emilia ha fatto parlare il sindaco Guazzaloca per 20 minuti e l'opposizione per 36 secondi.

29 aprile. L'organizzazione americana Freedom House, fondata negli anni Quaranta da Eleanor Roosevelt e presieduta oggi dall'ex capo della Cia James Wooley, pubblica il suo rapporto annuale sulla libertà d'informazione e declassa l'Italia da paese libero a «parzialmente libero», confinandola al 74° posto nel mondo: l'ultimo in Europa, alla pari della Turchia. Davanti all'Italia figurano, fra gli altri, Giamaica (31°), Costa Rica (37°), Slovenia (41°), Cile (51°), Papua Nuova Guinea (58°), Uruguay (61°), Mali (63°) e Israele (66°). Il tutto perché «in Italia c'è uno dei più grandi conflitti d'interessi del mondo. Berlusconi controlla le tre principali televisioni private, un giornale e una porzione rilevante del mercato pubblicitario. E intanto crescono le pressioni politiche sui mezzi d'informazione».

1 maggio. Per la prima volta la Rai nega la diretta al grande concerto della Cgil in piazza San Giovanni per la Festa del Lavoro. Si opta per una «lieve differita», per garantire – spiega Cattaneo – «un efficace controllo della trasmissione». Si temono esternazioni di cantanti sgradite al governo.

3 maggio. Berlusconi chiede il silenzio stampa sugli ostaggi italiani rapiti in Iraq. Rai e Mediaset si adeguano subito.

4 maggio. Raffica di nomine alla Rai: l'ex forzista ed ex Mediaset Alessio Gorla alle Risorse tv, l'ex assistente del Cavaliere Deborah Bergamini al Marketing, l'ex presidente della Provincia di Varese Massimo Ferrario (Lega Nord) direttore di Rai2 al posto di Marano (parcheggiato nella cassaforte dei Diritti sportivi: un tesoro da 726 milioni di euro). Completa l'occupazione leghista del secondo canale la nomina del direttore della «Padania» Gigi Moncalvo a capostruttura: dopo anni di campagne per il boicottaggio del canone Rai, avrà un programma tutto per sé al posto dell'inguardabile Socci. Cattaneo vorrebbe anche l'amico Gigi Marzullo vicedirettore di Rai1, ma la nomina viene bloccata. La Annunziata stavolta si dimette: «È l'ultimo atto dell'occupazione della Rai da parte della maggioranza. Cattaneo mi ha mandato dei foglietti scritti a mano con le nuove nomine. La Rai è diventata una buca delle lettere». Il Cda continuerà senza di lei, con quattro membri governativi su quattro, presidente *ad interim* il consigliere anziano Alberoni. Rumi promette di dimettersi dopo le elezioni. Ma cambierà idea.

12 maggio. Attacchi furibondi al Tg3 per l'intervista alla vedova del carabiniere Massimiliano Bruno, ucciso a Nassiriya, sulle torture ai prigionieri iracheni. Fini e Gasparri parlano di «intervista manipolata» e chiedono la testa del direttore Di Bella. La commissione di Vigilanza, visionando il filmato, appurerà che non c'è stata ombra di manipolazione.

13 maggio. *Striscia la notizia* smaschera un caso di pubblicità occulta a pagamento per un ristorante a *La vita in diretta*.

20 maggio. Oliviero Beha, vicedirettore di Raisport, denuncia la pubblicità occulta in molti programmi Rai. Viene deposto da vicedirettore e si vede annullare il suo programma *Radio a colori*.

27 maggio. Il Cdr del «Sole 24 Ore» dà il benvenuto al nuovo editore, il neopresidente di Confindustria Luca Cordero di Montezemolo: «Fare informazione in questi anni non è stato facile: il potere oggi viene declinato con più volgarità e arroganza rispetto al passato [...]. La libertà e l'indipendenza dai poteri forti è un valore da preservare e difendere. È un valore che negli ultimi anni l'azionista non sempre ha tutelato».

1 giugno. Nuove indicazioni della Pubblica istruzione alle scuole per i piani di studio. Nessun accenno al nazifascismo né alla Resistenza. Si parla invece del «crollo del comunismo».

6 giugno. Grande celebrazione in Normandia per ricordare i 60 anni dello sbarco alleato. Ma Berlusconi non viene invitato, dunque Rai e Mediaset non trasmettono nemmeno un secondo della cerimonia, seguita in diretta dalle tv di tutto il mondo con 2 miliardi e più di spettatori. Cattaneo dà la colpa alle reti e ai tg, Del Noce dice che «a giugno tanti sono al mare», Rumi parla di «svista», Gasparri assicura: «La politica non c'entra».

7 giugno. L'Authority comunica che, su 40 milioni di euro di pubblicità istituzionale degli enti pubblici, oltre 20 vanno alle televisioni (in aumento quelli per le reti Mediaset) e appena 10 ai giornali. La legge prevederebbe l'esatto contrario.

8 giugno. Nel giorno della liberazione degli ostaggi italiani in Iraq, Berlusconi e i suoi ministri occupano in permanenza tutte le tv per ore e ore. Il solo premier parla per 63 minuti e 2 secondi in mezza giornata. Al Tg5 e a *Studio Aperto* occupa addirittura il 100% degli spazi dedicati ai commenti politici. Vespa inscena un *Porta a Porta* con Berlusconi collegato dagli Usa e Frattini solitario in studio.

10 giugno. Berlusconi invia messaggi sms a tutti i cellulari d'Italia per raccomandare di andare a votare alle europee e alle amministrative. Fede, sanzionato dall'Authority per aver violato scandalosamente la par condicio in tutta la campagna elettorale, si presenta al Tg4 con un cartello al collo col testo della sentenza che è obbligato a leggere in diretta. Un siparietto per mettere tutto in burletta.

12-13 giugno. Elezioni europee. Forza Italia, con Berlusconi ineleggibile capolista in tutte le circoscrizioni, perde 8 punti percentuali e 4 milioni di voti. La Cdl invece tiene, con il successo dell'Udc e i lievi aumenti di An e Lega. Ma perderà seccamente le amministrative, a partire dalla clamorosa sconfitta alla Provincia di Milano.

22 giugno. L'Authority della Concorrenza vorrebbe indagare sulle pubblicità occulte nei programmi Rai, ma Cattaneo rifiuta di consegnare le videocassette.

27 giugno. Brutta aria per la Cdl ai ballottaggi amministrativi. La Rai decide di non seguirli con alcuno speciale, limitandosi ad allungare di 20 minuti il Tg3, dalle 23,30 alle 23,50. Proteste dalle opposizioni. Ma Petruccioli difende la Rai: «Ha dedicato ai ballottaggi più attenzione che in passato».

29 giugno. Vertice a Palazzo Chigi convocato da Gianni Letta con Flavio Cattaneo per siglare un patto sulle prossime nomine Rai. Intanto Mediaset acquista i diritti televisivi per le partite di Juventus, Milan, Inter, Roma e altre quattro squadre di serie A, che saranno trasmesse a pagamento sul digitale terrestre grazie ai nuovi, sconfinati spazi spalancati dalla Gasparri all'azienda del premier. La Rai non presenta nemmeno un'offerta, favorendo smaccatamente Mediaset.

1 luglio. La Procura di Roma apre un'inchiesta sul nuovo contratto di Vespa in seguito a una denuncia e ascolta la Annunziata.

3 luglio. Dopo le dimissioni di Tremonti, Berlusconi assume l'interim dell'Economia e per qualche settimana diventa titolare delle azioni e del patrimonio della Rai, nonché il depositario della nomina del presidente e dell'amministratore delegato della televisione pubblica. Rai1 trasmette il premio «Giorgio Almirante» con la vedova Assunta, Lando Buzzanca, Roberto Gervaso, Nino Benvenuti e Giorgio Albertazzi, che celebra Almirante come «uno dei più grandi uomini del secolo scorso».

6 luglio. RaiSat propone per una settimana intera, nel programma *Terrazze*, un'intervista-fiume a Cesare Previti dall'attico della sua dimora in piazza Farnese.

11 luglio. Durante la «verifica» nella Cdl, Berlusconi comunica a Marco Follini che gli ha «rotto i coglioni». Ecco il dialogo fra i due, riportato l'indomani da alcuni giornali. Berlusconi: «Parliamo della par condicio: se non abbiamo vinto le elezioni, caro Follini, è colpa tua che non l'hai voluta abolire». Follini: «Io trasecolo. Credevo che dovessimo parlare dei problemi della maggioranza e del governo». Berlusconi: «Non far finta di non capire, la par condicio è fondamentale. Capisco che tu non te ne renda conto, visto che sei già molto presente sulle reti Rai e Mediaset». Follini: «Sulle reti Mediaset ho avuto 42 secondi in un mese». Berlusconi: «Non dire sciocchezze, la verità è che su Mediaset nessuno ti attacca mai». Follini: «Ci mancherebbe pure che mi attacchino». Berlusconi: «Se continui così, te ne accorgerai. Vedrai come ti tratteranno le mie tv». Follini: «Voglio che sia chiaro a tutti che sono stato minacciato».

12 luglio. Francesco Di Stefano, proprietario di Europa 7, la tv che non può trasmettere perché dal 1999 ha regolarmente ottenuto le concessioni ma il ministero le ha sempre negato le frequenze (occupate da Rete4 e Tele+Nero, due tv prive di concessione, ma autorizzate «transitoriamente» a trasmettere), dopo il doppio colpo di spugna del decreto salva-Rete4 e della Gasparri si rivolge al Tar del Lazio per ottenere quanto gli spetta. Compresi i 748 milioni di euro di danni subiti in cinque anni di forzata inattività.

14 luglio. La Vigilanza – con i voti dell'Udc e del centrosinistra – vota la sfiducia a quel che resta del Cda Rai e lo invita a sospendere tutte le nomine e a dimettersi entro il 30 settembre. Ma non si dimettono né i quattro consiglieri superstiti né Cattaneo.

20 luglio. Paolo Berlusconi di nuovo condannato, questa volta a 4 mesi in primo grado per false fatturazioni. Le tv ignorano l'evento, minimizzato anche dalla stampa. Il «Financial Times» riporta la notizia e domanda: «Perché in Italia l'informazione ignora la condanna del fratello del premier? Con Bush, Chirac, Blair e Schroeder non sarebbe accaduto».

22 luglio. L'Authority accusa la Rai di aver violato la legge con *La vita in diretta*, *Unomattina* e *Quelli che il calcio* invitando politici governativi. E apre un'istruttoria su Rai e Mediaset per i continui sforamenti dei tetti pubblicitari.

23 luglio. Due parlamentari di An, Cola e Onnis, chiedono al ministro Castelli di punire il procuratore aggiunto Armando Spataro, reo di aver scritto un articolo sull'«Unità». Intanto l'arbitrato fra la Rai e l'ex caporedattore della Rai Emilia Romagna, Giorgio Tonelli, si conclude a vantaggio di quest'ultimo: illegittima la sanzione disciplinare inflittagli dall'azienda per poterlo sostituire con un giornalista di area An.

24 luglio. Berlusconi, fischiato e contestato dalla folla a Rimini, si avvicina a una donna, Anna Galli, che gli urla «Vai a casa» e la apostrofa così: «Tu hai una bella faccia da stronza».

27 luglio. La Procura di Ancona preannuncia la richiesta di rinvio a giudizio per i promotori di Disco Volante, una piccola tv di strada di Senigallia riservata ai disabili, cui furono posti i sigilli nel settembre 2003. L'accusa: invasione abusiva delle frequenze. La legge Gasparri salva Rete4, ma non Disco Volante.

28 luglio. Una delle 5100 famiglie-campione dell'Auditel rivela a «Repubblica» di essersi presa gioco di tutti, falsificando per anni i propri dati di ascolto. L'Authority, che dal 1997 è incaricata di vigilare sull'Auditel, non risulta aver fatto nulla.

30 luglio. Pippo Baudo si dimette da direttore artistico del nuovo Festival di Sanremo e denuncia la Rai per mobbing, a causa di «violenze psicologiche inaudite». La Rai lo licenzia per presunte violazioni contrattuali («ha attaccato più volte l'azienda»), minaccia a sua volta azioni legali e lo sostituisce con Bonolis, che sarà anche presentatore della kermesse. Baudo parla di «pulizia etnica». Cattaneo ribatte: «La Rai sopravviverà anche senza Baudo». Intanto Marcello Veneziani, su «Libero», rivela un accordo segreto che impone alla Rai di continuare a versare all'Annunziata un'«indennità di carica» (si parla di 1 miliardo e 350 milioni di lire) anche dopo le dimissioni; l'ex presidente smentisce la cifra. Berlusconi, tramite Mondadori, acquista Radio 101.

2 agosto. Il premier, dopo la lunghissima verifica di governo, annuncia che abolirà la par condicio: «È illiberale».

4 agosto. Su ordine di Berlusconi, il ministro della Sanità Girolamo Sirchia revoca all'oncologo e deputato ds Pino Petrella l'incarico di consulente gratuito della fondazione anticancro «Pascale»: Petrella ha osato denunciare alla Camera lo sfascio della sanità in Campania.

6 agosto. «L'Unità» svela il superstipendio di Cattaneo: 750 mila euro all'anno, un record rispetto ai predecessori Saccà (505 mila euro), Cappon (350), Celli (395). L'ex presidente argentino Carlos Menem, latitante in Cile per sfuggire a due mandati di cattura internazionali spiccati dai giudici del suo paese per traffico d'armi e malversazione di fondi pubblici, e pure sotto inchiesta in Svizzera per una serie di maxitangenti, dichiara all'«Unità»: «Berlusconi è un uomo capace, viene dal mondo degli affari, fa bene il suo mestiere. Certo, ha un grande vantaggio che gli altri non hanno. Controlla le televisioni. È una condizione particolare che gli dà molto potere. A chi non piacerebbe avere le televisioni dalla propria parte».

Postfazione
di Beppe Grillo

Quando lavoravo alla Rai, ogni sabato sera, prima di andare in onda, mi chiamava il direttore generale Biagio Agnes: «Con la stima che ci lega, signor Grillo, si ricordi che lei si rivolge alle famiglie». Io regolarmente rispondevo: «Non c'è nessuna stima, signor Agnes, fra me e la sua famiglia...». Poi, subito dopo la sigla, avvertivo il pubblico: «Pochi minuti fa mi ha telefonato il direttore generale e ha cercato di corrompermi». La censura della Rai democristiana non era brutale e intimidatoria, violenta e ottusa come quella di oggi. Non cercava di annientarti, di rovinarti con le denunce. Era più bonaria, famigliare, melliflua. Si presentava col volto del vecchio zio burbero benefico, che ti dà buoni consigli per il tuo bene. E tu, con un po' di astuzia, la potevi aggirare. Per esempio: era vietato parlare di P2, allora io una sera andai in scena con una lavagna e fornii una complicata ma persuasiva dimostrazione matematica dell'esistenza di Pietro Longo. Alla fine usciva il suo faccione in un triangolo, il simbolo massonico. Successe un casino. Pippo Baudo si arrabattava poi a rimediare con le sue arti democristiane. Anche a lui ricordavo la differenza fra la mia famiglia e le «famiglie» delle sue parti, Catania e dintorni. Ecco, quella censura metteva alla prova la creatività del censurato, quasi lo sfidava ad aggirare l'ostacolo.

Poi arrivò Craxi e cambiò tutto. Mi tennero lontano dalla Rai per diversi anni, dal 1986 al 1993, per due battute che anticipavano Tangentopoli. In una, ammiccando allo spot che facevo per uno yogurt bussando alle porte della gente per offrire un assaggio, raccontai di aver bussato a casa Craxi. Bettino apriva e faceva per richiudere l'uscio: «No, grazie, non mangio yogurt». E io: «Ma non sono qui per quello. È che mi hanno fregato il motorino, e pensavo che lei ne sapesse qualcosa».

Nell'altra, parlavo della mitica missione in Cina del premier socialista, che s'era portato dietro un codazzo di parenti, famigli, amici, portaborse, damazze, contesse, fidanzate. Giunto a Pechino, l'avevano avvertito: «Sa, presidente, qui siamo tutti socialisti». E lui aveva risposto: «Ma allora a chi rubate?».

Poi, nel '92-'93, li portarono tutti in galera. Nel '93, dopo lunga quarantena, si rifece viva con me la Rai dei «professori»: tutte brave persone, che non capivano un tubo di televisione. Feci due serate in diretta, poi cominciarono a capire qualcosa di televisione e decisero che bastava così. Nel '94 mi richiamò la Moratti. Stessa manfrina di sempre: «Grillo, lei potrà fare e dire quello che le pare. Ha carta bianca». Conoscendo i miei polli, li misi con le spalle al muro: «Guardate, io vi mando una cassetta del mio spettacolo, e voi potete tagliare qualsiasi cosa, quello che volete». Risposero: «Ma noi non vogliamo tagliare niente». Tagliarono tutto, nel senso che la cassetta non andò mai in onda. Non era quel che dicevo, il problema. Il problema ero io, quel che rappresentavo con le mie battute e le mie denunce sulle case automobilistiche, la ricerca fasulla, i consumi, le pubblicità, i Nobel comprati, il petrolio e l'idrogeno, gli spazzolini inquinanti. Perché in Italia puoi dire peste e corna del presidente della Repubblica, ma se tocchi un formaggino ti fulminano. Di' quel che vuoi, ma non sfiorare i fatturati.

È così anche nell'Italia berlusconiana. Il Cavaliere mica s'incazza se si fa satira sociale, sulle pensioni, sulle riforme, sulle ville, sulla statura, sulla pelata. S'incazza se parli dei suoi processi e del suo monopolio, che poi sono le vere ragioni per cui fa politica: in una parola, i guadagni di Mediaset. Quello è il tabù. Per questo sono saltati Biagi, Santoro, Luttazzi, la Guzzanti, Fini, Rossi e tutti gli altri. Perché lo toccavano negli affetti più cari: i fatturati. E lui, quando gli toccano i fatturati, va fuori di testa. Parla di «uso criminoso della televisione», lui che la usa criminosamente da vent'anni. E così trasforma in eroi e in martiri dei professionisti che si limitavano a fare onestamente il loro mestiere di giornalisti o di artisti. Niente di rivoluzionario: solo il loro mestiere, anche se è vero che in Italia solo i veri rivoluzionari fanno ancora il loro mestiere.

Ecco, lo stile è lo stesso di Craxi. Anche se Craxi non possedeva tutte le tv d'Italia: gli sarebbe piaciuto fare quel che fa oggi

Berlusconi, ma non poteva. Aveva il 13% dei voti o giù di lì. All'inizio credevo anch'io che fosse uno statista. Poi capii che era un ometto. Me ne accorsi quando, con mio grande stupore, lo sentii – lui, il presidente del Consiglio – pronunciare il nome di un comico genovese: il mio. «Chi si crede di essere Grillo?», disse. Solo un ometto poteva scomodarsi per me, abbassarsi a tanto. Fosse stato intelligente, avrebbe detto: «C'è un birichino di Genova che mi prende in giro, ma io mi diverto moltissimo». E mi avrebbe ucciso per sempre. Rovinato. Invece fece di me un eroe, un martire. Da quel giorno non ebbi più fans, ma parenti. Fratelli. I grandi personaggi, anche nel male, ti fanno i complimenti in pubblico e poi te lo mettono in quel posto in privato, a tempo debito. A freddo. Sono i mediocri, gli ometti che cadono nella trappola delle epurazioni, delle censure sfacciate e brutali, addirittura preannunciate dalla Bulgaria. Sono i poveracci, che si sentono deboli e insicuri. I «grandi comunicatori» che, alla terza volta che vanno in televisione, fanno scappare la gente perché non ne può più. Lasciamoli fare, si stanno autoeliminando da soli (dopodiché bisognerà occuparsi dello smaltimento delle scorie che lasceranno…).

E noi, intanto? Protestiamo, certo, contro il regime mediatico. Cerchiamo di perforarlo con le notizie che nessuno dà, e che sono il miglior antidoto. Ma facciamo pure tesoro della censura per sviluppare la creatività, aguzzare l'ingegno, imparare nuovi sistemi per aggirarla. Certo, bisogna rinunciare a qualcosa per poter dire ancora quel che si vuol dire. Certo, ora che la censura s'è fatta più brutale e scientifica, aggirarla è più difficile di prima. Anche perché la censura riesce a occultare pure la censura stessa. Ed è difficile far capire alla gente che, in questa overdose di informazione, nessuno ci informa davvero. Era molto più facile nella Russia di Breznev, quando c'era solo la «Pravda» e infatti il giornale più letto era il «Washington Post»: tutti sapevano di vivere nel regime della menzogna, e tutti andavano a cercarsi le notizie vere. Oggi siamo pieni di «Pravde» e le scambiamo per tanti «Washington Post». Ci manca l'informazione, ma non lo sappiamo.

Per questo, nel prossimo spettacolo, ho deciso di fare politica anch'io. Senza candidarmi. Senza dare nell'occhio. Di nascosto. L'ho fatto per tanti anni nei teatri. Ora voglio abbi-

nare i teatri e la rete, cioè Internet. Per fare politica senza inter-
mediari, senza politici: quelli non servono più, sono obsoleti,
superflui, cadaveri ambulanti. Non rappresentano più nessuno, nemmeno se stessi. Lancio un movimento politico che, tanto per cominciare, punta a smuovere un milione di persone. A
tirar fuori il furore che c'è in loro. Lo chiameremo «A furor di
popolo». Voglio un po' vedere come potranno ignorarlo. E,
soprattutto, come faranno a censurarlo.

Indice del volume

BUR

Periodico settimanale: 22 dicembre 2004

Direttore responsabile: Rosaria Carpinelli

Registr. Trib. di Milano n. 68 del 1°-3-74

Spedizione in abbonamento postale TR edit.

Aut. N. 51804 del 30-7-46 della Direzione PP.TT. di Milano

Finito di stampare nel dicembre 2004 presso

il Nuovo Istituto Italiano d'Arti Grafiche - Bergamo

Printed in Italy

ISBN 88-17-00246-1